資産・債権の流動化・証券化

第4版

西村あさひ法律事務所［編］

一般社団法人 金融財政事情研究会

第4版の刊行にあたって

　平成22年発刊の本書第2版のはしがきではサブプライムローン問題の影響に触れ、平成28年発刊の本書第3版のはしがきではマイナス金利の影響について言及したが、今回の第4版の発刊の前にも、新型コロナウイルス感染症の流行という社会経済に多大な影響を与える事象が発生した。このコロナ禍はサブプライムローン問題のような「金融発」の事象ではないこともあり、わが国の証券化市場に大きな混乱を生じさせることはなかったと認識しているが、金融分野を含めて社会生活のあり方を大きく変容させることとなっている。

　同時に、テクノロジーの進展や、経済活動へのESGやSDGsの視点の浸透など、一般的な経済環境や当事者の価値観が急速に変化している。証券化の分野でもこれらの新しい要素を取り入れる動きが徐々にみられるようになっている。今後、他の金融手法とは異なる証券化の特性を活かして、新たなテクノロジーを活用した付加価値の高い商品や「環境（environment）」「社会（social）」といった視点も取り込んだ商品が組成されることや、より利便性の高いサービスが提供されるようになることが期待される。

　法制度面では、近年、証券化取引のあり方や実務を抜本的に変えるような新規立法・制度改正はみられないものの、引き続き私法・規制法の両分野で変動が生じている。この点、海外に目を転じると、たとえば、アジア各国では証券化に関する法制度の整備が進展している。まだわが国の当事者がアジア地域の証券化市場に資金調達や投資のかたちで関与していく事例は限定的であるが、法的インフラが整備されることで、そのような取組みの可能性も高まっていくであろう。

　以上のような変化がある一方で、引き続き低金利の状況は変わらず継続しており、コストをかけて新たなストラクチャーを考案・組成して資金調達取引を実行するインセンティブが生じにくい状況が続いている。もっとも、従

来型の不動産や金銭債権の証券化取引は堅調に推移しており、証券化には安定性の高い資金調達手段という評価が確立しているといえよう。

　このような実務環境のもと、改訂を行った本書であるが、証券化の実務・法務が成熟してきていることもあり、基本的な構成は本書第3版を維持している。そのうえで、随所に新しい動きを盛り込み、改訂を行っている。まず、第1章において、証券化の特性やわが国における直近の状況を概観する。次に、第2章・第3章において、証券化で用いられる基本的な概念・法制度や証券化取引に適用される規制内容について解説を行う。そのなかでは、令和2年に施行された債権法改正による債権譲渡に関する規律の見直しや、「バーゼルⅢの最終化」による自己資本比率規制などの改正といった動きを反映している。次いで、第4章では、金銭債権の証券化、不動産の証券化などの証券化取引の類型ごとに具体的な手法やスキームを解説する。ここでは、実務的に利用例が増えている自己信託を用いたスキームや、取組みが始まりつつあるデジタル証券に関する記述を追加している。そして、第5章は、本書第3版と同様、アジアの法域のうち、中国、香港、インドネシア、タイを取り上げ、それぞれの地域における証券化に関する実務や法制度のアップデートを行った。本書の内容が証券化取引への理解の一助となり、わが国の事業会社、金融機関その他の市場関係者による国内外での証券化取引への取組みの促進につながることを期待する次第である。

　本書の刊行にあたっては、株式会社きんざい出版部の西田侑加氏に大変お世話になった。同氏からの改訂のご発案により、執筆者が奮い立ち、このタイミングでの改訂に至ったものであり、その後の編集作業も含めて同氏のご尽力により第4版の刊行が実現した。同氏に心より感謝申し上げる。

令和4年2月

編者・執筆者を代表して
有吉　尚哉

【編著者略歴】

前田　敏博（まえだ　としひろ）

東京大学法学部／コーネル大学ロースクール（LL.M.）、各卒業
西村あさひ法律事務所パートナー弁護士
第一東京弁護士会所属／ニューヨーク州弁護士
［主な職歴等］
1994～1995年　Skadden, Arps, Slate, Meagher & Flom法律事務所（ニューヨーク）にて勤務
1996年　長城対外経済律師事務所（北京）にて勤務
2004～2007年　慶應義塾大学法科大学院　非常勤講師
2007～2013年　慶應義塾大学法科大学院　非常勤教授
2014～2020年　西村あさひ法律事務所上海事務所　首席代表
［主な著書・論文等］
『中国民法典と企業法務』〔共著〕（ぎょうせい、2021年）、『ファイナンス法大全〔全訂版〕』〔共著〕（商事法務、2017年）、「中国ファンド投資への外資参入に関する考察（下）」（国際商事法務Vol. 41 No. 9、2013年）、「中国ファンド投資への外資参入に関する考察（上）」（国際商事法務Vol. 41 No. 8、2013年）、「資産流動化法（SPC法）と信託」（金融・商事判例No. 1261、2007年3月増刊号）、『利用者の視点からみた投資サービス法』〔共著〕（財経詳報社、2006年）、『ファイナンス法大全　アップデート』〔共著〕（商事法務、2006年）、『ファイナンス法大全』〔共著〕（商事法務、2003年）、等多数
担当：第5章第1節

齋藤　崇（さいとう　たかし）

早稲田大学法学部／カリフォルニア大学バークレー校ロースクール（LL.M.）、各卒業
西村あさひ法律事務所パートナー弁護士
第一東京弁護士会所属
［主な職歴等］
2013年4月～2016年9月　東京大学法学部　非常勤講師

［主な著書・論文等］

『証券化ハンドブック』〔共著〕（流動化・証券化協議会、2020年）、『プライベート・エクイティ投資の実践―オープン・イノベーションが企業を変える』〔共著〕（中央経済社、2020年）、『Banking Regulation 2020 ―seventh edition―(Japan Chapter)』〔共著〕（Global Legal Group、2020年）、『M&A法大全（下）〔全訂版〕』〔共著〕（商事法務、2019年）、『これだけは知っておきたい！弁護士による宇宙ビジネスガイド―New Spaceの潮流と変わりゆく法』〔共編著〕（同文館出版、2018年）、『ファイナンス法大全（上・下）〔全訂版〕』〔共著〕（商事法務、2017年）、等多数

担当：第4章第3節、第5節

有吉　尚哉（ありよし　なおや）

東京大学法学部卒業
西村あさひ法律事務所パートナー弁護士
第一東京弁護士会所属

［主な職歴等］

2009年9月～　金融法委員会　委員
2010年4月～2011年10月　金融庁総務企画局企業開示課　専門官
2013年4月～　京都大学法科大学院　非常勤講師
2013年8月～　日本証券業協会「JSDAキャピタルマーケットフォーラム」　専門委員
2018年4月～　武蔵野大学大学院法学研究科　特任教授
2020年10月～　金融審議会市場制度ワーキング・グループ　メンバー
2021年4月～　一橋大学大学院法学研究科　非常勤講師
2021年10月～　金融法学会　理事

［主な著書・論文等］

『Q&A金融サービス仲介業』〔監修・共著〕（金融財政事情研究会、2021年）、『金融機関コンプライアンス50講』〔共編著〕（金融財政事情研究会、2021年）、『リース法務ハンドブック』〔共編著〕（金融財政事情研究会、2020年）、『個人情報保護法制大全』〔共著〕（商事法務、2020年）、『債権法実務相談』〔監修・共著〕（商事法務、2020年）、『ファイナンス法大全（上・下）〔全訂版〕』〔共編著〕（商事法務、2017年）、等多数

担当:第1章、第2章第1節・第2節・第4節、第3章第5節、第4章第4節

【著者略歴】

小新　俊明（こじん　としあき）

東京大学法学部卒業
西村あさひ法律事務所カウンセル弁護士
第一東京弁護士会所属
[主な著書・論文等]
『REITのすべて〔第2版〕』〔共著〕（民事法研究会、2017年）、『ファイナンス法大全　アップデート』〔共著〕（商事法務、2006年）、「リース資産の証券化に関する法的諸問題」〔共著〕（資産の流動化に関する調査研究報告書第1号、2005年）
[主な業務分野]
不動産ファイナンス、不動産取引、証券化・流動化取引
担当:第4章第2節1・2

吉本　祐介（よしもと　ゆうすけ）

東京大学法学部／コロンビア大学ロースクール（LL.M)、各卒業
西村あさひ法律事務所パートナー弁護士
第一東京弁護士会所属／ニューヨーク州弁護士
[主な職歴等]
2008年7月〜2009年6月　三井物産株式会社法務部にて勤務
2010年8月〜2011年7月　米国三井物産株式会社本店（ニューヨーク）にて勤務
2011年11月〜2012年9月　Ali Budiardjo, Nugroho, Reksodiputro 法律事務所（ジャカルタ）にて勤務
[主な著書・論文等]
『個人情報保護法制大全』〔共著〕（商事法務、2020年）、『企業労働法実務相談』〔共著〕（商事法務、2019年）、『M&A法大全（上・下）〔全訂版〕』〔共著〕（商事法務、2019年）、『インドネシアのビジネス法務』〔共著〕（有斐閣、2018年）、「インドネシアのフィンテックの最新事情」（金融法務事情2091号、2018年）、等多数

［主な業務分野］
一般企業法務、国際取引全般、危機管理、インドネシア
担当：第5章第3節

小原　英志（おばら　ひでし）

上智大学法学部国際関係法学科／ミシガン大学ロースクール（LL.M）、各卒業
西村あさひ法律事務所パートナー弁護士
東京弁護士会所属／ニューヨーク州弁護士
［主な職歴等］
2008〜2009年　三菱東京UFJ銀行米州法務室（在ニューヨーク）　出向
2011〜2013年　バンコクのテレキ・アンド・ギビンズ法律事務所　出向
2013年7月〜　西村あさひ法律事務所バンコク事務所設立とともに、同事務所代表
［主な著書・論文等］
『個人情報保護法制大全』〔共著〕（商事法務、2020年）、『企業労働法実務相談』〔共著〕（商事法務、2019年）、『M&A法大全（上・下）〔全訂版〕』〔共著〕（商事法務、2019年）、『アジア進出・撤退の労務―各国の労働法制を踏まえて』〔共著〕（中央経済社、2017年）、「タイのトレンド」〔単著〕（法と経済のジャーナル Asahi Judiciary、2016年）、『資産・債権の流動化・証券化〔第3版〕』〔共著〕（金融財政事情研究会、2016年）、「Doing Business In タイ」〔共著〕（西村あさひ法律事務所、2012年改訂）、『移転価格税制のフロンティア』〔共著〕（有斐閣、2011年）、等多数
［主な業務分野］
一般企業法務、M&A、コンプライアンス、労働法務、事業再生／倒産、国際取引全般、国際争訟、タイ
担当：第5章第4節

大槻　由昭（おおつき　よしあき）

東京大学法学部／南カリフォルニア大学ロースクール（LL.M）、各卒業
西村あさひ法律事務所弁護士
第一東京弁護士会所属／ニューヨーク州弁護士

［主な職歴等］
2011～2012年　ロンドンのノートン・ローズ・フルブライト法律事務所
2012年　香港のウー・クヮン・リー・アンド・ロー法律事務所
2012～2014年　新日鐵住金株式会社　法務部国際法務室
［主な著書・論文等］
「事例から考えるJOAシリーズ(3)～廃鉱（Decommissioning）編～」〔共著〕（石油開発時報No.197、2020年）、「事例から考えるJOAシリーズ(2)～オペレーターの責任編～」〔共著〕（石油開発時報No.195、2019年）、『エネルギー産業の法・政策・実務』〔共著〕（弘文堂、2019年）、「事例から考えるJOAシリーズ(1)～脱退編～」〔共著〕（石油開発時報No.194、2019年）、『M&A法大全（上・下）〔全訂版〕』〔共著〕（商事法務、2019年）、『エネルギー法実務要説』〔共著〕（商事法務、2018年）、『アジア進出・撤退の労務―各国の労働法制を踏まえて』〔共著〕（中央経済社、2017年）、「LNGの売買契約（SPA）の主要条項について」（石油開発時報No.190、2017年）、『アジアにおけるシンジケート・ローンの契約実務と担保法制』〔共著〕（金融財政事情研究会、2016年）
担当：第5章第2節

鶴岡　勇誠（つるおか　たけのぶ）

東京大学法学部卒業
西村あさひ法律事務所パートナー弁護士
第一東京弁護士会所属
［主な職歴等］
2018～2019年　株式会社三菱UFJ銀行（シンガポール支店）　出向
［主な著書・論文等］
「株式譲渡契約の売主のクロージング義務の有無が争われた裁判例のLBOにおける実務上の意義・留意点―東京地判令2.3.19の検討―」〔共著〕（金融法務事情2173号、2021年）、「シンジケートローンの米国法上の証券該当性が争点となった近時の判決について～Kirschner v. J.P. Morgan Chase Bank, N.A.の検討と日本法への示唆～」〔共著〕（国際商事法務Vol.49 No.2、2021年）、「エクエーター原則／赤道原則（第4版）の概要とその意義」〔共著〕（国際商事法務Vol.48 No.8、2020年）、「［特集］ポストコロナ社会とこれからの法的リスク―契約条項見直しの方向性」〔共著〕（Business Law Journal No.149、2020年）、「LBOロー

ン契約とIFRSをめぐる諸論点」〔共著〕（金融法務事情2136号、2020年）、「Practical Law Global Guide 2018: Lending and Taking Security（Japan Chapter）」〔共著〕（Thomson Reuters、2018年）
担当：第3章第1節・第2節・第3・第4節、第4章第1節2(4)

原　光毅（はら　こうき）

慶應義塾大学法学部／ノースウェスタン大学ロースクール（LL.M）、各卒業
西村あさひ法律事務所パートナー弁護士
第二東京弁護士会所属／ニューヨーク州弁護士
[主な職歴等]
2014年8月～2015年9月　三菱UFJ銀行（ロンドン支店）
[主な著書・論文等]
「Japan Chapter－Trends & Developments: Chambers Legal Practice Guides Real Estate 2021」〔共著〕（Chambers and Partners、2021年）、「サブリース事業や賃貸住宅管理業を規制する適正化法施行へ」（法と経済のジャーナルAsahi Judiciary、2020年）、「新型コロナ対応の法的な問題点（中）賃料の減額・猶予　交渉契約内容の確認から」（日本経済新聞社、2020年）、「不動産ファンド・リート間における不動産信託受益権の相互間取引に係る規制緩和」〔共著〕（N&A金融ニューズレター、2019年）、「ドイツ法人に対する融資とレンダー・ライアビリティ」〔共著〕（国際商事法務、2018年）、『ファイナンス法大全〔全訂版〕』〔共著〕（商事法務、2017年）、『REITのすべて〔第2版〕』〔共著〕（民事法研究会、2017年）
担当：第2章第3節1(2)、第4章第2節4

芝　章浩（しば　あきひろ）

東京大学法学部／コーネル大学ロースクール（LL.M.）、各卒業
西村あさひ法律事務所パートナー弁護士
第一東京弁護士会所属／ニューヨーク州弁護士
[主な職歴等]
2011年10月～2014年6月　金融庁（総務企画局企業開示課、同局市場課、同局企画課調査室および同課信用制度参事官室）　出向

2017年8月～2018年8月　株式会社三菱UFJ銀行（シンガポール支店）　出向
2021年4月～同年8月　東北大学法科大学院非常勤講師（金融法）
[主な著書・論文等]
『Q&A金融サービス仲介業』〔共編著〕（金融財政事情研究会、2021年）、「暗号資産の移転その他の処分の法律関係と実務」『暗号資産の法的性質と実務』（金融・商事判例 増刊号No.1611、2021年）、「Chapter 15 Japan」〔共著〕『The Real Estate Law Review－Tenth Edition』（Law Business Research、2021年）、『金融機関コンプライアンス50講』〔共著〕（金融財政事情研究会、2021年）、「パンデミックと貸出金融機関」〔共著〕（ジュリスト1551号、2020年）、『金融資本市場と公共政策―進化するテクノロジーとガバナンス』〔共著〕（金融財政事情研究会、2020年）、「トークン・ビジネス法務入門：第1回～第6回」（ビジネス法務19巻12号・20巻1号・3号～6号、2019年・2020年）、「暗号資産の民事法上の取扱い」（NBL1138号、2019年）、『ファイナンス法大全（下）〔全訂版〕』〔共著〕（商事法務、2017年）、『アジアにおけるシンジケート・ローンの契約実務と担保法制』〔共著〕（金融財政事情研究会、2016年）、等多数
担当：第3章第6節、第4章第2節3

織田　真史（おだ　まさふみ）

慶應義塾大学法学部／慶應義塾大学大学院法務研究科、各卒業
西村あさひ法律事務所パートナー弁護士
第一東京弁護士会所属
[主な職歴等]
2016年7月～2017年6月　三菱UFJモルガン・スタンレー証券株式会社市場商
　品本部　出向
[主な著書・論文等]
「信託を用いた貸金債権の証券化における過払金返還債務の帰属主体について」〔共著〕（NBL1027号、2014年）
[主な業務分野]
不動産取引、不動産ファイナンス、証券化・流動化取引、金融業規制
担当：第4章第2節1・2

山本　俊之（やまもと　としゆき）

　　慶應義塾大学環境情報学部／慶應義塾大学法科大学院、各卒業
　　西村あさひ法律事務所パートナー弁護士
　　第二東京弁護士会所属
　　日本証券アナリスト協会認定アナリスト、国際公認投資アナリスト
　　［主な職歴等］
　　2000～2005年　株式会社格付投資情報センター
　　2007～2008年　メリルリンチ日本証券株式会社
　　［主な著書・論文等］
　　『Q&A金融サービス仲介業』〔共編著〕（金融財政事情研究会、2021年）、「ESG投資の視点・手法と日本法における受託者責任」〔共著〕（NBL1189号、2021年）、『金融機関コンプライアンス50講』〔共著〕（金融財政事情研究会、2021年）、『AIの法律』〔共著〕（商事法務、2020年）、「金融AIを巡る法規制は発展途上　多角的視点が鍵を握る」〔共著〕（日経FinTech2020年11月号）、『個人情報保護法制大全』〔共著〕（商事法務、2020年）、『最新　契約書モデル文例集』〔共著〕（新日本法規出版、2019年）、「AIを利用した公募投信の現状」〔共著〕（月刊金融ジャーナル2019年2月号）、『ファイナンス法大全（上・下）〔全訂版〕』〔共著〕（商事法務、2017年）、『FinTechビジネスと法25講—黎明期の今とこれから』〔共著〕（商事法務、2016年）
　　担当：第4章第1節2(5)

下向　智子（しもむかい　ともこ）

　　京都大学法学部／ミシガン大学ロースクール（LL.M）／早稲田大学法科大学院、各卒業
　　西村あさひ法律事務所パートナー弁護士
　　東京弁護士会所属／ニューヨーク州弁護士
　　［主な職歴等］
　　1999～2005年　厚生労働省
　　2014年～　西村あさひ法律事務所バンコク事務所勤務
　　［主な著書・論文等］
　　「タイの日系企業駐在員が日本に一時帰国する際の留意点」（法と経済のジャー

ナルAsahi Judiciary、2021年)、『個人情報保護法制大全』〔共著〕(商事法務、2020年)、『企業労働法実務相談』〔共著〕(商事法務、2019年)、『M&A法大全(上・下)〔全訂版〕』〔共著〕(商事法務、2019年)、『アジア進出・撤退の労務―各国の労働法制を踏まえて』〔共著〕(中央経済社、2017年)、「[座談会]企業年金の法政策的論点」(ジュリスト1503号、2017年)、『フロー&チェック 労務コンプライアンスの手引』〔共著〕(新日本法規出版、2014年)、『和文・英文対照モデル就業規則〔第2版〕』〔共著〕(中央経済社、2014年)、『詳説 倒産と労働』〔共著〕(商事法務、2013年)、等多数
担当:第5章第4節

田口　祐樹（たぐち　ゆうき）

東京大学法学部／ニューヨーク大学ロースクール（LL.M）、各卒業
西村あさひ法律事務所パートナー弁護士
第一東京弁護士会所属／ニューヨーク州弁護士
[主な職歴等]
2017年8月～2018年8月　株式会社三菱UFJ銀行（ロンドン支店）にて勤務
[主な著書・論文等]
『The Structured Products Law Review 3rd edition』〔共著〕(Law Business Research、2021年)、『証券化ハンドブック』〔共著〕(流動化・証券化協議会、2021年)、『リース法務ハンドブック』〔共著〕(金融財政事情研究会、2020年)、『ファイナンス法大全（下）〔全訂版〕』〔共著〕(商事法務、2017年)
担当:第2章第3節1(1)・(3)

岡田　悠志（おかだ　ゆうじ）

東京大学法学部／東京大学法科大学院、各卒業
西村あさひ法律事務所弁護士
第一東京弁護士会所属
[主な業務分野]
不動産ファイナンス、不動産取引、証券化・流動化取引、PFI／プロジェクト・ファイナンス、FinTech、金融レギュレーション
担当:第4章第1節2(1)・(2)・(3)・(5)

吉見　洋人（よしみ　ひろと）

東京大学法学部／東京大学法科大学院、各卒業
西村あさひ法律事務所弁護士
東京弁護士会所属
［主な業務分野］
証券化・流動化取引、不動産ファイナンス、金融業規制／コンプライアンス、アセットマネージメント／ファンド、FinTech
担当：第2章第3節2、第3章第6節、第4章第1節1

呉　婷（ウー　ティン）

対外経済貿易大学法学部／東京大学大学院法学政治学研究科・修士課程、各卒業
北京市海問律師事務所パートナー弁護士
北京市律師協会所属
［主な職歴等］
2001年4月～2009年5月　西村あさひ法律事務所（東京）にて勤務
2009年6月～2019年4月　中国の大手律師事務所（北京）にて勤務
2019年5月～　北京市海問律師事務所にて勤務
［主な著書・論文等］
「アジア・太平洋資産証券化2016（ABS APAC 2016）」〔共著〕（SFJジャーナル2017年2月号）、「中国資産証券化フォーラム2015」〔共著〕（SFJジャーナル2015年8月号）、『日本税法概論』〔共同中訳〕（法律出版社、2014年）、『会社法概論』〔共同中訳〕（法律出版社、2011年）、『中国知的財産権重要判例の解説』〔共著〕（日本機械輸出組合、2009年）、「中国において債権回収のために執りうる法的手段の検討」〔共著〕（月刊ザ・ローヤーズ2008年5月号）、「中国における日本企業R&D成果の権利帰属に関する法的問題について」（特許ニュースNo.11391、2004年）
［主な業務分野］
外商投資、M&A、知的財産権（商標、著作権、ライセンス関連）
担当：第5章第1節

Jirapong　Sriwat（ジラポン　スリワット）

タンマサート大学（LL.B.）／ロンドン・スクール・オブ・エコノミクス（LL.M.）、各卒業
西村あさひ法律事務所パートナー弁護士
タイ法弁護士
[主な職歴等]
2004～2013年　バンコクのリンクレーターズ法律事務所勤務
2013年～　西村あさひ法律事務所バンコク事務所勤務
[主な著書・論文等]
「Private Equity Investments in Thailand」〔共著〕（西村あさひ法律事務所、2021年）、「Thailand：Taking and Enforcing Security Interests」〔共著〕（西村あさひ法律事務所、2021年）、「Private Placement in Thailand」〔共著〕（西村あさひ法律事務所、2021年）、「Thailand：Takeover and 5% Reporting Rules」〔共著〕（西村あさひ法律事務所、2021年）、「Thailand：Land Ownership Rules and Common Questions raised by Non-Thai Investors」〔共著〕（西村あさひ法律事務所、2021年）、「Thailand Chapter」〔共著〕（Lexology Getting the Deal Through―Joint Ventures 2021、2020年）、等多数
[主な業務分野]
一般企業法務、M&A、ベンチャー、バンキング、キャピタル・マーケッツ、PFI／プロジェクト・ファイナンス、事業再生／倒産、国際取引全般、資源エネルギー、タイ
担当：第5章第4節

Apinya　Sarntikasem（アピンヤー　サーンティカセーム）

チュラーロンコーン大学（LL.B.）／ニューヨーク大学ロースクール（LL.M.）／九州大学（LL.D.）、各卒業
西村あさひ法律事務所カウンセル弁護士
タイ法弁護士
[主な職歴等]
2009～2010年　チュラーロンコーン大学法学部　講師
2014年～　西村あさひ法律事務所　バンコク事務所勤務

2020年〜　チュラーロンコーン大学法学部　客員教授
［主な著書・論文等］
「Private Equity Investments in Thailand」〔共著〕（西村あさひ法律事務所、2021年）、「Private Placement in Thailand」〔共著〕（西村あさひ法律事務所、2021年）、「Thailand：Takeover and 5% Reporting Rules」〔共著〕（西村あさひ法律事務所、2021年）、「Thailand：Land Ownership Rules and Common Questions raised by Non-Thai Investors」〔共著〕（西村あさひ法律事務所、2021年）、「Thailand Chapter」〔共著〕（Lexology Getting the Deal Through—Joint Ventures 2021、2020年）、等多数
［主な業務分野］
一般企業法務、M&A、ファイナンス、国際取引全般、資源エネルギー、タイ
担当：第5章第4節

凡　　例

本書では以下の略語を用いている場合があります。

(1)　法　令　等

「一般社団法人法」	一般社団法人及び一般財団法人に関する法律
「銀行告示」	銀行法第十四条の二の規定に基づき、銀行がその保有する資産等に照らし自己資本の充実の状況が適当であるかどうかを判断するための基準
「金商業者等向け監督指針」	金融商品取引業者等向けの総合的な監督指針
「金商業等府令」	金融商品取引業等に関する内閣府令
「金商法」	金融商品取引法
「金融サービス提供法」	金融サービスの提供に関する法律
「兼営法」	金融機関の信託業務の兼営等に関する法律
「個人情報保護法」	個人情報の保護に関する法律
「サービサー法」	債権管理回収業に関する特別措置法
「資産流動化法」	資産の流動化に関する法律
「社債等振替法」	社債、株式等の振替に関する法律
「出資法」	出資の受入れ、預り金及び金利等の取締りに関する法律
「定義府令」	金融商品取引法第二条に規定する定義に関する内閣府令
「電債法」	電子記録債権法
「動産債権譲渡特例法」	動産及び債権の譲渡の対抗要件に関する民法の特例等に関する法律
「投信法」	投資信託及び投資法人に関する法律
「特債法」	特定債権等に係る事業の規制に関する法律（廃止）
「特定有価証券開示府令」	特定有価証券の内容等の開示に関する内閣府令
「不登法」	不動産登記法

(2) 文　　献

「一問一答金商法」	松尾直彦編著『一問一答　金融商品取引法〔改訂版〕』（商事法務、平成20年）
「一問一答電債法」	始関正光・高橋康文編著『一問一答電子記録債権法』（商事法務、平成20年）
「逐条解説資産流動化法」	長崎幸太郎編著・額田雄一郎改訂『逐条解説資産流動化法〔改訂版〕』（金融財政事情研究会、平成21年）
「逐条解説信託法」	寺本昌弘『逐条解説新しい信託法〔補訂版〕』（商事法務、平成20年）

目　次

第1章　証券化の特性と概況

第1節　証券化をめぐる環境 … 2
　1　近年の証券化市場の概況 … 2
　2　金融分野の潮流 … 4
　3　頻繁な制度改正 … 5
第2節　証券化の特性 … 6
　1　企業金融型資金調達と資産金融型資金調達 … 6
　　(1)　企業金融型資金調達の特徴 … 6
　　(2)　資産金融型資金調達の特徴 … 7
　2　証券化により資金調達を行うメリット … 8
　　(1)　対象資産の価値に依拠した有利な条件による資金調達 … 8
　　(2)　資金調達手段・資金調達先の多様化 … 9
　　(3)　資産・リスク管理 … 10
　3　証券化に対する投資を行うメリット … 11
　　(1)　投資対象の多様化 … 11
　　(2)　スキーム・投資形態の柔軟性 … 11
　　(3)　条件・リスクの加工 … 12
　4　企業金融型資金調達と証券化において資金提供者の負担するリスクの相違 … 12

第2章　証券化を達成する基本的法的枠組み

第1節　倒産隔離 … 16

1	総　　論	16
2	倒産予防措置	17
(1)	チャリタブルトラスト	18
(2)	一般社団法人	21
(3)	特定出資信託	24
(4)	目的信託	25
3	倒産手続防止措置	25
(1)	倒産申立権の放棄	26
(2)	責任財産限定特約	27
(3)	会社更生手続の適用の有無	28
(4)	信託財産の破産	29
4	倒産時対応措置	30

第2節　真正譲渡 32
　1　総　　論 32
　2　真正譲渡性の検証 34
　3　真正譲渡とその他の取引 37
　　(1) 担保付貸付との相違点 37
　　(2) ローン・パーティシペーションとの相違点 38
　　(3) クレジット・デフォルト・スワップとの相違点 40
　4　真正譲渡性とともに留意すべき概念 42
　　(1) 倒産隔離 42
　　(2) 否　　認 42
　　(3) 法人格否認の法理 43
　　(4) コミングリング・リスク 43

第3節　証券化の法的インフラ 45
　1　証券化Vehicleに関する法制度——資産流動化法、信託法、信託業法 46

（1）　証券化Vehicle総論 ·· 46
　　（2）　資産流動化法 ·· 55
　　（3）　信託法・信託業法 ·· 81
　2　債権譲渡にかかわる規律 ·· 109
　　（1）　動産債権譲渡特例法 ··· 109
　　（2）　二重譲渡リスクと電子記録債権 ····································· 114
　　（3）　民法（債権法）改正と債権譲渡 ····································· 118
　　（4）　産業競争力強化法による第三者対抗要件の特例 ······················· 124
第4節　証券化における表明保証・コベナンツ ·································· 129
　1　表明保証・コベナンツとは ·· 129
　2　証券化取引で定められる主な表明保証条項 ································ 130
　　（1）　表明保証条項の視点 ··· 130
　　（2）　オリジネーターに求められる表明保証事項 ··························· 131
　　（3）　オリジネーター以外の当事者の表明保証 ····························· 133
　3　証券化取引で定められる主なコベナンツ ·································· 133
　4　表明保証・コベナンツの効果 ·· 134
　　（1）　損害賠償 ··· 135
　　（2）　実行前提条件 ··· 135
　　（3）　買取義務 ··· 136
　　（4）　返済・償還方法の変更 ··· 136
　　（5）　当事者の交代 ··· 137

第3章　証券化にかかわる規制

第1節　証券化のスキームと金融商品取引法 ···································· 140
　1　証券化のスキームと金融商品取引法 ······································ 140
　2　金融商品取引法の規制対象となる商品・取引 ······························ 142

- (1) ABS（アセット・バック・セキュリティ）……………………………… 143
- (2) ABCP（アセット・バック・コマーシャル・ペーパー）……… 144
- (3) 信託受益権……………………………………………………………… 144
- (4) 集団投資スキーム持分………………………………………………… 145
- (5) ABL（アセット・バック・ローン）……………………………… 145
- (6) デリバティブ取引……………………………………………………… 146

第2節　金融商品取引法の開示規制 …………………………………… 148
1　適用除外 ……………………………………………………………… 149
2　有価証券の募集、私募および売出し ……………………………… 150
- (1) 有価証券の募集・私募………………………………………………… 152
- (2) 有価証券の売出し……………………………………………………… 153

3　発 行 者 ……………………………………………………………… 155
4　金融商品の性質に応じた開示規制 ………………………………… 156

第3節　金融商品取引法の業規制・行為規制 ………………………… 159
1　金融商品取引法の業規制 …………………………………………… 159
- (1) 金融商品取引業………………………………………………………… 159
- (2) 除外行為について……………………………………………………… 162
- (3) 適格機関投資家等特例業務…………………………………………… 163
- (4) 業務内容の範囲に応じた業規制……………………………………… 166
- (5) 信託受益権の発行の場面における業規制の適用関係の整理…… 167

2　金商法上の行為規制 ………………………………………………… 169
- (1) 広告等の規制…………………………………………………………… 170
- (2) 契約締結前交付書面…………………………………………………… 171
- (3) 契約締結時交付書面…………………………………………………… 174
- (4) その他の金融商品取引業者等に共通する行為規制………………… 174
- (5) 投資助言業務・投資運用業に関する特則…………………………… 175
- (6) 行為規制の柔軟化（特定投資家向け取引等における行為規制の

　　　　適用除外）………………………………………………………………176
　　(7) 証券化商品の追跡可能性（トレーサビリティ）の確保……………177
第4節　金融サービス提供法に基づく説明……………………………………184
　1　金融商品販売業者等の説明義務………………………………………184
　　(1) 金融商品の販売等……………………………………………………185
　　(2) 説明義務の対象となる事項…………………………………………187
　　(3) 説明義務の適用除外…………………………………………………188
　2　説明義務違反等に対する損害賠償責任………………………………188
第5節　信用格付業者規制………………………………………………………191
　1　総　　論…………………………………………………………………191
　2　信用格付業者規制の概要………………………………………………191
　　(1) 総　　論………………………………………………………………191
　　(2) 「信用格付業者」の内容……………………………………………192
　　(3) 信用格付業者に対する規制…………………………………………194
　　(4) 金融商品取引業者が無登録業者による格付を利用した場合の
　　　　説明義務………………………………………………………………195
　3　信用格付業者以外の証券化取引の関係者への影響…………………196
第6節　バーゼルⅢにおける証券化取引の取扱い……………………………198
　1　はじめに…………………………………………………………………198
　2　バーゼルⅢに基づく健全性規制の概要………………………………199
　　(1) バーゼル合意…………………………………………………………199
　　(2) 自己資本比率規制……………………………………………………201
　　(3) レバレッジ比率規制…………………………………………………206
　　(4) 流動性比率規制………………………………………………………208
　　(5) TLAC規制……………………………………………………………210
　3　自己資本比率規制上の証券化取引の取扱い…………………………212
　　(1) 基本概念………………………………………………………………212

(2) 証券化エクスポージャーの信用リスク・アセットの額の算出‥‥223
　　(3) 証券化取引による信用リスクの削減‥‥‥‥‥‥‥‥‥‥‥233
　4 その他の健全性規制上の証券化取引の取扱い‥‥‥‥‥‥‥‥‥‥237
　　(1) レバレッジ比率規制における証券化取引の取扱い‥‥‥‥‥‥237
　　(2) 流動性比率規制における証券化取引‥‥‥‥‥‥‥‥‥‥‥‥238
　　(3) TLAC規制における証券化取引‥‥‥‥‥‥‥‥‥‥‥‥‥‥238
　5 最終化されたバーゼルⅢの国内実施‥‥‥‥‥‥‥‥‥‥‥‥‥‥239
　　(1) 不動産関連エクスポージャーの導入‥‥‥‥‥‥‥‥‥‥‥‥240
　　(2) 特定貸付債権向けエクスポージャーの導入‥‥‥‥‥‥‥‥‥240
　　(3) 適格なサービサー・キャッシュ・アドバンスの信用供与枠‥‥241
　　(4) 内部格付手法における1.06倍の乗数の撤廃‥‥‥‥‥‥‥‥‥241
　　(5) 適格格付機関および格付マッピングに関する基準等の追加‥‥241
　　(6) その他信用リスク・アセットの算定手法の見直し‥‥‥‥‥‥242

第4章　証券化の具体的手法

第1節　金銭債権の証券化‥‥‥‥‥‥‥‥‥‥‥‥‥‥‥‥‥‥‥‥244
　1 金銭債権の証券化の概要‥‥‥‥‥‥‥‥‥‥‥‥‥‥‥‥‥‥‥244
　　(1) 信託方式による金銭債権の証券化の基本的な仕組み‥‥‥‥‥244
　　(2) 債権の証券化の具体例‥‥‥‥‥‥‥‥‥‥‥‥‥‥‥‥‥‥248
　2 証券化に用いられる仕組み‥‥‥‥‥‥‥‥‥‥‥‥‥‥‥‥‥‥257
　　(1) 信用補完、流動性補完、コミングリング・リスク軽減措置の
　　　　仕組み‥‥‥‥‥‥‥‥‥‥‥‥‥‥‥‥‥‥‥‥‥‥‥‥‥257
　　(2) マスタートラストとセラー・インベスター構造‥‥‥‥‥‥‥264
　　(3) 信託ABLおよび信託社債‥‥‥‥‥‥‥‥‥‥‥‥‥‥‥‥‥271
　　(4) 自己信託を用いたスキーム‥‥‥‥‥‥‥‥‥‥‥‥‥‥‥‥282
　　(5) デジタル証券‥‥‥‥‥‥‥‥‥‥‥‥‥‥‥‥‥‥‥‥‥‥290

第2節 不動産の証券化
1 TK-GKスキームの仕組み ……………………………………… 309
 (1) 不動産証券化の基本的仕組み ……………………………… 309
 (2) TK-GKスキームの概略 …………………………………… 311
 (3) 不動産信託受益権が用いられる理由 ……………………… 313
 (4) 集団投資スキーム持分に関する留意点 …………………… 314
 (5) TK出資のローン契約等における取扱い ………………… 317
 (6) AM契約に関する留意点 …………………………………… 317
 (7) ローン契約に関する留意事項 ……………………………… 318
2 TMKスキームの仕組み ………………………………………… 321
 (1) 概　　略 ……………………………………………………… 321
 (2) TMKに関する一般的留意事項 …………………………… 323
 (3) 業務開始届出に関する一般的留意事項 …………………… 324
 (4) 資産対応証券の募集 ………………………………………… 325
 (5) 資産運用 ……………………………………………………… 326
 (6) 資金調達・ローン契約に関する一般的留意事項 ………… 327
 (7) 二重課税排除のための留意点 ……………………………… 328
3 CMBS ……………………………………………………………… 331
 (1) CMBSとは …………………………………………………… 331
 (2) CMBSの構造 ………………………………………………… 331
 (3) CMBSのトレーサビリティ ………………………………… 335
4 REIT ……………………………………………………………… 335
 (1) 概　　略 ……………………………………………………… 335
 (2) 投資法人制度の概略 ………………………………………… 337
 (3) 税務上の優遇措置 …………………………………………… 343
 (4) 資金調達手段 ………………………………………………… 345
 (5) 私募REIT ……………………………………………………… 349

第3節　事業キャッシュフローを裏付けとする証券化 ………………………… 351
- 1　総　　論 ………………………………………………………………… 351
- 2　事業の証券化 …………………………………………………………… 351
  - (1) 定義およびスキーム ……………………………………………… 351
  - (2) 事業の証券化の具体例 …………………………………………… 359
  - (3) 資産の証券化およびコーポレートローンとの比較 …………… 364
- 3　再生可能エネルギー発電事業に対するファイナンス ……………… 369
  - (1) TK－GKスキームを用いたスキーム例 ………………………… 370
  - (2) 伝統的なプロジェクトファイナンスとの比較 ………………… 371
  - (3) 資産の証券化との比較 …………………………………………… 372

第4節　リスクの証券化 ……………………………………………………… 374
- 1　総　　論 ………………………………………………………………… 374
- 2　シンセティックCDOの仕組み ……………………………………… 375
- 3　シンセティックCDOと現物型証券化取引との相違点 …………… 381
  - (1) シンセティックCDOのメリット ……………………………… 381
  - (2) シンセティックCDOのデメリット …………………………… 382
  - (3) その他 ……………………………………………………………… 383
- 4　シンセティックCDOの類型 ………………………………………… 383
  - (1) 取引の目的による分類 …………………………………………… 383
  - (2) 対象資産の入替えの有無による分類 …………………………… 384
- 5　リスクの証券化の側面を有するその他の商品 ……………………… 384
  - (1) クレジット・リンク・ローン …………………………………… 385
  - (2) CPPI ……………………………………………………………… 385
  - (3) CPDO ……………………………………………………………… 386
  - (4) CCO ……………………………………………………………… 388
  - (5) キャット・ボンド、生命保険リンク証券 ……………………… 389
  - (6) 金利リスク移転目的の証券化 …………………………………… 390

第 5 節　カバードボンド……………………………………………………… 391
　1　カバードボンドの概要…………………………………………………… 391
　　⑴　カバードボンドの特徴——他の資金調達方法との比較………… 391
　　⑵　カバードボンドの種類……………………………………………… 392
　2　法制カバードボンドの具体例………………………………………… 393
　　⑴　直接発行方式………………………………………………………… 393
　　⑵　SPC介在方式………………………………………………………… 394
　3　ストラクチャード・カバードボンドのスキーム例………………… 397
　　⑴　SPC保証型…………………………………………………………… 397
　　⑵　他益信託型…………………………………………………………… 399
　　⑶　自己信託型…………………………………………………………… 401
　4　ストラクチャード・カバードボンド組成上の留意点……………… 402
　　⑴　投資家保護と一般債権者保護の調和……………………………… 403
　　⑵　カバープールの「倒産隔離性」の確保…………………………… 403
　　⑶　詐害行為取消し・否認の問題……………………………………… 404
　　⑷　カバープールの選定・管理に関する監督の問題………………… 404
　　⑸　流動性の確保………………………………………………………… 405

第 5 章　アジアにおける証券化事情

第 1 節　中国における証券化……………………………………………… 408
　1　中国における証券化の概要と近時の市場動向……………………… 408
　2　中国証券化に関連する法的論点……………………………………… 415
　　⑴　SPVの法的性格（信託vs資産支持専項計画）と倒産隔離………… 415
　　⑵　真正譲渡性（中国の倒産隔離との関係を含む）………………… 423
　　⑶　対抗要件制度………………………………………………………… 427
　3　海外からの中国証券化商品投資の可能性…………………………… 441

第2節　香港における証券化 443
1　香港における証券化市場および法制度の概要 443
2　特別目的会社（SPV）の設立 443
3　債権の証券化 444
- (1)　コモン・ロー上の譲渡 444
- (2)　衡平法上の譲渡 445
4　債権譲渡に関する制限 446
- (1)　契約上の制約 446
- (2)　立法上の制約 447
5　真正譲渡の問題 447
6　倒産隔離の問題 449
7　準拠法の選択 451
8　担保権の設定・移転および対抗要件の具備 452
- (1)　担保権の競合 452
- (2)　登録担保 452
- (3)　不動産担保 453
- (4)　有価証券担保 453
9　担保権信託 453
10　税務上の問題 454
- (1)　印紙税 454
- (2)　付加価値税（VAT） 455
- (3)　所得税 455
11　証券化取引に関する開示規制 455

第3節　インドネシアにおける証券化 457
- (1)　証券化の現状 457
- (2)　資産担保証券に関する集団投資契約（KIK-EBA） 457
- (3)　証券化を推進する国営銀行 461

(4) パーティシペーション・レターの形態による資産担保証券
　　　（EBA-SP）……………………………………………………462
　(5) 実務上の留意点…………………………………………………462
第4節　タイにおける証券化……………………………………………464
　1　タイの証券化債券………………………………………………464
　(1) 証券化債券の概要………………………………………………464
　(2) オリジネーターとなることが認められている事業体………467
　(3) 債券発行者となることが認められている事業体……………467
　(4) 証券化債券の募集の基準………………………………………468
　(5) タイにおける現在の市況………………………………………473
　2　タイの不動産投資信託（REIT）………………………………474
　(1) 不動産投資信託の概要…………………………………………474
　(2) 信託設定者となることが認められている事業体……………476
　(3) REIT管理者となることが認められている事業体…………477
　(4) 受託者となることが認められている事業体…………………477
　(5) REITの募集に関する基準（一般的なもの）………………478
　(6) 私募によるREITの募集に関する基準………………………481
　(7) タイにおける現在の市況………………………………………482

事項索引………………………………………………………………………484

第1章

証券化の特性と概況

第 1 節

証券化をめぐる環境

1 近年の証券化市場の概況

　わが国で証券化の手法による資金調達が初めて行われてから、20年以上の期間が経過しており、証券化スキームは企業の資金調達の手法として確立してきている。アメリカのサブプライムローン問題などに端を発する金融危機により、わが国における証券化取引の件数が激減した時期もあったが、証券化による資金調達が断絶することはなく一定の水準で証券化商品の組成は継続している。日本証券業協会・一般社団法人全国銀行協会が取りまとめている証券化市場の動向調査の統計[1]では、令和2年度の証券化商品の発行金額は約5.2兆円、発行件数は186件とされている（図表1－1参照）。証券化市場は、金融危機前の最盛期の水準にまでは至っていないものの、近年、各種のクレジット債権の証券化を中心に、証券化取引の件数・金額とも増加傾向にある。なお、わが国の証券化市場においてはコロナ禍の影響も限定的であり、筆者の認識する限り、国内で最初に新型コロナウイルス感染症の影響が生じた令和2年3月においても、予定されていた証券化取引の大半の案件が予定どおり実行され、市場に大きな混乱が生じることはなかった。

　また、不動産の証券化の分野についても、一般社団法人不動産証券化協会（ARES）が会員を対象に行った調査によると、平成30年12月末時点におけ

1　この調査は証券化商品のアレンジャー、スポンサーおよび格付機関等の報告者から任意に報告を受けた情報をもとに、日本証券業協会・一般社団法人全国銀行協会が取りまとめたものである。なお、主に金銭債権を裏付けとする証券化商品が対象とされており、CMBSを除く不動産の証券化は統計の対象に含まれていない。

図表1−1　証券化商品の発行金額・件数

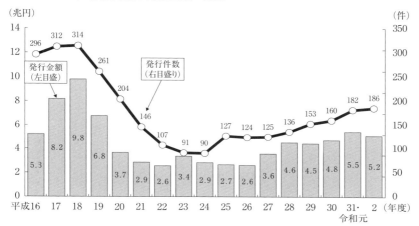

（出所）　日本証券業協会・一般社団法人全国銀行協会「証券化市場の動向調査のとりまとめ－データ（2020年度通期）」をもとに筆者作成

図表1−2　ARES会員が運用を行う不動産私募ファンドの運用資産額・物件数の推移

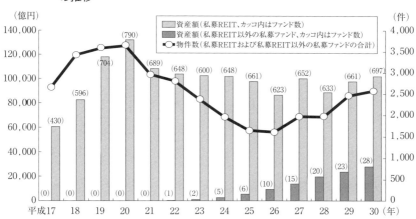

（注）　各年とも12月末時点。原則として取得価格ベース（ただし、鑑定評価額または簿価での回答も可とした）。
（出所）　一般社団法人不動産証券化協会「第14回『会員対象不動産私募ファンド実態調査』（2018年12月）結果について」3頁（令和元年9月27日）

る同協会会員が運用する不動産私募ファンド（私募REITを含む）の市場規模は、資産額13兆1,503億円とされている（図表1－2参照）。上場REITに加えて私募REITの発展が続いており、（私募REIT以外の）不動産私募ファンドの運用資産額は横ばい傾向であるものの、不動産取引の分野においても、引き続き証券化の果たしている役割は大きなものがあるといえる。

このような証券化市場の状況のもと、事業会社で資金調達を担当する者、与信・金融取引の組成に携わる金融機関の担当者、あるいは金融商品に対する投資を行う者にとって、資金調達手法・金融商品の一形態としての証券化に関する法制度やノウハウを理解することは、引き続き、実務を遂行するうえでの重要性を有するものである。

2 金融分野の潮流

必ずしも金融分野に限られる傾向ではないが、近年、テクノロジーの活用とESG[2]やSDGs[3]の視点という2つの要素が、金融分野での重要な課題となっている。証券化の分野でもこれらの要素の影響が生じつつある。

証券化取引におけるテクノロジーの活用の一例として、いわゆるデジタル証券あるいはセキュリティトークンを証券化商品に利用することが検討されており、実際に発行事例も生じている[4]。

また、証券化商品のリスク判断にあたってESG要素が考慮されるようになってきており、たとえば、格付会社が証券化商品に信用格付を付与するにあたり、ESG要素を取り入れた評価がなされるようになってきている。さらに、信用格付とは別に、グリーンボンド原則への適合性など環境の要素に

2　Environment（環境）、Social（社会）、Governance（ガバナンス）の頭文字をとったものである。
3　「Sustainable Development Goals（持続可能な開発目標）」の略であり、2015年9月の国連サミットで採択された「持続可能な開発のための2030アジェンダ」に記載された、2030年までに持続可能でよりよい世界を目指す国際目標のことである。17のゴール・169のターゲットから構成される。
4　デジタル証券については、第4章第1節2(5)参照。

関する格付を取得する証券化商品も現れている。

3 頻繁な制度改正

　同時に、従来から引き続き、市場環境の変化や国際的な制度改正に関する議論の進展などに伴い、金融にかかわる規制や私法ルールの見直しが頻繁に行われている。そのような制度改正のなかには、証券化実務に影響を及ぼすものも多い。

　証券化実務にかかわる近時のわが国の制度改正のうち、私法的な規律としては、平成29年に成立した民法改正（いわゆる債権法改正）があげられるほか、法制審議会担保法制部会で審議が行われている担保法制の見直しについては、今後、実際に立法が行われると各種の証券化取引に影響を与えることが予想される。また、金融規制の分野でも、たとえば、いわゆるバーゼルⅢの国際合意をふまえた自己資本比率規制等の見直しは、証券化実務に大きな影響を及ぼしている。

　証券化の関係当事者は、最新の制度改正の動向も把握しつつ、実務を執り行うことが必要となる。

第 2 節

証券化の特性

　本節では、第2章以下で証券化に関する法制度や具体的なスキームの解説を行うのに先立って、他の資金調達手段と比べた証券化取引の一般的な特性について解説する。

1　企業金融型資金調達と資産金融型資金調達

　一般に、資金調達手法の分類方法として、資金調達者が資金提供者に元利金などの債務を弁済する際の責任財産（引当て）となる財産の範囲によって、企業金融型資金調達と資産金融型資金調達に大別することがある[1]。証券化は、このうちの資産金融型資金調達の代表例ということができる。

　以下、それぞれの資金調達手法の特徴を整理する。

(1)　企業金融型資金調達の特徴

　企業金融型資金調達とは、資金調達を行おうとする企業自体の信用力を基礎に行われる資金調達である。企業金融型資金調達に分類される手法によって資金調達を行った企業は、保有するいっさいの財産を引当てとして調達した資金の元利金の弁済を資金提供者に対して行うことが必要となる。

　企業金融型資金調達に属する資金調達手法の主な例としては、①金融機関

1　企業金融型資金調達を「コーポレートファイナンス」、資産金融型資金調達を（広義の）「アセットファイナンス」と呼ぶこともある。ただし、「アセットファイナンス」の用語は多義的であり、証券化のようなアセット・バックト・ファイナンス（Asset-Backed Finance）と区別して、リースファイナンスを代表とする設備その他の資産の需要を充足させるための金融取引を示す意味で用いられることもある。

からの借入れ、②株式の発行（自己株式の処分）、③社債・新株予約権付社債の発行、④コマーシャル・ペーパーの発行などがあげられる。

　この点、金融機関から借入れを行う場合に資金調達者が保有する不動産に抵当権を設定したり、資金調達者の代表者が保証を行ったりするなど、資金調達者の信用力を補完する手段として、担保や保証が利用されることがある。資金提供者にとって、資金調達者の信用力だけでは供与した資金の回収に不安がある場合には、担保価値のある資産を担保にとったり、親会社や代表者の保証を徴求したりしない限り、資金提供に応じられない場合もありうる。もっとも、担保や保証が利用される場合であっても、資金調達者は元利金の全額について責任を負担することが必要である。そのため、担保物の全額が元利金に充当された場合でも、なお未払いの元利金が残存する場合には、資金調達者は担保物以外の資産によって元利金の支払を行うことが必要となる。また、資金提供者が担保をとっていた場合であっても、資金調達者に倒産手続が開始した場合には、担保権の行使が倒産手続の制約に服することになり、想定していたとおりの時期・金額による担保物からの回収を図ることができなくなる場合もある。

(2)　資産金融型資金調達の特徴

　資産金融型資金調達とは、一定の資産の価値を引当てとして行われる資金調達である。証券化は、資産金融型資金調達の代表例といえる。証券化によって資金調達が行われた場合、証券化の対象となる資産が毀損し、資金提供者への返済に不足することとなった場合であっても、原則として、資金調達を行った企業は、対象資産以外の財産によって責任を負担しないでよいことになる。このような性質は、ノンリコース（non-recourse）あるいはリミテッドリコース（limited-recourse）と呼ばれる。

　資産金融型資金調達に属する資金調達手法の主な例としては、証券化のほかに、①リースファイナンス、②手形割引（電子記録債権の割引）、③ファク

タリング・一括決済方式などがあげられる[2]。

　資産金融型資金調達の手法によって資金を供与する者は、基本的に資金調達者ではなく、対象となる一定の資産の価値を基準に与信を行う。すなわち、供与した資金について対象資産から回収を図ることができるか、という観点から資金供与の可否を判断することになる。

　もっとも、たとえば資産金融型資金調達の手法と評価される手形割引については、資金調達者も手形の裏書人として手形債務に関する責任を負担することになる。また、証券化においても、資金調達者は、劣後部分を負担したり、毀損した資産の買戻しを行うなどの方法により、一定の限度で対象資産の損失を負担することも多い。そのため、資産金融型資金調達であっても、厳格に対象資産の価値のみを引当てに資金調達が行われるとは限らず、資金調達者が調達した資金に関する元利金の一部または全部について責任を負う取引も存在する。

2　証券化により資金調達を行うメリット

　企業が必要とする資金の一部について、証券化によって調達を行うことにより、一般的には次のようなメリットが得られると考えられる。

(1)　対象資産の価値に依拠した有利な条件による資金調達

　まず、保有する資産を対象として証券化の手法によって資金調達を行う場合には、資金調達者自体の信用状態の影響を隔離しつつ、対象となる資産に関するキャッシュフローや価値を引当てとして資金調達を行うことが可能となる。また、信用補完・流動性補完の仕組みを施すことにより、資金提供者が負担するリスクを加工することができる。そのため、対象となる資産の価値やスキーム上の仕組み次第では、資金調達者自体の信用力による企業金融

---

[2] 資金調達という文脈からは外れるとも思われるが、ファンドも、投資家の引当てとなる資産が運用財産に限定される点で、資産金融型の金融商品と評価することができる。

型資金調達の方法よりも、資金提供者にとって供与した資金や利息の回収可能性が高い（リスクの低い）取引とすることが可能となる。このような場合には、証券化によって資金調達を行う企業の側にとっては、自らの信用力による資金調達よりも有利な条件での資金調達が可能となる。

ただし、一般的には、証券化の手法を採用した場合のほうが、借入れや株式の発行などによる資金調達と比べて、スキームが複雑となったり、関係当事者が多数となったりする場合が多く、結果として資金調達のための取引を実施するためのコストや事務負担がかさみやすいといえる。また、証券化取引においては、資金調達の場面だけでなく、期中においてもサービサーなどの役割として資金調達者に一定の事務負担が必要となる場合も多い[3]。そのため、資金調達者にとって証券化による資金調達が有利といえるかどうかは、金利などの条件だけでなく、取引の実施に要するコストや事務負担も考慮したうえで、判断することが必要となる[4]。

(2) 資金調達手段・資金調達先の多様化

金融機関からの借入れなどの企業金融型の手法による資金調達に加えて、証券化の手法による資金調達を行うことにより、企業にとって資金調達手段の多様化を図ることが可能となる。

資金を提供する側にとっては、業態、与信枠、投資運用基準などの制約により、資金を拠出・運用できる方法や金額が限られることがある。また、同一の金融機関であっても、資金の運用方法によって担当する部署が異なることがあり、予算や運用基準が部署ごとに決められている場合もある。たとえ

---

[3] 事務負担となる一方で、サービシングなどの事務処理を行うことにより、手数料収入が得られるという側面もある。
[4] 近年は長らく低金利の状態が続いており、証券化のようにコストや事務負担をかけてスキームを組成するようなことをしないでも、企業が低い金利で資金調達を行いやすい環境にあることなどから、「有利な条件による資金調達」という証券化のメリットは成り立ちにくい状況にある。

ば、銀行の内部でも、事業会社に対する貸付を行う場合と証券化商品に対する投資を行う場合とでは、取り扱う部署が異なることが一般的である。このような観点から、企業が証券化による資金調達も行うことにより、資金調達先の多様化を図ることが可能となる。

　平時から資金調達手段や資金調達先の多様化を図っておくことにより、企業にとって急な資金ニーズが生じた場合にも資金を確保することができる可能性が高まることになる。また、市場の動向や金融機関の破綻などを原因として、それまでに利用していた特定の資金調達手段・資金調達先による資金調達が困難となった場合であっても、代替的に他の資金調達手段・資金調達先を利用することで資金調達を行うことが容易となる[5]。

(3) 資産・リスク管理

　証券化の手法は、資金調達と同時に、企業の資産負債管理（Asset Liability Management：ALM）やリスク管理の手段としても有用である。証券化の取引を実行することにより、会計上の要件を満たす限り、対象となる資産をオフバランス処理することが認められることもある。また、保有する金銭債権を対象に証券化を実行することにより、金銭債権の債務者に対する信用リスクの全部または一部を投資家に移転し、切り離すことができる。

　このように、証券化の手法は、保有する資産そのものや資産に関するリスクを外部に移転することにより、資産負債管理やリスク管理の一手段として利用することも可能となる。特に証券化取引のなかでは多様な仕組みによりリスクを加工することも行われるが、加工して切り出したリスクの一部分を

---

[5] 証券化による資金調達を行っていなかった企業が、緊急事態が生じた後に急に証券化取引を実施しようとしても、証券化取引のための体制や事務フローの整備、デューディリジェンス、ドキュメンテーション、販売活動などに一から対応することが必要となり、実務上、相当程度の時間を要することになる。そのため、緊急事態に証券化による資金調達を利用できるようにするためには、平時から証券化取引を行っていることが必要といえる。

保有し続けることにより、単純に資産を譲渡するだけでは創出できないリスク管理が可能となる。また、必ずしも資金調達の手段となるものではないが、資産を移転することなく、デリバティブなどの手法により保有する資産に関する信用リスク、金利リスクなどの一定のリスクだけを第三者に移転する「リスクの証券化」と呼ばれる取引も存在する[6]。

3　証券化に対する投資を行うメリット

　資金提供を行う投資家の側にとっても、証券化商品という投資対象が増えることによりメリットが生じることになる。投資家との関係で一般的には次のようなメリットが生じると考えられる。

(1)　投資対象の多様化

　資金を運用しようとする投資家にとっては、証券化商品に対する投資の機会が設けられることにより、投資対象の多様化を図ることが可能となる。

　証券化商品は、企業自体の信用力を基礎とする通常の社債や貸付とはリスクの所在が異なる金融商品であり、このような企業金融型の金融商品に対して投資を行っている投資家にとっては、証券化商品に対する投資をあわせて行うことにより、リスクの分散化を図ることができる。また、同等の信用格付が付されている場合でも、証券化商品と企業金融型の金融商品とでは利率などの条件が相違することもあり、投資対象の選択の幅を証券化商品にも広げることで有利な資金運用が可能となることもある。

(2)　スキーム・投資形態の柔軟性

　証券化取引においては、同様の経済条件となる商品を組成するとしても、スキームや投資形態を柔軟に調整することが可能である。たとえば、信託を

---

[6]　リスクの証券化については、第4章第4節参照。

用いた証券化スキームにおいて、同じ経済条件の証券化商品を受益権とローン（信託ABL）の2種類の形態で組成することもある[7]。

そのため、規制、会計処理、税制、投資方針などにあわせてスキームや貸付、信託受益権、社債、出資など投資形態の調整を図ることができ、投資家にとって、自らのニーズに即した証券化商品の設計を求めることが可能となりうる。

(3) 条件・リスクの加工

証券化取引においては、優先・劣後などのトランシェの設定、信用補完・流動性補完の仕組みなどを利用することにより、キャッシュフローやリスクの調整を図ることができる。このような観点からも、投資家にとって、自らのニーズに即した証券化商品の設計を求めることが可能となりうる。

また、公的金融機関などから外部的な信用補完を得ることによって証券化商品が組成されることもある。そのような証券化商品の組成により、投資家にとっては、リスクの低い金融商品に対する投資機会が提供されることになる。

4 企業金融型資金調達と証券化において資金提供者の負担するリスクの相違

企業金融型資金調達では資金調達者の財産一般が責任財産となり、証券化では（主として）一定の対象資産の価値のみが責任財産となる。このことを資金提供者の側からみると、企業金融型資金調達と証券化取引とでは、資金提供者が供与した資金の回収に関して負担するリスクの所在や範囲が異なることになる。

そこで、資金の供与にあたって、投資判断のために資金提供者が必要とす

---

[7] 信託ABLのスキームについては、第4章第1節2(3)参照。

る情報の内容も企業金融型の手法と証券化の手法によって異なってくる。すなわち、企業金融型の手法によって資金を供与しようとする者は、資金調達者の財務情報、事業の内容など企業そのものの信用力を評価するための情報を必要とする。これに対して、証券化商品に対して投資を行おうとする者は、むしろ、裏付けとなっている資産の内容や価値に関する情報を必要とすることになる。

　このような性質の違いは開示規制にも反映されており、金商法上、証券化商品は特定有価証券として一般的な企業による開示書類とは異なる内容・様式によって、情報開示を行うことが必要とされている[8]。

8　証券化商品に関する開示規制については、第3章第2節参照。

第 2 章

証券化を達成する基本的法的枠組み

第 1 節

倒産隔離

1 総論

　証券化を達成するための要素の1つとして、「倒産隔離」という概念が重要とされる。倒産隔離の用語については、論者や文脈によって用いられ方が一様ではないものの、おおむね広義では、①対象となる資産の原保有者（オリジネーター）その他の関係当事者の倒産によって証券化商品が影響を受けないこと、②対象となる資産を取得する特別目的会社（SPC）等のVehicleの倒産によって証券化商品が影響を受けないこと、の2点を意味し、狭義では②を意味するものとして用いられる（図表2－1参照）。本節では②（狭義の倒産隔離）について解説を行い、次節において①に関する論点のうち、特に証券化において重要な要素である真正譲渡について解説を行う。なお、本節において倒産隔離の用語は、②（狭義の倒産隔離）の意味として用いることとす

図表2－1　「倒産隔離」の概念・定義

広義の倒産隔離	
オリジネーターの倒産による影響の排除	SPCの倒産による影響の排除（狭義の倒産隔離）
・真正譲渡 ・対抗要件の具備 　　　　　　　　等	・倒産予防措置 ・倒産手続防止措置 （・倒産時対応措置）

る。

　まず、倒産隔離の概念は、達成できたかできないか、という白黒がはっきりするような二元的な概念ではなく、どの程度SPCの倒産による影響が排除されているか、という程度概念であることに留意を要する。そして、格付会社が一定水準以上の倒産隔離が達成されていると判断すれば所定の格付が付されうることになり、また、投資家が証券化商品として投資を行おうとする場合には一定水準以上の倒産隔離が達成されていることを求めることになる。

　次に倒産隔離を達成するための措置としては、①倒産状態を発生させないようにするための措置（倒産予防措置）と、②倒産状態が発生しても倒産手続が開始されないようにするための措置（倒産手続防止措置）、に大別できるとされている[1]。そこで、以下では、倒産予防措置と倒産手続防止措置のそれぞれについて、具体的な内容を説明する。

2　倒産予防措置

　SPCに倒産状態を発生させないようにするための措置である倒産予防措置の主なものとしては、①SPCの定款上の目的を証券化取引に必要な範囲に限定すること、②SPCの役員として適切な者を選任すること、③証券化取引に必要なものを除き、SPCに営業活動を行わせないようにし、債務負担や資産の処分を制限すること、④SPCによる株主または社員に対する配当、資本の減少、組織再編行為、子会社の設立または保有を禁止すること、等があげられる。SPCが資産流動化法に基づく特定目的会社である場合には、これらの倒産予防措置に関して一定程度法律上の手当が施されている（資産流動化法195条、212条～214条等）。

---

[1] 倒産予防措置と倒産手続防止措置に加えて倒産手続が開始してしまった場合における投資家保護のための措置として倒産時対応措置を指摘する見解もある（西村総合法律事務所（現・西村あさひ法律事務所）編『ファイナンス法大全(下)』55頁（商事法務、平成15年））。

そのうえで、SPCについて以上のような倒産予防措置の手当が施されている場合であっても、SPCの株主あるいは社員が証券化取引に悪影響を与えるような態様で定款変更や取締役や業務を執行する社員の選・解任等の権限を行使するのであれば、倒産予防措置の効力が失われ、倒産隔離は達成できないことになってしまう。そこで、倒産予防措置の一環として、SPCの株主あるいは社員によって証券化取引に悪影響を与える行為がなされることを防ぐための手当が必要となる。このような観点から、証券化取引では、オリジネーターその他の関係当事者から独立し、これらの者の影響を受けない主体がSPCの株主あるいは社員となるスキームが組成される（いわゆる「孤児SPC」）。かかるスキームを組成するために以下の法制度が利用される。

(1) チャリタブルトラスト

　SPCをケイマン諸島等に設立し、信託会社がSPCの株主となったうえで、信託宣言（財産を有する者がその財産について自らが受託者として管理することを宣言することによって信託を成立させること。日本の信託法の自己信託に相当する）によってSPCの株式を慈善信託（チャリタブルトラスト）に移し、信託宣言のなかで証券化取引に悪影響を与える行為をいっさい行わないことを定めるという方法が用いられることがある。ケイマン諸島等に設立されたSPC（以下「ケイマンSPC」という）とチャリタブルトラストを利用した典型的なスキームとしては、まず、オリジネーターがケイマンSPCに対して直接資産を譲渡し、ケイマンSPCが社債の発行等の方法によって資金を調達し、ケイマンSPCの株式についてチャリタブルトラストに移転するスキームがとられることがある（図表2−2参照）。

　また、オリジネーターからの資産の取得、投資家からの資金の調達は国内会社のSPC（株式会社、合同会社、特定目的会社等）が行い、その親法人にケイマンSPCがなったうえで、ケイマンSPCの株式をチャリタブルトラストに移転するスキームがとられることもある（図表2−3参照）。

図表2-2　チャリタブルトラストを用いたスキーム①

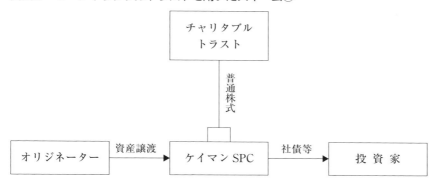

図表2-3　チャリタブルトラストを用いたスキーム②

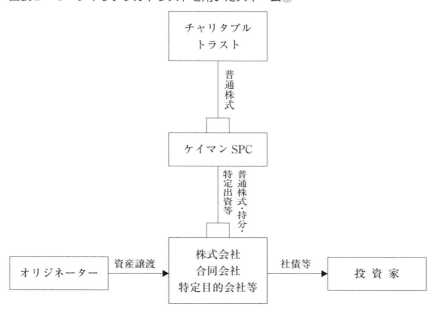

ケイマンSPC＋チャリタブルトラストを用いたスキームを組成する場合には、ケイマン諸島法等の弁護士や現地の管理会社との共同作業が必要となり、一定の書類について英訳が必要となる場合がある。この点に要する作業の負担やコストは、ケイマンSPC＋チャリタブルトラストを用いたスキームのデメリットといえよう。一般に日本の当事者にはなじみの薄い外国法に基づく法制度を利用しなければならない点も、このスキームの難点となる。

　また、ケイマンSPCを利用する場合には、擬似外国会社規制について留意する必要がある。擬似外国会社規制とは、日本法の適用を免れる目的で外国法に基づいて会社を設立することを防ぐために、日本に本店を置き、または日本において事業を行うことを主たる目的とする外国会社（擬似外国会社）に対して一定の規制を及ぼすものである。会社法821条1項は擬似外国会社が日本において取引を継続してすることができないことを規定しているため、証券化取引への影響が論点となる。この点、会社法の立法過程において、参議院の審議では擬似外国会社規制の証券化取引への影響に関する答弁

図表2－4　会社法の擬似外国会社規制に関する参議院での附帯決議

政府は、本法の施行に当たり、次の事項について格段の配慮をすべきである。
一〜十四　（省略）
十五　外国会社による我が国への投資が、我が国経済に対してこれまで果たしてきた役割の重要性及び当該役割が今後も引き続き不可欠なものとして期待される点にかんがみ、会社法第821条に関して、その法的確実性を担保するために、次の諸点について、適切な処置を講ずること。
　1　同条は、外国会社を利用した日本の会社法制の脱法行為を禁止する趣旨の規定であり、既存の外国会社及び今後の我が国に対する外国会社を通じた投資に何ら悪影響を与えるものではないことについて、周知徹底を図ること。
　2　同条は、外国の事業体に対し、特定の形態を制限し又は要求する趣旨のものではないことについて、周知徹底を図ること。
十六　会社法第821条については、本法施行後における外国会社に与える影響を踏まえ、必要に応じ、見直しを検討すること。

が繰り返しなされており、参議院での決議に際しては証券化取引に配意した附帯決議が行われた（図表2－4参照）。証券化取引にケイマンSPCを利用する場合には、基本的に擬似外国会社規制に抵触することは少ないと解されるものの、もっぱら日本国内において、資産の取得と資金調達を繰り返し行うような証券化取引を実行しようとする場合には、擬似外国会社規制に留意してスキームを組成する必要があろう。

かつては、日本国内で組成される証券化取引における倒産隔離の手段として、広くケイマンSPC＋チャリタブルトラストのスキームが利用されていたが、近時は次に述べる一般社団法人を用いたスキームが利用されることが多く、ケイマンSPC＋チャリタブルトラストのスキームがとられることは証券化取引の実務上、限定的となっている。

(2) 一般社団法人

資産の取得、資金の調達を行う国内会社のSPCの親法人として一般社団法人法に基づく一般社団法人[2]が利用されることがある（図表2－5参照）。

一般社団法人においては、基金の拠出者の地位は法人の社員たる地位とは結びついておらず、基金の拠出者は議決権を有しない。そこで、維持管理費用に充当するための資金の出資はするが議決権を有しない者を制度的につくりだすことができると評価されている。したがって、オリジネーターが一般社団法人に対して基金の拠出を行ったとしても、オリジネーターから独立した者を当該一般社団法人の社員とすることによってオリジネーターは当該一般社団法人に対して議決権を行使することができない状態を創出できる。この場合、オリジネーターが親法人である一般社団法人を通じて間接的に資産の取得、資金の調達を行うSPCに対して影響を及ぼすこともできないことになる。なお、特定のオリジネーターが繰り返し証券化取引によって資金調達

---

[2] 平成20年12月1日に一般社団法人法が施行されるまでは中間法人法に基づく有限責任中間法人が利用されていた。

図表2−5　一般社団法人を用いたスキーム①

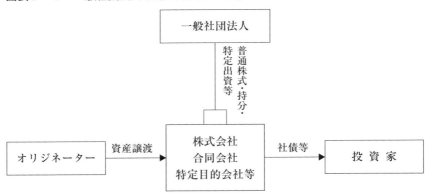

を行っている場合には、資産の取得、資金の調達を行うSPCについては各取引ごとに別個のSPCを設立するものの、単一の一般社団法人が繰り返しSPCの株式や出資持分を取得することによって共通の親法人となっている事例も存在する（図表2−6参照）。

　ここで、一般社団法人の解散事由として一般社団法人法148条4号は「社員が欠けたこと」を規定している[3]。そこで、社員が欠けることにより一般社団法人が解散に至り、スキームが継続できなくなることを防ぐために、一般社団法人の管理を委託する管理会社との間で、一般社団法人の社員に欠員が生じた場合に直ちに代替の社員を派遣してもらうことをあらかじめ合意しておくことが一般的である。また、社員が欠けてしまうことを可及的に防ぐために、社員の人数を2人以上である状態を維持することを義務づけたり、社員に法人を加えたりするなどの対応を行っている事例も存在する。

　証券化取引においてケイマンSPC＋チャリタブルトラストのかわりに有限責任中間法人や一般社団法人が利用されるようになった理由は、①ケイマン

---

[3] なお、一般社団法人を設立するためには、その社員になろうとする者が、共同して定款を作成しなければならないとされており（一般社団法人法10条1項）、「共同して」とは、「2人以上で」という意味であると解されていることから、設立時には2人以上の社員が必要となる。

図表2-6　一般社団法人を用いたスキーム②

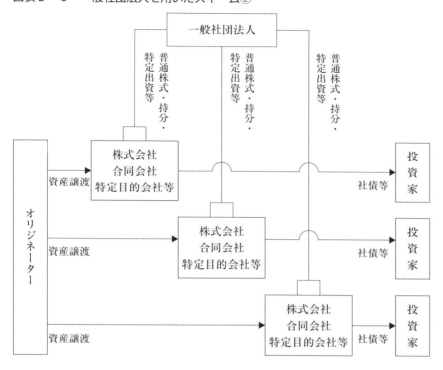

SPCの設立・維持・清算のためのコストがかさむこと、②ケイマンSPCのモニタリングが困難であること、③証券化取引の全当事者が国内の者であってもケイマンSPCを用いるために関連書類の英訳が必要となること、等のケイマンSPCを用いたスキームのデメリットを回避することにあると考えられる。また、何より有限責任中間法人や一般社団法人を用いることによって証券化取引のスキームを日本国内で完結できるという簡便さも大きなメリットである。

　一般社団法人を用いたスキームの難点としては、①公認会計士等の一般社団法人の社員・理事となる者の信頼に依拠する点が大きくなること、②同時期に複数の社員がいなくなった場合など、社員の人数がゼロとなった場合に

一般社団法人が解散することとなり、スキームの継続が不安定となってしまうこと、等があげられる。

(3) 特定出資信託

　特定出資信託制度は、資産流動化法に基づく特定目的会社に関して、倒産隔離を図るために、ケイマンSPC＋チャリタブルトラストと同様の法的効果を実現させるための制度として資産流動化法の平成12年の改正によって設けられた。具体的には、①信託の目的が、特定目的会社の資産流動化計画に基づく資産の流動化に係る業務が円滑に行われるよう特定出資を管理するものであること、②資産流動化計画の計画期間を信託期間とすること、③信託財産の管理について受託者に対して指図を行うことができないこと、④委託者または受益者が、信託期間中に信託の合意による終了を行わないこと、⑤委託者または受益者が、信託期間中に信託法150条の規定による場合を除き、信託財産の管理方法を変更しないこと（資産流動化法33条2項）を条件とする信託に対して特定目的会社の特定出資を移転することにより、特定目的会社に対するオリジネーターその他の関係当事者の影響を排除しようとする制度である（図表2－7参照）。

図表2－7　特定出資信託制度を用いたスキーム

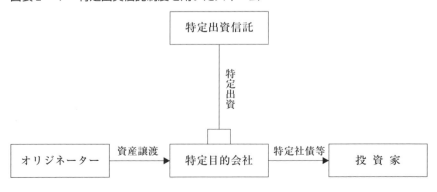

もっとも、①信託報酬の負担等の実務的な問題があること、②前述のとおり一般社団法人を用いることによっても国内完結型の証券化取引のスキームを組成できるため、特定出資信託を用いるインセンティブが生じにくいこと、等の理由から、特定出資信託制度はほとんど利用例がないのが実態である。

(4) 目的信託

　旧信託法のもとでは、主務官庁の監督に属する公益信託を除き、認められていなかった受益者の定めのない信託（目的信託）が、現行の信託法では一般的に認められている（信託法258条）。そこで、目的信託制度を利用して、日本法のもとでもチャリタブルトラストあるいはそれに類する信託を用いた倒産隔離を達成することが可能になるのではないか、という議論がなされていたことがある。もっとも、目的信託については、委託者が信託に関する一定の権利を保有することが必要となるため（同法260条1項）、委託者の影響力を排除することが困難であり、また、信託の存続期間は20年を超えることはできないとされており（同法259条）、かつ、受託者には一定の財産的・人的要件が求められる（同法附則3項）。このため、倒産隔離のためのチャリタブルトラスト類似の手段として利用することは、法制度上、必ずしも容易ではなく、実務的にもこれまでに倒産隔離の手段として目的信託が利用されたことはないものと思われる。

3　倒産手続防止措置

　SPCに倒産状態が発生しても倒産手続が開始されないようにするための措置である倒産手続防止措置の主なものとしては、①SPCに関して倒産申立権を有する者に倒産申立権を放棄させること、②SPCの負担する債務に責任財産限定特約を付すこと、等があげられる。以下、それぞれの措置について説明したうえで、倒産手続防止措置に関連する事項について記述する。

(1) 倒産申立権の放棄

　倒産手続防止措置としては、まず、SPCに関して破産手続開始申立権、会社更生手続開始申立権、民事再生手続開始申立権その他の倒産申立権を有する者に倒産申立権を放棄させることがあげられる。SPCに関して倒産申立権を有する者としては、①SPC自身およびSPCの取締役ないし業務を執行する社員（以下「取締役等」という）と、②SPCに対する債権者が存在するが、倒産申立権の放棄の有効性については①と②で分けて考える必要がある。

　このうち債務者自身による倒産申立権については、債権者からの個別の強制執行を免れ、免責等によって更生を図るという債務者の利益としての趣旨とともに、すべての債権者に対して公平な分配を実現するという公益的な趣旨もあると考えられている。そこで、かかる公益的な趣旨から債務者による倒産申立権の放棄は無効であるとの考え方がある。また、株式会社の取締役や合同会社の業務を執行する社員による破産手続開始申立権（破産法19条1項2号、3号）についても当該会社のためのみならず、債権者全体の利益も考慮した公益的な権限と考えられており、かかる破産手続開始申立権の放棄は無効とされる可能性があると解されている。以上のとおり、債務者自身あるいは取締役等による倒産申立権の放棄についてその法的な効力は必ずしも明らかとはいえず、SPC自身およびSPCの取締役等が倒産申立権を放棄することを誓約したとしても、かかる誓約に反してこれらの者による倒産申立てがなされた場合に、申立てが却下されることになるかは明確ではない。もっとも、SPC自身およびSPCの取締役等があらかじめ倒産申立権を放棄する旨の意思表示を行うことによって、少なくとも実際に倒産原因が発生した場合にこれらの者の倒産申立てを行おうとする意思を抑制するという事実上の効果はあるものと考えられる。したがって、証券化取引に際しては、SPC自身およびSPCの取締役等から倒産申立権を放棄する旨の誓約書を取得する等の手当を施すことが望ましいといえる。

　これに対して、SPCに対する債権者による倒産申立権の放棄については、

図表2－8　倒産申立権の放棄に関する条項（サンプル）

> 第○条　（倒産手続申立ての制限）
> 　債権者は、債務者の発行するすべての社債に関する債務の弁済が完了した日から1年と1日が経過するまで、債務者またはその財産について、破産手続開始、会社更生手続開始、民事再生手続開始、特別清算開始、その他これらに類する手続の申立てをすることができないものとする。

①債権関係には私的自治の原則が適用されること、②処分権主義の原則から民事訴訟における不起訴の合意および民事執行における不執行の合意の適法性が広く認められていることにかんがみて、倒産申立権の放棄も原則として認められると一般に解されている。もっとも、公序良俗の観点から倒産申立権の放棄について期間制限その他の制約が必要となるとの有力な見解もある[4]。そこで、証券化取引においては、SPCが当事者となる各契約のなかで、SPCの相手方が一定の期間制限（実務上、支払の停止を要件とする否認の期間制限規定である破産法166条を参考に債務の完済から1年と1日が経過するまでの期間が設定されることが多い）その他の制約を付してSPCに対する倒産申立権を放棄する旨を合意することが一般的である（図表2－8参照）。

(2)　責任財産限定特約

　倒産申立権の放棄以外の倒産手続防止措置として、SPCが負担する債務について責任財産限定特約を付すことがあげられる。一般に責任財産限定特約とは、特定の債権の引当てとなる財産を債務者が保有または取得する一定の財産（責任財産）に限定する旨の合意という意味で用いられる。責任財産限定特約の具体的な内容としては、①債務者による債権に対する支払は、責任財産のみを引当てとし、その範囲内でのみ行われ、債務者の他の資産には及ばないこと、②債権者は、責任財産以外の債務者の財産について、債権の実

---

[4]　山本和彦「債権流動化のスキームにおけるSPCの倒産手続防止措置」金融研究17巻2号120頁（平成10年）。

図表2-9　責任財産限定特約に関する条項（サンプル）

> 第○条　（責任財産限定特約）
> 1　債務者による本契約に基づく債務の弁済は、[　　]（以下「責任財産」という）のみを引当てとして、その範囲内でのみ行われ、債務者の有する他の資産にはいっさい及ばないものとし、債権者はこれを異議なく承認するものとする。
> 2　債権者は、責任財産以外の債務者のいかなる資産についても、本契約に基づく債権の実現のために強制執行を行わず、かつ強制執行を申し立てる権利を放棄するものとする。
> 3　債務者が責任財産をもって本契約に基づく債務のすべてを支払うことができない場合には、当該超過部分についての債権者の債権は消滅するものとする。

現のために強制執行を行わないこと、③債務者が責任財産をもって債権の全額を支払うことができない場合には、当該超過部分についての債権者の債権が消滅すること、等が含まれる。証券化取引においては、SPCが当事者となる各契約のなかで、かかる契約に基づきSPCが負担する債務について責任財産限定特約を合意することが一般的である（図表2-9参照）。

(3)　会社更生手続の適用の有無

　倒産手続防止措置に関連する措置として、会社更生手続が適用されない組織をSPCとして選択することが考えられる。倒産手続のうち、破産手続および民事再生手続においては、担保権者は担保権を別除権として倒産手続によらないで行使することが可能である（破産法65条1項、民事再生法53条2項）。これに対して、会社更生手続においては、担保権者は更生担保権者となり、会社更生手続開始の決定があったときは担保権の実行ができなくなり（会社更生法50条1項）、更生計画によって権利内容が変更される可能性がある（同法47条、167条、168条）。したがって、投資家がSPCに対して担保権を取得するような証券化取引が行われる場合には、倒産手続のなかでもとりわけ会社

更生手続がSPCに関して開始された場合に投資家の権利関係への影響が大きくなるといえる。以上の理由から、証券化取引の態様次第では、会社更生手続が適用される株式会社以外の組織をSPCとして利用することが望ましいことがある。すなわち、合同会社や特定目的会社には会社更生手続が適用されないことから、株式会社ではなくこれらの組織をSPCとして利用することが倒産隔離の観点から適切となる場合がある。

(4) 信託財産の破産

証券化取引においては、オリジネーターが資産を信託銀行等に信託譲渡し、信託受益権を取得したうえで、当該信託受益権の全部または一部をSPCに譲渡し、SPCは当該信託受益権を引当てに資金調達を行うという信託を用いたスキームが組成されることがある。ここまでSPCに関する倒産手続防止措置について述べてきたが、信託財産についても破産手続が適用されるため（破産法第10章の2）、証券化取引において信託を利用する場合には、信託財産について破産手続が開始することによって証券化商品に影響を与えないようにするための手当も課題となる（図表2-10参照）。

また、SPCを利用せず、オリジネーターが資産の信託譲渡によって取得し

図表2-10 証券化取引で信託を用いたスキーム

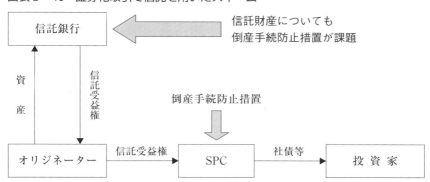

た信託受益権を直接投資家に販売したり、信託ABLを利用したりするような取引も広く行われている。このような取引を実行する場合においても、信託財産に関して倒産手続防止措置を施すことを検討する必要が生じる。

　信託財産についての破産手続開始の申立権者は、信託財産を引当てとする債権を有する者、受益者、受託者などである（破産法244条の4第1項）。そこで、倒産手続防止措置のうち、倒産申立権の放棄の手当について、①受託者、当初の受益者、信託財産と取引を行う者等に関しては、信託財産についての破産手続開始申立てをしないことを誓約する旨の条項を信託契約または関連する契約のなかで定める、②将来的に信託受益権を譲り受け、受益者となる者に関しては、信託受益権の譲渡手続のなかで、信託財産についての破産手続開始申立てをしないことを誓約することを、信託受益権の譲受けの条件とする、等の手当を行うことが考えられる。ただし、受託者による信託財産についての破産手続開始申立てをしない旨の誓約については、受託者が受益者に対して善管注意義務を負担していることや前述の債務者自身および債務者の取締役等による倒産申立権の放棄の効力に関する議論とパラレルに考えうることから、その有効性や適法性に議論があるところである。実務的には、適法性の観点から、受託者については、「適用ある法令によって認められる限り」破産手続開始申立てをしないという限定された内容の倒産申立権の放棄条項が定められることもある。

4　倒産時対応措置

　前述のとおり、倒産隔離を達成するための措置として倒産予防措置と倒産手続防止措置に加えて、SPCに倒産手続が開始してしまった場合における投資家保護のための措置（倒産時対応措置）を掲げる見解がある。具体的には、①証券化の対象となった資産に対して投資家のために担保権を設定すること、②SPCが投資家以外の当事者に対して負担する債務に関して、投資家に対する債務に劣後する旨の劣後特約を付すこと（図表2-11参照）、等が倒産

図表2−11　劣後特約に関する条項（サンプル）

> 第○条　（劣後特約）
> 　本契約に基づく債権者の債務者に対するいっさいの債権は、①［　　　］の場合については債務者の発行するすべての社債に関する債務のうち期限が到来しているものが弁済されることを停止条件として、②それ以外の場合については債務者の発行するすべての社債に関するいっさいの債務が弁済されることを停止条件として、その条件が成就したときから行使できるものとする。

時対応措置としてあげられる。この点、SPCが社債を発行して資金調達を行う証券化取引においては、投資家のために担保権を設定することに関して担保付社債信託法の適用関係が論点となることに留意が必要である。

　なお、特に投資家が多数となる場合や証券化商品が転々と流通することが予定されている場合には、いわゆるセキュリティ・トラスト（担保物自体の所有権は信託設定の対象としないまま、担保権のみを信託財産とし、受託者が担保権者となって、受益者たる被担保債権者のために一元的に担保権の管理・行使を行うことを目的とする信託）を利用することにより、一元的な担保管理が可能となるため、投資家の便宜となりうる。

　また、信託に関する法令上、受益債権は信託債権[5]に劣後するとされている（信託法101条、破産法244条の7第2項、3項）。そこで、証券化取引に関して信託を利用する場合で、一定の信託受益権の支払を一定の信託債権に優先させ、あるいは同順位としようとする場合には、信託債権に劣後特約を付すなど、信託財産が信託債権と受益債権の全額を弁済するのに不足する場合に備えた手当を検討することが必要となる。

5　「受益債権」とは、信託行為に基づいて受託者が受益者に対し負う債務であって信託財産に属する財産の引渡しその他の信託財産に係る給付をすべきものに係る債権をいい（信託法2条7項）、「信託債権」とは、受託者が信託財産に属する財産をもって履行する責任を負う債務に係る債権であって、受益債権でないものをいう（同法21条2項2号）。

第 2 節

真正譲渡

1 総　論

　一般に証券化の達成のためには、「真正譲渡」(「真正売買」「トゥルーセール (True Sale)」等と表現されることもある) の達成が重要とされている。倒産隔離の用語と同様に真正譲渡の用語についても論者や文脈によって用いられ方が一様ではないものの、ここでは、オリジネーターによる証券化の対象となる資産の信託銀行等への信託譲渡あるいはSPCや投資家への譲渡が信託や売買の法形式を借りた担保目的の譲渡ではないこと、したがって、オリジネーターについて破産手続その他の倒産手続が開始された場合に、当該資産が当該倒産手続に服するオリジネーターの財産に属するものであって当該資産に対する譲受人の権利は当該倒産手続に服する担保権であるとは判断されないこと、という内容を意味するものとして用いることとする。なお、本節では証券化取引においてオリジネーターから資産を譲り受ける者を「SPC等」と呼ぶこととする。

　証券化取引においてオリジネーターからSPC等に対する資産 (以下「対象資産」という) の譲渡について真正譲渡性が否定された場合、SPC等がオリジネーターに対して融資を行い、かかる融資の担保としてオリジネーターが対象資産をSPC等に提供する取引であると構成されることになる。この場合、証券化取引の後も対象資産の保有者はオリジネーターであり、SPC等は対象資産に対して担保権を有しているにすぎないと評価されることとなる。その結果、平時においてオリジネーターからの融資の返済としてSPC等が対

象資産からの回収金を取得している間は、真正譲渡性が肯定される場合と経済的に特段の相違は生じないと考えられるものの、オリジネーターについて倒産手続が開始された場合には、真正譲渡の成否によってSPC等の経済状況は異なってくる（図表2−12参照）。特にオリジネーターについて会社更生手続が開始された場合には、SPC等の経済状況に大きな影響を与えうる。

　すなわち、オリジネーターについて会社更生手続が開始された場合、対象資産の担保権者であるSPC等は更生担保権者となり、会社更生手続の外での担保権の実行ができなくなり（会社更生法50条1項）、更生計画によって権利内容が変更され、当初に予定されていたキャッシュフローとは異なるタイミングで支払が行われる可能性やSPC等が把握できる資産価値が減少される可能性が生じることになる（同法47条、167条、168条）。これに対して、オリジネーターについて破産手続あるいは民事再生手続が開始された場合には、対象資産の担保権者であるSPC等はかかる担保権を別除権として破産手続あるいは民事再生手続によらないで行使することが可能である（破産法65条1項、民事再生法53条2項）。もっとも、この場合であっても破産法および民事再生法に基づく担保権消滅の申立てによって、SPC等の担保権に関して、破産管財人や再生債務者等による介入を受ける可能性がある（破産法186条、民事再

図表2−12　真正譲渡の正否とSPC等の経済状況
① 真正譲渡の場合

② 真正譲渡が否定された場合

生法148条)。

2 真正譲渡性の検証

　以上のとおり、証券化取引においてオリジネーターからSPC等に対する対象資産の譲渡について真正譲渡性が否定された場合には、オリジネーターに対して倒産手続が開始された場合にSPC等が把握する対象資産の価値に影響が生じたり、破産管財人等によって権利行使が制約されたりすることになりうる。そこで、オリジネーターからSPC等に対する対象資産の譲渡が真正譲渡であるか検証することが証券化取引の組成に際して必要となる。実務上、格付会社が証券化商品に格付を付すための条件としていわゆるトゥルーセール・オピニオンを弁護士に徴求することが一般的であり、かかるオピニオンのなかで真正譲渡性の検証が行われる（図表2－13参照）。

　真正譲渡性の検証の方法としては、契約書の文言や取引の実態等の要素を総合的に検討して、当事者の意思を判断するという方法が広く採用されている。具体的な検討要素については個別の案件の具体的な事情に応じて異なってくるものの、一般的には以下のような要素があげられる。

　① 内部決議や契約書その他の書面に表れている当事者の意思（図表2－14参照）

図表2－13　弁護士によるトゥルーセール・オピニオン（サンプル）

> 　当職らは、以下の理由により、○○契約に基づく譲渡人から譲受人に対する□□の譲渡は真正な売買であり、譲渡人の破産手続、会社更生手続または民事再生手続において裁判所により、□□が破産手続、会社更生手続または民事再生手続に服する譲渡人の財産に属するものであって、□□に対する譲受人の権利は、破産手続、会社更生手続または民事再生手続に服する担保権であると判断されることはないと考える。
> ① ……
> ② ……
> 　……

図表 2 −14　当事者の真正譲渡の意思に関する売買契約の条項（サンプル）

> 第○条　（資産の売買）
> 　譲渡人および譲受人は、本契約に従った譲渡人から譲受人への□□の譲渡は、□□についての真正な売買を構成する意図のもとに行われ、譲渡人に対する信用の付与ないし担保付融資の目的で行われるものではないことをここに確認する。

図表 2 −15　オリジネーターによる対象資産への関与

> 　証券化取引が行われ、オリジネーターが対象資産を譲渡した場合であっても、対象資産に対してオリジネーターがなんらかの態様で関与を継続することも多い。たとえば、対象資産が金銭債権である場合にはオリジネーターが対象資産のサービシング業務を受託することが一般的である。また、対象資産が不動産である場合、いわゆるセール・アンド・リースバック取引が行われ、オリジネーターが対象資産を譲渡した後に、当該対象資産を賃借することによって利用を継続することがある。
> 　このようにオリジネーターが対象資産に対する関与を継続するような取引を行う場合、かかる取引の条件がアームスレングスとなっていないときには、通常の譲渡が行われた場合とは異なる権限あるいは支配権をオリジネーターが対象資産に対して留保しているものと判断され、真正な譲渡ではないとの判断がなされる可能性があることに留意が必要である。

②　対象資産の譲渡に関する対抗要件の具備の有無

③　対象資産の譲渡価格の合理性および適正性

④　対象資産に関するオリジネーターの権限および支配権の有無および内容（図表 2 −15参照）

⑤　対象資産に関するオリジネーターの買戻権または買戻義務の有無および内容

⑥　対象資産の価値代替物に関するオリジネーターの権利の有無および内容

⑦　対象資産の質とオリジネーターによる対象資産の信用補完の有無および内容（図表 2 −16参照）

図表 2－16　オリジネーターによる信用補完の態様

> 　真正譲渡性の判断要素の 1 つとしてオリジネーターによる対象資産の信用補完があげられる。この点、証券化取引においてオリジネーターが行う信用補完の態様は具体的な案件の特性に応じて多様である。オリジネーターによる信用補完の主な態様としては以下のようなものがあげられる。
> 　　・（信託を用いたスキームの場合）劣後受益権の保有
> 　　・SPC が発行する優先株式や優先出資の取得
> 　　・SPC が発行する劣後債の取得
> 　　・SPC に対する劣後ローンの供与や匿名組合出資
> 　　・SPC に対するコミットメントラインの供与
> 　　・対象資産の売買代金の繰延べ
> 　　・デフォルト等が発生した対象資産の買戻し
> 　　・対象資産または証券化商品の保証
> 　　・対象資産に生じた損失の補填
> 　　・（信託を用いたスキームの場合）追加的な金銭信託
> 　これらの態様によってオリジネーターが対象資産の信用補完を行ったとしても、そのことから常に真正譲渡性が否定されることにはならない。しかしながら、対象資産の質に比べて過度な信用補完がオリジネーターによって行われている場合には、対象資産のリスクがオリジネーターに残存し続けており、真正な譲渡ではないとの判断がなされる可能性があることに留意が必要である。

⑧　対象資産の譲渡に関するオリジネーターの記録上および会計上の取扱い

　以上の方法による真正譲渡性の検証は、各要素を総合的に検討して真正譲渡性を判断するものであり、特定の要素が充足され、あるいは欠如することによって直ちに真正譲渡性が肯定されたり、否定されたりするものではない。

　なお、このような各要素を総合的に検討して当事者の意思を判断するという検証方法のほかに、真正譲渡か否かを判断するためには、被担保債権の存否を検証することが重要であるとする考え方もある。この考え方によると、①SPC 等のオリジネーターに対する被担保債権の存在、②SPC 等が対象資産をオリジネーターの債務不履行時に処分できる処分権および債務不履行時ま

では処分できない補充性、③オリジネーターの対象資産に対する受戻権という３つの要素が証券化取引に存在するか否かによって真正譲渡性の有無を判断するとされている。

また、「倒産法的再構成」という概念に従って真正譲渡性について検討する考え方もある。倒産法的再構成とは、①一定の法律行為の形式がとられているにもかかわらず、その結果として成立する権利義務が実体とは異なったものになっており、かつ法形式どおりの権利義務を認めることが破産債権者等の合理的期待を裏切る結果となる場合には、法形式による権利義務とは異なる倒産法的再構成がなされる可能性がある、②その場合でも、倒産法的再構成が、契約の相手方等、利害関係人の権利との公平を害しないかどうかに注意する必要がある、③ある法形式を認めることが倒産手続の規定を回避または潜脱する結果となり、手続の目的実現を妨げるものとみなされるときにも、法形式どおりの法律効果の発生が否定されることがある、という内容であり、倒産手続において、これらの要件が充足される場合には契約の再構成がなされるとする[1]。

3 真正譲渡とその他の取引

次に、対象資産の真正譲渡が行われた場合と類似の効果を有する他の取引が行われた場合の法的効果の相違点について説明する。

(1) 担保付貸付との相違点

貸付人が借入人の保有する対象資産に対して担保権を設定して貸付を行った場合、貸付人が対象資産に対して一定の優先的な権利を取得し、対象資産からの回収を見込むことができることは譲受人が真正譲渡によって当該資産を取得する場合と共通するといえる。

---

[1] 伊藤眞「証券化と倒産法理(上)・(下)」金融法務事情1657号6頁、1658号82頁（平成14年）。

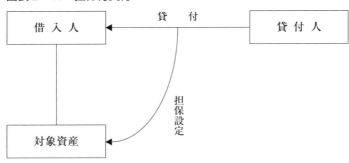

図表2-17 担保付貸付

　もっとも、真正譲渡が行われた場合に譲受人は対象資産の完全な権利を取得するのに対して、担保付貸付が行われた場合には貸付人は対象資産に関して担保権を取得するにすぎない（図表2-17参照）。そこで、借入人について倒産手続が開始された場合には、前記1で記述したとおり、貸付人が把握できる資産価値が減少したり、破産管財人等によって権利行使が制約される可能性が生じる。また、会計上、借入人が対象資産のオフバランス処理を達成することはできないと考えられる。

(2) ローン・パーティシペーションとの相違点

　ローン・パーティシペーション（Loan Participation）とは、貸付債権に関する権利関係を貸付債権の原保有者にとどめながら、貸付債権の経済的利益を参加者（パーティシパント（Participant））に移転させる取引をいう。ローン・パーティシペーションが行われた場合、参加者は貸付債権の経済的利益を受領することの対価を原保有者に対して支払い、原保有者は貸付債権に関して受領したいっさいの金銭を参加者に対して支払うことになる（図表2-18参照）。

　ローン・パーティシペーションによって参加者が貸付債権に関する経済的利益を受領できることは、譲受人が真正譲渡によってかかる貸付債権を取得

図表 2-18 ローン・パーティシペーション

する場合と共通するといえる。また、一定の要件が充足された場合には、原保有者は会計上、貸付債権のオフバランス処理を行うことが認められる。原保有者が自己資本比率規制の適用を受ける金融機関である場合には、会計上のオフバランス処理と同時に自己資本比率の改善を行うことも可能となる。

もっとも、ローン・パーティシペーションにおいては、参加者は、原保有者に対して貸付債権に関して受領したいっさいの金銭を引き渡すことを求める債権を取得するにすぎず、貸付債権自体についてはなんらの権利も取得しない。したがって、参加者は、貸付債権の債務者が貸付債権の支払を行わない場合だけではなく、原保有者がローン・パーティシペーションに基づく債務を履行しない場合にも経済的利益を受けることができないことになる。すなわち、ローン・パーティシペーションにおいては参加者は貸付債権の債務者の信用リスクと原保有者の信用リスクの双方を負担することになり、対象資産に関する信用リスクのみ負担する真正譲渡の譲受人とは経済状況が異なることになる。

また、ローン・パーティシペーションが行われたとしても、原保有者と貸付債権の債務者の権利関係はいっさい変動しない。そこで、真正譲渡が行われる場合には、対象資産の譲渡に関する対抗要件や対象資産に関する譲渡制限特約について、対象資産に係る債務者との関係が論点となりうるが、ロー

ン・パーティシペーションにおいては、これらの点で債務者との関係が取引の障害となることはない（なお、貸付債権の原因となる契約にローン・パーティシペーションを行うことを禁止するような約定がある場合には、これに反してローン・パーティシペーションを実行すると債務不履行の問題が生じることになる）。

(3) クレジット・デフォルト・スワップとの相違点

　クレジット・デフォルト・スワップ（Credit Default Swap）とはクレジット・デリバティブの一種であり、プロテクション・バイヤー（Protection Buyer）がプロテクション・セラー（Protection Seller）に対して所定のプレミアム（損失の補填を受けるための対価）を支払うのと引換えに、特定の資産（参照債務）について所定のクレジット・イベント（参照債務に係る債務者の信用低下を示す事由）が発生した場合に、元本相当額を支払って参照債務の引渡しを受ける方法（現物決済）あるいは損失額を支払う方法（現金決済）によってプロテクション・セラーがプロテクション・バイヤーに対して損失の補填（プロテクションの付与）を行う取引である（図表2－19参照）。クレジット・デフォルト・スワップ等を利用した証券化取引（シンセティックCDO）については、第4章第4節を参照されたい。

図表2－19　クレジット・デフォルト・スワップ

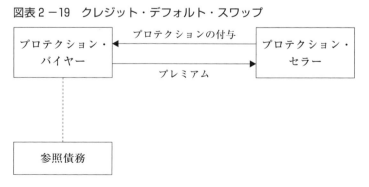

クレジット・デフォルト・スワップが行われた場合、参照債務に関してクレジット・イベントが発生した場合にプロテクション・セラーはプロテクション・バイヤーに対して損失の補填を行うことになり、プロテクション・セラーが参照債務に関する信用リスクを負担することになる。したがって、真正譲渡が行われた場合と同様に、信用リスクの移転が行われていると評価することが可能である。また、プロテクション・バイヤーが自己資本比率規制の適用を受ける金融機関である場合には、一定の要件を充足することによって信用リスク削減効果を受けることができ、自己資本比率の改善を図ることができる。

　他方、クレジット・デフォルト・スワップが行われても参照債務に関する権利の移転が生じるわけではなく、プロテクション・バイヤーに対して参照債務の対価の支払が行われるわけではない[2]。また、会計上、参照債務のオフバランス処理が認められることもない。加えて、参照債務自体の権利関係は変動しないことから、ローン・パーティシペーションと同様に、譲渡に関する対抗要件や譲渡制限特約の点で参照債務の債務者との関係が問題となることはない。

　さらに、クレジット・デフォルト・スワップによって参照債務の信用リスクの移転が行われるものの、かかるリスクの移転はプロテクション・セラーによる損失の補填が行われることが前提となる。したがって、プロテクション・セラーの信用状態が悪化し、参照債務に関してクレジット・イベントが発生した場合に損失の補填が行われない場合には、参照債務に関する信用リスクはプロテクション・バイヤーが負担することになる。このような意味で、真正譲渡と比べてクレジット・デフォルト・スワップによる信用リスクの移転は不完全であると評価することもできよう。

　また、クレジット・デフォルト・スワップの実行に際して、プロテクショ

---

[2] 現物決済による場合には、クレジット・イベントの発生時において参照債務の引渡しと元本相当額の支払が行われる。

ン・バイヤーは参照債務を保有している必要はない。そこで、この点においても、クレジット・デフォルト・スワップは、対象資産の引渡しのために対象資産を保有していることが前提となる真正譲渡と異なるといえる。

4 真正譲渡性とともに留意すべき概念

本節の最後に、真正譲渡の概念と混同しがちであるものの、区別して考えることが必要となる概念を説明する。

(1) 倒産隔離

倒産隔離と真正譲渡の関係については本章第1節で説明したとおりである。なお、前述のとおり、倒産隔離、真正譲渡の用語はいずれも用いられ方が一様ではない。そこで、論者や文脈によっては本書で「倒産隔離」として説明している概念を「真正譲渡」と称したり、逆に本書で「真正譲渡」として説明している概念を「倒産隔離」と称したりしている場合もあるので、用語の用いられ方に留意が必要である。

(2) 否　　認

否認とは、債務者について倒産手続が開始された場合において、倒産手続開始前になされた一定の要件を満たす債務者の行為またはこれと同視される第三者の行為の効力を否定する制度である（破産法160条以下、会社更生法86条以下、民事再生法127条以下）。オリジネーターからSPC等に対する資産の譲渡が真正譲渡である場合であっても、オリジネーターについて倒産手続が開始され、かかる譲渡が否認の要件を満たす場合には、否認によってかかる譲渡の効力が否定される可能性がある。したがって、証券化取引を行う際には、オリジネーターのSPC等に対する資産の譲渡について否認の対象とならないか検討する必要がある。

なお、オリジネーターが資産の信託譲渡をした場合には、オリジネーター

に関する倒産手続が開始された場合における否認の要件について、信託法に特則が定められていることに留意が必要である（信託法12条）。

(3) 法人格否認の法理

　法人格否認の法理とは、法人格が濫用的あるいは形骸的に利用されている場合等、社員と会社の法人格の独立性を形式的に貫くことが正義・衡平に反する場合に、特定の事案につき会社の法人格の独立性を否定し、会社と社員とを同一視して事案の解決を図る法理である。オリジネーターからSPC等に対する資産の譲渡が真正譲渡である場合であっても、SPC等の法人格が否認され、SPC等とオリジネーターの法人格が同一視されることになれば、資産がオリジネーターに帰属するものとして取り扱われることになってしまう。したがって、証券化取引を行う際には、SPC等に法人格否認の法理が適用されるような事情がないか検討する必要がある。

(4) コミングリング・リスク

　コミングリング・リスクとは、金銭債権の回収業務を受任したサービサー（証券化取引ではオリジネーターが務める場合が多い）について、かかる受任によって回収した金銭を回収業務の委任者に引き渡す前に、法的倒産手続が開始した場合に、サービサーに対する回収金引渡請求権が法的倒産手続に服することにより、金銭債権からの回収額や回収のタイミングに悪影響が生じるリスクのことをいう。オリジネーターからSPC等に対する資産の譲渡が真正譲渡である場合であっても、SPC等がオリジネーターに資産の回収業務等を委託する場合には、コミングリング・リスクの点でオリジネーターの倒産により証券化のスキームに悪影響を与える可能性が残ることになる。

　コミングリング・リスクを低減させる方法として、サービサーが回収金ないし回収金を入金した預金口座の払戻債権を信託財産としてSPC等を受益者とする信託を自己信託により設定することにより、証券化取引の対象

となる資産からサービサーの倒産の影響を隔離するという仕組みが検討されている[3]。

---

[3] 金融法委員会「サービサー・リスクの回避策としての自己信託活用の可能性」金融法務事情1843号24頁（平成20年）。

第 3 節

証券化の法的インフラ

　これまで証券化を達成するための重要な法的概念である倒産隔離と真正譲渡について述べてきた。しかしながら、証券化の仕組みはさまざまな法制度を利用して達成されるものであり、また本来証券化を想定していない法制度によって影響を受ける場合もありうるため、かかる法制度といかに整合性を保つかも重要な検討対象となる。

　証券化は、ある資産を証券化Vehicleに譲渡し、かかる証券化Vehicleが証券化商品を発行して資金を調達するという基本的な仕組みを有するため、①証券化対象資産をめぐる法制、②資産の譲渡に関する法制、③資産譲渡の受け皿となる証券化Vehicleに関する法制、④有価証券等の資金調達手段に関する法制、⑤資産の管理・回収（サービシング）——すなわちキャッシュフローに関する法制、⑥投資家保護や業者規制のための公法的な法制、⑦倒産法制などが主要な検討対象となる。

　①については、クレジット債権の証券化においては割賦販売法が、消費者ローン債権の証券化においては貸金業法が関係してくるというように、証券化対象資産に応じてさまざまな法制が関係してくる可能性がある。②については、民法の対抗要件制度がその基礎となりつつも、実務上は民法の対抗要件制度の特例を定めた動産債権譲渡特例法が多くの債権の証券化取引において活用されている（電子記録債権の譲渡に関する法制としては、他に電債法も視野に入れる必要がある）。③については、会社法、信託法、組合に関する法制が関係してくるが、そのなかでも証券化自体を目的として制定された資産流動化法と広く証券化取引に利用されている信託にかかわる法制が重要であろ

う。④については、最終的な証券化商品の形態次第で適用法令は異なってくるが、投資家保護という観点から、広範な商品に対して規制を及ぼす金商法や金融サービス提供法が重要である。⑤については、弁護士法およびその特別法としてのサービサー法、⑥については、金商法、信託業法等が検討対象となる。

　本節では、このようなさまざまな関連する法制のうち、証券化一般について問題となりうる代表的な法制度を取り扱うこととする。

　わが国における証券化の歴史的な経緯については割愛するが[1]、現在の証券化市場の基礎を築いたといえるのは、平成5年6月1日に施行された特債法であるといっても過言ではないであろう。特債法は、公告によって対抗要件を具備することを認めることによりリース債権・クレジット債権の証券化を促進するものであった。「特定債権等に係る事業の規制に関する法律」という名称のとおり、規制法としての側面も有しており、実態としてかかる規制に服さないように信託受益権方式で特定投資者に限定するかたちで発行されるのが大半となっていたが、信託受益権の販売を規制する信託業法が平成16年12月に改正されるとともに、その役割を終えたとして廃止された。

1　証券化Vehicleに関する法制度
　──資産流動化法、信託法、信託業法

(1)　証券化Vehicle総論

　証券化取引においては、倒産隔離[2]を図るため、証券化対象資産を、取引関係者からの独立性を有する法的な器としてのVehicleに移転する。

　証券化Vehicleは、証券化対象資産を移すための器としての役割を果たす

1　わが国における証券化の歴史的な経緯については、川北英隆編著『証券化』第2章2（金融財政事情研究会、平成24年）、高橋正彦『増補新版 証券化の法と経済学』第2章（NTT出版、平成21年）、企業財務制度研究会編『証券化の理論と実務』第4部（中央経済社、平成4年）参照。
2　倒産隔離の意味内容については、本章第1節参照。

ことが期待されていることから、法的安定性が高いことが求められるとともに、証券化取引にかかるコストの削減のため、できる限り簡素な組織形態であることが求められる。

運用型の投資スキームも含めた広い意味での資産金融型のスキームに用いられるVehicleは、大きく分けると会社型Vehicleと契約型Vehicleに分けることができ、それぞれ以下のように分類することができる。

【会社型Vehicle】

株式会社、合同会社、特定目的会社、一般社団法人、投資法人、海外SPC

【契約型Vehicle】

信託、特定目的信託、投資信託、民法上の組合、匿名組合、投資事業有限責任組合、有限責任事業組合、海外のPartnership

このうち、投資法人、投資信託または組合形態のスキームは、運用型の投資スキーム（いわゆるファンド）として活用されることが多く、証券化の文脈においてVehicleとして想定されているのは、主に株式会社、合同会社、特定目的会社、一般社団法人および信託である（ただし、不動産の証券化取引で広く採用されるTK－GKスキームでは匿名組合が利用され、また、資産流動化として分類されることもあるいわゆるJ－REITはVehicleとして投資法人を利用するものである）。また、以下では日本法についての検討を行うという観点から、海外SPCについての解説は行わない[3]。特定目的信託については、使い勝手が悪く実務上活用事例がほとんど存在しないことから、以下では解説しない[4]（後記(2)の資産流動化法の解説中で若干の紹介を行うにとどめる）。

a 株式会社

会社法に基づく最も基本的な会社形態である。会社の持分を均一化・細分化した株式とすることで、多数の者が出資して事業を行うことを可能とする

---

[3] ケイマンSPCの活用方法については、本章第1節2(1)参照。
[4] ただ、（筆者の認識する限り、本書の執筆時点においてはいまだ発行実績はないものの）社債的受益権の性質を利用することにより、イスラム金融の一方式である日本版スクークとして活用することが検討されている。

一方で、会社の経営自体は取締役等の会社の機関として設けられる者に委任される（いわゆる所有と経営の分離）。

会社法は、図表2－20のように多様な組織設計を許容しているが、最低限の機関設計として、1名または2名以上の取締役を置かなければならないものの、それ以外の機関を設置するかどうかは任意とされている（会社法326条1項、2項）。そのため、基本的には、取締役1名のみを設置すれば、証券化Vehicleとして活用する株式会社を設立することができる。

また、株式会社は、資本金1円で設立が可能である。会社法の施行前の旧商法下においては、資本金1,000万円が必要であったが、かかる最低資本金制度は、会社法においては廃止されている。

後述する特定目的会社と異なり、会社法上なしうる事業に制限はないが、定款で定めた事業目的に従った事業を行う必要がある。証券化Vehicleとして活用する場合には、倒産隔離の観点から、定款でその事業目的を証券化取引に必要な範囲に制限することが通常である。これは、証券化Vehicleが証券化取引と無関係な取引を行い、かかる取引において債務を負担することで証券化に悪影響を及ぼすことを防ぐことを目的とした措置である。

また、株式会社については、法律に規定する要件を備えれば設立可能であるという準則主義が採用されていることから、後述する特定目的会社と異なり、特に届出等は必要とされていない。

b　合同会社

会社法の施行により導入された簡易な会社形態である。株式会社と同様、会社に対する出資者の有限責任を維持しつつ（会社法580条2項）、株式会社と異なり、会社の内部関係を定款により自由に設計することができる。その意味で、組合的な要素を有する会社形態であり、所有と経営が分離していない点で株式会社と異なる（法人格を有する点で組合とは異なる）。合同会社は社員1名でも設立可能である（同法641条4号参照）。

後述する特定目的会社と異なり、会社法上なしうる事業に制限はないが、

図表2-20 株式会社の機関設計

	株主総会	取締役	取締役会	代表取締役	監査役	監査役会	会計監査人	監査等委員会	指名委員会等	備考
非公開会社	○	○								
	○	○	○	○	○					*1
	○	○	○	○	○	○				*2
	○	○	○	○	○	○	○			*3
公開会社	○	○	○	○						*4
	○	○	○	○	○					
	○	○	○	○	○	○	○			*5
	○	○	○	○	×		○	○		*6
	○	○	○	○	×		○	×	○	*7

*1 監査等委員会設置会社および指名委員会等設置会社以外の取締役会設置会社は、監査役を置かなければならない(会社法327条2項)。

*2 監査役会設置会社は、取締役会を置かなければならない(会社法327条1項2号)。また、監査等委員会設置会社および指名委員会等設置会社以外の取締役会設置会社は、監査役を置かなければならない(会社法327条2項)。

*3 公開会社でない大会社は、会計監査人を置かなければならない(会社法328条2項)。また、監査等委員会設置会社および指名委員会等設置会社以外の会計監査人設置会社は、監査役を置かなければならない(会社法327条3項)。

*4 公開会社は、取締役会を置かなければならない(会社法327条1項1号)。また、監査等委員会設置会社および指名委員会等設置会社以外の取締役会設置会社は、監査役を置かなければならない(会社法327条2項)。

*5 非公開会社、監査等委員会設置会社および指名委員会等設置会社以外の大会社は、監査役会および会計監査人を置かなければならない(会社法328条1項)。

*6 公開会社、監査役会設置会社、監査等委員会設置会社、指名委員会等設置会社である場合には、取締役会を置かなければならない(会社法327条1項)。また、監査等委員会設置会社および指名委員会等設置会社は、監査役を置いてはならない(会社法327条4項)。さらに、監査等委員会設置会社および指名委員会等設置会社は、会計監査人を置かなければならない(会社法327条5項)。

*7 公開会社、監査役会設置会社、監査等委員会設置会社、指名委員会等設置会社である場合には、取締役会を置かなければならない(会社法327条1項)。また、監査等委員会設置会社および指名委員会等設置会社は、監査役を置いてはならない(会社法327条4項)。さらに、監査等委員会設置会社および指名委員会等設置会社は、会計監査人を置かなければならない(会社法327条5項)。加えて、指名委員会等設置会社は、監査等委員会を置いてはならない(会社法327条6項)。

定款で定めた事業目的に従った事業を行う必要がある。証券化Vehicleとして活用する場合には、倒産隔離の観点から、定款でその事業目的を証券化取引に必要な範囲に制限することが通常である。

合同会社の業務執行権限は原則としてすべての社員が有しており、社員が複数いる場合には、過半数で業務執行の決定を行う（会社法590条1項、2項）。他方で、定款自治が広く認められており、定款で業務を執行する社員を定め、業務の決定方法を定めることができる。そして、業務を執行する社員は、原則として合同会社の代表権を有する（同法599条1項本文）。

合同会社は、準則主義により設立可能であり、後述する特定目的会社と異なり、特に届出等は必要とされていない。

また、株式会社と異なり、会社更生法の適用対象ではない。

旧商法下においては、有限会社が、取締役1名、資本金300万円で設立可能であるなど、簡易な組織形態であったこと、会社更生法の適用を受けなかったことから活用されていたが、会社法の制定に伴い有限会社法が廃止され、株式会社制度に一本化されたことから、新たな組織形態として合同会社が有限会社のかわりに活用されるようになった。

合同会社を証券化Vehicleとして活用した不動産証券化スキームとして、TK－GKスキームが存在する[5]。不動産証券化スキームにおいては、証券化Vehicleが証券化対象の不動産に担保を設定して投資家からローンの実行を受けるというスキームを選択することがあるが、会社更生手続のもとにおいては、担保権の自由な行使が認められておらず（会社更生法50条1項）、かつ、更生担保権としてその権利が縮減される可能性があるため（同法167条1項、2条13項）、会社更生法の適用のある株式会社を証券化Vehicleとして活用することはハードルが高いとされている。そのため、証券化Vehicleとしては、合同会社（GK）を用いるのである。

---

5 不動産証券化スキームの詳細については、第4章第2節参照。

c 特定目的会社

　特定目的会社は、証券化取引を促進することを目的として制定された資産流動化法に基づき設立される、資産の流動化事業のみを行うことのできる会社である。

　基本的には、取締役1名、監査役1名、資本金1円で設立可能であるが、特定社債以外の資産対応証券（たとえば優先出資）を発行する場合、特定社債の発行総額と特定借入れの総額との合計額が200億円以上である場合には、会計監査人の設置が求められる（資産流動化法67条、資産流動化法施行令24条）。

　資産の流動化事業およびこれに附帯する業務のみを行うことができ（資産流動化法195条1項）、取得できる資産にも制限がある（同法212条）。

　特定目的会社については、特定目的会社に対する監督およびディスクロージャーの観点から、その業務の開始にあたり、業務開始届出が必要とされ、その他各種届出（役員等の重要事項変更時の変更届出、業務終了時の業務終了届出など）が必要となる。

　取締役の裁量を極力排除するため、資産流動化計画の届出が必要であり、資産流動化計画に記載されたとおりに資産流動化業務を行うことが必要となる（資産流動化法195条。なお、同法5条、39条、64条、121条等も参照）。

　特定目的会社については、資金調達方法も法律により制限されており、特定社債の発行を基本とし（資産流動化法121条）、特定借入れ（同法210条）、特定約束手形（同法205条）、優先出資（同法39条）による資金調達が可能である。

　詳細は、後記(2)を参照されたい。

d 一般社団法人

　平成20年に廃止される以前の旧中間法人法のもとで認められていた中間法人は、営利目的も公益目的も有しない中間的な目的を有する組織のために設けられた法人形態であったが[6]、公益法人制度改革により、中間法人法が廃止さ

れ、証券化取引において活用されることの多かった従前の有限責任中間法人は一般社団法人となった。現在においては、本章第1節2(2)のとおり、証券化Vehicleの親法人としては、一般社団法人を用いるのが一般的である。

一般社団法人は、準則主義により設立される剰余金の分配を目的としない法人であり、基本的には、理事（株式会社における取締役に相当する）1名、社員2名以上（設立後に1名に減員することは可能）で設立可能である（ほかに、監事（株式会社における監査役に相当する）を任意で設置することも可能である）。

一般社団法人の概要をまとめると、図表2－21のとおりである（以下の表中で、「法」とは、一般社団法人法を意味する）。

証券化取引においては、証券化の対象となる資産を取得する証券化Vehicleに対する関係者の支配を排除するため、証券化Vehicleの議決権を取得するVehicleを別途設け、そのVehicleの議決権を関係者が行使することができない状態に棚上げすることが行われてきた。かつては、そのような目的を達成できる制度として、慈善信託（チャリタブルトラスト）の制度を有するケイマン法人が証券化Vehicleの親法人として活用されてきたが[7]、平成13年の中間法人法の制定に伴い、有限責任中間法人が活用されるようになった。そのポイントは、資本金である基金の拠出者と議決権を行使する社員とが区別されていることを活用し、社員を公認会計士等、取引関係者から独立した第三者とすることで取引関係者からの支配を排除しつつ、基金のかたちで、Vehicleの設立コスト、証券化期間中のVehicleの維持コスト等、必要コストをオリジネーターが注入することができる点にある。この点は一般社団法人も基本的には同様であり、実務上、有限責任中間法人にかわって一般社団法人が活用されている[8]。

6 　中間法人については、「社員に共通する利益を図ることを目的とし、かつ、剰余金を社員に分配することを目的としない社団であって、この法律により設立されたものをいう」と定義されていた（中間法人法2条1号）。
7 　慈善信託については、本章第1節2(1)も参照されたい。

図表2-21　一般社団法人の概要

項　目	概　　要
社団の性質	社員に剰余金または残余財産の分配を受ける権利を与えることはできない（法11条2項）
目的による制限	特になし
資本規制	特になし
設立手続	設立の登記によって成立（法22条） 2名以上の社員が必要（法10条1項において、「共同して定款を作成し」とされている）
定款の必要的記載事項	〈法11条〉 一　目的 二　名称 三　主たる事務所の所在地 四　設立時社員の氏名または名称および住所 五　社員の資格の得喪に関する規定 六　公告方法 七　事業年度
社員の入社資格	定款自治
社員の義務	経費負担義務（定款自治、法27条）
基金拠出者	社員と区別されており、基金拠出者は議決権を有しない（法48条1項）
基金返還請求権	①　他の債権に劣後（法145条、236条） ②　利息を付すことの禁止（法143条） ③　合併の債権者保護手続においては債権者として扱われない（法248条6項） ④　剰余金があり、かつ、社員総会の決議を経た場合に限り、返還することができる（法141条）
基金の額	定款で定める（法131条） 基金なしでも設立可

8　一般社団法人の証券化Vehicleの親法人としての活用の詳細は、本章第1節2(2)参照。

社員総会	① 書面による議決権行使、電磁的方法による議決権行使可（法51条、52条） ② 書面決議可（法58条）
招集手続	① 原則として社員総会の1週間前（法39条1項） ② 社員全員の承諾を得ることにより、招集手続の省略可（法40条）
理事	1人以上（法60条1項）
理事の任期	2年。短縮可（法66条）
監事	設置するかどうかは任意（法60条2項）
監事の任期	4年。2年を限度として短縮可（法67条）
決算公告	定時社員総会の終結後遅滞なく、決算公告（法128条）
解散事由	〈法148条〉 一 定款で定めた存続期間の満了 二 定款で定めた解散の事由の発生 三 社員総会の決議 四 社員が欠けたこと。 五 合併（合併により当該一般社団法人が消滅する場合に限る） 六 破産手続開始の決定 七 解散を命ずる裁判

e 信 託

　信託とは、信託契約、遺言等により、特定の者が一定の目的に従い財産の管理または処分およびその他の当該目的の達成のために必要な行為をすべきものとすることをいう（信託法2条1項）。典型的には、委託者Aが受託者Bに対し、受益者Cのために一定の財産を管理・処分することを目的として、当該財産を譲渡する場合である。信託は、民法上の委任や寄託と類似する制度であるが、受託者が、委託者とは別の受益者のために当該財産を管理・処分する義務を負うこと（委託者と受益者とが同一人である場合もあるが、委託者としての地位と受益者としての地位が区別されている点で特徴的である）、当該財

産の所有権が委託者から受託者に移転すること、信託財産が受託者からの独立性を有することという特徴を有する制度である。

信託には、独自に法人格が認められるわけではないという見解が一般的であるが、信託財産は、受託者からの独立性を有することから（たとえば、信託法25条1項）[9]、この点に着目し、関係者の倒産からの隔離を図る手段として、証券化Vehicleとして活用されてきた。

信託は、株式会社等の会社型Vehicleと比べると柔軟性が高く、受益権の権利内容のうち契約により決定することができる部分が大きいことから、日本の証券化においては活用事例が多い。

なお、信託の詳細については、本節(3)を参照されたい。

(2) 資産流動化法

a 資産流動化法とは

資産流動化法とは、「資産の流動化に関する法律」の略称である。この法律は、平成8年に開始された証券化のための法整備の1つのかたちとして平成10年6月に制定された「特定目的会社による特定資産の流動化に関する法律」を平成12年に改正し（以下「平成12年改正」という）、改正に伴って名称を変更することでできあがった法律である（以下、平成12年改正前の特定目的会社による特定資産の流動化に関する法律を「旧SPC法」という）。その後、平成18年の会社法の施行に伴い、会社法との整合をとるための大きな改正（以下「平成18年改正」という）がなされ、さらに、平成23年には実務上の要請をふまえた手続等の一部弾力化のための大きな改正（以下「平成23年改正」という）がなされている。

---

[9] 信託財産は、受託者名義の財産とされるが、受託者からの独立性を有することから、あたかも別の法人の有する財産のように取り扱われ、受託者の倒産手続から隔離されることになり、信託財産についての独自の破産手続も設けられている（破産法244条の2以下）。また、委託者から受託者への財産の譲渡が真正譲渡である限り、委託者の倒産手続からも隔離される。

b　資産流動化法の趣旨・目的

　資産流動化法は、「特定目的会社又は特定目的信託を用いて資産の流動化を行う制度を確立し、これらを用いた資産の流動化が適正に行われることを確保するとともに、資産の流動化の一環として発行される各種の証券の購入者等の保護を図ることにより、一般投資者による投資を容易にし、もって国民経済の健全な発展に資することを目的とする」法律である（資産流動化法1条）。

　資産流動化法は、投信法（具体的には、投資信託をイメージされたい）とともに、集団投資スキームを実現するための法律として制定されたものである。投信法との違いは、投信法が資産「運用」型の取引を扱うのに対し、資産流動化法が資産「流動化」型の取引を扱うという点にある。

　資産流動化法には、証券化のための制度として、特定目的会社制度と特定目的信託制度が設けられている。これらは、証券化を促進するために設けられた制度であり、伝統的な間接金融に頼るのではなく、市場型間接金融の促進を図るための制度である。

　各制度の詳細は後述するが、図表2-22、図表2-23のようなイメージである。

c　特定目的会社制度

　特定目的会社は、証券化対象資産を移すための器としてつくられるものであり、証券化対象資産から生じるキャッシュフローを確保し、投資家に分配することをその主要な業務とするものである。特定目的会社が、証券化関連の業務以外の業務を行うと、それによって不測の債務を負うおそれ等があり、投資家に不測の損害を与えるおそれがある。そこで、資産からのキャッシュフローを確実に確保できるよう、特定目的会社を証券化関連の業務に専念させるべく、他業の禁止が定められている（資産流動化法195条1項。なお、同様の趣旨で、同条2項により、合名会社または合資会社の無限責任社員となることが禁止されている）。

図表2-22 特定目的会社のイメージ

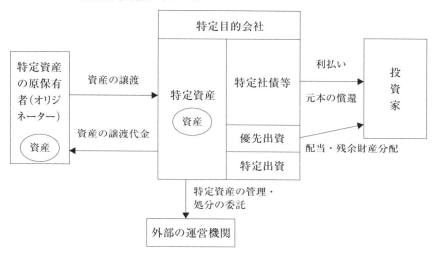

図表2-23 特定目的信託のイメージ

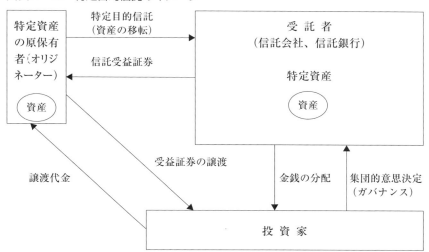

また、特定目的会社を利用した証券化取引は、対象資産を特定していることが前提であり、特定資産の処分等の制限の規定が設けられている（資産流動化法213条）。
　このように、特定目的会社は、証券化対象資産を所有者から分離し、移転させる先の器として設立されるものであり、その器としての性質を保つような工夫がなされている（前掲・図表2－22参照）。

(イ)　特定目的会社制度を利用した取引の流れ

　特定目的会社を利用した証券化取引の流れは、おおむね図表2－24のとおりである。図表のように、特定目的会社を利用した証券化取引は、器としての特定目的会社を設立し、特定目的会社に証券化対象資産を譲渡し、特定目的会社はそれに基づいて証券を発行し、証券を購入した投資家へのキャッシュフローを満足させ、証券化対象資産から発生するキャッシュフローの分配が終了した段階で特定目的会社を解散・清算し、一連の取引が終了する。そこでは、一連の証券化取引の安定性を確保するため、資産流動化計画に基づく安定的なキャッシュフローの分配が想定されており、特定目的会社の業

図表2－24　特定目的会社を利用した取引の流れ

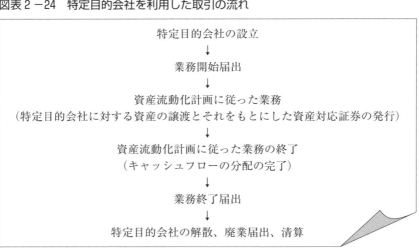

務も資産流動化計画に従って行われる。

㈹　**特定目的会社の業務開始**

(i)　特定目的会社の業務開始までの流れ

　特定目的会社を利用した証券化取引を行おうとする場合には、まず特定目的会社を設立する必要がある。特定目的会社の設立手続は、図表2－25のとおりであり、おおむね会社法の株式会社の設立手続と同様である。

　そして、設立された特定目的会社が証券化に係る業務を開始するためには、管轄財務局に業務開始届出をする必要がある。現行の資産流動化法上採用されている届出制は、事後審査的制度であり、届出の形式要件に適合している場合は、届出が管轄財務局に到達した時点で届出をすべき義務が履行されたものと取り扱われているから（行政手続法37条）、特定目的会社は、業務

図表2－25　特定目的会社の業務開始までの流れ

関連手続	備　考	関連条文
定款作成	発起人全員の署名が必要	資産流動化法16条1項
公証人による定款認証		資産流動化法16条6項、会社法30条
発起人による特定出資引受け	総口数を発起人が引受け	資産流動化法17条2項
発起人による払込み	引受後遅滞なく、全額の払込み	資産流動化法19条1項
発起人による取締役・監査役の選任		資産流動化法21条1項
取締役および監査役による設立手続調査		資産流動化法21条4項、会社法46条1項、2項
設立登記申請	設立手続調査終了日または発起人の定めた日のいずれか遅いほうから2週間以内	資産流動化法22条1項各号
財務局に業務開始届出		資産流動化法4条

第3節　証券化の法的インフラ

開始届出と同時に証券化に係る業務を開始することができる。

(ii) 最低資本金額

平成18年改正前の資産流動化法においては、最低資本金額は10万円とされていたが、会社法において最低資本金制度が廃止されたことに伴い、現行の資産流動化法においても最低資本金制度は廃止されている。したがって、特定資本金の額を1円として特定目的会社を設立することも認められる。

(iii) 業務開始届出の方法

特定目的会社は、資産流動化に係る業務を行おうとするときには、管轄財務局に業務開始届出をしなければならない（資産流動化法4条1項）。

業務開始届出をする際には、特定目的会社の商号や営業所の名称および所在地等（詳細については、資産流動化法4条2項参照）を記載した届出書を提出し、あわせて特定目的会社の定款や資産流動化計画等の書類（詳細については、同条3項参照）を提出する（同条2項、3項）。

なお、業務開始届出の様式は、資産流動化法施行規則別紙様式第1号のとおりであり、金融庁のホームページ上においても公開されている。

d 資産流動化計画

資産流動化計画とは、「特定目的会社による資産の流動化に関する基本的な事項を定めた計画」をいう。資産流動化計画は、それにより、投資家に証券化商品の内容を開示し、投資家に適切な投資判断をさせることを目的として作成される。そのため、かなり細かいところまで資産流動化計画に記載することが求められている。

旧SPC法においては、資産流動化計画が定款事項とされていたが、平成12年改正で資産流動化計画を定款事項から外し、資産流動化計画は、特定目的会社設立後の業務開始届出の際に、届出書に添付することとされた。資産流動化計画が定款事項とされていると、特定目的会社の設立時に、証券化の詳細なスキームを確定しておく必要があることとなるが、通常は、社債等の具体的な商品を発行する直前までスキームの詳細が決まらないことが多く、特

定目的会社設立時までにスキームの詳細を決定しておくことは困難である。

この点、平成12年改正によって、特定目的会社が業務開始届出をする際にスキームの詳細が確定していれば足りるとされたことから、具体的な商品の発行直前までスキームの詳細を確定させなくともよくなり、利便性は向上したということができる[10]。

なお、旧SPC法において、資産流動化計画を定款事項としていたのは、資産流動化計画に違反する特定目的会社の行為を定款違反の行為であるとして、投資家に是正する機会を与えるためであった。そこで、現行法においては、資産流動化計画を定款事項から外した関係で、特定目的会社の資産流動化計画違反の行為に対する投資家の監督是正権を定めている（資産流動化法64条等）。

【資産流動化計画の記載事項】

資産流動化計画には、資産流動化計画の計画期間や資産対応証券に関する事項、特定資産の内容、特定資産の管理・処分方法等を詳細に記載することが求められている。

たとえば、特定社債に関する資産流動化計画における記載から一部を抜粋すると、図表2－26のようなイメージとなる（なお、実務においては、特定社債を社債等振替法の規定に基づく振替債とすることが多いことから、図表2－26では振替債とされることを前提とした記載例としている。また、実務上、特定社債管理者の設置をせずに証券化スキームを構築することができるように、特定社債の1口ごとの金額を1億円以上とすることが多いことから、図表2－26では特定社債の金額は1億円の1種としている）。

---

[10] 旧SPC法においては、事後審査的な届出制ではなく、事前審査的な制度である登録制が採用されており、この点が、機動的な証券化の妨げとなっていた。旧SPC法のもとでの登録審査には通常2カ月を要していたことから、資産流動化計画を確定させたうえで、2カ月間商品の発行ができないということとなり、市場の状況に応じた機動的な証券化ができないという問題が生じていた。そこで、資産流動化計画を定款事項から外し、届出制を採用して、資産流動化計画を届出書に添付することで足りるとしたのである。

図表 2 −26　特定社債の発行等に関する事項

(1) 特定社債（特定短期社債を除き、転換特定社債および新優先出資引受権付特定社債を含む）の発行を予定する場合は、その旨
　　本特定目的会社は、特定社債の発行を予定している。
　　本特定目的会社は、本計画期間中、転換特定社債および新優先出資引受権付特定社債の発行を予定していない。
(2) 募集特定社債の総額（発行予定残高の上限をいう）
　　募集特定社債の総額は金●●●億円とする。
(3) 募集特定社債の内容
　① 金　　　額　　金1億円の1種とし、分割または併合はしない。
　② 特定社債券の不発行
　　　本特定社債は、その全部について社債、株式等の振替に関する法律（平成13年法律第75号、その後の改正を含む）（以下「社債等振替法」という）118条の準用する同法66条2号の定めに従い社債等振替法の規定の適用を受けることとする旨を定めた特定社債であり、社債等振替法118条の準用する同法67条2項に定めた場合を除き、特定社債券を発行することができない。
　③ 総　　　額　　金●億円
　④ 払込金額　　　特定社債100円につき金100円
　⑤ 償還価額　　　特定社債100円につき金100円

　特定目的会社が、業務開始届出を行おうとするときには、資産流動化計画について、事前にすべての特定社員の承認を受けなければならないとされている（資産流動化法6条）。

　証券化取引の柔軟性を確保する観点から、当初の資産流動化計画においては、証券の発行に係る一定の事項の記載を省略することができることとされている（資産流動化法7条1項）[11]。また、資産流動化計画の変更も認められており、期中におけるスキームの変更も可能とされている。資産流動化計画

11　これは、不動産証券化の場合に、建物を特定資産として取得し、修繕して商品性を向上させたうえで証券発行を行うといった実務上の便宜を考慮したものである（逐条解説資産流動化法88頁）。

の変更は原則として社員総会の決議によるとされているが（資産流動化法151条1項）、すべての事項の変更について社員総会の決議を必要とするのでは、煩雑に過ぎるし、事務的負担が重いことから、後述のとおり、一定の事項については、社員総会の決議を要せずに変更することが可能とされている（同法151条3項）。また、資産流動化計画は、投資家の投資判断の拠り所となるものであり、特定目的会社の行為を統制するものでもあるから、資産流動化計画の変更には、すべての投資家の関与が認められている。すなわち、反対優先出資社員に優先出資買取請求権（同法153条）が与えられ、特定社債権者集会の承認（同法154条）が要求され、特定短期社債権者、特定約束手形所持人、特定借入れに係る債権者に反対ないし異議を出す権利が認められている（同法155条～157条）。

社員総会決議なしでなしうる変更の例としては、特定借入れを行っていない特定目的会社が、資産対応証券の募集等の開始前に変更を行う場合であって、すべての特定社員の同意があるとき（資産流動化法151条3項3号、同法施行規則79条2項1号）[12]が実務上よく問題となる。実務上は、特定社債等の商品の内容が発行の直前まで定まらないことが多く、特定社債の内容が確定した段階で資産流動化計画の内容を変更したうえで、特定社債の募集を行うということが行われる。

なお、特定社債等の商品の内容が発行直前まで確定しないという実務上の要請に配慮し、業務開始届出に際し、資産流動化計画の証券発行に係る記載を省略することが認められており（資産流動化法7条1項）、この場合、特定社債等の募集の前に所定の確定手続を経ることとなる（同条2項）。これは、資産流動化計画の変更であるが、社員総会決議を経ることなく変更可能である（同法151条3項3号、同法施行規則79条2項2号）。さらに、資産流動化計

---

[12] これは、業務開始届出後、資産流動化計画に対する利害関係者が未存在の状態での変更であることから、投資家に対する影響はなく、特定社員の同意だけで可能とされているものである。

画に、当該資産流動化計画に改定がありうる旨および改定するための要件、手続を記載しておくことで、資産流動化計画に確定的な記載を行った事項について、後日資産流動化計画を改定する方法により、資産流動化計画の記載を変更することも可能である（同法151条3項3号、同法施行規則79条2項2号）。この改定手続は、平成23年改正により導入されたものであるが、上記の確定手続と同様の趣旨で、資産流動化計画に確定的な記載があったとしても、スキームの根幹にかかわらない事項について、あらかじめ定められた要件および手続に従って当該事項の内容が変更される可能性があることは、利害関係者が認識したうえで投資関係に入っており、利害関係者の事前の承諾を得たうえで変更する場合と同視できることを理由とするものである[13]。

　また、資産流動化計画に従った特定社債等に係る履行の完了後の計画期間の短縮も実務上、よく行われている。これは、軽微な変更に当たる（資産流動化法151条3項1号、同法施行規則79条1項3号）。特定目的会社を利用して証券化取引を行う場合、計画期間を長めに設定することが多い。これを、特定社債等に係る履行の完了の時点で短縮するわけであるが、この場合に社員総会の決議まで要求するのでは、事務的負担が大変重くなってしまう。これに対し、すでに特定社債等に係る履行が完了した後での計画期間の短縮であれば、投資家に対する影響もなく、社員総会決議事項として投資家の関与を認める必要性はない。そこで、このような変更は軽微な変更であるとして、社員総会決議を要せずに変更できることとされているのである。

　なお、資産流動化計画の記載事項が変更された場合、原則として変更届出が必要となるが（資産流動化法9条1項本文）、平成23年改正により、特定資産の取得時期の確定に伴う変更その他の資産流動化法施行規則26条の2で定める軽微な変更については、届出が不要とされた（同法9条1項ただし書）。もっとも、変更届出が不要とされる場合であっても、特定目的会社は、遅滞

---

[13] 本村彩『一問一答　改正資産流動化法』44頁（金融財政事情研究会、平成24年）。

なく、資産流動化計画の変更について投資家である優先出資社員などの各利害関係人に対して通知し、または公告しなければならない（同法151条4項）。また、特定目的会社は、毎事業年度、事業報告書を管轄財務局に提出する必要があるところ、当該事業年度における最後の資産流動化計画の変更について変更届出がなされていない場合には、事業報告書の提出にあたって、当該事業年度の末日における資産流動化計画を添付しなければならないこととされている（同法216条、同法施行規則100条2項）。

e 特定出資

特定出資は、譲渡することができるが（資産流動化法29条1項）、譲渡の相手方が特定社員以外の場合には、特定目的会社の承認を得なければならない（同条2項）。このような譲渡制限は、特定目的会社が証券化取引のための器であるところ、特定社員は、特定目的会社の運営に関する判断を行う者として、投資家に対するキャッシュフローの分配に影響を与えうる存在であることから、特定社員の変動により投資家が不測の損害を被らないようにする趣旨で設けられているものである[14]。

特定出資の譲渡制限との関係で、投資家の不測の損害を防ぐという観点から、特定出資信託の制度が設けられていることに注意が必要である（資産流動化法33条）。これは、いわゆる慈善信託と同様の効果をもたせようとするものであり、特定目的会社を利用した証券化取引において、倒産隔離性を確保するための方策である。

すなわち、証券化取引は、資産をその権利者から切り離し、当該資産の価値のみに依拠して資金調達を行う取引であり、そのために器たる特定目的会社に資産を移すのであるが、器たる特定目的会社の業務運営が何者かの恣意に委ねられるとすれば、資産の価値が毀損され、あるいは、取引の安定性が失われる可能性がある。そこで、証券化取引においては、慈善信託[15]という

---

[14] 逐条解説資産流動化法149、150頁。

方法によって特別目的会社の親法人であるケイマンSPCの普通株を信託に移し、誰も恣意的な運営ができないようにすることがある。

これと同様の効果をねらい、資産流動化法上の特定出資信託においては、①信託の目的が、特定目的会社の資産流動化計画に基づく証券化に係る業務が円滑に行われるよう特定出資を管理するものであること、②資産流動化計画の計画期間を信託期間とすること、③信託財産の管理について受託者に対する指図権が存在しないこと、④信託期間中に信託の委託者または受益者の合意による終了が行われないこと、⑤信託法150条の規定による場合を除き、信託財産の管理方法を変更しないこと、という条件を満たす信託を特定出資信託としてなすことを認めている（資産流動化法33条2項）。これによると、受託者に対する指図権が存在しないこととなるため、特定出資の行使が何者かの恣意的行使から結果として守られることとなり、慈善信託と同様の効果を得ることができる。もっとも、実務上、特定出資信託の利用例がほとんどないことは、本章第1節2(3)で述べたとおりである。

　f　投資形態

投資家の特定目的会社に対する投資形態としては、優先出資、特定社債、転換特定社債、新優先出資引受権付特定社債、特定短期社債、特定約束手形および特定借入れが設けられている。

(イ)　優先出資

優先出資は、「均等の割合的単位に細分化された特定目的会社の社員の地位であって、当該社員が、特定目的会社の利益の配当又は残余財産の分配を特定出資を有する者……に先立って受ける権利を有しているもの」（資産流動化法2条5項）である。原則として優先出資社員には議決権は認められない（同法60条参照）。

旧SPC法においては、優先出資社員にも議決権が認められていたが、それ

15　慈善団体を受益者とする信託であり、受託者は唯一受益者のために行動しなければならないことから、特定出資に基づく権利の恣意的行使が防止される。

が証券化取引の安定性を低下させる要因となり、あるいは、証券化取引の安定性確保のため優先出資の譲渡を制限することで優先出資の商品性を低下させる等の問題が生じていた[16]。優先出資社員の議決権は、投資家である優先出資社員が自己の利益（結局それは、投資に対するキャッシュフローの確保である）を自ら守るためのものとして旧SPC法では認められていたものであるが、投資家である優先出資社員の利益の保護は、資産流動化計画違反の社員総会決議取消しの訴え（資産流動化法64条）によって保護することが可能であるため、優先出資社員に議決権を認める必要性はないということができる[17]。そこで、現行法においては、優先出資社員には、原則として議決権が与えられていないのである。

このように、優先出資は、純粋な投資対象商品であると位置づけることができるため、その商品性は確保されねばならず、優先出資の譲渡制限は認められていない（資産流動化法44条2項）。

優先出資は、資産流動化計画の定めるところに従って発行される（資産流動化法39条1項）。特定目的会社は、募集に応じて募集優先出資の引受けの申込みをしようとする者に対し、特定目的会社の商号や業務開始届出の年月日等一定の事項を通知しなければならない（同法40条1項各号）。また、かかる募集に応じて、優先出資の申込みをしようとする者は、申込みをしようとする者の氏名または名称および住所ならびに引き受けようとする募集優先出資の口数を記載した書面を、特定目的会社に交付しなければならない（同法40条2項）。なお、募集優先出資を引き受けようとする者がその総口数の引受けを行う契約を締結する場合には、かかる特定目的会社による通知および優先出資の申込みをしようとする者による書面の交付は求められず（資産流動化法41条2項）、実務においても、総口数の引受けを行う契約の締結の方法で

---

16 詳細については、長崎幸太郎編著『逐条解説資産流動化法』（金融財政事情研究会、平成15年）（逐条解説資産流動化法の旧版であり、以下「逐条解説資産流動化法（旧版）」という）163頁参照。
17 逐条解説資産流動化法（旧版）164頁。

優先出資を発行することがしばしば見受けられる。

(ロ)　特定社債

　特定社債は、資産流動化法の「規定により特定目的会社が行う割当てにより発生する当該特定目的会社を債務者とする金銭債権であって」、同法「第122条第1項各号に掲げる事項に従い償還されるもの」である（資産流動化法2条7項）。特定社債は、資産流動化計画に従って募集される（同法121条1項）。特定目的会社は、募集特定社債の引受けの申込みをしようとする者に対し、特定目的会社の商号や業務開始届出の年月日等一定の事項を通知しなければならない（同法122条1項）。募集特定社債の募集に応じて募集特定社債の引受けの申込みをする者は、申込みをする者の氏名または名称および住所、引き受けようとする募集特定社債の金額および金額ごとの数ならびに特定目的会社が払込金額の最低金額を定めたときは、希望する払込金額を記載した書面を、特定目的会社に交付しなければならない（同条2項）。なお、前記(イ)の優先出資と同様、募集特定社債を引き受けようとする者がその総額の引受けを行う契約を締結する場合には、かかる特定目的会社による通知および引受けの申込みをする者による書面の交付は求められず（資産流動化法124条）、実務においても、総額の引受けを行う契約の締結の方法で特定社債を発行することがしばしば見受けられる。

　特定社債を募集する場合には、特定目的会社は、特定社債管理者を定め、特定社債権者のために、弁済の受領、債権の保全その他の特定社債の管理を行うことを委託しなければならない（資産流動化法126条）。特定社債管理者を設置する趣旨は、会社法の社債管理者の設置と同様であり、特定社債権者を保護し、権利関係を明確にするためである[18]。

　特定社債管理者は、特定社債権者のために、特定社債に係る債権の弁済を

18　ただし、実務上は、特定社債管理者を設置することに伴う金銭的な負担等を考慮し、各特定社債の金額を1億円以上として、特定社債管理者を設置せずに案件を実行するケースも多くみられる。

受け、または特定社債に係る債権の実現を保全するために必要ないっさいの裁判上または裁判外の行為をする権限を有する（資産流動化法127条1項）が、当該特定社債の全部についてするその支払の猶予、その債務の不履行によって生じた責任の免除または和解等一定の行為については、特定社債権者集会の決議によらなければすることができないとされている（同条4項）。特定社債管理者は、その管理の委託を受けた特定社債につき、特定社債に係る債権の実現等の行為をするために必要があるときは、当該特定社債を発行した特定目的会社の業務および財産の状況を調査することができることとされている（同条7項）。

特定目的会社の特定社債権者は、当該特定目的会社の財産について他の債権者に先立って自己の特定社債に係る債権の弁済を受ける権利を有している（資産流動化法128条1項本文）。これは、法律によって、特定社債権者が当然に会社の総財産について他の一般債権者に先立って自己の債権の弁済を受ける権利が与えられているものである（一般担保の法的性質は先取特権であるとされており、その順位は、民法の一般の先取特権に劣後する最劣後の担保権である（同条2項））。

証券化は、対象資産の価値のみに着目して証券を発行する取引であるから、特定目的会社が有する資産から優先的に弁済を受けることができるという性格は、資産担保証券には当然に要求される性格である。ところが、従来は、社債に担保をつけることとなると、担保付社債信託法の規制のもとでの担保設定が必要となるため、そのコスト上の問題から実務上困難が生じていた。そこで、この要請を満たすため、特定社債については、資産流動化法によって、一般担保付きとしたものである[19]。

(ハ) 転換特定社債

転換特定社債は、優先出資に転換することを請求することのできる権利を付された特定社債であり、資産流動化計画に従い発行される（資産流動化法131条1項）。転換特定社債を発行しようとする特定目的会社は、（同法131条

2項に規定する社員総会決議があった場合を除き）転換特定社債の総額、払込金額、転換の条件、転換によって発行すべき優先出資の内容、転換を請求することができる期間および募集の方法を公告し、または社員に通知しなければならない（同法132条1項）。

　転換特定社債も特定社債であることに変わりがないから、転換特定社債の発行手続も、基本的には前述の特定社債に関するところと同様である。加えて、転換特定社債を優先出資に転換することができること等、転換特定社債に特有の事項について、募集特定社債の引受けの申込みをしようとする者に対して、通知しなければならない（資産流動化法133条1項）。

　転換特定社債を発行する場合には、募集特定社債の払込期日（資産流動化法122条1項15号）から2週間以内に、本店の所在地において、転換特定社債の登記をしなければならない（同法134条1項）。

　転換を請求しようとする特定社債権者は、転換を請求する特定社債および請求の日を明らかにして転換の請求を行う（資産流動化法135条1項）。

㈡　新優先出資引受権付特定社債

　新優先出資引受権付特定社債は、優先出資を引き受けることのできる権利が付された特定社債である。資産流動化計画に従い発行される（資産流動化法139条1項）。新優先出資引受権の行使についても、その行使可能な期間・総額・内容が資産流動化計画に定められるため（同法5条1項2号ニ）、スキームの安定性・固定性を害することはない。

　新優先出資引受権付特定社債を発行する特定目的会社は、新優先出資引受権付特定社債の総額、払込金額、新優先出資の引受権の内容、新優先出資の

19　逐条解説資産流動化法396頁。なお、不動産について、一般担保の登記をすることも可能であることから、実務上、信託受益権のかたちになっていない、現物の不動産を特定目的会社が取得する不動産証券化の案件等において、一般担保の登記を行うケースもある。また、実務上は、デットの投資家のニーズによっては、一部を特定社債、一部を特定借入れとしたうえで、特定借入れに係る借入債務を被担保債務として、流動化対象資産に担保を設定することもある。

引受権を行使することができる期間および募集の方法を公告し、または社員に通知しなければならない（資産流動化法140条1項）。

　新優先出資引受権付特定社債も、特定社債であることに変わりがないため、基本的には特定社債と同様の手続で発行される。加えて、新優先出資引受権付特定社債であることなど、新優先出資引受権付特定社債に特有の事項について、募集特定社債の引受けの申込みをしようとする者に対し、通知しなければならない（資産流動化法141条1項各号）。

　新優先出資引受権付特定社債を発行する場合には、特定社債の払込期日（資産流動化法122条1項15号）から2週間以内に、本店の所在地において、新優先出資引受権付特定社債の登記をしなければならない（同法144条2項、134条1項）。

　新優先出資の引受権を行使しようとする特定社債権者は、新優先出資の引受権の行使によって発行される優先出資の払込金額、新優先出資の引受権を行使する者の住所および新優先出資の引受権を行使する日を明らかにして、新優先出資の引受権の行使を行わなければならない（資産流動化法145条1項）。

(ホ)　**特定短期社債**

　特定短期社債は、特定社債のうち、①各特定社債の金額が1億円を下回らないこと、②元本の償還について、募集特定社債の総額の払込みのあった日から1年未満の日とする確定期限の定めがあり、かつ、分割払いの定めがないこと、③利息の支払期限を、上記②の元本の償還期限と同じ日とする旨の定めがあること、④担保付社債信託法の規定により担保が付されるものでないこと、という要件をすべて満たすものである（資産流動化法2条8項）。

　特定短期社債は、①(i)その発行の目的が、特定資産を取得するために必要な資金を調達するものであること、(ii)資産流動化計画においてその発行の限度額が定められていること、(iii)投資者の保護のため必要なものとして内閣府令で定める要件をすべて満たす場合、または、②発行ずみの特定短期社債の

償還のための資金を調達する場合に限って発行することができる（資産流動化法148条）。

特定短期社債は、コマーシャル・ペーパーとしての商品性を付与することを目的として、特定社債権者集会等の特定社債に係る規定の一部不適用が定められている（資産流動化法149条）。

(ヘ) **特定約束手形**

特定約束手形は、金商法2条1項15号に掲げる約束手形であって、特定目的会社が資産流動化法205条の規定により発行するものである（資産流動化法2条10項）。

特定約束手形は、①(i)その発行の目的が特定資産を取得するために必要な資金を調達するものであること、(ii)資産流動化計画においてその発行の限度額が定められていること、(iii)投資者の保護のため必要なものとして内閣府令で定める要件をすべて満たす場合、または、②発行ずみの特定約束手形の支払のための資金を調達する場合に限って発行することができる（資産流動化法205条）。

(ト) **特定借入れ**

特定借入れは、特定目的会社が資産流動化法210条の規定により行う資金の借入れである（資産流動化法2条12項）。

特定借入れは、①資産流動化計画においてその借入れの限度額が定められていること、②その借入先が銀行その他の内閣府令で定める者であることという要件をすべて満たす場合に限り行うことができる（資産流動化法210条）。平成23年改正により、特定借入れの資金使途を特定資産の取得資金に限定する規制が撤廃され、特定資産の管理や処分を含む、資産流動化の業務全般に用いることができることとされた[20]。

なお、特定目的会社が業務開始届出を行う際には、特定資産の取得に係る

---

[20] また、平成23年改正により、従来の「特定目的借入れ」の用語が「特定借入れ」に改められた。

契約を締結している必要があるが、実務上、売買契約の締結にあたって、手付金の支払を求められることがあり、手付金の支払資金についての借入れは、例外的に業務開始届出前でも行うことができるとされている[21]（資産流動化法211条2号、資産流動化法施行規則94条2号。いわゆる、その他借入れ）。平成23年改正により、その他借入れの借入先を適格機関投資家に限定する規制が撤廃されている。

g 特定目的会社の機関構造

特定目的会社は、証券化のための器にすぎないから、その機関構造は、簡素なものとされている。また、証券化においては、対象となる資産の価値に重点が置かれるのであり、通常の株式会社と異なって会社として特定の事業を行うことは想定されていないから、事業主体としての会社（株式会社等）の機関構造と同様のものとする必要がない。むしろ、資産流動化計画にのっとった利益の分配が安定的に行われることが重要であり、たとえば、取締役の自由な解任権等を社員総会の権限として認めると、スキーム全体の不安定要素となりうる。このような観点から、特定目的会社の機関構造は、会社法上の株式会社とはさまざまな点で異なる構造となっている。

以下、各機関について、個別に検討する。

(イ) 社員総会

社員からの経営に対する恣意的な干渉を排除しつつ、健全な経営の確保のための措置は講じている。

具体的には、取締役の選・解任に関しては、定款で取締役の選・解任を会議の目的とする社員総会の招集について、総会請求権を制限することが可能とされており（資産流動化法53条4項）、社員提案権についても定款で制限することが可能とされている（同法57条8項）。取締役等の選・解任について

---

[21] 業務開始届出前でも借入れを行うことができる場合の当該借入れに係る支払資金としての手付金とは、手付金その他の名義をもって交付し、代金に充当される金銭であって、特定資産の取得のための契約の予約締結後特定目的会社による予約完結権行使前に支払われるものをいうこととされている点、留意が必要である。

は、社員総会で議決権を有する者が取締役等の人事権を通じて、恣意的な経営介入を行うおそれがあり、この点は、スキームの不安定要素となりうるから（投資格付の実務上、スキームの不安定要素と評価される可能性もある）、このような制限が認められている。

　決議方法は、基本的には、議決権の過半数を有する特定社員が出席し、出席特定社員の議決権の過半数で議決することができるとされているが（資産流動化法60条1項）、前述のように、特定出資の譲渡が制限され、特定出資信託の制度も用意されているなど、特定出資に基づく議決権の恣意的な行使がなされないように手当されている。

　また、前述のように、優先出資社員の議決権については、原則として認められず、優先出資社員等の投資家の保護は、資産流動化計画違反の社員総会決議取消しの訴えによって図ることとされている。

(ロ)　取　締　役

　取締役は、1人でもよいとされている（資産流動化法67条1項1号）。これは、特定目的会社は、証券化のための単なる器であり、機関構造を簡素化することを可能としようとしたことによるものである。

(ハ)　監　査　役

　監査役についても、1人でもよいとされている（資産流動化法67条1項2号）。特定目的会社の機関構造を簡素化することを可能とするものである。

　特定目的会社においては、前述のとおり、社員の経営の恣意的な干渉を排除する趣旨から、取締役解任を議題とする社員総会の招集、議案提案権を定款によって制限することが可能とされている。このこととの関係で、資産流動化法においては、社員が及ぼせない経営監督権限を監査役に認めている（総会招集権限について資産流動化法88条2項、議案提案権について同条4項）。

(二)　会計監査人

　会計監査人は原則として設置する必要はないが、特定社債以外の資産対応証券（たとえば優先出資）を発行する場合、または資産対応証券として特定

社債のみを発行する場合であっても特定社債の発行総額と特定借入れの総額との合計額が200億円以上である場合には、会計監査人の設置が求められる（資産流動化法67条1項、同法施行令24条）。

h 特定目的会社の業務規制

(イ) 倒産防止措置としての業務規制

すでに幾度となく述べてきたように、特定目的会社は、証券化取引のための器である。したがって、証券化を円滑に進めることが特定目的会社の存続意義ということになる。そこで、特に重要なことは、第2章第1節で述べているように、倒産隔離性の確保である。倒産隔離といっても、オリジネーター、特定目的会社、サービサーといった証券化取引における各当事者の倒産手続からの対象資産の隔離が実現される必要がある。

特定目的会社の業務規制との関係では、このうち、特定目的会社の倒産からの対象資産の隔離が問題となるのであり、より具体的には、（対象資産が特定目的会社の所有する資産となっている以上、特定目的会社の倒産手続が開始されればそれに組み込まれないことはむずかしく）特定目的会社の倒産予防措置が問題となる（以下の記述は、本章第1節2をあわせて読むと理解が進むと思われる）。

このような観点からの業務規制としてまずあげられるのは、特定目的会社に証券化取引に係る資産の管理・処分等以外の業務を行わせないことであると思われる。特定目的会社が多様な業務を行うこととなれば、それだけ、当該業務に伴うさまざまなリスクを負担することとなり（業務に伴い債務を負う、役職員の行為により不法行為責任を負うなど）、倒産のリスクが高まることとなるからである。そこで、資産流動化法は、特定目的会社の他業禁止を定めている（資産流動化法195条1項）。同様に、他の会社の無限責任社員となって不測の債務を負担することを防止するという観点から、合名会社または合資会社の無限責任社員となることが禁止されている（同条2項）。実務上問題になるものとして、特定目的会社は他の特定目的会社の債務の保証を行

うことができない点があげられる。たとえば、複数のSPCの有する資産を1つのポートフォリオとして投融資を行うことを想定した場合、1つの方法として、SPCが互いの債務を連帯保証することで、1つのポートフォリオとして評価するという方法がありうる（クロスコラテラルと呼ばれることがある）。もっとも、特定目的会社については、他業禁止規制との関係で、連帯保証によりクロスコラテラルを実現することがむずかしいことから、他の方法（完全ではないが、たとえば、契約上のコベナンツとしてウォーターフォールの記載を工夫する方法）を検討する必要がある。

　また、余裕金の運用先の制限（資産流動化法214条）も前記のような観点からの規制としてあげることができると思われる。より安定的な投資先に余裕金を振り向けることを強制することで安定的な投資を実現しようとする趣旨である。

　加えて、一定の資産の取得制限（資産流動化法212条1項1号）も、前述のような趣旨からの規制を含んでいると考えることができる。すなわち、同条は、組合契約の出資の持分の取得等を制限しているが、組合契約の出資の持分を特定目的会社が取得できるとすると、特定目的会社が主体的に組合の事業に参加する結果を生むこととなり、これでは、倒産防止のため、他業禁止を定めた意味がなくなってしまうのである。なお、資産の取得制限については、実務上のニーズに応じた柔軟化のための改正が平成23年改正で行われている。具体的には、信託受益権化した不動産を保有することを目的とした組合の出資持分の取得、不動産等に付随して用いられる軽微な特定資産に係る信託設定義務等の免除[22]、追加取得の要件の緩和があげられる。平成23年改正前は、特例の対象が現物不動産の保有を目的とした組合に限定されていた

22　たとえば、ホテルの流動化案件のように、什器備品（いわゆるFFE）も価値を有するような案件においては、什器備品も流動化の対象とすることが考えられるが、実務上、管理コスト等を考慮し、動産の信託を受託可能な先を探すことが困難であることから、信託設定義務等が課されると、事実上このような案件を実施する際のハードルとなってしまう。

が、かかるスキームは不動産特定共同事業法の適用を受けることによる制約が大きく実務上は信託受益権化する案件が多いことから[23]、信託受益権化した案件においても、組合持分を取得することができることとされた[24]。また、平成23年改正前は、特定資産の追加取得は、既存の特定資産[25]との密接関連性がない限り行うことができないと解釈されていたが、平成23年改正時の解釈変更により、原則として特定資産の追加取得は可能であるとしつつ、特定資産が宅建業法上の宅地、建物である場合は[26]、既存の特定資産との密接関連性がない限り追加取得ができないこととされた。

㊁ 投信法との棲分けのための業務規制

本節の冒頭で述べたように、資産流動化法は、資産「運用」型取引ではなく、資産「流動化」型取引を対象とする法律である。そのため、特定目的会社を利用した取引についても、資産「運用」型取引の潜脱として用いられかねないようなスキームは排除しておく必要がある。そこで、このような観点から、いくつか業務規制が設けられている。

このような観点からの業務規制としてあげられるのが、匿名組合契約の出資の持分等の取得を制限した規定である（資産流動化法212条1項2号）。すなわち、匿名組合契約の出資の持分を特定目的会社が取得できるとすると、匿

---

[23] なお、不動産特定共同事業法についても、改正により、使い勝手が向上していることから、現在では不動産特定共同事業法の適用を受けて実施する案件もみられるところである。
[24] これにより、たとえば、複数のSPC（たとえば、合同会社）が有する不動産信託受益権をまとめて1つのポートフォリオと評価して証券化商品を発行するために、不動産信託受益権を保有する複数のSPCに対して、1つの特定目的会社が匿名組合出資を行い、特定目的会社が特定社債や優先出資を投資家に発行するという仕組みを採用することも可能となった。
[25] 業務開始届出時の資産流動化計画に記載または記録された特定資産をいう。
[26] なお、宅地、建物を信託した信託受益権の取得の場合は、特定目的会社が宅地、建物を取得するわけではないことから、密接関連性は要求されない（ただし、取得後に信託が終了し、不動産の現物交付を受けた場合は、その後の売却に制限を受ける可能性がある。本村彩『一問一答 改正資産流動化法』124頁以下（金融財政事情研究会、平成24年）参照）。ポイントは、宅地、建物のまま第三者に売却されることとならないように手当することであるとされている。

名組合レベルで資産運用を行う場合、実質的に特定目的会社が資産運用を行うこととなってしまうのである。ただし、前記(イ)で述べたとおり、実務上の要請から、平成23年改正により、信託受益権化した不動産を保有することを目的とした匿名組合契約の出資持分についても、特定目的会社が取得できることとされた。

(ハ) その他の業務規制

以上のほか、特定目的会社が証券化のための器にすぎないものであることを考慮して、特定資産の管理・処分のための業務委託の規定が置かれており（資産流動化法200条）、特定資産の価値に依拠した取引であり、特定資産の変動は原則として予定していないという証券化取引の性格を考慮して特定資産の処分等の制限規定が設けられている（同法213条）。

もっとも、現実には、多くの資産をまとめて特定目的会社に移す場合等に、不良資産の差替えの必要性が生じることがあり、特定資産の同一性が実質的に保たれる範囲内で特定資産の差替えを行うことは可能であるとされている[27]。具体的に、どの程度であれば実質的な同一性が保たれているといえるかという点については、各資産の種類ごとに資産流動化法施行規則別表に定める範囲内において、資産流動化計画にどのように定められているかによる。なお、前記(イ)のとおり、平成23年改正時の解釈変更により、特定資産が宅建業法上の宅地、建物である場合を除き、追加取得時に既存の特定資産との密接関連性は求められなくなったことに留意が必要である。

i 特定目的会社の解散・清算

特定目的会社の解散・清算手続も、基本的には株式会社の解散・清算手続と同様である。資産流動化法との関係で注意すべき点は、財務局への業務終了届出および廃業届出である（図表2－27参照）。

---

27 逐条解説資産流動化法543、544頁参照。

図表2-27 特定目的会社の解散・清算のスケジュール

手続事項	備考	関連条文
取締役決議	臨時社員総会の招集	資産流動化法52条3項
社員総会招集通知発送	臨時社員総会の1週間前まで（社員全員の同意がある場合には省略可能）	資産流動化法55条1項
臨時社員総会	解散決議 清算人選任	資産流動化法160条1項3号 資産流動化法167条1項3号
清算人による財産調査（財産目録、貸借対照表の作成）	清算人就任後遅滞なく	資産流動化法176条
法務局に登記申請（解散、清算人選任）清算人の印鑑届出	解散決議後2週間以内	資産流動化法160条2項、会社法926条 資産流動化法179条1項、会社法928条
債権者に対する解散公告 知れたる債権者に対する個別催告	2カ月以上の期間を定めて行う	資産流動化法179条1項、会社法499条
財務局に業務終了届出	優先出資の消却、残余財産の分配および特定社債などに係る債務の履行完了から30日以内	資産流動化法10条
財務局に廃業届出	解散決議の日から30日以内	資産流動化法12条
清算人決議 社員総会招集通知発送	清算第1回臨時社員総会招集 臨時社員総会の1週間前まで	資産流動化法175条、52条3項 資産流動化法175条、55条
清算第1回臨時社員総会	財産目録、貸借対照表承認	資産流動化法176条1項
解散公告期間満了	解散公告の日から最低2カ月	資産流動化法169条各

第3節　証券化の法的インフラ

清算事務	・現務結了 ・債権取立て ・債務弁済 ・残余財産分配	号
清算結了決算報告書の作成	清算事務結了後遅滞なく	資産流動化法179条1項、会社法507条1項
清算人決議	清算第2回臨時社員総会招集	資産流動化法175条、52条3項
社員総会招集通知発送	臨時社員総会の1週間前まで	資産流動化法175条、55条
清算第2回臨時社員総会	清算結了決算報告書の承認	資産流動化法179条、会社法507条3項
法務局に清算結了登記申請	臨時社員総会による承認の日から2週間以内	資産流動化法179条1項、会社法929条
裁判所に重要書類保存者選任申請（特に申請がなければ清算人が保存者となる）	清算結了登記後10年間保存	資産流動化法179条1項、会社法508条

j 特定目的信託制度

　特定目的信託制度も、特定目的会社制度と同様、信託を資産の移転先である器として用いることを目的とするものである。特定目的信託制度においては、受益権の有価証券化が図られており（資産流動化法234条1項）、その流通性が高められているということができる。また、証券化取引においては、不特定多数の投資家の関与が予想されるところであることから、その集団投資スキームとしての性格を反映させるべく、権利者集会制度が採用されている（同法240条以下）。

　もっとも、特定目的信託制度は、受益権の証券化が図られており、通常の信託における信託受益権と比べて流通性が高いというメリットがある一方で、①通常の信託に比べて、資産信託流動化計画の届出が必要であるなど手

続が煩雑であること、②50名以上の投資家によって引き受けられることという要件を満たすことは実務上は困難であり、また、同族特定目的信託に該当しないように組成することも実務上は困難であるなど、配当の損金算入の特例を受けるための要件を満たすことが事実上困難であり、税務上の問題が払拭できないこと（特定目的信託においては、信託財産を納税主体として法人税を課税し、一定の要件を満たす場合には配当の損金算入を認めるという建付けとされている）といった理由により、実務上ほとんど利用されてきていないようである。

(3) 信託法・信託業法

証券化のVehicleに関する法制度に関して、最後に信託法および信託業法について解説する。

信託は、証券化Vehicleとして実務では広く用いられているが、平成10年代後半に、信託にかかわる法制度は大きな変貌を遂げている。

まず、信託の実体面に関しては、現行の信託法（平成18年法律第108号。以下、単に「信託法」という）が平成19年9月30日に施行された。また、信託法の施行と同時に、「信託法の施行に伴う関係法律の整備等に関する法律」（平成18年法律第109号。以下「信託法整備法」という）が施行され、関係法律に所要の整備が加えられた。従来の信託法（大正11年法律第62号。以下「旧信託法」という）は信託法整備法によって改正され、「公益信託ニ関スル法律」と名称を変えて、一部の規定が維持されているにとどまる。

次に、信託の業規制に関しては、信託会社に対する規制を定めるのが信託業法であり、信託兼営金融機関（信託銀行）（以下、信託会社とあわせて「信託会社等」という）に対する業規制を定めるのが兼営法である[28]。信託法に先立って平成16年12月30日より新しい信託業法が施行されていたが、信託業法

---

[28] なお、兼営法は、信託業法の規定を準用することによって、信託銀行に対する規制を定めており、信託会社と信託銀行に対する業規制は基本的に同様である。

と兼営法は、信託法整備法に加えて、「証券取引法等の一部を改正する法律」（平成18年法律第65号。以下「証取法等改正法」という）によって大きく改正されている。

証取法等改正法による改正前の信託業法は、信託受益権の売買やその媒介等を「信託受益権販売業」として規制していたが、同改正により、信託受益権の売買やその媒介等は金商法上の「第二種金融商品取引業」に置き換わり、金商法上の規制対象となっている。この点については、第3章第3節を参照されたい。

a 証券化Vehicleとしての信託に対する法改正の影響

従来から証券化Vehicleとして信託が広く用いられてきた理由として、①委託者と受託者の間の信託契約によって設定することができるため、SPCを設立する場合に比べて実務上の負担が軽いこと、②受託者となる信託会社等が高い事務処理能力・資産管理能力を有していること、③対象資産からのキャッシュフローを受益権に転換して投資に適したかたちにすることができること、④スキーム関係者からの倒産隔離を達成しやすいことといった信託の特徴をあげることができる。

また、前述の信託法の立法により、旧信託法のもとで取扱いが不明確であった点を明確化し、信託のリスク要因と考えられていた規定の見直しを行ったほか、特殊な形態の信託を明文で認めたことなど、全体として、信託を用いたスキームの予測可能性や利便性を向上させたと評価することが可能である。

一方で、業規制に関しては、信託業法が信託法の規定とは異なる内容の規制をかけている部分がみられることや、信託業法と金商法の規制が複雑に入り組んでいることなど、一見しただけでは各法律の適用関係が明解とは言いがたい面もあるように思われる。証券化取引の実務では、信託会社等が受託者となることが大半であるため、Vehicleとして信託を用いる場合は、業規制に関して、慎重な対応が求められる場面もありうることに留意が必要であ

図表2-28 信託を用いた債権流動化スキーム

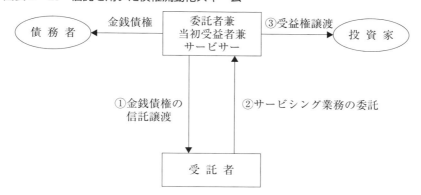

ろう。

図表2-28は、信託を用いた典型的な債権流動化スキームの一例である。

b 信託の設定

(イ) 信託の設定方法

信託とは、(i)信託契約、(ii)遺言、(iii)公正証書等によってする意思表示(自己信託)の方法のいずれかにより、特定の者(受託者)が一定の目的(もっぱらその者の利益を図る目的を除く)に従い財産の管理または処分およびその他の当該目的の達成のために必要な行為をすべきものとすることをいうとされている(信託法2条1項、3条各号)。

旧信託法のもとでは、委託者が自ら受益者となって信託をすること(自益信託)は可能であるとされていたが、委託者が自ら受託者となって信託をすることはできないと一般に解されていた。しかし、民事・商事を問わず、自己信託のさまざまなニーズが存在するという指摘があったことから、信託法3条3号は上記(iii)の方法による自己信託を明文で認めた。

(ロ) 信託財産の内容

信託法2条1項は、信託の対象を「財産」と定めている。これは、金銭的価値に見積もることができる積極財産であり、かつ、委託者の財産から分離

第3節 証券化の法的インフラ

することが可能であればすべて信託の対象にすることができる趣旨を明らかにしたものとされている[29]。

　旧信託法における有力な見解を踏襲して、信託法のもとでも、消極財産（債務）自体を信託の対象とすることはできないと解されている[30]。もっとも、信託法21条1項3号は、信託前に生じた委託者に対する債権であって、当該債権に係る債務を信託財産責任負担債務（受託者が信託財産に属する財産をもって履行する責任を負う債務。信託法2条9項）とする旨の信託行為の定めがあるものを信託財産責任負担債務とすることを認めている。そこで、委託者に属する積極財産と消極財産の集合である特定の事業につき、積極財産の信託とあわせて、信託行為にかかる定めをして債務を受託者に移転することにより、実質的に、当該事業自体を信託したのと同様の状態をつくりだすことができるとされている[31]。

c　信託と倒産隔離

　証券化Vehicleとして信託を用いる場合も、他のVehicleを用いる場合と同様に、対象資産に対するスキーム関係者の倒産の影響を排除することが必要である。倒産隔離一般については本章第1節および第2節で説明したとおりであるが、以下では、主に、信託を用いたスキームに特有の点を説明する。

　なお、旧信託法のもとでは、Vehicleである信託財産自体は倒産することはないと考えられており、信託財産自体の倒産隔離を検討する必要はなかった。しかし、信託法整備法による破産法の改正により、信託財産の破産の制度が信託一般について導入されたことから（破産法第10章の2）、信託財産自体の倒産隔離も重要な検討対象となっている。この点については、本章第1節3(4)を参照されたい。

29　逐条解説信託法32頁。
30　逐条解説信託法88頁。
31　逐条解説信託法84頁。

(イ) 委託者からの倒産隔離
(ⅰ) 真正譲渡性
　委託者は受託者に対して対象資産を信託譲渡する。かかる信託譲渡の真正譲渡性の検証方法は、信託を用いないスキームの検証方法と同様であると考えられる[32]。真正譲渡性の検証では、一般に、検討要素の1つとして対象資産の譲渡に関する対抗要件の具備の有無が重視されており、信託譲渡の場合も同様に、信託財産の内容に応じて、登記・登録、確定日付のある証書による通知・承諾、動産債権譲渡特例法に基づく債権譲渡登記等によって第三者対抗要件を具備することが必要となる。
　また、信託を用いた証券化取引では、委託者が当初受益者として受益権を取得し、当該受益権を投資家に譲渡することにより資金調達を行うスキームが採用されることも多いが、この場合、対象資産の信託譲渡だけではなく、受益権の譲渡についても真正譲渡性の検討が必要である。受益権は対象資産からの回収金を収受する権利を含み、また、信託財産の管理・処分に関して受託者に指図する権限が受益者に与えられていることが一般的であるため、委託者が受益権を保有したままでは、対象資産を保有しているのと実質的に変わらないと考えられるからである。
(ⅱ) 詐害信託取消し
　委託者がその債権者を害することを知って信託を設定した場合における民法424条の詐害行為取消権の行使について、旧信託法12条は特則を定めていた。民法424条によれば、「その行為によって利益を受けた者」が善意のときは取消しが認められないのに対して、旧信託法12条は、受託者は信託財産について固有の利益を有しない者であるという考え方を前提に、文言上、受託者の主観を問わないものとし、かつ、受益者が受益権を取得したときに善意であっても、委託者の債権者は常に詐害行為取消権を行使することができる

---

[32] 本章第2節参照。

ことを定めていた。そのため、旧信託法12条の存在は、信託を用いたスキームのリスク要因の1つとなっていた。この点、信託法11条は、受託者の主観を問わない点は旧信託法12条を踏襲しつつ、実際に信託の利益を享受する受益者については、その保護を図るため、受益者の全部または一部が、受益者としての指定を受けたことを知ったときまたは受益権を譲り受けたときにおいて、詐害の事実について善意であったときは取消しを認めないものとしている。このように、受益者の一部でも受益権の取得時に善意であれば、信託の取消しが否定されることとなったため、現行法上、旧信託法12条に比べて信託が取り消されるリスクは軽減されたと考えられる。

また、信託法12条は、委託者に破産手続等の法的倒産手続が開始した場合における詐害信託の否認に関し、上記と同様の観点から特則を設けている。

(iii) 委託者倒産の場合の双方未履行双務契約による解除

破産手続等の開始時を基準として、双務契約の双方の債務の全部または一部が残っている場合に、破産管財人等は、契約に基づいて破産者等の債務を履行し、相手方に対して債務の履行を請求するか、または解除によって契約関係を消滅させるかを選択することができるとされており（破産法53条1項、民事再生法49条1項、会社更生法61条1項）、信託法163条8号は、委託者に破産手続等が開始された場合に、信託契約がかかる双方未履行双務契約として解除されうることを前提にしている。

委託者に破産手続等が開始した場合に、かかる解除によって対象資産の器である信託が消滅すると、委託者からの倒産隔離が達成されず、投資家その他の関係者にとって大きな損害が生じることになる。そのため、双方未履行双務契約の要件に該当しないように、信託契約上、未履行債務と評価されうる債務を委託者および受託者に負担させないように、契約上の手当が行われることが一般的である。

(iv) 旧信託法58条による解除、信託法165条による終了命令

旧信託法58条は「受益者ガ信託利益ノ全部ヲ享受スル場合ニ於テ信託財産

ヲ以テスルニ非ザレバ其ノ債務ヲ完済スルコト能ハザルトキ其ノ他已ムコトヲ得ザル事由アルトキハ裁判所ハ受益者又ハ利害関係人ノ請求ニ因リ信託ノ解除ヲ命ズルコトヲ得」と定めていたため、受益者が単独となるスキーム（特に委託者が唯一の受益者であるスキーム）で受益者が倒産した場合には、スキームの関係当事者が関与できない事情により旧信託法58条に従って信託が解除されるおそれがあり、信託を用いたスキームのリスク要因の1つとされていた。

　これに対して、信託法165条は「信託行為の当時予見することのできなかった特別の事情により、信託を終了することが信託の目的及び信託財産の状況その他の事情に照らして受益者の利益に適合するに至ったことが明らかであるとき」と定め、裁判所による信託の終了命令の制度を維持しながらも、本条が適用されうる場合を旧信託法58条よりも厳格に限定している[33]。証券化取引では、スキーム関係者の倒産の影響を排除し、信託契約で予定されたとおりにキャッシュフローを分配することが重視されていることから、たとえスキーム関係者が倒産したとしても、通常、「信託行為の当時予見することのできなかった特別の事情」には当たらず、また、スキーム関係者の倒産を理由として信託を途中で終了することが「受益者の利益に適合するに至ったことが明らかであるとき」に当たることはないとの考え方も成り立ちうると考えられる。そのような考え方を前提とすれば、信託法のもとでは、裁判所の判断によって信託が終了するリスクは相当程度軽減されたと評価することができよう。もっとも、「受益者の利益に適合するに至ったことが明らかであるとき」が基準となるため、たとえば信託ABLのスキームで投資家である貸付人の利益を考慮することが許されるのかは必ずしも明確ではなく、また、旧信託法58条とは異なり、裁判所による信託の終了命令の対象が受益者が単独である場合に限られているわけではないことに留意が必要である。

33　逐条解説信託法367頁。

(ロ) 受託者からの倒産隔離──信託財産の独立性
(ⅰ) 信託財産の独立性とは

　信託の対象となった財産は、形式的には受託者に帰属するが、受託者の固有財産および他の信託の信託財産とは別個独立のものとして取り扱われる。これを「信託財産の独立性」という。信託法は、信託財産に属する財産と固有財産に属する財産または他の信託の信託財産に属する財産との間では混同による権利の消滅が生じないこと（信託法20条）、信託財産に属する債権等について相殺が制限されていること（同法22条1項）、信託財産に対する強制執行が制限されていること（同法23条）、受託者に破産手続等が開始された場合であっても、信託財産に属する財産は破産財団等に属しないこと（同法25条）、受託者が死亡した場合であっても、信託財産は受託者の相続財産に属しないこと（同法74条）などを定めており、いずれも信託財産の独立性に基づく規定である。

　証券化取引では、対象資産そのもののキャッシュフローを引当てとして資金調達を行うことから、委託者だけでなく、受託者の倒産からも隔離される必要があるところ、前述のように信託財産の独立性が明文で規定され、信託財産が受託者自身の信用力による影響を受けないことが保障されていることは、受託者からの倒産隔離を容易に達成しうることを意味しており、信託を用いた証券化スキームの大きなメリットであるといえよう。

(ⅱ) 信託財産に属する財産の対抗要件（信託の公示）

　信託法14条は、登記または登録をしなければ権利の得喪および変更を第三者に対抗することができない財産については、信託の登記または登録をしなければ、当該財産が信託財産に属することを第三者に対抗することができないと定めている。これに対して、登記または登録をすべき財産には当たらない金銭、動産、一般の債権等については、信託の公示なしに当該財産が信託財産に属することを第三者に対抗することができると考えられている[34]。

　なお、前記(イ)(ⅰ)で説明した信託譲渡に関する対抗要件と信託の公示は明確

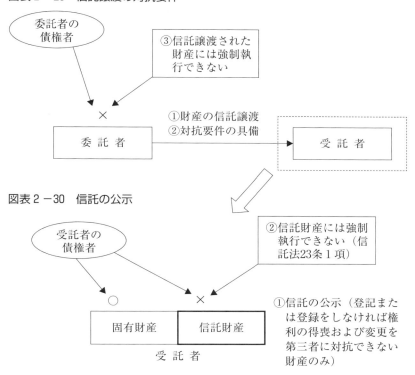

図表2-29 信託譲渡の対抗要件

図表2-30 信託の公示

に区別される必要がある。前者は、委託者から受託者への財産の移転を第三者に対して主張するために民法に従って必要とされるのに対して、後者は、委託者から受託者への財産の移転を前提として、信託財産の独立性を第三者に主張するために信託法に従って必要とされる(図表2-29、図表2-30参照)。

(iii) 信託財産に属する債権等の相殺の制限

　信託法22条1項本文は、第三者が、受託者の固有財産または他の信託財産

34　逐条解説信託法71頁。

のみをもって履行する責任を負う債務に係る債権を自働債権とし、信託財産に属する債権を受働債権として相殺することができない旨を定める。これは、前述したとおり、信託財産の独立性に基づくものである。もっとも、一定の第三者を保護する必要がある場合、および利益相反行為の禁止の例外（信託法31条2項各号）に当たる場合において、かかる第三者の相殺を受託者が承認したときは、かかる相殺は有効である（同法22条1項ただし書、同条2項）。

　信託法22条3項本文は、第三者が信託財産に対して有する債権に、信託財産のみによって責任を負うべき旨の特約（責任財産限定特約）が付されている場合は、当該第三者は、当該債権を自働債権とし、受託者の固有財産に属する債権を受働債権として相殺することができない旨を定める。これは、かかる相殺を認めることは責任財産限定特約の趣旨に反するからである（信託財産の独立性とは無関係である点に留意）。もっとも、一定の第三者を保護する必要がある場合、および受託者が第三者の相殺を承認したときは、かかる相殺は有効である（信託法22条3項ただし書、同条4項）。

　また、信託法22条3項本文の規定する場面と同じ場面で、第三者が信託財産に対して有する債権に責任財産限定特約が付されていない場合については、信託法に明文はないが、受託者は信託財産の負担する債務について固有財産によっても履行責任を負うことから、第三者からの相殺は有効と考えられている。

d　受託者の義務

　信託法のもとでは、受託者の義務に関する規定は基本的に任意規定であり、信託法の規定と異なる内容を信託行為で定めることができる。これに対して信託業法では、受託者の義務の内容や義務を緩和するための要件等について信託法よりも厳しい内容を定める規定があり、かつ、信託業法に基づく受託者の義務に関する規定は強行規定と解されている。前述のように、証券化取引の実務では信託業法が適用される信託会社等が受託者となることが大

半であることから、信託業法の規定の内容を正確に理解しておくことが重要である。なお、信託兼営金融機関に対する兼営法上の規制は、同法2条1項が信託業法の規定を準用しているため、以下では、準用条文として特に同項を示さないこととする。

(イ) 善管注意義務・忠実義務・公平義務・分別管理義務

信託法29条2項本文は、受託者は、信託事務を処理するにあたっては、善良な管理者の注意をもって、これをしなければならないとして、善管注意義務を定める。かかる善管注意義務は任意規定であり、信託行為の定めにより注意義務の程度を加重軽減することができる（同項ただし書）。これに対して信託業法28条2項については、信託会社と顧客の間の情報力等の格差から、善管注意義務の水準を当事者間の契約に委ねると、信託会社に過度に有利な契約となり、顧客保護が確保されない可能性があることから、信託会社については、信託法改正後においても、顧客に管理運用を託される信託業の最低限かつ共通の義務として、善管注意義務を課すこととされている[35]。したがって、信託会社等が受託者となる場合には、信託法29条2項ただし書を用いて注意義務の程度を軽減することはできないことに留意が必要である。

信託法30条は、受託者は、受益者のため忠実に信託事務の処理その他の行為をしなければならないと定めており、一般的な忠実義務を定めている。また、信託業法28条1項も同様の定めをしている。なお、信託法および信託業法は、受託者の忠実義務を具体化した規定として、利益相反行為や競合行為の禁止を定めているが、この点については後述する。

信託法33条は、受益者が2人以上ある信託においては、受託者は、受益者のために公平にその職務を行わなければならないとして、公平義務を定める。もっとも、信託行為の定めに従って受益者を区別して取り扱うことは、公平義務に反するものではないと考えられる。たとえば、信託を用いた証券

---

[35] 小出卓哉＝及川富美子「改正信託業法の概要」佐藤哲治編著『よくわかる信託法』（ぎょうせい、平成19年）105頁。

化スキームでは、信託契約で、受益権を優先受益権と劣後受益権に分け、元本の償還について前者を優先させることが一般的に行われており、かかる取扱いは公平義務に反するものではないと考えられる[36]。

信託法34条1項本文は、受託者は、信託財産に属する財産と固有財産および他の信託の信託財産に属する財産とを分別して管理しなければならないと定めている。これを分別管理義務という。かかる分別管理が行われない場合には、受託者からの倒産隔離が十分達成されず、また善管注意義務違反、忠実義務違反を招きやすいことに基づくものと理解されている。分別管理の方法について、信託法34条は以下のとおり定めている。

(i) 信託の登記または登録をすることができる財産（下記(iv)の法務省令で定める財産を除く）については、当該信託の登記または登録（信託法34条1項1号）

(ii) 信託の登記または登録をすることができない財産のうち金銭を除く動産については、信託財産に属する財産と固有財産および他の信託の信託財産に属する財産とを外形上区別することができる状態で保管する方法（同項2号イ）

(iii) 信託の登記または登録をすることができない財産のうち金銭その他の上記(ii)に掲げる財産以外の財産については、その計算を明らかにする方法（同項2号ロ）

(iv) 法務省令で定める財産については、当該財産を適切に分別して管理する方法として法務省令で定めるもの（同項3号）

以上の分別管理の方法は、上記(i)を除き、任意規定であり、信託行為に別段の定めをすることができる（信託法34条1項ただし書、同条2項）。一方、信託業法28条3項は、分別管理義務に関して、信託会社に分別管理体制整備義務を課しているが、分別管理義務の内容・方法については信託法34条によ

---

[36] 逐条解説信託法135頁。

ることとしている。

なお、信託法34条2項は、上記(i)の財産について同法14条の信託の登記または登録をする義務は、これを免除することができないと定めている。もっとも、信託の登記または登録をする義務を当面は免除するものの、受託者が経済的な窮境に陥ったときには遅滞なくこれをする義務が課されているような場合、すなわち、信託行為の定めによりこのような義務を一時的に猶予することは禁止されるものではないとされている[37]。たとえば、信託を用いて多数の抵当権付住宅ローン債権を証券化する場合（いわゆるRMBS）、信託設定当初からすべての抵当権について信託の登記をすることは実務上困難であることから、信託契約の定めにより登記義務を猶予することが考えられる。

(ロ) **信託事務の処理の委託**（図表2-31参照）

旧信託法26条1項は、原則的に受託者自身が信託事務を遂行すべきものとして、自己執行義務を定めていたが、信託法28条は、自己執行義務を大幅に緩和し、信託事務の処理を第三者に委託することを広く認めている。これは、旧信託法が制定された当時に比べて、信託事務の分業化・専門化が進んだ現代社会においては、自己執行義務を前提とするのは現実的ではなく、むしろ、相当な場合には信託事務の処理を第三者に委託できることとしたほうが、より適切かつ迅速に信託事務を処理できることとなり、受益者の利益になるからであるとされている[38]。

具体的には、(i)信託行為に委託に関する定めがあるとき、(ii)信託行為に委託に関する定めがない場合において、委託が信託の目的に照らして相当であると認められるとき、(iii)信託行為に委託をしてはならない旨の定めがある場合において、委託することにつき信託の目的に照らしてやむをえない事由があると認められるときに、信託事務の処理を第三者に委託することができるとされている。

---

37 逐条解説信託法138頁。
38 逐条解説信託法109頁。

図表 2-31　信託会社等の委託規制の概要

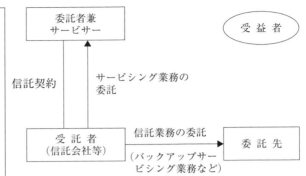

委託が許容される要件
（信託業法22条1項）
（原則）
① 信託行為の定めが
　あること
　　　＋
② 委託先が信託業務
　を的確に遂行できる
　者であること
（例外）
信託業法22条3項各号
の業務を委託する場合
は上記②のみで委託可

		受託者の義務	委託先の義務
信託法上の義務	原則	① 信託の目的に照らして適切な者に委託する義務を負う（信託法35条1項） ② 信託の目的の達成のために必要かつ適切な監督を行う義務を負う（同条2項）	規定なし
	例外	③ 信託行為で指名された第三者等に委託する場合は上記①②の義務を負わない（信託法35条3項本文） ④ ただし、当該第三者が不適任もしくは不誠実であることまたは当該第三者による事務の処理が不適切であることを知ったときは、その旨の受益者に対する通知、当該第三者への委託の解除その他の必要な措置をとる義務を負う（信託法35条3項ただし書） ⑤ 上記④について信託行為に別段の定め可（信託法35条4項）	
信託業法上の義務	原則	① 信託業務の委託先が委託を受けて行う業務につき受益者に加えた損害を賠償する責任を負う（信託業法23条1項本文）	① 受託者と同様の忠実義務、善管注意義務、分別管理体制整備義務等を負う（信託業法22条2項、28条、29条）

信託業法上の義務	例外1	② ただし、委託先の選任につき相当の注意をし、かつ、委託先が委託を受けて行う業務につき受益者に加えた損害の発生の防止に努めたときは上記①の責任を負わない（信託業法23条1項ただし書）	② 信託業法22条3項各号の業務を受託する場合は上記①の義務を負わない
	例外2	③ 信託行為で指名された第三者等に委託する場合は原則として上記①の責任を負わない（信託業法23条2項本文） ④ ただし、当該委託先が不適任もしくは不誠実であることまたは当該委託先が委託された信託業務を的確に遂行していないことを知りながら、その旨の受益者に対する通知、当該委託先への委託の解除その他の必要な措置を怠った場合は、上記①の責任を負う（信託業法23条2項ただし書）	

　これに対して信託業法22条1項は、(i)信託事務の一部を委託することおよび委託先（委託先が確定していない場合は、委託先の選定に係る基準および手続）が信託行為で明らかにされていること、ならびに(ii)委託先が委託された信託業務を的確に遂行することができる者であることを要件として、信託事務を第三者に委託することができると定めている。ただし、保存業務、利用・改良業務、受益者の保護に支障を生ずることがないと認められるものとして内閣府令で定める業務を委託する場合は、前記(ii)の要件を満たせば信託事務を委託することができる（信託業法22条3項、信託業法施行規則29条、兼営法施行規則10条）。

　信託法28条の規定により委託する場合の受託者の義務について、同法35条1項、2項は、受託者は、信託の目的に照らして適切な者に委託しなければならず、かつ、信託の目的の達成のために必要かつ適切な監督をしなければならないとして、委託先に対する選任監督義務を定める。ただし、同条3項によれば、(i)信託行為において指名された第三者（同項1号）、または(ii)信託行為において受託者が委託者または受益者の指名に従い信託事務の処理を

第三者に委託する旨の定めがある場合において、当該定めに従い指名された第三者に委託した場合（同項2号）は、受託者は上記の選任監督義務を負わず、当該第三者が不適任もしくは不誠実であることまたは当該第三者による事務の処理が不適切であることを知ったときは、その旨の受益者に対する通知、当該第三者への委託の解除その他の必要な措置をとることで足りるとされる。

これに対して信託業法23条1項は、信託会社等は信託業務の委託先が受益者に加えた損害を賠償する責任を負うが、信託会社等が委託先の選任につき相当の注意をし、かつ、受益者に加えた損害の発生の防止に努めたときは免責されると定めている。また、同条2項によれば、(i)信託行為において指名された第三者（同項1号）、(ii)信託行為において信託会社等が委託者の指名に従い信託業務を第三者に委託する旨の定めがある場合において、当該定めに従い指名された第三者（同項2号）、または(iii)信託行為において信託会社等が受益者の指名に従い信託業務を第三者に委託する旨の定めがある場合において、当該定めに従い指名された第三者に委託した場合（同項3号）は、信託会社等は、当該委託先が不適任もしくは不誠実であることまたは当該委託先が委託された信託業務を的確に遂行していないことを知りながら、その旨の受益者に対する通知、当該委託先への委託の解除その他の必要な措置をとることを怠ったときに限り、上記の責任を負うにとどまる。なお、同項1号または2号の第三者は、株式の所有関係または人的関係において、委託者と密接な関係を有する者として政令で定める者に該当し、かつ、受託者と密接な関係を有する者として政令で定める者に該当しない者に限るとされているため、同項1号または2号を用いて信託会社等の責任を軽減することができる場面は限られることに留意が必要である。

また、信託事務の委託先の義務について、信託法上の規定は設けられていないため、委託先は信託法上の義務は負わないと考えられる。

これに対して信託業法上、委託先は原則として受託者と同様の忠実義務、

善管注意義務、分別管理体制整備義務等を負うが（信託業法22条2項、28条、29条）、保存業務、利用・改良業務、受益者の保護に支障を生ずることがないと認められるものとして内閣府令で定める業務を委託する場合、委託先はかかる義務を負わない（同法22条3項、同法施行規則29条、兼営法施行規則10条）。委託先の負うかかる義務は厳格であるため、実務上、委託先が信託業法22条3項の適用を受けられるかに大きな関心が注がれることになる。この点については、「信託会社等に関する総合的な監督指針」3－4－5に、信託業法22条3項各号の業務の意義や具体例が示されており、かかる指針等を手がかりに個別案件ごとに検証することが必要となろう。

(ハ) 利益相反行為・競合行為の禁止

信託法31条1項は、忠実義務の具体化として、受託者の利益相反行為を類型化したうえ、これを原則として禁止しており、同条2項は、信託行為に利

図表2－32　信託法31条1項が禁止する利益相反行為

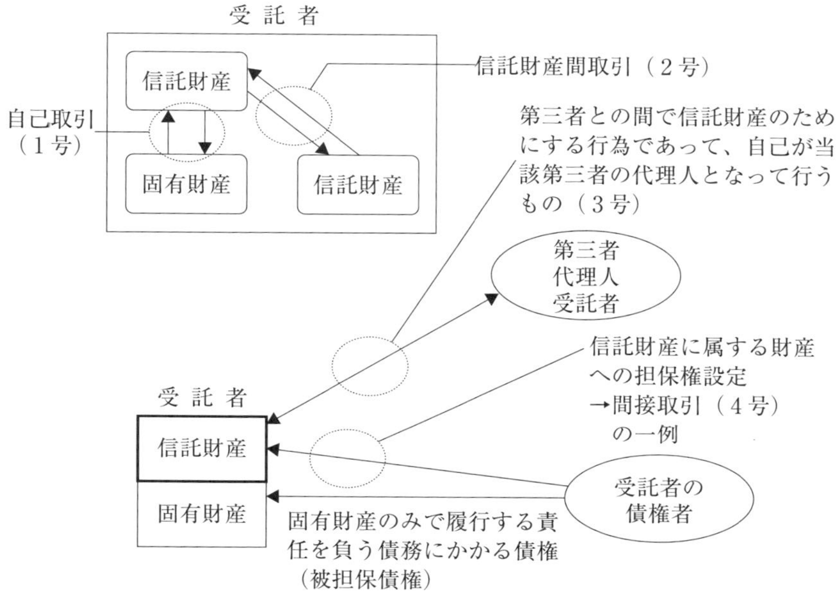

受託者
- 信託財産
- 固有財産
- 信託財産

自己取引（1号）

信託財産間取引（2号）

第三者との間で信託財産のためにする行為であって、自己が当該第三者の代理人となって行うもの（3号）

第三者代理人受託者

受託者
- 信託財産
- 固有財産

信託財産に属する財産への担保権設定
→間接取引（4号）の一例

受託者の債権者

固有財産のみで履行する責任を負う債務にかかる債権（被担保債権）

益相反行為を許容する旨の定めがあるとき等、受益者の利益を害するおそれがない場合は、利益相反行為をすることができると定めている（図表2-32参照）。

　これに対して信託業法29条は、忠実義務の具体化として、同条1項で受託する信託財産に損害を与える行為を禁止するほか、同条2項では受託者の利益相反行為を原則として禁止し、一定の場合には利益相反行為を例外的に許容する旨を定める。例外的に許容されるための要件は、(i)(ｱ)信託行為で利益相反取引を行う旨および当該取引の概要について定めがあり、または(ｲ)当該取引に関する重要な事実を開示してあらかじめ書面もしくは電磁的方法による受益者の承認を得た場合（当該取引をすることができない旨の信託行為の定めがある場合を除く）であり、かつ、(ii)受益者の保護に支障を生ずることがない場合として内閣府令で定める場合とされている。信託業法29条2項については、禁止対象に利害関係者と受託者との間の取引を含めており（同項1

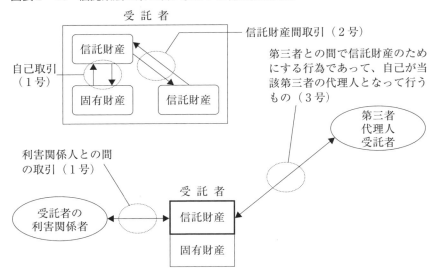

図表2-33　信託業法29条2項が禁止する利益相反行為

号)、かかる利害関係者の範囲がある程度広範に定められていること（信託業法施行令14条1項、兼営法施行令10条1項）に留意が必要である（図表2－33参照)。なお、信託法31条1項4号が禁止している間接取引について、信託業法上、これを禁止する明文はないが、信託業法28条1項の忠実義務の対象となりうることに留意が必要であると考えられる。

　実務上、信託会社等が、信託事務の一部を自らの利害関係人に委託したり、信託財産を管理する口座を自らの利害関係人である金融機関に開設したりすることがある。このような取引も、信託会社等とその利害関係人との間の取引であると考えられることから、信託契約で前記要件を満たすよう手当することが必要となろう。

　また、信託法32条1項は、受託者は、受託者として有する権限に基づいて信託事務の処理としてすることができる行為であってこれをしないことが受益者の利益に反するもの（競合行為）については、これを固有財産または受託者の利害関係人の計算でしてはならないと定めている。利益相反行為の禁止と同様、忠実義務を具体化した規定である。信託行為の定めがある場合等、受益者の利益を害するおそれがない場合は、競合行為をすることができる（同条2項)。

e　受益者の権利関係

(イ)　受益者の権利義務

　信託法のもとでは、受益者は受益債権（信託行為に基づいて受託者が受益者に対し負う債務であって信託財産に属する財産の引渡しその他の信託財産に係る給付をすべきものに係る債権。信託法2条7項）を有するほか、受託者を監督するための種々の権利や信託法103条1項各号に定める重要な信託の変更、信託の併合または分割がされる場合における受益権取得請求権などが認められている。さらに、そのような権利のうち、受益者による信託法92条各号に掲げる権利の行使は、信託行為の定めにより制限することができないとされている（同条柱書)。

他方、受益者の義務については、旧信託法のもとでは、受益者の受託者に対する直接の補償義務が定められていたが（旧信託法36条2項）、信託法のもとでは、信託行為の当事者ではない受益者が信託行為の効力によって補償義務を負担すべきとする必要性は乏しく、受託者に対する補償は基本的に信託財産によって賄われるべきであるという考え方に基づき、受託者と受益者の間の合意がない限り、受益者は費用等の償還義務や受託者に対する報酬の支払義務等を負わないとされている（信託法48条5項、53条2項、54条4項）[39]。

㋺　**受益者の意思決定**

　受益者が2人以上ある信託における受益者の意思決定（信託法92条各号の権利行使に係るものを除く）については、受益者の全員一致が原則とされているが、信託行為による別段の定めを設けることによって、その定めによることが認められる（同法105条1項）。投資家である受益者が多数となるような証券化取引では、全員一致による意思決定を要求することが容易ではない場合もありうる。また、複数の種類の受益権を設定した場合に、特定の受益権の受益者の意思を優先させることが期待される場合もありうる。このような場合、信託行為で多数決原理を定めたり、一定の受益者のみに決定権を付与したりすることにより、機動的な意思決定を行うことや柔軟なスキームの組成が可能になると考えられる。ただし、全員一致ではない意思決定の仕組みを採用する場合、重要な信託の変更等に際し、反対の受益者によって前述の受益権取得請求権が行使され、予定外の信託財産の減少が起こりうることに留意すべきであろう（同法103条3項参照）。

㋩　**受益権の譲渡**

　受益権の譲渡は原則として自由であるが、受益権の性質が許さない場合や信託行為に別段の定めがある場合には、譲渡が制限される（信託法93条）。証券化取引において利用される信託では、信託契約の定めによって、受益権の

---

[39]　逐条解説信託法177頁。

譲渡の条件として受託者の承諾が求められることが一般であり、また、受益者となりうる者の資格が限定されることもある。

受益権の譲渡の受託者に対する対抗要件は、指名債権譲渡の対抗要件に準じ、受託者に対する通知または受託者の承諾とされており、さらに受益権の譲渡を第三者に対抗するためには、かかる通知・承諾を確定日付のある証書によって行う必要がある（信託法94条）。

　f　信託業法上の規制

信託業法上の規制には、前記 d で記述したもののほか、以下のような規制がある（下記㈹～㈱については、図表2－34参照）。

㈣　信託業の参入規制

信託業法2条1項は、「信託の引受け……を行う営業」を「信託業」と定

図表2-34　信託の引受けに関する規制一覧

信託業法上の規制 （条文は信託業法）	特定信託契約に関して準用される金商法上の規制等 （※は委託者が特定投資家である場合に適用除外となる規制）
・引受時の行為準則（24条1項） ・適合性の原則（24条2項） ・説明義務（25条） ・契約締結時書面交付義務（26条1項）	・特定投資家への告知義務（金商法34条） ・特定投資家の一般投資家への移行（金商法34条の2（6項～8項除く）） ・一般投資家の特定投資家への移行（金商法34条の3（5項および6項除く）、34条の4） ※広告規制（金商法37条（1項2号を除く）） ※契約締結前の書面交付義務（金商法37条の3（1項2号～4号、6号、3項除く）） ※顧客からの書面による解除（金商法37条の6） ・信用格付業者以外の者が付与した信用格付を利用した勧誘の制限（金商法38条3号） ※不招請勧誘の禁止（金商法38条4号） ※勧誘受諾意思の確認義務（金商法38条5号） ※再勧誘の禁止（金商法38条6号） ・金商法38条8号・信託業法施行規則30条の26、兼営法施行規則31条の25に定める禁止行為 ・損失補填等の禁止（金商法39条2項1号、3号、4項）

義し、同法3条は、信託業を営むためには、内閣総理大臣の免許を受けることが必要であるとしている。ただし、同法2条3項に定める「管理型信託業」を行うにとどまる場合には、内閣総理大臣の登録を受けることで足りる（同法7条1項。かかる登録を受けた者を「管理型信託会社」という）。

また、信託兼営金融機関は、内閣総理大臣の認可を受けて信託業を営むことができる（兼営法1条1項）。

㈣ 特定信託契約の引受けに関する行為規制

信託業法24条の2は、金利、通貨の価格、金融商品市場における相場その他の指標に係る変動により信託の元本について損失が生ずるおそれがある信託契約として内閣府令で定めるものを「特定信託契約」と定義し（投資性の強い信託契約である）、特定信託契約による信託の引受けについて、信託業法上の行為規制に加えて、金商法の行為規制を準用している（金商法上の行為規制の内容については第3章第3節参照）。信託兼営金融機関が行う特定信託契約による信託の引受けについては、兼営法2条の2が同様の規定を設けている。

信託業法施行規則30条の2は、特定信託契約の具体的範囲について、(i)公益信託（1号）、(ii)元本の全部補填特約付信託（2号）、(iii)預金等（投資性の強いものを除く）により運用を行う一定の信託（3号）、(iv)管理型信託（4号）、ならびに(v)信託財産のうち金銭、有価証券、為替手形および約束手形（有価証券に該当するものを除く）以外の物または権利であるものの管理または処分を行うことを目的とする信託（5号）を除外し（いずれも投資性の弱い信託である）、これらに係る信託契約以外の信託契約を特定信託契約と定めている。

金銭債権や不動産の流動化では、金銭債権や不動産に加えて、流動性補完等の目的で金銭も信託されることがあり、そのような場合には、信託契約が前記(v)の信託契約として特定信託契約から除外されるかが問題となりうる。平成19年7月31日に公表された「コメントの概要及びコメントに対する金融庁の考え方」664頁では、この点に関して、信託財産のなかに金銭が付随的

に含まれる場合であっても、一律に前記(v)の要件を満たさないことになるものではなく、当該信託が、金銭等以外の物・権利の「管理または処分を行うことを目的とする信託」ということができるかが個別事例ごとに実態に即して実質的に判断されると回答されており、かかる回答などを参考に特定信託契約に該当しないか検証する必要があろう。

(ハ) **特定信託契約以外の信託契約の引受けに関する行為準則**

信託業法24条1項は、信託引受け時の信託会社の行為規制を定め、同条2項は、いわゆる適合性の原則を定める。信託業法24条1項により禁止される行為としては、虚偽のことを告げる行為、断定的判断の提供などのほか、特別の利益の提供（またはその約束）、損失の補填または利益の補足の禁止などがあげられる。ただし、受託者が信託兼営金融機関である場合には、運用方法の特定しない金銭信託のうち一定のものに限り、元本補填特約付きの信託契約の締結をすることが認められている（兼営法6条、兼営法施行規則37条）。

(ニ) **信託契約締結時の信託契約の内容の説明義務**

信託業法25条は、信託契約による信託の引受けを行うときに一定の事項を説明しなければならない旨を定める。なお、同条ただし書は、委託者の保護に支障を生ずることがない場合として内閣府令で定める場合には同条本文に定める説明は不要である旨を定めている（信託業法施行規則31条、兼営法施行規則13条）。

(ホ) **信託契約締結時の書面交付義務**

信託業法26条1項は、信託契約による信託の引受けを行ったときは一定の事項を明らかにした書面を委託者に交付しなければならない旨を定める。なお、同項ただし書は、当該書面を交付しなくても委託者の保護に支障を生ずることがない場合として内閣府令で定める場合には同項本文に定める書面交付は不要である旨を定めている。これを受けた同法施行規則32条1号、兼営法施行規則14条1号では、委託者が適格機関投資家等である場合をあげるが、前記(ニ)の事前説明の場合と異なり、単に委託者が適格機関投資家等であ

るのみでは足りず、書面または電磁的方法により委託者からあらかじめ信託業法26条1項に規定する書面の交付を要しない旨の承諾を得、かつ、委託者からの要請があった場合にすみやかに当該書面を交付することのできる体制が整備されていることが必要とされている。

　実務上は、信託契約書に信託業法26条1項所定の記載事項を規定することで、同項の書面として用いる場合も見受けられる。

(ヘ)　信託財産状況報告書の作成交付義務

　信託業法27条1項は、信託の計算期間ごとに、信託財産状況報告書を作成して、当該信託財産に係る受益者に交付しなければならない旨を定めている。また、信託財産状況報告書の記載事項および記載方法は、同法施行規則37条、兼営法施行規則19条に定められている。なお、信託業法27条1項ただし書により、一定の場合には信託財産状況報告書の交付義務が免除される。

(ト)　自己信託の参入規制

　自己信託によって信託を設定する場合には「信託の引受け」に該当しないことから、信託業法2条1項に定める「信託業」には該当せず、これを営業として行う場合であっても信託会社としての免許および登録を要しないと考えられる[40]。もっとも、信託業法50条の2は、自己信託をしようとする者は、当該信託の受益権を多数の者が取得することができる場合として政令で定める場合（信託業法施行令15条の2は50名以上の者と定めている）には、内閣総理大臣の登録を受けなければならないことを定めるほか、そのような者に対して信託会社に適用される行為規制を準用することなどを定めている。これは、自己信託のニーズとして、自社が保有する債権を流動化することによって資金調達するニーズや事業の一部を受益権化して資金調達するニーズがあるとの指摘がある一方で、親が子どものために一定の資産を切り離して管理するといったニーズといったものまでさまざまなものが想定されるなか、

---

[40]　川上嘉彦＝有吉尚哉「新信託法下での新たな信託類型の資産流動化・証券化取引における利用可能性に関する一考察」金融法務事情1798号10頁（平成19年）。

(i) 1 回限りの自己信託であっても、多数の受益者が生じる場合には、信託業法による受益者保護を図る必要があること、(ii)反覆継続して自己信託を行った場合に信託業法を適用したのでは、信託業法による受益者保護までは必要ない類型（たとえば、前述の親が子どものために自己信託を利用するニーズ）にまで、信託業法の規定が適用されてしまうといった理由から、合理的な範囲内で受益者保護を図るためであるとされる[41]。

(チ) 信託契約代理業

　信託契約の締結の代理または媒介を行う営業を信託契約代理業といい（信託業法2条8項）、信託契約代理業を行うにあたって内閣総理大臣の登録を受けた者を信託契約代理店という（同条9項）。なお、金商法上、受託者が信託受益権の発行者とされる場合[42]は、信託契約の締結の代理または媒介に相当する行為は有価証券の私募の取扱い（金商法2条8項9号）と整理され、金商法上の規制対象となると説明されている[43]。かかる見解に従うと、金商法上、受託者が信託受益権の発行者とされる場合は、信託契約代理業の対象となる信託契約から除かれることになる一方で、金商法の規制対象となることになるが、実務上、信託契約代理業と金融商品取引業（私募の取扱い）の区分けに不明確な点があることに留意が必要である。

　信託契約代理店制度は、信託と関連性の高い金融サービスの提供を行っている者を中心に、信託会社の代理店となることを認め、信託を行おうとする者のアクセス向上を図るため、信託サービスのデリバリー・チャネルを拡大することを目的とするものとされている[44]。

　信託契約代理業を行うためには、一定の信託会社に所属することが必要とされており（所属信託会社制度。信託業法67条2項）、信託契約代理業の登録

41　前掲注35、99頁。
42　金商法2条5項、金融商品取引法第二条に規定する定義に関する内閣府令14条3項1号ロおよびハ。
43　一問一答金商法100頁。
44　高橋康文『詳解新しい信託業法』（第一法規、平成17年）209頁。

にあたって所属信託会社を含む事項を記載した申請書を提出する必要がある（同法68条1項）。信託会社ではなく委託者を代理する場合には、信託契約代理業に該当しない。

信託契約代理店は、顧客に対する説明義務（信託業法74条）、分別管理義務（同法75条）、信託引受時の行為準則、信託内容の説明義務（同法76条）等を負うものとされている。

なお、信託兼営金融機関が信託契約の締結の代理または媒介を第三者に委託する場合にも、前述と同様の規制を受けることになる（兼営法2条2項）。

g 信託の変更・併合・分割

信託法149条1項は、信託の変更は、原則として委託者、受託者および受益者の合意によってすることができると定め、同条2項および3項は、一定の信託の変更については、一部の者の合意または意思表示のみによってすることができると定めている。もっとも、これらの規定はいずれも任意規定であり、信託行為に別段の定めをすることができる（信託法149条4項）。

信託法151条1項は、信託の併合は、原則として委託者、受託者および受益者の合意によってすることができると定め、同条2項は、一定の信託の併合については、一部の者の合意または意思表示のみによってすることができると定めている。もっとも、これらの規定はいずれも任意規定であり、信託行為に別段の定めをすることができる（信託法151条3項）。また、吸収信託分割および新規信託分割についても、信託の併合と同様の規定が定められている（同法155条、159条）。

なお、重要な信託の変更、信託の併合または分割がされる場合において、受益者が受益権取得請求権を行使しうることについては前述のとおりである。また、信託業法29条の2第1項は、重要な信託の変更、信託の併合または分割をしようとする場合には、原則として、重要な信託の変更等をしようとする旨および異議のある受益者は異議を述べるべき旨その他内閣府令で定める事項について公告し、または受益者に各別に催告しなければならないと

定め、重要な信託の変更等に関して受益者の意思を反映させる仕組みを設けている点にも留意が必要である。

　h　信託の終了・清算

　信託法163条各号および164条1項は、信託の終了事由を定めている。これらの終了事由が発生した場合、信託の清算手続が開始され（ただし、信託の併合により終了した場合および信託財産についての破産手続開始の決定により終了した場合であって当該破産手続が終了していない場合は除かれる。信託法175条）、清算手続のなかで信託財産に属する債権の取立て、信託債権に係る債務の弁済等が行われることになる（同法177条）。

　i　特殊な形態の信託

　以下では、信託法のもとで認められた特殊な形態の信託について、証券化取引において考えられる利用方法を説明する。

(イ)　自己信託

　自己信託とは、信託法3条3号に定める方法によって委託者が自ら受託者となって信託をすることをいう。証券化取引では、自己信託をビークルとして利用することが考えられる。金融機関が保有する貸付債権を、信託を用いて証券化する場合、従来はたとえば、(ⅰ)信託会社等に貸付債権を信託し、(ⅱ)その受益権を投資家に売却したり、または受益権をSPCに譲渡してSPCが受益権を裏付けとした社債を発行するというスキームが用いられていたが、前記(ⅰ)の部分を自己信託で代替することにより、スキームを簡素化し、コストを下げることが可能であると考えられる。さらに、実務上、譲渡制限特約付きの金銭債権を対象に証券化を実施しようとする場合に、自己信託の利用が検討されることもある。

　また、金銭債権の証券化の場合、サービサーが回収金について自己信託を設定することにより、サービサーのもとにおけるコミングリング・リスクを回避することが議論されている[45]。

(ロ) **限定責任信託**

　限定責任信託とは、受託者が当該信託のすべての信託財産責任負担債務について信託財産に属する財産のみをもってその履行の責任を負う信託のことである（信託法2条12項）。

　一般に、信託では、受託者が信託事務の処理として行った取引から生じた債務について、受託者は信託財産のみならず、固有財産によっても履行責任を負うのが原則であるとされている。個別の取引ごとに責任財産限定特約を結び、責任財産を信託財産に限定することはできるが、取引が頻繁に行われる場合には、個別の責任財産限定特約によって対処することは実際上困難であることもありうる。かかる場合、限定責任信託を利用することにより、責任財産を原則として信託財産に限定することができる（信託法217条）。

　もっとも、現在の証券化取引に用いられる信託では、受託者が個別の取引ごとに責任財産限定特約を結ぶことが一般化していることや、限定責任信託を利用する場合は信託債権者保護のための規制を受けることから、証券化取引における限定責任信託のニーズは、現時点ではそれほど大きくないのではないかと思われる。

(ハ) **受益証券発行信託**

　Vehicleとなる信託の信託行為で受益権を表示する証券（受益証券）を発行する旨を定めることができるとされ（信託法185条1項）、かかる定めのある信託を受益証券発行信託という。受益権を有価証券化することにより流通性を向上させることができる（なお、社債、株式等の振替に関する法律に基づく振替制度も利用可能である）が、この場合、受益証券は金商法上の第1項有価証券に当たり（金商法2条1項14号）、より厳しい規制を受けることなどに留意する必要がある。

　また、受益証券発行信託と限定責任信託を組み合わせることも可能である

45　本章第2節4(4)参照。

が（受益証券発行限定責任信託）、この場合、信託法第10章の特則が適用されることに留意が必要である。

(二) 目的信託

信託法258条1項は、信託契約または遺言によって受益者の定め（受益者を定める方法の定めを含む）のない信託をすることができることを定めている。かかる信託を一般に目的信託といい、受益者の存在を予定していない点に特徴がある。

証券化取引では、目的信託をSPCの倒産隔離の手段として利用することが提案されたこともある。たとえば、従来、オリジネーターが資産を国内SPCに譲渡し、国内SPCが資産を裏付けとした社債を発行するというスキームでは、国内SPCの親法人をケイマンSPCとして、その親法人の株式を慈善信託に移すことで倒産隔離を達成していた[46]。この例で、ケイマンSPCを用いるのではなく、国内SPCの株式を信託財産として目的信託を設定することにより、国内SPCを支配する者が存在しない状態をつくりだし、倒産隔離を達成するという提案である。ただし、信託契約による目的信託では委託者に一定の権利が与えられるため（信託法260条1項）、委託者の影響を排除するための方法が必要となることなどもあり、実務上、このような仕組みが利用されるに至ってはいない。

2 債権譲渡にかかわる規律

(1) 動産債権譲渡特例法

a 債権譲渡の対抗要件

債権譲渡の対抗要件は、民法においては、確定日付ある証書による債務者に対する通知または債務者による承諾とされており、債務者に対する対抗要件（以下「債務者対抗要件」という）のみを具備しようとする場合には、確定

---

[46] 本章第1節2(1)参照。

日付は不要とされている（民法467条）。債務者に対する通知または債務者による承諾を債権譲渡の債務者以外の第三者に対する対抗要件（以下「第三者対抗要件」という）としているのは、債務者をインフォメーション・センターとし、債務者に問い合わせることで不完全ながら債権の帰属関係を公示しようとする趣旨の制度である。

　もっとも、債権譲渡の当事者である譲渡人および譲受人の立場からは、債務者の関与がなければ第三者対抗要件も具備できないというのでは不便であり、特に大量の金銭債権を一度に譲渡の対象とする証券化取引においては、各債務者に対して個別に通知を行い、または各債務者から承諾を取得しなければならないとするのでは費用や事務の負担が重すぎて実務上機能しにくい。

　このような不都合を考慮して、特債法は、リース・クレジット債権という限られた範囲の債権についてではあるが、当局への定期的な確認手続を経ることによって当局にデータを提出して公告の方法で対抗要件（第三者対抗要件および債務者対抗要件）を具備することを認め、金銭債権の証券化における実務上最大の障害であった対抗要件制度に立法による解決手段を提供するものであった。もっとも、債務者が認識しがたい公告によって債務者対抗要件の具備まで認めるものであり、債務者が知らないうちに、譲渡人に対して取得する抗弁権を主張しえなくなるおそれがある制度であったことから、債務者の保護という点で問題を含んでいた。

　さらに、対象債権を法人が有する金銭債権全般に拡大し、それまで債務者への通知または債務者の承諾という一体の方法[47]として考えられてきた第三者対抗要件と債務者対抗要件を、債権譲渡登記による第三者対抗要件と登記事項証明書を交付して行う債務者に対する通知または債務者の承諾による債

---

[47] 確定日付の有無によって債務者対抗要件としての効力を有するにすぎないか、それに加えて第三者対抗要件としての効力が認められるかが決められるため、第三者対抗要件が具備されているときは常に債務者対抗要件が具備されていることになる。

務者対抗要件に分解し、第三者対抗要件は具備されているが債務者対抗要件は具備されていないという状態を認める制度としての債権譲渡登記制度を導入したのが「債権譲渡の対抗要件に関する民法の特例等に関する法律」(平成10年法律第104号) である[48]。

なお、民法による債務者対抗要件においては譲受人ではなく譲渡人が通知する必要があるのに対し、動産債権譲渡特例法においては、登記事項証明書という公的な書類を交付することから譲受人による通知も可能である。

b 債権譲渡登記制度の概要

債権譲渡登記制度は、債権の帰属ではなく債権の譲渡を公示するものである点が特徴的であり、所有権等の権利そのものの存在を公示する不動産登記と異なる点で注意が必要である。

法人が金銭債権を譲渡した場合に、当該債権譲渡について債権譲渡登記ファイルに譲渡の登記がなされたときは、当該債権の債務者以外の第三者については、民法467条の規定による確定日付ある証書による通知があったものとみなされ (動産債権譲渡特例法4条1項)、これによって第三者対抗要件が具備される。債権譲渡登記による第三者対抗要件と民法に基づく通知による第三者対抗要件とが併置されていることから、債権譲渡登記と通知の先後という問題が生じるが、通知による第三者対抗要件については確定日付の時点ではなく、通知の到達時点の先後で対抗関係を決するとするのが判例の立場であるから (最判昭49.3.7民集28巻2号174頁)、債権譲渡登記のなされた時点と通知の到達時点の先後で対抗関係を決することになると考えられる。

なお、債権譲渡登記には存続期間があるため (動産債権譲渡特例法8条2項5号)、存続期間の延長をせずに債権譲渡登記の存続期間が満了した場合の法律関係が問題となりうる。この点、存続期間の満了後に第三者対抗要件を

---

[48] なお、その後の改正により、動産譲渡に関する動産譲渡登記の制度も導入され、法律名が「動産及び債権の譲渡の対抗要件に関する民法の特例等に関する法律」に変更された。

具備した第三者に対しては対抗できないとしても、存続期間中に決した優劣が存続期間の満了に伴って覆ることはないと考えることにも一定の合理性が認められるのではないかと思われる。他方で、存続期間の定めがある以上、存続期間の満了により、先行する債権譲渡については対抗力を失い、すべての第三者との関係で債権譲渡を対抗することができなくなるという考え方もありうるところである。本書の執筆時点においては、（実務上問題となる場面が、債権譲渡登記の存続期間中に債権が回収されなかった場合で、かつ、延長登記がなされなかったという限定的な場面であるため）議論が深められておらず、通説や有力説と呼べる見解があるわけではなく、今後の議論を注視する必要があろう。

　債務者対抗要件は、当該債権の譲渡およびその譲渡について債権譲渡登記がなされたことについて、譲渡人もしくは譲受人が当該債権の債務者に登記事項証明書を交付して通知し、または当該債務者が承諾をした場合に具備されるものとされている（動産債権譲渡特例法4条2項）。

　債権譲渡登記の申請は譲渡人および譲受人の双方により行う必要があるが（動産債権譲渡特例法8条2項柱書）、代理人による申請も可能であり、実務上はいずれか一方の当事者が代理権の授与を受けて申請手続を行うことも多い。登記申請の手続については法務省のホームページで詳しい解説がなされており、同ホームページから取得することができる「債権譲渡登記申請データ仕様」に従って、登記申請データを作成する必要がある。

c　債権譲渡登記制度を前提とした金銭債権の証券化の実務

　金銭債権の証券化においては、オリジネーターが証券化後においてもサービサーとして債権の管理・回収を継続することが通常であり、オリジネーターが回収事務を受託している限り債務者対抗要件を具備する必要はなく、むしろ債務者にはサイレントで債権譲渡を行うというニーズを関係当事者が有していることが多い。他方で、オリジネーターによる債権譲渡が第三者対抗要件を具備していることは、証券化の対象資産がオリジネーターの信用リ

スクから隔離されているためには必須である。

　そこで、金銭債権の証券化においては、証券化に伴う債権譲渡がなされた時点で、債権譲渡登記により第三者対抗要件を具備する一方で、債務者対抗要件については、案件当初においてはその具備を留保することが多い。

　そして、サービサーであるオリジネーターに信用不安等が生じたことにより、そのままサービシングを継続するのでは、債権の管理・回収に支障が出る可能性が生じた場合には、サービサーを解任して、証券化Vehicleやその委任する他のサービサー（バックアップサービサーという）が債権の管理・回収事務を引き継ぐ。この場合に、証券化Vehicleやバックアップサービサーが債務者に対して直接債権の履行を請求するためには、当初留保していた債権譲渡についての債務者対抗要件を具備することが必要である。

　前述のとおり、動産債権譲渡特例法が認める債務者対抗要件は、登記事項証明書を交付して行う債務者に対する通知または債務者による承諾である。したがって、証券化Vehicleがかかる債務者対抗要件を具備するには、法務局から登記事項証明書を取得する必要がある。しかしながら、サービサーの信用不安という状況においては、債務者対抗要件の具備につき一刻を争う事態にあることも想定され、何十万件、何百万件という債権について法務局から登記事項証明書を取得している余裕はないのが通常であるし、登記事項証明書の取得に係る費用負担も無視できない。

　このような状況にかんがみ、実務上は、債権譲渡に係る契約書において、サービサーの解任があった場合には、具体的な状況に応じて、動産債権譲渡特例法に基づく債務者対抗要件だけでなく、それにかえて民法に基づく通知による債務者対抗要件を具備しうることを規定していることがある。

　ただし、かかる債務者対抗要件もそれ自体は有効な債務者対抗要件であると考えられるものの、かかる債務者対抗要件によっては債務者に対して登記の存在を主張することはできないことに留意が必要である。二重譲渡がなされ、競合する他の民法に基づく確定日付ある証書による通知が存在する場合

には、仮にかかる他の通知より先に債権譲渡登記がなされている場合であっても、債務者はかかる他の債権者に有効な弁済をなしうることとなり、このような事態を避けるためには登記事項証明書を交付して通知を行うことにより動産債権譲渡特例法上の債務者対抗要件を具備する必要があることに留意が必要である。

また、前述のとおり、動産債権譲渡特例法においては譲受人が自らの資格で債務者対抗要件としての通知を行うことができるのに対し、民法による通知においては譲渡人のみにかかる通知権限が付与されているため、譲受人である証券化Vehicleにおいて債務者対抗要件を具備するためには、かかる通知送付権限について、オリジネーターから証券化Vehicleに対する授権が必要である点にも留意が必要である。

(2) 二重譲渡リスクと電子記録債権

a　電子記録債権の概要

電債法は、電子記録債権の発生、譲渡等について定めるとともに、電子記録債権に係る電子記録を行う電子債権記録機関の業務、監督等について必要な事項を定める法律である。電債法は、電子記録債権という、その発生または譲渡について、電子債権記録機関[49]の調整する記録原簿への電子記録を要件とする金銭債権の根拠法となっている。

電子記録債権は、民法上の通常の債権でもなく、手形でもない、新たな種類の金銭債権と位置づけられており、その記録内容を工夫することによって、手形に似た性質を有する金銭債権としても、一般的な金銭債権の性質を有する債権としても用いることができる。

電子記録債権は、そのものを約束手形のように第三者に譲渡して資金調達

---

[49] 本書執筆時点において、5社が電子債権記録機関として指定を受けている。このうち、全国銀行協会が設立した全銀電子債権ネットワークは、全国の金融機関が参加する、いわば手形交換所の電子記録債権版ともいえる「でんさいネット」を運営している。

の手段とすることができることから、約束手形に代替する手段として中小企業の資金調達に活用されている[50]。また、セカンダリーマーケットが発達していないシンジケートローンの流動化[51]に活用される事例も現れている[52]。電子記録債権の手形的利用やシンジケートローンへの電子記録債権の活用、あるいは、電子債権記録機関に対する監督・規制についても法的に解説すべき点があるが、必ずしも証券化の文脈で問題となるわけではないことから、以下では証券化の文脈で問題となりうる事項として、電子記録債権と原因債権の二重譲渡という問題について、簡単に解説するにとどめる[53]。

b 電子記録債権と原因債権の二重譲渡

まず、前提として、電子記録債権自体を二重に譲渡することはできない仕組みになっている。すなわち、電子記録が電子記録債権の譲渡の効力発生要件とされていることから、譲渡当事者間の合意により電子記録債権が二重に譲渡されて対抗関係が生じるという事態は想定されない[54]。また、同一の電子記録債権に関し同時に2つ以上の電子記録（二重譲渡の文脈では譲渡記録）が請求された場合において、請求に係る電子記録の内容が相互に矛盾する場合には、電子債権記録機関は、いずれの請求に基づく電子記録もしてはならないこととされており（電債法8条2項）、同一の電子記録債権について同一の譲渡人からの譲渡記録が二重になされることはありえない仕組みとなって

---

[50] 実際の利用例としては、たとえば、でんさいネットのホームページで利用例が紹介されている（https://www.densai.net/case/）。

[51] たとえば、平成26年7月23日付の契約で、電子記録債権型シンジケートローンが組成されたことが、日本電子債権機構株式会社のホームページで公表されている（http://www.jemc.jp/news/docs/syndicateloan_260728.pdf）。

[52] 手形の代替手段およびシンジケートローンでの利用のほか、一問一答電債法10～11頁では、電子記録債権の活用方法として、一括決済方式への活用が紹介されている。

[53] 電債法の詳細については、一問一答電債法、萩本修＝仁科秀隆監修『逐条解説　電子記録債権法』（商事法務、平成26年）等を参照。

[54] 電子記録債権の記録名義人である譲渡人が二重に譲渡しようとしたとしても、最初の譲渡について電子記録を経た後においては、譲渡人はもはや記録名義人ではなくなることから、後の譲渡について譲渡記録の請求をしても、電子記録義務者の請求を欠く不適法な請求であるとして、電子債権記録機関はかかる請求に基づく譲渡記録をしてはならないことになる（一問一答電債法44頁）。

いる。

　もっとも、理論的には、電子記録債権と電子記録債権の発生原因となった原因債権とが二重に譲渡されることはありうる（電子記録債権は、原因債権の存否にかかわらず発生させることができるが、売買債権、請負債権、貸付債権などの一定の原因債権について電子記録債権を発生させることが多いものと思われる）。AがBに対して有する貸付債権をCに譲渡して動産債権譲渡特例法に基づく債権譲渡登記を具備したが、債務者Bとの関係で債務者対抗要件を具備する前に、Bと共同して請求をすることにより電子記録債権を発生させて、これをDに対して譲渡したような場合である。

　この点、電債法上、電子記録債権と原因債権との関係を規律する規定は設けられておらず、電子記録債権の発生により原因債権を消滅させるか、また、原因債権を消滅させずに存続させるとして、原因債権と電子記録債権のどちらを先に行使すべきかという問題は、いずれも電子記録債権の債権者および債務者の意思によることとなると解されている。そして、当事者の意思が明らかでない場合には、電子記録債権の発生によって原因債権は消滅せず、原因債権より先に電子記録債権を行使すべきとするのが当事者の意思であるとされる可能性が高いのではないかと思われる[55]。

　そのため、原因債権（および電子記録債権）の債務者の立場からみれば、特定の原因債権について電子記録債権を発生させた場合には、別段の合意がない限り、原因債権ではなく電子記録債権をまずは行使すべきとの抗弁権を債務者が取得すると解すべきことが多いものと考えられる。そうすると、前述の事例のように、債務者対抗要件を具備する前に電子記録債権を発生させた場合には、電子記録債権を先に行使すべき旨の抗弁が、民法468条1項にいう「対抗要件具備時までに譲渡人に対して生じた事由」に該当すると考え

---

[55] 約束手形に関する議論になぞらえて説明すれば、原因債権の支払にかえて（すなわち、代物弁済として）電子記録債権を発生させたのではなく、原因債権の支払のために（支払の担保としてではなく）電子記録債権を発生させたものとして取り扱われる（一問一答電債法12、86頁）。

られ、原因債権の譲渡を受けた第三者（前述の例でいえばC）は、原因債権の支払を受けられないことになると考えられる[56]。

　以上のような電子記録債権と原因債権の二重譲渡に関する理論的帰結からは、以下のようなことを導くことができると考えられる。

　第1に、証券化の文脈においては、電子記録債権を証券化対象資産とすることで、オリジネーターによる二重譲渡リスクを完全に排除したスキームを構築することが可能となる。証券化取引のように、多くの案件が正常な取引として行われている場合には、二重譲渡リスクはそれほど大きなものではないとも考えられるが、実際に証券化取引と他の債権譲渡や担保取引（集合債権譲渡担保）との二重譲渡が問題とされた事例も存在したところであり、二重譲渡リスクを極力排除するという観点からは、証券化対象資産を電子記録債権とすることも1つの選択肢として考えられる。

　第2に、以上の議論の裏返しではあるが、通常の金銭債権を証券化対象資産とする場合には、電子記録債権と証券化対象となる債権との二重譲渡リスクに注意が必要となる。まず、①証券化に関する譲渡前に電子記録債権を発生させている場合には、証券化対象となる債権の債務者は、電子記録債権を先に行使すべき旨の抗弁を有したり、電子記録債権を発生させたことにより証券化対象となる債権が消滅したりしている可能性があることから、債務者から証券化対象となる債権の回収を図ることができなくなるリスクが存在すると考えられる。また、わが国における金銭債権の証券化案件の多くにおいては、オリジネーターが倒産しない限り、オリジネーターが債権回収を引き続き行い、債務者対抗要件は具備しないという取扱いがなされている事例が多い。そのため、②証券化期間中においても、債務者対抗要件の具備前であれば、オリジネーターが債務者との共同申請により電子記録債権を発生させることによって、やはり債務者から証券化対象となる債権の回収を図ること

56　一問一答電債法87、88頁。

ができなくなるリスクが存在すると考えられる。

　①に対する実務上の対処方法としては、証券化対象となる金銭債権の適格要件として、当該債権について電子記録債権を発生させていないことを規定し、証券化後になって、証券化に関する債権譲渡時点で電子記録債権が発生していたことが判明した場合には、オリジネーターによる買戻しの対象とすることが考えられる。②に対する実務上の対処方法としては、証券化期間中のオリジネーターの誓約事項（コベナンツ）として、証券化対象の債権について電子記録債権を発生させないことを規定し、かかる規定の違反があった場合には、当該違反があった債権についてオリジネーターによる買戻しの対象とすることが考えられる。ただ、いずれの場面においても、（買戻しには、オリジネーターの信用リスクを負担するという面があることから）電子記録債権と証券化対象債権の二重譲渡リスクを完全に排除することはむずかしく、（理論的には）これに対処するためには電子記録債権自体を証券化の対象とするほかない。

(3) 民法（債権法）改正と債権譲渡

a 民法改正に至る経緯

　わが国の民法は、明治29年に制定された後、120年近くが経過しても、親族・相続法以外の財産法の部分については、大きな改正は行われないままであった。その間、判例を中心として、民法の明文からは読み取ることのできない多数のルールも形成されていた。

　以上のような問題点を考慮し、また、フランスやドイツなどの諸外国における民事基本法の改正動向、あるいは、民事基本ルールの国際的な統一化の流れを考慮して、民法のうち債権関係の規定を中心とした改正に関する議論が活発になされるようになった。

　具体的には、複数の学者グループによる民法改正案が提案されるとともに、平成21年10月からは、法制審議会民法（債権関係）部会（部会長：鎌田薫

早稲田大学総長）において、民法のうち契約に関する規定などの債権関係の規定に関する見直しについて審議が行われ、平成27年2月24日に、法制審議会総会において「民法（債権関係）の改正に関する要綱」が取りまとめられた。この要綱の内容を受けて、同年3月31日には、民法の一部を改正する法律案および民法の一部を改正する法律の施行に伴う関係法律の整備等に関する法律案が国会に提出され、平成29年5月に成立、令和2年4月1日より施行されている（以下、同法による改正前の民法を「改正前民法」といい、改正後の民法を「改正民法」という）。

以下では、改正民法について、債権譲渡に関する主要な改正点を簡単に紹介する。

b 債権譲渡に関する主要な改正点

① 将来債権譲渡の取扱い

将来発生する債権を譲渡することができ、かつ、その対抗要件を具備することができることは、改正前民法上、明文の規定が定められていたわけではないが、判例・学説上、認められていた（最判平11.1.29民集53巻1号151頁、最判平12.4.21民集54巻4号1562頁など）。改正民法においては、このことが明文化されている（民法466条の6第1項、467条1項）。

また、改正前民法のもとでは、将来債権譲渡がなされた後に、譲渡制限特約が設けられ、譲渡制限特約が設けられた契約に基づき債権が発生した場合に、債務者が譲受人に対し譲渡制限特約を対抗することができるかという論点については、見解が分かれていた。この点改正民法では、将来債権譲渡について、民法467条1項の規定による通知または承諾がなされるまでに譲渡制限特約が設けられた場合は、その譲渡制限特約については、債務者は譲受人に対して対抗することができるものとしている（民法466条の6第3項）。これにより、たとえば、将来債権を含む、一定の範囲の債権を証券化し、これを債務者に通知していなかった場合に、その後に対象とした債権について譲渡制限特約が設けられたような場合は、債務者による履行拒絶等の一定の

制限を受けることになる点には、留意する必要がある。したがって、投資家にとってはコベナンツ等により、オリジネーターが証券化の対象となった将来債権について譲渡制限特約を付さないことを確保することが重要となる。

② 譲渡制限特約の効力

改正前民法では、債権譲渡についての譲渡制限特約を悪意または重過失のある第三者に対抗することができ（改正前民法466条2項）、判例上、譲渡制限特約に違反する債権の譲渡は無効であるとされていた。改正民法では、債権譲渡による資金調達の促進を図るという観点から、このような譲渡制限特約の効力が見直された。具体的には、まず、債権一般について、①譲渡制限特約に違反する債権譲渡が行われた場合も譲渡は有効であるとしつつ（民法466条2項）、②譲受人に悪意または重過失がある場合には、債務者は譲受人に対して履行拒絶ができるほか、譲渡人に対する弁済その他の債務消滅事由を譲受人に対抗できるとしている（同条3項）。ただし、悪意または重過失の譲受人との関係でも、債務者が債務を履行せず[57]、譲受人が相当の期間を定めて譲渡人に対する履行の催告をし、その期間内に履行がないときは、債務者は履行拒絶等ができないとされている（同条4項）。

また、譲渡制限特約の付された金銭債権が譲渡された場合には、債務者が供託をすることができる（民法466条の2）。この場合、債務者は遅滞なく譲受人および譲渡人に供託の通知をするものとされ、譲受人のみが還付請求ができる（民法466条の2第2項、3項）。さらに、債権譲渡の促進の観点から、譲渡人について破産手続開始の決定があった場合には、譲受人が債務者に対して供託を求めることができるとされている（民法466条の3）。

証券化との関係では、譲渡制限特約の存在が、金銭債権の証券化の妨げになっている場合があることを考慮すると、譲渡制限特約の効力に関するルー

---

[57] 「債務者が債務を履行しない」の意味について、期限の定めのない債務の場合には履行遅滞に陥っていることまでは要せず、事実として履行がなされない状態であれば足りると解されている。

ルの変更は、金銭債権の証券化を促進するものであるといえる。ただし、譲受人が譲渡制限特約について悪意または重過失である場合には、原則として債務者は譲受人に対し譲渡制限特約を対抗することができるとされていることから、譲渡制限特約付きの債権を証券化の対象とすることには、譲渡自体が無効とはされないとしても、一定のリスクが伴うことに留意が必要である。すなわち、証券化の関係者が、譲渡制限特約があることを知って譲渡制限特約付きの債権を証券化の対象とする場合、改正民法のもとにおいては、オリジネーターに倒産手続が開始するまで、債務者は譲渡がなかったものとして譲渡人に債権の弁済を行うことができることから、オリジネーターに倒産手続開始の申立てがあり、開始決定がなされるまでの間、オリジネーター以外の者が債務者から回収を行うことができなくなり、結果として、オリジネーターのコミングリング・リスクを排除できないこととなりうる。

　加えて、譲渡制限特約に違反する債権譲渡自体は有効としても、それが債務者との関係で債務不履行と評価されるか、そしてオリジネーターの損害賠償義務などの効果を惹起するかが論点になる。この点、債務者が譲渡制限特約を付す場合の一般的な目的は弁済の相手方を固定することにあるところ、譲渡制限特約が付された債権を譲渡したとしても、譲受人が悪意または重過失である場合には債務者は譲受人からの弁済の請求を拒むことができ、善意または無重過失である場合でも債務者は供託をすることができるので、見知らぬ第三者との取引を強いられるという事態は十分に防止されており、特段の事情のない限り、譲渡制限特約違反とはならず、債務者について具体的な損害を観念できないため、譲渡制限特約違反は直ちに譲渡人の損害賠償責任にはつながらず、また特約違反を理由とする解除や取引関係の打ち切りは権利濫用と評価されるとの見解がある[58]。しかしながら、譲渡制限特約の趣旨は必ずしも弁済の相手方の固定に限定されないことや[59]、契約内容に対する

---

[58] 筒井建夫＝村松秀樹『一問一答民法（債権関係）改正』（商事法務、平成30年）164、165頁。

明白な違反であり、形式的に契約違反の責任を完全に否定することがむずかしいのではないかと思われることから、契約上の効力は証券化の対象となる金銭債権ごとに個別事情に応じた検討が必要となろう。加えて、オリジネーターや証券化取引の関係者と債務者の信頼関係が毀損され、債権回収に事実上の支障が生じる可能性がある。

　したがって、債務者の承諾なしに譲渡制限特約付きの債権を証券化の対象とすることは、これらの影響を考慮してもなお、証券化取引を実行するメリットが認められるか個別具体的な事情に沿った検討が必要となる。

　また、改正前民法においては債務者の承諾がない限り、譲渡制限特約に違反する債権の譲渡は無効であったことから、仮に債権者が債権の二重譲渡をしていたとしても、債務者の承諾を取得している譲渡のみが有効となり、譲受人にとって二重譲渡リスクを低減する効果を有していた。しかしながら、改正民法では債務者の承諾がない債権譲渡であっても、確定日付ある証書による通知や債権譲渡登記が先行する譲渡であれば、それが優先することになる。したがって、譲渡制限特約が付されている債権を対象に、債務者の承諾を取得して証券化取引を行おうとする場合、二重譲渡のリスクが残ることとなり、オリジネーターによる二重譲渡がなされないことを確保するための表明保証、コベナンツの重要性が増すことになる。

　さらに、証券化の裏付資産となる金銭債権についての譲渡制限特約に関する影響とは別の論点として、ABLの形式で証券化取引が実行される場合には、実務上、ABL債権に譲渡制限特約が付されることが一般的である。このABL債権について、譲渡制限特約に反して譲渡がなされた場合、債務者であるSPCや受託者として投資家の把握ができなくなる可能性がある。その

59　たとえば建築工事請負契約における請負代金請求権についての譲渡制限については、長期間の契約となることなどその特殊性から譲渡制限特約によって建設工事の適正な施工、請負人が最後まで工事を完成させることを担保しているとされる（中央建設業審議会議事録（令和元年12月13日開催）（https://www.mlit.go.jp/policy/shingikai/totikensangyo13_sg_000179.html））。

ため、譲渡制限特約に違反する譲渡がなされたとしても引き続き譲渡人を債権者として扱うことができる旨の規定がローン契約に設けられる場合がある。

③ 相殺と債権譲渡

改正前民法では、債権譲渡後に債務者が譲渡人に対して有していた債権を自働債権として、譲渡された債権を受働債権として相殺の抗弁を主張できるか明文の規定はなかったが、判例は債務者対抗要件の具備前に債務者が取得した債権を自働債権とするのであれば、自働債権と受働債権の弁済期の先後を問わず、債務者は相殺の抗弁を提出できるとしていた（いわゆる無制限説）。改正民法においては判例の立場を明文化したことに加え（民法469条1項）、債務者が債務者対抗要件具備後に取得した債権であっても、その債権が債務者対抗要件具備前の原因に基づいて生じた債権である場合または譲渡された債権と同一の契約に基づいて発生した債権である場合には相殺の抗弁の主張を可能とした（民法469条2項）。

証券化取引において裏付資産となる金銭債権の譲渡について債務者対抗要件を具備したとしても、改正前民法での判例の立場よりも債務者によって相殺の抗弁が主張される範囲が広くなっており、裏付資産の希薄化が生じやすくなっている。

④ 異議をとどめない承諾の制度の廃止

改正民法では、改正前民法468条1項が廃止された。これは、債権譲渡の事実を認識した旨を伝達するいわゆる観念の通知にすぎないと理解されている民法467条の承諾に、抗弁切断の効果まで与えることへの批判から、これを廃止したものである。

かかる廃止によっても、債務者が、任意にその有する抗弁を放棄する意思表示をすることは妨げられないことから、改正後においては、実務上、抗弁切断のために、異議をとどめない承諾ではなく、債務者に抗弁放棄の意思表示を求めることがある。すなわち、改正前民法下における債務者より「（異

議なく）承諾する」旨の承諾を取得する実務にかわって、相殺の抗弁、同時履行の抗弁、弁済の抗弁など、一定の抗弁を放棄する旨の意思表示を取得するものである。もっとも、明示的な抗弁の放棄の意思表示を行うことについては、債務者の心理的な抵抗が大きくなるとも思われ、事実上、抗弁を切断するかたちでの債権譲渡が行いにくくなった可能性がある。

　また、「異議をとどめない承諾」に特別の効果を認める制度が廃止され、抗弁放棄の意思表示の一般的な解釈の問題となる。そのため、（特に包括的な抗弁の放棄の意思表示について）個々の状況のもとで抗弁放棄の意思表示の効力が否定されることにならないか、解釈が確立するために裁判実務の蓄積を待つことが必要となると思われる。なお、改正前民法のもとでも、判例上、債務者が異議をとどめない承諾をしたとしても当該抗弁について悪意または有過失の譲受人に対しては、債務者は当該抗弁を主張できるとされていた（最判昭42.10.27民集21巻8号2161頁、最判平27.6.1民集69巻4号672頁）。

　そのため、証券化の実務においても、債務者による異議をとどめない承諾を前提にストラクチャーを仕組むような案件においては、抗弁放棄の意思表示により異議をとどめない承諾と同様の効果を得ることができるのか、慎重に検討したうえでストラクチャーを検討する必要があることに留意が必要である。

(4)　産業競争力強化法による第三者対抗要件の特例

a　概　　要

　電子的な方法による取引の拡大に伴い、債権譲渡に係る手続についても電子的なやりとりのみで完結させるニーズが高まっている。もっとも、契約については電子的な処理が可能であるとしても、第三者対抗要件との関係で、確定日付ある証書による通知・承諾または債権譲渡登記の手続が必要となり、電子的な方法で債権譲渡の手続が完結できない点が課題となっている。かかる状況を踏まえ、令和3年6月9日に成立した「産業競争力強化法等の

一部を改正する等の法律」(令和3年法律第70号) において改正された産業競争力強化法 (平成25年法律第98号) においては、主務大臣の認可を受けた認定新事業活動実施者が認定新事業活動計画に従って提供する情報システムを利用した債権譲渡通知について民法467条2項の確定日付ある証書による通知または承諾とみなすものとする特例措置が設けられている (産業競争力強化法11条の2)。

　b　新事業特例制度の認定

　産業競争力強化法においては、新たな事業 (新事業活動。同法2条3項) を行おうとする事業者が主務大臣に対して、規制の特例措置の整備を要求することができる (同法6条1項)。特例措置の設置が認められた場合、事業者は当該特例措置を利用するために新事業活動計画を作成し、主務大臣に認定を申請する (同法9条1項)。主務大臣は当該新事業計画が基本方針に照らし適切なものであること、当該新事業活動計画に係る新事業活動が円滑かつ確実に実施されると見込まれるものであることなどの要件に適合すると認める場合にはその認定をするものとし (同条4項)、認定された新事業活動計画は内容が公表される (同条5項)。債権譲渡の通知等に関する特例を利用する場合には、新事業活動計画において、債権譲渡通知のための情報システムを利用して特例措置を利用することを記載することになる。

　債権譲渡の通知等に関する特例措置について記載がある新事業活動計画が認定された場合、認定を受けた事業者の氏名、商号または名称および住所が公示される (産業競争力強化法11条の3第1項)。

　c　債権譲渡の通知等に関する特例

　認定を受けた事業者 (以下「認定新事業活動事業者」という) が、認定された新事業活動計画に従って提供する以下の条件を満たした情報システムを通じて債権譲渡、質権の設定、弁済による代位等についての通知または承諾 (以下「債権譲渡通知等」という) の取得を行う場合、当該債権譲渡通知等は、民法467条2項の確定日付ある証書による通知または承諾とみなされる。こ

の場合、当該債権譲渡通知等がされた日付をもって確定日付とされる（産業競争力強化法11条の2第1項）。

情報システムに係る要件は以下のとおりである（産業競争力強化法11条の2第1項、産業競争力強化法第十一条の二第一項第二号の主務省令で定める措置等に関する省令（令和3年法務省令経済産業省令第2号）2条）。

a　債権譲渡通知等をした者およびこれを受けた者が当該債権譲渡通知等がされた日時およびその内容を容易に確認することができること。
b　債権譲渡通知等がされた日時およびその内容の記録を保存し、およびその改変を防止するために必要な措置として以下の措置が講じられていること。
　一　認定新事業活動実施者が、次に掲げる事項（以下「記録事項」という）を記録した通知等記録を債権譲渡通知等がされた日から起算して5年間保存することとしていること。
　　イ　当該債権譲渡通知等がされた日時
　　ロ　当該債権譲渡通知等の内容
　　ハ　当該債権譲渡通知等をした者の電話番号その他の当該債権譲渡通知等をした者を識別するために用いられる事項
　　ニ　当該債権譲渡通知等を受けた者の電話番号その他の当該債権譲渡通知等を受けた者を識別するために用いられる事項
　二　債権譲渡通知等をした者の求めがあったときは、認定新事業活動実施者が当該債権譲渡通知等に係る記録事項を記載した書面を交付し、または当該債権譲渡通知等に係る記録事項を記録した電磁的記録を提供することとしていること。
　三　認定新事業活動実施者が認定新事業活動計画（産業競争力強化法第11条の3第1項または3項にしたがって債権譲渡に関する特例措置の利用を受けるものとして公示されているものに限る）にしたがって実

施する新事業活動の廃止をしようとするとき、または産業競争力強化法10条2項もしくは3項の規定により認定新事業活動計画の認定が取り消されたときは、その保存に係る通知等記録を、他の上記一の保存および上記二の交付または提供を適切に行うことができる者に引き継ぐこととしていること。

四　認定新事業活動実施者が産業競争力強化法11条の2第1項に規定する情報システムにおいて上記一イの日時を記録するために用いられる時刻を信頼できる機関の提供する時刻に同期させていること。

五　債権譲渡通知等を受けた者が、当該債権譲渡通知等に係る上記一ハの事項が当該債権譲渡通知等において当該債権譲渡通知等をした者として記載された者のものであるかどうかを確認することができること。

六　次に掲げる技術的な安全管理に関する措置が講じられていること。

　　イ　通知等記録を取り扱う電子計算機において当該通知等記録を処理することができる者を限定するため、適切な措置を講ずること。

　　ロ　通知等記録を取り扱う電子計算機が電気通信回線に接続している場合、不正アクセス行為（不正アクセス行為の禁止等に関する法律2条4項に規定する不正アクセス行為をいう）を防止するため、適切な措置を講ずること。

　　ハ　通知等記録を取り扱う電子計算機が電気通信回線に接続していることに伴う通知等記録の漏えい、滅失または毀損を防止するため、適切な措置を講ずること。

七　認定新事業活動実施者が新事業活動について国際標準化機構および国際電気標準会議の規格27001に適合している旨の認証を受けていること。

また、認定新事業活動事業者は保存された債権譲渡通知等の記録について漏えい、滅失または破損が生じた場合や、当該新事業活動の実施に支障が生じた場合は、遅滞なく、主務大臣にその旨を報告しなければならない（産業競争力強化法第十一条の二第一項第二号の主務省令で定める措置等に関する省令3条、4条）。

第 4 節

証券化における表明保証・コベナンツ

1 表明保証・コベナンツとは

　契約実務上、表明保証（Representations and Warranties：レプワラ）やコベナンツ（Covenants：遵守事項）と呼ばれる条項が用いられることがあり、証券化取引における契約においても、通常、これらの条項が定められる。表明保証とは、契約当事者が相手方に対して、一定の時点において、当該当事者や契約の目的物などに関する一定の事項が真実かつ正確であることを表明し、表明した内容を保証する（表明した内容が不実・不正確であった場合に、不利益となる効果を受ける）ことである。また、コベナンツとは、契約当事者が相手方に対して、一定の期間中、一定の行為をすること、または、しないことを誓約することである[1]。表明保証はある時点における事実の真実性・正確性を保証するものであるのに対して、コベナンツは将来の作為・不作為を誓約するものであり、位置づけが異なる条項であることに留意を要する。

　一概に表明保証・コベナンツといっても、取引ごとに規定される内容は異なるものであるが、本節では証券化取引のうち金銭債権を裏付資産とする証券化取引を念頭に、一般に定められることが多い表明保証・コベナンツの規定について解説する。

1　一定の行為をすること（作為）を義務づけるコベナンツはアファーマティブ・コベナンツ（affirmative covenants）、一定の行為をしないこと（不作為）を義務づけるコベナンツはネガティブ・コベナンツ（negative covenants）と呼ばれる。

2 証券化取引で定められる主な表明保証条項

(1) 表明保証条項の視点

　表明保証に関する規定の内容を検討するにあたっては、誰が、いつ、何を、何のために表明するのか、といった点を考慮して契約を作成することが求められる。証券化取引において表明保証が求められる主たる当事者は、資金調達を行うオリジネーターであり、契約締結の時点や取引を実行する時点において、一定事項が真実かつ正確であることの表明を求められることが一般的である[2]。

　表明保証条項は、主にリスク分担の観点から、契約当事者が一定の事項について真実かつ正確であると表明するものであり、表明保証の対象となった事項が客観的に真実かつ正確であることが担保されるものではない。また、ある事実が不実・不正確である場合のリスクをいずれの契約当事者が負担するかという観点から定められるものであり、契約当事者がある事実を認識していないからといって論理的に当該事実の表明保証を行うことができないということになるものではない。もちろん、認識していない事実について不実・不正確である場合の責任を負担することはリスクが高いものであり、そのような事実の表明保証を行うことが経済的に好ましくないことは確かであるが、表明保証の効果を含む契約条件全体の交渉のなかで、各契約当事者がどのような表明保証を行うかが決められるものである。

　リスク分担の交渉の結果により、表明者の責任を軽減するため、「表明者の知る限り真実である」「重要な点において真実である」といった留保文言[3]が付されることも多い。また、表明保証条項に抵触する具体的な事情が

---

[2] 証券化取引において何のために表明をさせるのかという表明保証の効果については、後記4で解説する。
[3] 「表明者の知る限り（知りうる限り）」という限定はknowledge qualifierと呼ばれる。また、「重要な点において」「軽微な点を除き」といった重要性に関する限定はmateriality qualifierと呼ばれる。

存在する場合には、特定の事実関係を表明保証の対象から除外するカーブアウト条項が定められることもある。

(2) オリジネーターに求められる表明保証事項

オリジネーターが表明を求められる事項は個別の案件ごとに異なるものであるが、証券化取引において一般的に表明保証が求められることが多い事項を整理すると、①一般的な事項、②財務状況・裏付資産に関する事業に係る事項、③裏付資産に関する事項、④倒産隔離に関する事項、⑤規制対応・反社会的勢力の排除の観点から求められる事項といった類型に分けることができる。

各類型ごとの具体的な項目としては、以下のような事項がオリジネーターが当事者となる信託契約や裏付資産の売買契約などに定められることが一般的である。

● 一般的な事項
　▷設立の適法性・存在の有効性
　▷契約締結・履行の能力、定款の目的との適合性
　▷契約締結・履行のための法令・内部規則上の手続の完了、許認可等の取得
　▷調印者の権限
　▷契約締結・履行が法令・内部規則・裁判・他の契約等に違反しないこと
　▷契約条項の適法性、有効性、強制執行可能性
　▷契約締結・履行に悪影響を及ぼす訴訟等の不存在
　▷提供した資料についての真実性、正確性、欠落がないこと
● 財務状況・裏付資産に関する事業に係る事項
　▷財務諸表の適正な表示
　▷財務状況・事業に悪影響を及ぼす訴訟、行政手続等の不存在
　▷財務状況・事業に悪影響を及ぼす事実の不存在
　▷裏付資産に係る事業についての法令遵守、許認可等の取得・維持
● 裏付資産に関する事項（金銭債権を裏付資産とする場合）

▷ 裏付資産の発生原因である契約（以下「原契約」）の適法性、有効性、強制執行可能性
  ▷ 原契約に基づくオリジネーターの義務が履行されていること
  ▷ 原契約に関する法令遵守
  ▷ 裏付資産についての第三者への譲渡・信託・担保設定、差押え、条件変更等の不存在
  ▷ 裏付資産に関する抗弁権の不存在
  ▷ 裏付資産の債務者についての倒産手続開始原因の不存在、倒産手続が開始していないこと
  ▷ 原契約が日本法を準拠法とすること
  ▷ 裏付資産の譲渡可能性
  ▷ 裏付資産についての手形・電子記録債権[4]の不存在
  ▷ 原契約が一定の取引条件に基づいたものであること
  ▷ 原契約が一定の内容・様式に従ったものであること
  ▷ 裏付資産が一定の経済条件を満たすものであること
● 倒産隔離に関する事項
  ▷ 倒産手続開始原因の不存在、倒産申立ての不存在
  ▷ 裏付資産の譲渡が詐害目的その他の不法の意図に基づくものでないこと
  ▷ 裏付資産の譲渡が真正な譲渡を意図したものであること
● 規制対応・反社会的勢力の排除の観点から求められる事項
  ▷ 法定事項の説明を受けていること
  ▷ 反社会的勢力に該当しないこと

　表明保証の対象となった事項が客観的に真実かつ正確であることが担保されるものではなく（たとえば客観的に原契約が無効である場合には、オリジネーターが表明保証を行ったからといって原契約が有効となるわけではない）、表明を行ったオリジネーターの信頼に依拠する面も大きいものであるが、表明保証の対象となった事項が真実かつ正確であることの責任をオリジネーターが負うことは、オリジネーターや裏付資産に対するデューディリジェンスを補充するものと評価することができる。

---

[4] 裏付資産について電子記録債権が存在する場合の影響については、本章第3節2(2)b参照。

(3) オリジネーター以外の当事者の表明保証

　信託の受託者、（バックアップ）サービサーなど、オリジネーター以外のスキームの関係者についても、証券化スキームの関連契約において一般事項などに関する表明保証条項が定められることが一般的である。また、規制対応・反社会的勢力の排除などの観点から、投資家に一定の表明保証が求められることもある。

3　証券化取引で定められる主なコベナンツ

　コベナンツについても、証券化取引において主に義務づけられる当事者は、資金調達を行うオリジネーターである。コベナンツの内容も個別の案件ごとに異なるものであるが、証券化取引において一般的に定められることが多い事項を大きく分けると、①裏付資産の毀損を防ぐものと、②スキームを維持するためのものに整理することができる。

　まず、金銭債権を裏付資産とする証券化取引において、①の裏付資産の毀損を防ぐためのコベナンツの例としては、以下の項目があげられる。

- 以下の行為をしないこと
  - ▷（一定の許容事項を除く）裏付資産の条件変更、猶予、放棄等
  - ▷（一定の許容事項を除く）原契約の変更
  - ▷裏付資産の第三者への譲渡・信託・担保設定
  - ▷裏付資産についての手形・電子記録債権の発生
  - ▷原契約についての債務不履行・法令違反
  - ▷裏付資産について抗弁権を発生させる行為その他の悪影響を与える行為

　また、②のスキームを維持するためのコベナンツの例としては、以下の項目があげられる。

- 以下の行為をしないこと
  - ▷関連契約についての債務不履行・法令違反
  - ▷スキームに悪影響を与える営業方針の変更

```
        ▷スキームに悪影響を与える合併、会社分割、事業譲渡等
  ● 裏付資産・事業に係る資料の管理、交付、閲覧提供等
  ● 以下の事項を報告すること
        ▷関連契約の履行に悪影響を与える財務状況・事業の悪化
        ▷返済・償還方法の変更事由、サービサー交代事由などのスキーム上の
         トリガー事由の発生
        ▷表明保証の対象となった事項が真実ではなくなるような事実の発生
```

　コベナンツはあくまでも契約上、オリジネーターに一定の行為をすること、または、しないことを義務づけるものであり、証券化スキームの期間中、コベナンツとして規定された事項が必ず遵守されるとは限らない（たとえば、オリジネーターがコベナンツに違反して証券化取引の対象となった資産を第三者に二重譲渡することも起きえないわけではない）。このように、表明保証と同様に、コベナンツの規定は当事者の信頼に依拠する面も大きいことに留意が必要である。

　他方、コベナンツにより義務を負担する当事者にとっては、証券化取引が継続的な取引であり、証券化商品の返済・償還が完了するまでの長期間にわたり、コベナンツに従って一定の状態を維持したり、一定の行為を反復継続しなければならないことに留意しなければならない。たとえば、将来における企業再編などの企業活動の可能性をふまえて、そのような企業活動の際に過度の制約要因とならないようコベナンツの内容を検討することが必要といえる。また、証券化取引の当事者となっている企業が企業再編などイレギュラーな取引を行う場合には、証券化取引の関係者からの承諾の取得などなんらかの手続を経ることが必要とならないか、関連契約を検証することが必要となる。

4　表明保証・コベナンツの効果

　証券化スキームの関連契約では、関係当事者が表明保証をした事実が不実・不正確であった場合やコベナンツに違反した場合に、証券化商品の投資

家を保護するための効果が生じるよう仕組みが施されている。表明保証・コベナンツ違反が生じた場合の主な効果としては、次のようなものがあげられる。

(1) 損害賠償

　オリジネーターなどの関係当事者が表明保証、コベナンツその他の契約条項に違反したことにより投資家に損害が生じた場合には、その損害を賠償する責任を負うことが定められる。

　もっとも、損害額などの立証が容易ではなく、また、救済までに時間を要してしまうことから、証券化取引においては、オリジネーターによる表明保証違反やコベナンツ違反が生じた場合には、損害賠償責任を追及するよりも、まず、後述の買取義務や返済・償還方法の変更などで対応することが想定される。

　また、一般論として、証券化取引においてオリジネーターが意図的に引き起こした表明保証違反やコベナンツ違反が問題となる場面では、オリジネーターに信用不安が生じていることが多く、オリジネーターからの金銭的な補償が期待できない状況である蓋然性が高いといえる。このような損害賠償による救済の限界にも留意して、表明保証やコベナンツの内容・効果を検討することが必要である。

(2) 実行前提条件

　オリジネーターが表明した事実が真実かつ正確であることや、コベナンツその他の契約条項に違反していないことは、貸付の実行、受益権の買受け、社債の発行代り金の払込みなど投資家が資金を供与することに関する実行前提条件として定められることが一般的である。

　もっとも、実行前提条件はそれが成就しない場合に資金供与を中止することが可能となる機能を有するにすぎず、いったん投資家が資金供与を行った

後に表明保証違反が判明したり、コベナンツ条項に抵触する行為が行われた場合には、実行前提条件の規定は投資家の権利保全につながらない。

(3) 買取義務

裏付資産のうち特定の資産について、オリジネーターが表明した適格要件を満たしていなかったり、二重譲渡や（スキーム上、許容されたものを除く）条件変更を行ったりするなどのコベナンツ違反が生じた場合には、オリジネーターに当該裏付資産の買取義務が課せられることがある。また、スキーム全体にかかわる表明保証違反やコベナンツ違反が生じた場合には、オリジネーターにすべての裏付資産の買取義務が課せられることもある。

これらの場合、オリジネーターが支払う買取代金を原資として、投資家に対する元本の返済・償還が行われることにより、投資家は、表明保証違反・コベナンツ違反によって裏付資産の価値が低下したり、証券化スキームが破綻することによる損害を回避することができる。

ただし、表明保証違反やコベナンツ違反による裏付資産の買取りの名目で、実質的には裏付資産の信用補完が図られていると評価されるような場合には、真正譲渡の議論に悪影響を与える可能性があることに留意が必要である。

(4) 返済・償還方法の変更

オリジネーターの表明保証違反やコベナンツ違反の事実をトリガー事由として、証券化商品の返済・償還方法を変更したり[5]、証券化商品の期限の利益を喪失させることがある。想定外の状況が生じた場合に、裏付資産が劣化しないうちに投資家に対する元本の返済・償還が完了するよう、支払スケジュールを変更する仕組みである。オリジネーターが直接金銭的な補填を行

---

[5] 早期償還、ターボ償還などと呼ばれ、裏付資産の回収金からの劣後部分への支払を停止し、優先部分の元本の支払に充当する。

う仕組みではないため、違反が生じた時点におけるオリジネーターの信用状態に依拠することなく、投資家が経済的損失を回避することが可能となる仕組みの1つといえる。

(5) 当事者の交代

金銭債権を裏付資産とする証券化取引において、オリジネーターがサービサーを務めている場合、オリジネーターの表明保証違反やコベナンツ違反は、サービサーの解任事由（サービシング契約の解約事由）となることがある。これは、裏付資産である債権の回収に悪影響を与える状況が生じた場合に、サービサーを交代させて、債権回収の円滑化を図ることを可能とする仕組みである。

また、信託を用いたスキームでは、信託の受託者の表明保証違反やコベナンツ違反は、受託者の解任事由となることがあり、不動産の証券化ではアセット・マネジメント会社やプロパティ・マネジメント会社による表明保証違反やコベナンツ違反がアセット・マネジメント契約、プロパティ・マネジメント契約の解約事由となることがある。

第 **3** 章

証券化にかかわる規制

第 1 節

証券化のスキームと金融商品取引法

1 証券化のスキームと金融商品取引法

　証券化のスキームにはさまざまな形態があるが[1]、証券化商品は、社債、特定社債、優先出資、信託受益権、いわゆる集団投資スキーム持分といった金商法上の有価証券の形態をとることも多い。また、クレジット・デリバティブ取引などの手法を用いて信用リスクのみを移転するいわゆるシンセティックCDO[2]と呼ばれる証券化スキームが用いられることや、証券化のスキームを組成するなかで、各種のオプションやスワップなどのデリバティブ取引を組み込むことがある。一方、金商法は、国民経済の健全な発展および投資者の保護を目的として、有価証券に係る取引やデリバティブ取引に関連して、情報開示に関する規制、金融商品取引業を行う者に関する規制、金融商品取引所などに関する規制、不公正取引の防止に関する規制などを定める法律である。そのため、後述するとおり、多くの証券化商品ないし証券化に係る取引が金商法の規制対象になる（図表3−1参照）。

　そして、金商法の規制を受ける場合、証券化商品の販売に際して一定の情報の開示が必要になりうる。また、証券化商品の販売を行う者その他の関係者において、金商法上の登録や、一定の行為規制を遵守することが必要になりうる（図表3−2参照）。そこで、証券化スキームの組成・実行に際しては、当該証券化スキームに係る商品ないし取引が、金商法の規制対象となる

1　具体的な証券化のスキームについては、第4章を参照。
2　シンセティックCDOについては、第4章第4節を参照。

図表3−1　証券化と金商法

証券化	・証券化商品は、有価証券の形態をとることも多い ・証券化のスキームにデリバティブ取引が組み込まれることがある
金商法	有価証券に係る取引やデリバティブ取引に関連して、情報開示に関する規制、金融商品取引業を行う者に関する規制などを定める

幅広い証券化商品・証券化に係る取引が金商法の規制対象になる

図表3−2　証券化商品が金商法の規制対象となる場合

かについてまず検討を要し、金商法の規制対象となる場合、金商法の規定する情報開示の規制に服するか、金融商品取引業を行うものとして金商法に基づく登録が必要になるか、販売・勧誘に関するルールなどの行為規制の適用は受けるか、またこれらの規制に関してどのような対応をとるべきかなどについて検討を要することになる。

　以下、本節2において、そもそもどのような証券化商品ないし証券化に係る取引が金商法の規制対象となるか（金商法の規制対象となる商品・取引）を、第2節において、どのような場合に金商法に基づく特別の情報開示が必要とされるのか（金商法の開示規制）を、第3節においてどのような場合に金商法上の登録が必要になり、どのような規制を遵守することが求められるのか（金商法の業規制・行為規制）を、証券化と特に関係する主要な規制・制度に焦点を当てて概説することとする。

2 金融商品取引法の規制対象となる商品・取引

　証券化スキームの組成・実行に際して金商法の適用関係を把握するためには、まず、その証券化スキームに係る証券化商品ないし取引がそもそも金商法の規制対象になるかについて検討を要する。そこで、以下、金商法の規制対象となる商品・取引について概説した後、いくつかの典型的な証券化商品（ないしは証券化に係る取引）につき、金商法の規制対象となるかについて述べる。

　金商法においては、「有価証券」が開示規制の対象となり、また、「有価証券」および「デリバティブ取引」に係る一定の行為について後述する業規制および行為規制などの金商法の規制が、原則として適用される（図表3－3参照）。

　そのため、ある証券化商品が有価証券もしくは有価証券とみなされる権利（以下「みなし有価証券」という）に該当する場合、またはある証券化に係る取引が金商法2条20項に規定されるデリバティブ取引に該当する場合、当該証券化商品・取引は金商法の規制対象となり、後述する開示規制や業規制・行為規制が適用されうる。

　この点、金商法においては、幅広い金融商品・取引が有価証券やみなし有価証券に該当するものとされており、たとえば、証券化商品の形態として利用されることも多い、社債券（金商法2条1項5号）、特定社債券（同項4号）、信託受益権（同条2項1号、2号。なお、受益証券発行信託の受益証券に

図表3－3　金商法の適用対象を画する基本的概念（条文は金商法）

有価証券（2条1項、2項）	デリバティブ取引（2条20項）
有価証券（2条1項） 有価証券とみなされる権利（2条2項）	市場デリバティブ取引（2条21項） 店頭デリバティブ取引（2条22項） 外国市場デリバティブ取引（2条23項）

ついては同条1項14号)、また、いわゆる集団投資スキーム持分のうち一定の例外を除くもの(同条2項5号、6号)が、一般に金商法の規制対象とされている。また、同様の観点から投資性のある金融取引としての性格を有するデリバティブ取引が幅広く金商法の規制対象とされており、クレジット・デリバティブ取引(同条21項5号、22項6号)や天候デリバティブ取引(同条21項2号、22項2号)なども金商法の規制対象とされている。幅広い証券化商品ないし証券化に係る取引が金商法の規制対象とされていることに留意が必要である。

以下、いくつかの典型的な証券化商品(ないしは証券化に係る取引)につき、金商法の規制対象となるかについて述べる。なお、いわゆるデジタル証券に係る金商法の規律については、第4章第1節2(5)を参照されたい。

(1) ABS (アセット・バック・セキュリティ)

証券化を目的として設立・運営される特別目的会社(SPC)が裏付けとなる資産を譲り受け、社債(SPCが株式会社または合同会社の場合)あるいは特定社債(SPCが資産流動化法に基づく特定目的会社の場合)を発行することにより、資金調達を行うスキームがある(図表3-4参照)。かかるスキームにおいて、SPCが発行する社債または特定社債(ABS)について述べる。

金商法においては社債券および特定社債券は有価証券とされており(金商法2条1項5号、4号)、また、社債等振替法に基づく振替制度を利用した振替社債については社債券が発行されないものの、みなし有価証券として取り扱われる(同条2項柱書前段)。したがって、ABSは金商法の規制対象となる。

図表3-4 ABSのスキーム

(2) ABCP（アセット・バック・コマーシャル・ペーパー）

SPCを用いた証券化のスキームとしては、SPCが裏付けとなる資産を譲り受け、コマーシャル・ペーパーを発行することによって資金を調達することもある。この場合においてSPCが発行するコマーシャル・ペーパーは、社債等振替法66条1号に規定される短期社債（あるいは社債、株式等の振替に関する命令10条の11第2項に規定される短期外債）として発行されるのが一般的である。短期社債（短期外債）として発行されるコマーシャル・ペーパー（電子CP）は、社債等振替法上の振替社債として、みなし有価証券として取り扱われる（金商法2条2項柱書前段）。したがって、電子CPは、金商法の規制対象となる。

(3) 信託受益権

裏付けとなる資産を信託したうえで、かかる信託によって委託者が取得する信託受益権を投資家に販売する形態によって証券化が実行される場合がある（図表3－5参照）。

信託受益権は、一般的に金商法の規制対象とされている。具体的には、受益証券が発行される信託受益権については有価証券とされており（金商法2条1項10号、12号～14号、17号、18号。なお、これらの有価証券に表示されるべき権利について当該有価証券が発行されていない場合においては、当該権利はみ

図表3－5　信託受益権を用いた証券化

なし有価証券として取り扱われる（同条2項柱書前段））、さらに、証券または証書に表示されるべきもの以外の信託受益権についてはみなし有価証券とされる（同項1号、2号）。

(4) 集団投資スキーム持分

不動産信託の信託受益権を裏付資産とするいわゆるTK-GKスキーム[3]において匿名組合契約に基づく権利の形態で投資が行われるなど、証券化商品が、いわゆる集団投資スキーム持分の形態をとることも多い。

金商法においては、いわゆる集団投資スキーム持分、すなわち、民法に規定する組合契約、商法に規定する匿名組合契約、投資事業有限責任組合契約または有限責任事業組合契約に基づく権利、社団法人の社員権その他の権利（外国の法令に基づくものを除く）のうち、当該権利を有する者が出資または拠出をした金銭などを充てて行う事業（以下「出資対象事業」という）から生ずる収益の配当または当該出資対象事業に係る財産の分配を受けることができる権利を、原則としてみなし有価証券として金商法の規制対象としている（金商法2条2項5号。なお、外国の法令に基づく権利であって、これらの権利に類するものは同項6号によりみなし有価証券とされている）。したがって、TK-GKスキームにおける匿名組合契約に基づく権利などの集団投資スキーム持分に該当する証券化商品については、原則として金商法の規制対象となる。

(5) ABL（アセット・バック・ローン）

証券化においては、投資家がローンの形式によって投資を行う場合もある。たとえば、SPCが裏付けとなる資産を譲り受け、投資家からローンの提供を受けることによって資金を調達する場合や、裏付けとなる資産を信託したうえで、かかる信託における信託財産を引当てとして、受託者が投資家か

---

3 TK-GKスキームについては、第4章第2節1を参照。

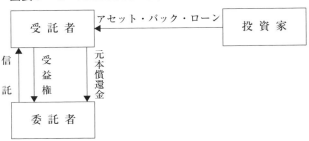

図表3-6　ABLのスキーム

らローンの提供を受ける場合がある（図表3-6参照）。

このようなローン（ABL）については、貸付を業として行うことに関して、銀行法や貸金業法などに基づく業規制が課せられるほかは、金商法その他の金融法に基づく規制の対象となっていない。この点、金商法の立法段階における議論の過程では、シンジケートローンとともにABLについて金商法の規制対象とすることの是非が検討されていた。しかしながら、「現状、資金の出し手の太宗が融資を業とする金融機関であるとの実態や、条件や開示内容について個々に交渉を行う余地があることなどから、法制的にも通常の相対の貸付けと切り分けて規定することが困難」であることを理由として[4]、シンジケートローンやABLは金商法の規制対象とされなかった。したがって、本書執筆時点ではABLは金商法の規制対象とはなっていない。

(6) デリバティブ取引

前述のとおり、資産の譲渡を行うかわりにクレジット・デリバティブ取引などの手法を用いて信用リスクのみを移転することによってシンセティックCDOと呼ばれる証券化取引が行われることがある。また、一般に証券化のスキームを組成するなかで、各種のオプションやスワップなどのデリバティ

---

[4] 金融庁が平成17年12月22日に公表した、金融審議会金融分科会第一部会報告「投資サービス法（仮称）に向けて」40頁参照。

ブ取引をスキームに組み込むことがある。

　金商法においては、金利スワップ取引（金商法2条21項4号、22項5号）、クレジット・デリバティブ取引（同条21項5号、22項6号）、天候デリバティブ取引（同条21項2号、22項2号）などデリバティブ取引一般がその規制対象とされている。暗号資産（資金決済に関する法律（平成21年法律第59号）2条5項に規定する暗号資産をいう。以下同じ）を原資産とするデリバティブ取引や、（金銭ではなく）暗号資産によりほかの原資産のデリバティブ取引の決済を行う場合であっても、金商法上の規制対象たるデリバティブ取引に該当する（金商法2条24項3号の2、2条の2）。

　なお、社債券等を参照債務に含むクレジット・デリバティブ取引もインサイダー取引規制の対象とされることから、クレジット・デリバティブ取引を用いて証券化を行う際には、かかる規制に抵触しないように留意を要する。

第 2 節

金融商品取引法の開示規制

　証券化商品が有価証券またはみなし有価証券に該当する場合、金商法に従った特別の情報開示が必要になることがある。そこで、以下、金商法の開示規制について、どのような場合に情報開示が必要となるかという点を中心に説明する（なお、図表3－7は理解の参考のためのものであり、開示規制に従った情報開示の要否については、より厳密に検討する必要があることに留意されたい）。

　金商法においては、有価証券に対する投資判断を行うために必要な情報を広く投資者に提供し投資者保護を図ることを目的として、開示規制を設けている（図表3－8参照）。すなわち、発行市場における発行開示として、有価証券の募集および売出しについては、有価証券届出書の提出（金商法4条1項）を通じた公衆縦覧および投資者に対する目論見書の交付（同法15条2項）

図表3－7　証券化商品と金商法の開示規制

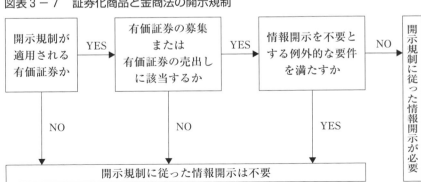

図表３−８　企業内容等に関する開示規制（金商法第２章）の概要（条文は金商法）

発行市場における発行開示	流通市場における継続開示
・有価証券届出書の提出（４条１項） ・目論見書の交付（15条２項）　など	・有価証券報告書の提出（24条） ・四半期報告書の提出（24条の４の７） ・臨時報告書の提出（24条の５）　など

による情報の直接提供を義務づけている。また、流通市場における継続開示として、上場された有価証券などの一定の有価証券については、有価証券報告書の提出（同法24条）などを通じた公衆縦覧を義務づけている（同法第２章）。そのため、証券化商品の販売に際して、このような開示規制に従った情報開示が必要にならないか、慎重に検討する必要がある。

1　適用除外

　金商法の開示規制はすべての有価証券またはみなし有価証券に適用されるわけではなく、一定の有価証券またはみなし有価証券については適用除外とされている（金商法３条）。そのため、証券化商品の販売について開示規制に従った情報開示の要否を検討するに際しては、証券化商品が金商法３条各号に掲げる有価証券またはみなし有価証券に該当するか否かを確認する必要がある。

　特に、金商法２条２項各号に掲げられるみなし有価証券については、原則として金商法上の開示規制は適用されず（同法３条３号）、たとえば、証券化商品の形態として採用されることも多い同法２条２項１号に規定される信託受益権については、原則として開示規制は適用されない。もっとも、同法２条２項各号に掲げられるみなし有価証券であっても、有価証券投資事業権利等（同法３条３号イ）および電子記録移転権利（同号ロ）については、開示規制の適用対象となる。有価証券投資事業権利等に該当するのは、たとえば、①集団投資スキーム持分のうち、出資・拠出額の100分の50を超える額を充

てて有価証券に対する投資を行う事業（一定の商品投資および競走用馬ファンドを除く）が出資対象事業である権利（同法3条3号イ(1)、同法施行令2条の9、特定有価証券開示府令1条の3）、あるいは、②金商法2条2項1号に規定される信託受益権のうち、信託財産に属する資産の価格の総額の100分の50を超える額を有価証券に対する投資に充てて運用を行う信託受益権（厚生年金保険法に規定する信託契約などを除く）（金商法3条3号イ(2)、同法施行令2条の10第1項1号）などである。また、電子記録移転権利とは、概要、金商法2条2項各号に掲げられる権利のうち、電子情報処理組織を用いて移転することができる財産的価値に表示されるもの（トークン化されたもの）をいう（金商法2条3項柱書）。

なお、デリバティブ取引については開示規制は適用されない。

開示規制の対象とならない有価証券またはみなし有価証券やデリバティブ取引については、後述する契約締結時交付書面の交付義務などの行為規制を通じて、投資者に対する情報提供が図られることになる。

2 有価証券の募集、私募および売出し

開示規制の適用対象となる有価証券（証券化商品）の販売であっても、一律に金商法が定める特別の情報開示が要求されるわけではない。すわなち、新たに発行される有価証券（新発債）の取得の申込みの勧誘（新たに発行される有価証券の取得の申込みの勧誘に類するものとして内閣府令で定めるもの（以下「取得勧誘類似行為」という）を含み、以下「取得勧誘」という）は、それが「有価証券の募集」に該当する場合に、すでに発行された有価証券（既発債）の売付けの申込みまたはその買付けの申込みの勧誘（取得勧誘類似行為に該当するものその他内閣府令で定めるものを除き、以下「売付け勧誘等」という）は、それが「有価証券の売出し」に該当する場合に、原則として有価証券届出書の提出および目論見書の交付による特別の情報開示が要求される。一方、「有価証券の私募」や、売出しに該当しない既発行の有価証券の売付け

図表３－９　特別な情報開示が必要な場合

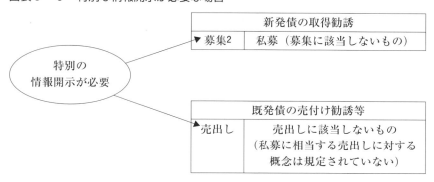

勧誘等については、かかる特別の情報開示は要求されていない[1]。したがって、証券化スキームの組成・実行に際して、金商法の開示規制に服するか否かを検討する際には、その販売行為が、有価証券の募集または売出しに該当するか否かについて、検討を要する。証券化商品については募集が行われる案件も存在するものの、私募形式で行われる案件が多い（図表３－９参照）[2]。

有価証券の募集・私募は、原則として[3]新たに発行される有価証券についての勧誘行為であり（金商法２条３項）、有価証券の売出しは、すでに発行された有価証券についての勧誘行為である（同条４項）。また、募集、私募および売出しの要件は、①金商法２条１項に掲げる有価証券、②基本的にそれらがペーパーレス化されたものである同法２条２項に規定される有価証券表示権利、③有価証券とみなされる一定の電子記録債権および④同法２条２項各号に掲げる権利がトークン化されたものである電子移転記録権利（同条３項）（以下、あわせて「第１項有価証券」という）と、同法２条２項各号に掲げ

---

[1] ただし、いわゆるプロ向け市場における特定投資家向けの取得勧誘または売付け勧誘等について、簡易な情報開示の制度が設けられている（金商法第２章の５）。
[2] 取得勧誘類似行為については、既発債に関するものであっても、「有価証券の募集」に該当することに留意を要する。
[3] すでに発行された有価証券の売付けの申込みまたはその買付けの申込みの勧誘のうち、取得勧誘類似行為に該当するものについては、既発債についての勧誘行為であるが、「有価証券の募集」に該当することに留意を要する。

られるみなし有価証券（電子移転記録権利を除く。以下「第2項有価証券」という）とで異なる。

(1) 有価証券の募集・私募

a 第1項有価証券

　第1項有価証券に係る募集とは、取得勧誘のうち以下の①または②に該当する場合を、私募とは、取得勧誘のうち募集に該当しない場合をいう。

① 50名以上の者（適格機関投資家が含まれる場合であって、当該有価証券がその取得者である適格機関投資家から適格機関投資家以外の者に譲渡されるおそれが少ないものとして政令で定める場合に該当するときは、当該適格機関投資家を50名の計算から除く）を相手方として行う場合（特定投資家のみを相手方とする場合を除く）

② 以下のいずれにも該当しない場合

　(i) 適格機関投資家のみを相手方として行う場合であって、当該有価証券がその取得者から適格機関投資家以外の者に譲渡されるおそれが少ないものとして政令で定める場合（いわゆる適格機関投資家私募（プロ私募））

　(ii) 特定投資家のみを相手方として行う場合であって、次に掲げる要件のすべてに該当するとき（前記(i)に掲げる場合を除く）（いわゆる特定投資家私募）

　　・当該取得勧誘の相手方が国、日本銀行および適格機関投資家以外の者である場合にあっては、金融商品取引業者等（金融商品取引業者または登録金融機関をいう。以下同じ）が顧客からの委託によりまたは自己のために当該取得勧誘を行うこと

　　・当該有価証券がその取得者から特定投資家等（特定投資家または非居住者[4]をいう。以下同じ）以外の者に譲渡されるおそれが少ないものと

4　外国為替及び外国貿易法6条1項6号に規定する非居住者をいい、政令で定める者に限る。

　　　　して政令で定める場合に該当すること
　(iii)　前記①に掲げる場合ならびに前記(i)および(ii)に掲げる場合以外の場合（当該有価証券と種類を同じくする有価証券の発行および勧誘の状況等を勘案して政令で定める要件に該当する場合を除く）であって、当該有価証券が多数の者に所有されるおそれが少ないものとして政令で定める場合（いわゆる少人数私募）

b　第 2 項有価証券

　第 2 項有価証券については、取得勧誘のうち、その取得勧誘に応じることにより当該取得勧誘に係る有価証券を500名以上の者が所有することとなる場合が有価証券の募集とされ、取得勧誘であって有価証券の募集に該当しないものが有価証券の私募とされている（金商法 2 条 3 項 3 号、同法施行令 1 条の 7 の 2）。この場合の私募の要件については、第 1 項有価証券におけるいわゆる少人数私募の場合と異なり、人数の要件が500人を基準とされていることに加えて、取得勧誘の相手方の人数が問題とされているわけではなく、当該取得勧誘の結果、これに応じて当該取得勧誘に係る有価証券を所有することとなる者の人数が基準とされていることに留意を要する。

(2)　有価証券の売出し

a　第 1 項有価証券

　第 1 項有価証券に係る売出しとは、売付け勧誘等のうち以下の①または②に該当する場合（ただし、(i)取引所金融商品市場・店頭売買有価市場における有価証券の売買、(ii)上場有価証券・店頭売買有価証券のPTSにおける売買、(iii)金融商品取引業者等・特定投資家同士が市場外で適正な価格で行う上場有価証券の売買、(iv)外国証券業者が金融商品取引業者等・適格機関投資家に対して行う譲渡制限のない海外証券の売付け、(v)譲渡制限のない海外発行証券を取得した金融商品取引業者等・適格機関投資家による他の金融商品取引業者等（卸売り目的の者に限る）に対する当該海外発行証券の売付け、(vi)譲渡制限のない有価証券の売買

（ただし発行者・発行者関係者所有のものを除く）、(vii)当事者双方が(vi)で除かれる者である譲渡制限のない有価証券の売買など（以下「売出除外行為」という）を除く）をいう。

① 50名以上の者（適格機関投資家が含まれる場合であって、当該有価証券がその取得者である適格機関投資家から適格機関投資家以外の者に譲渡されるおそれが少ないものとして政令で定める場合に該当するときは、当該適格機関投資家を50名の計算から除く）を相手方として行う場合（特定投資家のみを相手方とする場合を除く）

② 以下のいずれにも該当しない場合

(i) 適格機関投資家のみを相手方として行う場合であって、当該有価証券がその取得者から適格機関投資家以外の者に譲渡されるおそれが少ないものとして政令で定める場合

(ii) 特定投資家のみを相手方として行う場合であって、次に掲げる要件のすべてに該当するとき（前記(i)に掲げる場合を除く）

・当該売付け勧誘等の相手方が国、日本銀行および適格機関投資家以外の者である場合にあっては、金融商品取引業者等が顧客からの委託によりまたは自己のために当該売付け勧誘等を行うこと

・当該有価証券がその取得者から特定投資家等以外の者に譲渡されるおそれが少ないものとして政令で定める場合に該当すること

(iii) 前記①に掲げる場合ならびに前記(i)および(ii)に掲げる場合以外の場合（当該有価証券と種類を同じくする有価証券の発行および勧誘の状況等を勘案して政令で定める要件に該当する場合を除く）であって、当該有価証券が多数の者に所有されるおそれが少ないものとして政令で定める場合

b 第2項有価証券

第2項有価証券については、売付け勧誘等のうち、その売付け勧誘等に応じることにより当該売付け勧誘等に係る有価証券を500名以上の者が所有することとなる場合（売出除外行為を除く）が有価証券の売出しとされている

(金商法2条4項3号、同法施行令1条の8の5)。

3 発 行 者

証券化商品の販売について開示規制に従った情報開示が求められる場合、誰がかかる情報開示を行う必要があるのかについて検討を要する。この点につき、金商法は、有価証券届出書などの開示義務を負担する者を定める概念として、「発行者」の概念を設けている。たとえば、有価証券の募集または売出しの際の届出は、発行者が行うものとされている（金商法4条1項）。

かかる発行者については、開示に必要な情報を確実に入手して提供できる者を発行者としてとらえるとの見地から、「発行者」とは、「有価証券を発行し、又は発行しようとする者（内閣府令で定める有価証券については、内閣府令で定める者）」をいい、特に「証券又は証書に表示されるべき権利以外の権利で第2項の規定により有価証券とみなされるものについては、権利の種類ごとに内閣府令で定める者が……有価証券として発行するものとみなす」とされている（金商法2条5項）。

具体的には定義府令においてそれぞれの有価証券ごとに規定されているが、たとえば、金商法2条2項1号に規定される信託受益権については、有価証券信託受益証券（金商法施行令2条の3第3号、定義府令11条2項2号イ。概要、受益証券発行信託の受益証券または金商法2条2項1号に掲げる信託受益権（電子記録移転権利に該当するものに限る）のうち、同条1項各号に掲げる有価証券を信託財産とするものであって、当該信託財産である有価証券に係る権利の内容が当該信託の受益権の内容に含まれる旨その他一定の事項が当該信託に係る信託行為において定められているものをいう。以下同じ）に該当するか否か、指図権の所在、自益・他益信託の別、信託財産の種類に応じて以下の者が発行者となる旨が規定されている（図表3－10参照）。

図表3-10 発行者の判断基準

	判断基準	発行者
(i)	委託者指図型	委託者（定義府令14条3項1号イ）
(ii)	(i)以外の自益・金銭信託	受託者（同号ロ）
(iii)	(i)および(ii)以外	委託者および受託者（同号ハ） ※なお、信託行為の効力が生ずるときにおける委託者については、有価証券報告書の提出義務が免除される（特定有価証券開示府令22条の2第2号）。
(iv)	有価証券信託受益証券に該当するもの	当該権利に係る受託有価証券（定義府令11条2項2号イ、金商法施行令2条の3第3号）を発行し、または発行しようとする者（定義府令14条3項1号の2）

4 金融商品の性質に応じた開示規制

　金商法においては、金融商品をその性質に応じ、株券、社債券等のように企業としての発行体自体の信用力にその価値を置く企業金融型商品と、ファンドや資産流動化証券のように発行体の保有する資産をその価値の裏付けとする資産金融型商品とに分類し、かかる分類に応じた開示規制が設けられている（図表3-11参照）。

　すなわち、「その投資者の投資判断に重要な影響を及ぼす情報がその発行者が行う資産の運用その他これに類似する事業に関する情報である有価証券として政令で定めるもの」を「特定有価証券」と定めたうえで、特定有価証券（前述の資産金融型商品）についてはその他の有価証券とは異なる開示規制に関する規定を設けている（金商法5条5項、24条5項、14項、15項、24条の4の4第3項、24条の4の7第3項、12項、13項、24条の5第3項、4項、13項～15項、24条の7第1項、2項）。たとえば、金商法5条5項、1項2号は、特定有価証券について、「当該会社が行う資産の運用その他これに類似する

図表3−11　企業金融型商品と資産金融型商品

図表3−12　特定有価証券に該当する有価証券（金商法5条1項、同法施行令
　　　　　　2条の13、特定有価証券開示府令8条）に該当する証券化商品の例

- 資産流動化法に規定する特定社債券（金商法施行令2条の13第1号、同法2条1項4号）
- 金商法2条2項1号に規定される信託受益権のうち、有価証券投資事業権利等に該当するもの（金商法施行令2条の13第7号、同法3条3号イ(2)、同法施行令2条の10第1項1号）
- 金商法2条2項1号に規定される信託受益権のうち、電子記録移転権利に該当し、有価証券信託受益証券に該当しないもの（金商法施行令2条の13第8号）
- 社債券またはコマーシャル・ペーパー（資産流動化法2条10項に規定する特定約束手形を除く）の性質を有するもののうち、(a)当該有価証券の発行を目的として設立または運営される法人に直接または間接に所有者から譲渡（取得を含む）される金銭債権その他の資産が存在し、(b)当該法人が当該有価証券を発行し、当該有価証券（当該有価証券の借換えのために発行されるものを含む）上の債務の履行について当該譲渡された金銭債権その他の資産の管理、運用または処分を行うことにより得られる金銭を充てるもの（金商法施行令2条の13第13号、特定有価証券開示府令8条2号）

事業に係る資産の経理の状況その他資産の内容に関する重要な事項その他の公益又は投資者保護のため必要かつ適当なものとして内閣府令で定める事項」の開示を必要とし、資産の内容に関する情報などについて、特定有価証券開示府令に詳細な開示事項を定めている（図表3−12参照）。

　開示規制の対象となる証券化商品については、特定有価証券としての情報開示が求められることが一般的と思われるが、いかなる類型の情報開示が求

められるか留意を要する。

第3節

金融商品取引法の業規制・行為規制

1 金融商品取引法の業規制

　金商法2条8項各号に掲げる行為を業として行うことは原則として「金融商品取引業」に該当する。そして、金融商品取引業は原則として登録を受けた者でなければ行うことができず（同法29条、33条の2）、また、かかる登録を受けた者（金融商品取引業者または登録金融機関）には、後述する行為規制などの金商法の規定が適用される。そのため、証券化を行うに際しては、オリジネーター、SPC、アレンジャーなどの関係者が金融商品取引業に該当する行為を行っていないか、行っているとすれば金商法に基づく規制を遵守しているかに留意を要する。

(1) 金融商品取引業

　金融商品取引業に該当する行為は金商法2条8項各号に列挙されている（図表3-13参照）。具体的には、従前の証取法[1]に基づく「証券業」に相当する業務に加えて、従前の信託業法に基づく「信託受益権販売業」、従前の有価証券に係る投資顧問業の規制等に関する法律に基づく「投資顧問業」、従前の投信法に基づく「投資信託委託業」や「投資法人資産運用業」などに相当する業務、さらには一定の有価証券に関する発行者による販売・勧誘行為（いわゆる自己募集）などが、金融商品取引業として規定されている。特

---

[1] 平成18年6月に公布された改正のための法律により金商法に改組される前の証券取引法をいう。以下同じ。

図表3－13　金融商品取引業

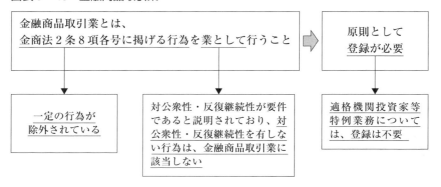

に、集団投資スキーム持分については、証取法では業規制の対象とされていなかった発行者による販売・勧誘行為（いわゆる自己募集）が金融商品取引業の対象とされ（金商法2条8項7号ヘ）、また主として有価証券またはデリバティブ取引に係る権利に対する投資としての運用（いわゆる自己運用）についても金融商品取引業の対象とされている（同項15号ハ）。なお、すべての有価証券についての発行者による自己募集が金融商品取引業の対象とされているわけではなく、たとえば、金商法2条2項1号に規定される信託受益権の自己募集は原則として金融商品取引業に該当しないこと（同条8項7号参照）に留意を要する。

証券化との関係では、前述したABS、ABCP、信託受益権、集団投資スキーム持分などの有価証券の売買もしくはその媒介（金商法2条8項1号、2号）、引受け（同項6号）または募集・私募の取扱い（同項9号）、集団投資スキーム持分などの一定の有価証券の募集・私募（同項7号）、シンセティックCDO[2]のスキームにおけるクレジット・デリバティブ取引もしくはその媒介（同項4号）、不動産信託の信託受益権を裏付資産とするいわゆる

2　シンセティックCDOについては、第4章第4節を参照。

TK-GKスキーム[3]における、信託受益権に対する投資を行うSPCの行為（同項15号）、あるいはSPCの委託を受けたアセットマネジャーの行為（同項11号、12号）などが金融商品取引業の対象となりうることになる。

なお、証取法においては、証券業の要件として「営業」として行われることが必要とされていたのに対して（証取法2条8項柱書）、金商法上の金融商品取引業は「業」として行われることが要件となっており（金商法2条8項柱書）、営利性は金融商品取引業の要件としないと説明されている[4]。

また、法文上は明確ではないものの、金融商品取引業の定義における「業として」行うとは、「対公衆性」のある行為で「反復継続性」をもって行うものをいうと説明されている[5]。そして、かかる見解を前提に、「「単に自己のポートフォリオの改善のために行う投資目的での売買」などは、基本的に「業として」行うものに該当しないものと考えられる。ただし、具体的な取引が「自己のポートフォリオの改善のために行う」ものに該当するか否かは、個別事例ごとに実態に即して実質的に判断されるべきものと考えられ、投資家やSPC（特別目的会社）による有価証券の購入行為であっても、実質的に「対公衆性」が認められるものもありうる点に、留意が必要と考えられる」と説明されている[6]。なお、「対公衆性」および「反復継続性」については、現実に「対公衆性」のある行為が反復継続して行われている場合のみならず、「対公衆性」および「反復継続性」が想定されている場合なども含まれるとされる[7]。

---

[3] TK-GKスキームについては、第4章第2節1を参照。
[4] 一問一答金商法216、217頁。
[5] 平成19年7月31日付金融庁発表「「金融商品取引法制に関する政令案・内閣府令案等」に対するパブリックコメントの結果等について／コメントの概要及びコメントに対する金融庁の考え方」（以下「パブコメ回答」という）35、39〜41頁など。
[6] 一問一答金商法217頁。
[7] パブコメ回答36頁。

(2) 除外行為について

　形式的には「金融商品取引業」の定義に該当しうるものの、実質的には投資者保護のため支障を生じることがないと認められる行為については、「金融商品取引業」の定義から除外されている（金商法2条8項柱書）。後述するとおり、金融商品取引業の定義から除外される行為は、基本的には業規制や行為規制の直接の適用対象とはならないものとされていることから、証券化においても、オリジネーター、SPC、アレンジャーなどの関係者の行為が除外行為に該当しないか（除外行為に該当するようにスキーム上の手当を行うことができないか）は検討に値しよう。

　金融商品取引業の定義から除外される行為は、金商法施行令1条の8の6、定義府令15条、16条に規定されている。証券化に関係するものとしては、たとえば、有価証券関連店頭デリバティブ取引（金商法28条8項4号）および暗号資産関連店頭デリバティブ取引（金商法185条の24第1項）を除くいわゆるプロ顧客向けの店頭デリバティブ取引等（同法施行令1条の8の6第1項2号）、勧誘をすることなく金融商品取引業者等による代理または媒介により行う金商法2条2項1号または2号に規定される信託受益権の販売（同法施行令1条の8の6第1項4号、定義府令16条1項1号）、集団投資スキーム持分を有する者から出資・拠出を受けた金銭などを主として有価証券またはデリバティブ取引に係る権利に対する投資として運用する業務（自己運用）に係る除外規定（金商法施行令1条の8の6第1項4号、定義府令16条1項10号、11号など）、集団投資スキーム持分に係る引受行為に係る除外規定（金商法施行令1条の8の6第1項4号、定義府令16条1項5号、6号）などがあげられる。

　金融商品取引業の定義から除外される行為に対する金商法の適用関係については、各規定の趣旨などに照らして判断されるべきものであるとされているが、当該行為は、基本的には業規制や行為規制の直接の適用対象とはならないものとされている[8]。具体的には、当該行為との関係では登録（金商法

29条、33条の2）は不要であり、また、たとえば、後述する契約締結前・契約締結時等の書面交付（同法37条の3、37条の4）は不要であり、外務員登録（同法64条）は必要ないものと考えられる。

(3) 適格機関投資家等特例業務

　また、「適格機関投資家等」の要件を満たす者を相手方とする集団投資スキームに関する私募および自己運用（適格機関投資家等特例業務）については、「業として」行っていたとしても、金商法に基づく登録を不要とする特例が設けられている。

　すなわち、金商法では、集団投資スキーム持分を包括的にみなし有価証券と位置づけるとともに（金商法2条2項5号、6号）、その自己募集（同条8項7号ヘ）および自己運用（同項15号）を金融商品取引業の対象と位置づけているが、規制の柔軟化の観点から、以下の「適格機関投資家等」の要件を満たす者（ただし、一定の要件に該当する者を除く）を出資者とする集団投資スキーム（いわばプロ向けのファンド）について、一定の要件を満たす私募およびその財産の自己運用については、登録（同法29条、33条の2）は不要であり（同法63条1項柱書）、届出で足りる（同条2項）とする特例が設けられている。

　かかる適格機関投資家等特例業務については、平成27年の金商法改正（以下「平成27年金商法改正」という）により、出資を行う適格機関投資家の範囲や要件の設定、適格機関投資家以外の出資者の範囲の限定等が行われている（図表3－14～図表3－16参照）。

　また、いわゆるベンチャーファンドなどを対象に、図表3－17の要件を満たす場合は、出資者として認められる者の範囲が拡張されており、図表3－16に列記された者以外にも、一定の範囲の者が「適格機関投資家以外の

8　パブコメ回答37頁。

図表3－14　適格機関投資家等特例業務

対象となる行為		備　考
私募	適格機関投資家等（一定の要件に該当する者を除く）を相手方として行う金商法2条2項5号または6号に掲げる権利に係る一定の要件を満たす私募（金商法63条1項1号）	私募については、適格機関投資家等（一定の要件に該当する者を除く）以外の者が当該権利を取得するおそれが少ないものとして政令で定めるものに限られ（金商法施行令17条の12第4項）、かつ、私募および自己運用ともに、適格機関投資家のすべてが投資事業有限責任組合（投資事業有限責任組合契約に基づき当該契約の相手方のために運用を行う金銭その他の財産の総額から借入金を控除した金額が5億円以上であると見込まれるものを除く）である場合、または、ファンド資産運用等業者と密接な関係を有する一定の者等の出資割合が2分の1以上である場合は適格機関投資家等特例業務に該当しないこととなる（金商業等府令234条の2第1項、第2項）。 適格機関投資家等、適格機関投資家等から除外される者（左欄および上記における一定の要件に該当する者）については図表3－15を参照。
自己運用	金商法2条2項5号または6号に掲げる権利（同一の出資対象事業に係る当該権利を有する者が適格機関投資家等（一定の要件に該当する者を除く）のみであるものに限る）を有する適格機関投資家等から出資され、または拠出された金銭などの運用を行う金商法2条8項15号に掲げる行為（金商法63条1項2号）	

者で政令で定めるもの」に含まれる（金商法施行令17条の12第2項、金商業等府令233条の3）。

　なお、適格機関投資家等特例業務については、従前、金融商品取引業者に適用される行為規制のうち大半のものが適用されず、虚偽告知の禁止（金商法38条1号）および損失補填等の禁止（同法39条）の規制のみが適用されることとされていたが、平成27年金商法改正により、幅広い行為規制が適用されることとなった（金商法63条11項）。

図表3－15 「適格機関投資家等」「適格機関投資家等」から除外される者について

適格機関投資家等	「適格機関投資家等」とは、「適格機関投資家以外の者で政令で定めるもの」（その数が49名以下の場合に限る。下記参照）および適格機関投資家をいう（金商法63条1項1号、金商法施行令17条の12第1項ないし3項）。1名以上の適格機関投資家が含まれていることが必要であるとの解釈が金融庁によりとられている[9]。
適格機関投資家等から除外される者（金商法63条1項1号イないしハ、金商業等府令235条）	実質的に多数の一般投資家が出資・拠出しているファンドであるにもかかわらず、投資者保護のための規制が適用されなくなるような潜脱的な取扱いを防ぐ観点から、適格機関投資家以外の者がその資産対応証券を取得している資産流動化法上の特定目的会社や適格機関投資家以外の者が匿名組合員となっている匿名組合の営業者などが出資者に含まれる場合は、適格機関投資家等特例業務の特例が適用されないこととされている[10]。

図表3－16 「適格機関投資家以外の者で政令で定めるもの」の概要（金商法施行令17条の12第1項、金商業等府令233条の2）

投資判断能力を有すると見込まれる者	ファンド資産運用等業者、その密接関連者
① 国、日本銀行、地方公共団体 ② 金融商品取引業者等 ③ 上場会社 ④ 資本金の額または純資産の額が5,000万円以上である法人 ⑤ 特定目的会社 ⑥ 一定の企業年金基金 ⑦ 外国法人 ⑧ 有価証券の取引またはデリバティブ取引を行うための口座を開設した日から起算して1年を経過しており、かつ、保有資産が1億円以上であると見込まれる個人	① ファンド資産運用等業者 ② ファンド資産運用等業者の役員、使用人 ③ ファンド資産運用等業者の親会社等もしくは子会社等または親会社等の子会社等 ④ ファンド資産運用等業者から運用権限の委託を受けた者、ファンド資産運用等業者に対して投資助言を行う者 ⑤ 上記③および④の役員、使用人など

---

9 パブコメ回答537頁。
10 一問一答金商法327頁。

| ⑨ 上記②〜④の子会社等または関連会社等 | |
| ⑩ 一定の要件を満たす資産管理会社 など | |

図表3－17　ベンチャーファンドにかかる特例業務を行うための要件

要件の概要
①　出資金（現預金を除く）の額の80％超を、非上場会社の株券等に対する投資を行うものであること。
②　一定のものを除き、資金の借入れまたは債務の保証を行うものではないこと。
③　やむをえない事由がある場合を除き、出資者の請求により払戻しを受けることができないこと。
④　出資に係る契約等において、概要、財務諸表等の作成、出資者に対する監査済財務諸表等・監査報告書の写しの提供、出資者を招集したうえでの出資者に対する出資対象事業の運営および財産の運用状況の報告、投資を行う場合における出資者に対する書面通知、出資者の多数決によるファンド資産運用者の解任権、出資に係る契約の変更については出資者の過半の同意を必要とする旨が規定されていること。
⑤　出資に係る契約の締結までに、出資者に対して上記に掲げる要件に該当する旨を記載した書面を交付すること。

(4) 業務内容の範囲に応じた業規制

　金商法では、金融商品取引業について業務内容の範囲に応じた区分を設け、各区分に応じた柔軟な業規制を金融商品取引業者に課している。

　具体的には、金融商品取引業について、業者が行う業務内容に応じて、第一種金融商品取引業（金商法28条1項）、第二種金融商品取引業（同条2項）、投資助言・代理業（同条3項）および投資運用業（同条4項）に区分し、各区分に応じた登録拒否事由（同法29条の4第1項）が定められるなど、業務内容に応じた参入規制が設けられている。また、第一種金融商品取引業または投資運用業を行う金融商品取引業者に対しては兼業規制が課せられるのに

対して、第二種金融商品取引業または投資助言・代理業のみを行う金融商品取引業者に対しては兼業規制は課せられない(同法35条、35条の2)など、業務内容に応じて適用される業規制に差異が設けられている。

たとえば、社債などの形態の証券化商品の販売を取り扱う金融商品取引業者には、第一種金融商品取引業を行うものとして重い規制が課せられるのに対して、信託受益権(電子記録移転権利に該当するものを除く)のみの販売を取り扱う金融商品取引業者には、「有価証券の引受け」を行わない限りは、第二種金融商品取引業を行うにすぎず、比較的軽い規制が適用されることになる。

(5) 信託受益権の発行の場面における業規制の適用関係の整理

ここで、「発行者」概念の影響を受けることなどから業規制の適用関係が複雑であり、また証券化の実務上、直面することの多い信託受益権の発行の場面(図表3-18参照)において、各当事者の行為が金商法上、どのように位置づけられるかについて整理する。なお、以下の整理では、委託者が受託者に対して財産を信託することによって金商法2条2項1号の信託受益権を取得し(自益信託)、当該信託受益権を、金融商品取引業者等の取扱いのもと、委託者が投資家に対して譲渡する場面を前提とし、また、電子記録移転権利に該当しない信託受益権を前提とする。

図表3-18 信託受益権の発行の場面

a　委託者の行為

　委託者または委託者および受託者が「発行者」である場合に、委託者が信託受益権を投資家に譲渡する行為は、信託受益権の発行者自身による販売・勧誘行為（自己募集）として、当該信託受益権がいわゆる商品ファンド持分または電子記録移転権利に該当する場合（金商法2条8項7号ト、同法施行令1条の9の2）を除き、金融商品取引業に該当しないと考えられる。

　一方、受託者のみが「発行者」となる場合の取扱いについては、パブコメ回答などからも必ずしも明確となっていないが、委託者が信託受益権を投資家に譲渡する行為を、信託受益権の発行者自身による販売・勧誘行為（自己募集）ととらえ、当該信託受益権がいわゆる商品ファンド持分または電子記録移転権利に該当する場合（金商法2条8項7号ト、同法施行令1条の9の2）を除き、金融商品取引業に該当しないものと考えることが、自益信託（合同運用金銭信託である場合を除く）の場合に、当初受益者たる委託者が「当該権利……を譲渡するために行う当該権利の売付けの申込み又はその買付けの申込みの勧誘」が有価証券の募集・私募に該当する行為として規定されていること（金商法2条3項柱書、定義府令9条6号）と整合的であろう。

b　信託受益権の譲渡の取扱いを行う金融商品取引業者等の行為

　委託者または委託者および受託者が発行者である場合に、委託者の委託によって信託受益権の取得の申込みの勧誘を行う者の行為は、「有価証券の募集又は私募の取扱い」（金商法2条8項9号）に該当し、金融商品取引業の対象となる。

　ここで、委託者および受託者が発行者となる場合において、委託者からの委託を受けて受託者が信託受益権の取得の勧誘行為を行う場合、受託者も発行者である以上、自己募集行為として金融商品取引業の対象とならないと解すべきか、あるいは「有価証券の募集又は私募の取扱い」に該当し、金融商品取引業の対象となると解すべきかが論点となる。この点、「発行者」概念は基本的に開示規制を念頭に定められたものであることから、金融商品取引

業への該当性を判断するに際しては、金商法における業規制の趣旨に沿って実質的な解釈を行う余地がある。そして、委託者や投資家などの関係者を保護すべき要請は、発行者である受託者が委託者のために信託受益権の取扱いを行う場合と、第三者が募集または私募の取扱いを行う場合や受託者が発行者とならない信託受益権について募集または私募の取扱いを行う場合とで異なるところはない。したがって、委託者および受託者が発行者となる場合であっても、受託者が委託者からの委託を受けて委託者のために信託受益権の取得の勧誘行為を行う場合には、「有価証券の募集又は私募の取扱い」として金融商品取引業の対象となると解することが妥当であろう。

また、受託者のみが発行者となる場合、前述のとおり委託者が信託受益権を投資家に譲渡する行為を信託受益権の発行者自身による自己募集ととらえた場合、委託者の委託によって信託受益権の譲渡の取扱いを行う者の行為は、「有価証券の募集又は私募の取扱い」に該当し、金融商品取引業の対象となると考えられる。

2 金商法上の行為規制

金商法では、金融商品取引業者等に対して、横断的な行為規制が規定されており（金商法36条～44条の4）、金融商品取引業者等はこれらの規制を遵守しつつ金融商品取引業を行う必要がある。かかる行為規制は、大きくは、金融商品取引業者等に共通する行為規制（同法36条～38条、39条～40条の7）、投資助言・代理業および投資運用業に関する行為規制（同法38条の2）、投資助言業務に関する特則（同法41条～41条の5）、投資運用業に関する特則（同法42条～42条の8）、有価証券等管理業務に関する特則（同法43条～43条の4）、暗号資産関連業務に関する特則（同法43条の6）、弊害防止措置等（同法44条～44条の4）に整理される。証券化スキームの組成・実行に際して金融商品取引業を行う者は、かかる行為規制に留意を要する。以下、金融商品取引業者等に共通する行為規制のうち証券化と関係する主要な行為規制を中

心に、概説を加える。

(1) 広告等の規制

金商法では、金融商品取引業者等が行う金融商品取引業の内容についての「広告その他これに類似するものとして内閣府令で定める行為」(以下「広告等」という)に関して、広告等の表示事項および表示方法を定めるとともに、利益の見込みなどの一定の事項について、著しく事実に相違する表示または著しく人を誤認させるような表示をしてはならないことが規定されている(金商法37条)。

a 広告等の規制対象

広告等の規制の対象は、金融商品取引業者等が行う、「金融商品取引業の内容」についての「広告」および「その他これに類似するものとして内閣府令で定める行為」(以下「広告類似行為」という)である(金商法37条)。

前述の要件のうち、「金融商品取引業の内容」(「当該金融商品取引業者等が行う金商法第2条第8項各号に掲げる行為に係る業の内容」とされる[11])に該当するかどうかは、「利用者保護ルールの徹底という趣旨をふまえ、常に個別事例ごとにその内容や目的等の実態に即して実質的に判断されるべき」であると説明されている[12]。

次に、金商法上、「広告」の定義は設けられていないが、「一般的に広告とは、随時又は継続してある事項を広く(宣伝の意味も含めて)一般に知らせることをいうと考えられます」と説明されている[13]。広告の媒体・方法は問われていないことから、インターネットなども含まれると考えられる。また、広告類似行為については、郵便、信書便、ファクシミリ装置を用いて送信する方法、電子メールを送信する方法、ビラまたはパンフレットを配布す

---

11 パブコメ回答230頁。
12 一問一答金商法281頁。
13 パブコメ回答227頁。

る方法その他の方法により「多数の者に対して同様の内容で行う情報の提供」と規定されている（金商業等府令72条柱書）。たとえば、インターネット上での証券化商品に関する記載などが広告等に該当しうるか留意を要することになろう。

　b　表示事項

　金商法では、広告等の原則的な表示事項として、金融商品取引業者等に関する情報、取引コストに関する情報、リスクに関する情報などの事項が規定されている（金商法37条1項各号、同法施行令16条1項、金商業等府令76条）。

　c　表示方法

　広告等の表示方法については、「明瞭かつ正確に表示しなければならない」とされている（金商業等府令73条1項）。また、リスクに関する情報（元本損失または元本超過損が生じるおそれがある旨、その理由、その直接の原因となる指標）および暗号資産に関する一定の情報については、特定の大きさ以上の文字・数字による表示までは義務づけられていないものの、最も大きな文字・数字と著しく異ならない大きさで表示すべきことが規定されている（同条2項、76条3号）。文字・数字の大きさの比較対象には、「タイトル（表題）、見出し・商品名や業者名等」も含まれること[14]に留意を要する。

(2) 契約締結前交付書面

　金融商品取引業者等は、原則として、金融商品取引契約を締結しようとするときは、あらかじめ、顧客に対し、所定の書面を交付しなければならない（金商法37条の3第1項）。かかる契約締結前交付書面の交付義務は、業者の利用者に対する金融商品・取引に関する重要事項の情報提供義務である説明義務を規定するものであり、適合性原則（同法40条1号）と並んで、金商法における利用者保護のための販売・勧誘ルールの柱となる行為規制であると

14　パブコメ回答245頁。

される[15]。

a 契約締結前交付書面を交付すべき「顧客」

契約締結前交付書面は、金融商品取引業者等が「金融商品取引契約を締結しようとするときに」、「顧客に対し」て交付すべきものであるが、具体的にいかなる者に対して契約締結前交付書面を交付すべきかは必ずしも明らかではなく、証券化を実行するに際しても留意を要する。この点、パブコメ回答274頁で示された金融庁の見解に従うと、「顧客」が誰であるかは、投資者保護の観点から個別事例ごとに実態に即して実質的に判断されるべきものであり、有価証券の募集または私募の取扱いを行う金融商品取引業者等は、実質的な販売・勧誘の対象となる当該有価証券の取得者に対して書面交付を行うことが必要になると解される。なお、平成20年6月の金商法の改正により、有価証券の募集・私募の取扱いの場合において、当該有価証券の発行者に対して契約締結前交付書面を交付することは不要とされたことから（金商業等府令80条1項8号リ参照）、金融商品取引業者等は、金融商品取引契約である有価証券の募集または私募の取扱いに係る契約の相手方である発行者に対して書面交付を行うことは不要と考えられる。

また、売主の委託を受けて有価証券の売買の媒介を行う金融商品取引業者等は、原則として、金融商品取引契約である当該有価証券の売買の媒介に係る契約の相手方である売主に対してのみ書面交付を行えば足りるが、実質的に判断して当該有価証券の買主のためにも売買の媒介を行うと認められる場合には、買主に対しても、書面交付を行うことが必要であると解される。

b 記載事項

契約締結前交付書面については、金融商品・取引に応じて、一定の記載事項が定められている。

まず、すべての契約締結前交付書面に共通の記載事項として、当該金融商

---

15 一問一答金商法287頁。

品取引契約に関する情報、リスクに関する情報、取引コストに関する情報、業者に関する情報など、一般的な利用者が当該取引を行うかどうかを判断するうえで必要かつ重要となる情報が規定されている（金商法37条の3第1項、金商業等府令82条）。

さらに、かかる共通して記載すべき事項に加えて、金融商品・取引に応じて、それぞれ追加的な記載事項が定められている（金商業等府令83条～96条）。たとえば、金商法2条2項1号に規定される信託受益権の売買については、同法37条の3第1項各号、金商業等府令82条各号に列挙された事項に加えて、同府令83条1項各号、84条1項各号（不動産信託受益権の場合には、これに加えて85条1項各号）に列挙された事項を記載すべきことになる。

　c　記載方法

契約締結前交付書面については、広告等の規制に係る記載方法よりも、詳細な記載方法が規定されている（金商法37条の3第1項本文、金商業等府令79条）。

まず、「当該契約締結前交付書面の内容を十分に読むべき旨」（金商業等府令82条1号）および金商法37条の3第1項各号に掲げる事項のうち顧客の判断に影響を及ぼすこととなる特に重要なものを、12ポイント以上の大きさの文字および数字を用いて当該契約締結前交付書面の最初に平易に記載するものとされている（同府令79条3項）。

次に、手数料などの概要やリスクに関する情報などの一定の事項を枠のなかに12ポイント以上の大きさの文字および数字を用いて明瞭かつ正確に記載すべきとされている（金商業等府令79条2項）。

さらに、その他の記載事項について、8ポイント以上の大きさの文字および数字を用いて明瞭かつ正確に記載しなければならないとされている（金商業等府令79条1項）。

(3) 契約締結時交付書面

　金融商品取引業者等は、原則として、金融商品取引契約が成立したときは、遅滞なく、顧客に対し、所定の書面を交付しなければならない（金商法37条の4第1項）。顧客が、締結した金融商品取引契約の内容を確認するためのものである。

　契約締結時交付書面についても、金融商品・取引に応じて記載事項が定められている。まず、すべての契約締結時交付書面に共通の記載事項として、金融商品取引業者に関する情報、金融商品取引契約の成立・解約・払戻しに関する情報などが規定されている（金商業等府令99条1項各号）。さらに、かかる共通して記載すべき事項のほかに、金融商品・取引の内容に応じて、それぞれ追加的に記載すべき事項が定められている（同府令100条～107条）。たとえば、金商法2条2項1号に規定される信託受益権の売買については、金商業等府令99条1項各号に列挙された事項に加えて、同府令100条1項各号、101条1項各号に列挙された事項を記載すべきことになる。

　なお、契約締結時交付書面については、契約締結前交付書面と異なり、特段の記載方法は規定されていない。

(4) その他の金融商品取引業者等に共通する行為規制

　前記(1)～(3)で述べた行為規制のほかに、金融商品取引業者等に共通する行為規制として、たとえば、禁止行為（金商法38条）、損失補塡等の禁止（同法39条）、適合性の原則（同法40条）、特定投資家向け有価証券の売買等の制限（同法40条の4）、特定投資家向け有価証券に関する告知義務（同法40条の5）などが定められている。なお、一定の行為規制については、内閣府令においても詳細な規定が設けられており、留意を要する（金商業等府令117条、123条など）。

(5) 投資助言業務・投資運用業に関する特則

　投資助言業務や投資運用業に関しては、それぞれ行為規制の特則（図表3－19参照）が設けられており、金融商品取引業者等に共通して適用される行為規制に加えて、それぞれの特則の適用を受けることになる。

　証券化との関係では、本節1(1)に記載のとおりアセットマネジャーの行為が投資助言業務ないし投資運用業の対象となりうる。そこで、たとえば、不動産信託の信託受益権を裏付資産とするTK－GKスキームにおけるアセットマネジャーがデット投資家によるSPCに対する金銭の貸付に関与しようとする場合には、投資助言業務・投資運用業に関して顧客への第三者による金銭の貸付の媒介、取次または代理を行うことを原則として禁じる金商法41条の5、42条の6の規定に抵触することがないかが問題となりうる。また、アセットマネジャーがSPCの資金管理を行う場合などには、投資助言業務・投資運用業に関して、顧客から金銭または有価証券の預託を受けることなどを原則として禁じる同法41条の4、42条の5の規定に抵触することがないかなどが問題となりうる。

図表3－19　投資助言業務・投資運用業に関する特則（条文はすべて金商法）

投資助言業務に関する特則	投資運用業に関する特則
・顧客に対する忠実義務・善管注意義務（41条） ・禁止行為（41条の2） ・有価証券の売買等の禁止（41条の3） ・金銭・有価証券の預託の受入れなどの禁止（41条の4） ・金銭・有価証券の貸付などの禁止（41条の5）	・権利者に対する忠実義務・善管注意義務（42条） ・禁止行為（42条の2） ・運用権限の委託（42条の3） ・分別管理（42条の4） ・金銭・有価証券の預託の受入れなどの禁止（42条の5） ・金銭・有価証券の貸付などの禁止（42条の6） ・運用報告書の交付（42条の7）

(6) **行為規制の柔軟化（特定投資家向け取引等における行為規制の適用除外）**

　金商法では、金融商品取引業者等と一般投資家（いわゆるアマ）との間の取引については、投資者保護の観点から多くの行為規制が適用されるのに対して、金融商品取引業者等と特定投資家（いわゆるプロ）との間の取引については、一定の行為規制の適用が除外される旨が定められている。

　具体的には、適格機関投資家、国、日本銀行および投資者保護基金その他の内閣府令で定める法人を特定投資家と定義し（金商法2条31項）、特定投資家として取り扱われる者を勧誘または契約締結の相手方とする取引については、書面交付（同法37条の3および37条の4）、適合性の原則（同法40条1号）など一定の行為規制について原則として適用されないこととされている（同法45条）。他方、虚偽告知の禁止（同法38条1号）、断定的判断の提供等の禁止（同条2号）、損失補填等の禁止（同法39条）などの市場の公正確保を目的とする規制や受託者責任にかかわる基本的な義務については、特定投資家を相手方とする取引であっても適用される。

　特定投資家以外の顧客（一般投資家）と特定投資家の区分は、取引ごとに柔軟な取扱いを行うことが可能とされている。すなわち、特定投資家のうち、投資者保護基金その他の内閣府令で定める法人については、金融商品取引業者等に対し、契約の種類ごとに、当該契約の種類に属する金融商品取引契約に関して自己を一般投資家として取り扱うよう申し出ることができる（金商法34条の2）。他方、特定投資家に該当しない法人および一定の要件を満たした個人は、金融商品取引業者等に対し、契約の種類ごとに、当該契約の種類に属する金融商品取引契約に関して自己を特定投資家として取り扱うよう申し出ることができる（同法34条の3、34条の4）。したがって、金商法上、①常に特定投資家として取り扱われる者（適格機関投資家、国および日本銀行）、②一般投資家に移行可能な特定投資家（投資者保護基金その他の内閣府令で定める法人）、③特定投資家に移行可能な一般投資家（特定投資家に該

当しない法人および一定の要件を満たした個人)、④常に一般投資家として取り扱われる者（前記③に該当しない個人）の4類型に区分されることになる。

証券化においては、適格機関投資家ないしは一般投資家への移行を申し出ていない特定投資家を相手方として取引が行われる場合も多い。このような場合には、特定投資家として取り扱われる者を勧誘または契約締結の相手方とする取引として、金融商品取引業者等には書面交付などの行為規制が適用されないことになる。また、特定投資家に該当しない法人であっても証券化に精通した者が投資家として金融商品取引業者等から証券化商品の販売・勧誘を受ける場合には、金商法34条の3に従った手続を経て、当該投資家を特定投資家として取り扱うことによって事務コストを低減させることが当該投資家の利益となる場合もあろう。

(7) 証券化商品の追跡可能性（トレーサビリティ）の確保

証券化商品の販売に際しては、証券化商品の追跡可能性（トレーサビリティ）の確保、すなわち、「販売会社が組成業者等を通じて必要な情報を入手し、投資家へ提供することで、トレース（追跡）を確保」[16]することが求められる。かかる証券化商品の追跡可能性（トレーサビリティ）の確保は、いわゆるサブプライム問題の分析をふまえた対応の1つとして提唱されたものであり、投資家が証券化商品の原資産の内容やリスクに関する情報を入手し、適切な投資判断やリスク管理を行うことを可能にするためのものである。具体的には、以下に述べるとおり、金商業者等向け監督指針および日本証券業協会作成の自主規則において、証券化商品の追跡可能性（トレーサビリティ）の確保に関する規律が設けられている（図表3-20参照）。証券化商品の販売に際しては、かかる規律についても留意を要する。

---

[16] 平成20年4月2日付金融庁発表の「金融商品取引業者等向けの総合的な監督指針の一部改正について　コメントの概要及びコメントに対する金融庁の考え方」（以下「トレーサビリティ・パブコメ回答」という）6頁12番参照。

図表3−20 証券化商品の追跡可能性(トレーサビリティ)の確保に関する規制

	金商業者等向け監督指針	日証協規則
対象となる主体	第一種金融商品取引業(有価証券関連業に限る)を行う者・金商法2条2項1号および2号に規定する信託受益権について金商法28条2項2号に規定する行為を業として行う者	日本証券業協会の協会員
対象となる商品	「証券化商品」および「金商法第2条第2項第1号及び第2号に規定する信託の受益権のうち証券化商品と同様の性質を有するもの」とされている。 　金商業者等向け監督指針や金商法においては、「証券化商品」の定義が定められていないが、「具体的にどのような商品がトレーサビリティの対象になり得るか、なるべきかは、今後、日本証券業協会の「証券化商品の販売に関するワーキング・グループ」における自主ルール等の検討の場において、実務家を中心に議論されるものと考えて」[17]いるとの考え方が示されている。	「証券化商品」とされている。 「証券化商品」については定義が設けられており、「定款第3条第1号に規定する有価証券のうち、実質的に特定の資産……の譲渡を主な目的として当該原資産から発生するキャッシュフローを裏付けとして発行され、又は実質的に原資産のリスクの移転を主な目的として当該原資産のリスクを参照して発行されるものをいう。ただし、次に掲げるものを除く。」とされ、「定款第3条第1号に規定する有価証券」すなわち、有価証券およびみなし有価証券(金商法2条2項各号に掲げられる権利を除く)から一定の商品を除外したものとされている。たとえば、社債、特定社債、特定目的会社に係る優先出資などがトレーサビリティの対象となりうる。

---

17 トレーサビリティ・パブコメ回答8頁1番。

	ローンやデリバティブ取引、信託受益権など	ローンやデリバティブ取引、投資信託の受益証券、信託受益権以外の金商法2条2項各号に掲げる権利は金商業者等向け監督指針のトレーサビリティに関する規律の対象とならないことが説明されている[18]。 金商法2条2項1号および2号に規定する信託受益権については、一般にトレーサビリティが求められているわけではないが、「証券化商品と同様の性質を有するもの」について金商業者等向け監督指針のトレーサビリティの対象とされている。	有価証券およびみなし有価証券（金商法2条2項各号に掲げられる権利を除く）が対象とされており、ローンやデリバティブ取引、信託受益権を含む金商法2条2項各号に掲げる権利は日証協規則のトレーサビリティに関する規律の対象とならない。また、投資信託の受益証券などのいわゆる運用型の商品についても、対象とならない[19]。 ただし、「証券化商品と同様の性質を有するABL（Asset Backed Loan）を他者に販売する場合には、本自主規制規則に規定されていることと同様の態勢整備を行うことが望ましい。」とされている[20]。また、金商法2条2項1号および2号に規定する信託の受益権のうち、証券化商品と同様の性質を有するものについては、日証協規則に準じて取り扱うことが望ましいとされている（日証協規則8条）。
対象となる取引		証券化商品の販売や信託受益権のうち証券化商品と同様の性質を有するものの販売等に関して、トレーサビリティを確保することが求められる。	証券化商品の「販売」（顧客に対し証券化商品を取得させる行為（代理または媒介に該当するものを除く）をいう）に関してトレーサビリティを確保することが求められる。
	特定投資家を相手とする場合	プロ同士の取引であっても、留意することが必要とされる。	プロ同士の取引であっても、留意することが必要とされる。

---

18 トレーサビリティ・パブコメ回答10頁11番、11頁14番、12頁20番参照。
19 最終報告書第2章1.(1)④参照。
20 最終報告書第2章1.(4)参照。

業者が限定的な役割しか担わない場合など	「単なる売買の媒介しか行わないなど限定的な役割しか担わない場合であっても、投資者と接点を有する限りにおいては、実務上可能な範囲で協力をすることが望ましい」とされている。 　もっとも、金商業者等向け監督指針は、不可能である場合や無意味である場合にまでトレーサビリティを強いるものではなく、「他の法令等の制約などにより実務上不可能なケースや、そもそも投資家が販売会社以外のソースにアクセス可能で、必要十分な情報の入手ができるようなケースにおいてまで、硬直的に態勢整備を求める趣旨ではありません」と説明されている[21]。	金融商品取引業者が代理または媒介を行うにすぎない場合は、日証協規則の直接的な適用対象とはされていない。ただし、「販売」を行わず、代理または媒介のみを行う場合においても、販売を行う場合に準じた取扱いをすることが望ましいとされている。 　金融商品取引業者において、「収集できない情報」を収集することや、「第三者をして若しくは別の方法により、顧客への伝達がなされる場合、又は顧客が自ら入手可能な場合」において顧客に情報を伝達することは求められていない（日証協規則4条参照）。
規制内容の概要	証券化商品の販売や信託受益権のうち証券化商品と同様の性質を有するものの販売等を行う場合には、以下の点に留意するものとされている。 ① 販売に先立ち、原資産の内容や、オリジネーターのリスクの継続保有状況、リスクに	次に掲げる業務を適正かつ確実に遂行できる態勢を整備しなければならないとされている。 ① 販売に先立ち、証券化商品に係る原資産等の内容やリスクに関する情報の収集にあたり、当該協会員が適切な情報伝達を行うに際して必要と判断した情報の収集を検討すること。そのうえで、収集するべきと判断した

21　トレーサビリティ・パブコメ回答13頁3番。

関する情報を収集し、適切な説明が可能となるよう、分析を行っているか。
② 販売の際に、格付のみに依存することなく、原資産のリスク、格付に反映されない流動性リスク等についても情報伝達を行うよう、社内手続・ルールが定められており、必要な態勢が整備されているか。
③ 投資者である顧客からの要望があれば、当該顧客が原資産の内容やリスクに関する情報を適切にトレースすることができるよう、情報伝達のための社内手続・ルールが定められており、必要な態勢が整備されているか。
④ 市場価格の特定が困難となった場合にも、理論価格等を評価・算定し、顧客に迅速かつ的確に提示することができる態勢が整備されているか。また、当該理論価格等の評価・算定にあたっては、情報利用者による意図的な特定の利用に資することを優先した恣意的な

情報について、収集できない情報を除き、収集および分析すること（分析については、他者が分析したものを収集することにかえることができる。以下同じ）。
② 販売にあたり、上記①において収集および分析した情報のうち、顧客に伝達するべきと判断した情報について、自ら顧客に伝達すること。ただし、第三者をしてもしくは別の方法により顧客への伝達がなされる場合、または顧客が自ら入手可能な場合は、この限りでない。なお、伝達するべき情報には、証券化商品の格付に反映されないリスクも含まれることに留意する。
③ 販売後において、投資判断または時価評価の参考とすることを目的とした顧客（当該証券化商品を保有していることが確認できる顧客に限る。以下本③において同じ）からの要望があれば、上記①において収集および分析した情報を顧客が適切にトレースすることができるよう情報の収集を検討し、収集するべきと判断した情報および新たに顧客に伝達するべきと判断した情報について、収集できない情報を除き、収集することおよび必要に応じ分析すること。そのうえで、顧客に伝達するべきと判断した情報について、自ら顧客に伝達すること。ただし、第

	算定等がなされていないか。	三者をしてもしくは別の方法により、顧客への伝達がなされる場合、または顧客が自ら入手可能な場合は、この限りでない。 ④ 上記①および③において収集できない情報または上記②および③において伝達するべきと判断しなかった情報について、収集できない理由または伝達するべきと判断しなかった理由を顧客に伝達するべきと判断する場合は、明確に伝達すること。

a　金商業者等向け監督指針における追跡可能性（トレーサビリティ）

　金商業者等向け監督指針においては、Ⅳ－3－1－2(7)およびⅤ－2－1－1(5)において、証券化商品の追跡可能性（トレーサビリティ）の確保に関する規律が設けられている。また、登録金融機関が行う業務の適切性に関して、Ⅳ－3－1－2(7)が準用されている（金商業者等向け監督指針Ⅷ－1）。

b　日本証券業協会作成の自主規則における追跡可能性（トレーサビリティ）

　金商業者等向け監督指針に加え、日本証券業協会作成の自主規則である「証券化商品の販売等に関する規則」（以下「日証協規則」という）において、証券化商品の追跡可能性（トレーサビリティ）の確保に関する規律が設けられている。証券化商品の追跡可能性（トレーサビリティ）の確保の観点から、具体的にいかなる情報を伝達するかについては、「協会員が、当該証券化商品の特性や当該顧客の属性等を踏まえて、自ら考え、判断する」ことが基本とされているが[22]、4つの典型的な類型の証券化商品を対象に、「情報の目線合わせ」として、情報伝達のための様式（標準レポーティング・パッケー

---

[22] 平成21年3月17日付日本証券業協会公表の「証券化商品の販売に関するワーキング・グループ最終報告書」（以下「最終報告書」という）第2章2.(6)①参照。

ジ）が用意されており、「参考として用いることが適切であると判断される場合には、当該パッケージを参考として用いることができる」とされている（日証協規則6条）。

　なお、平成27年4月の金商業者等向け監督指針等の改正により、いわゆる証券化リスク・リテンション規制（概要、オリジネーターが証券化商品に係るリスクの一部を継続保有しているか確認すること、継続保有していない場合には、オリジネーターの原資産に対する関与状況や原資産の質についてより深度ある分析をすることを銀行や保険会社、証券会社等に求める規制（金商業者等向け監督指針Ⅳ－2－3(3)⑦ロd.等参照））が導入されたことに伴い、証券化商品の追跡可能性（トレーサビリティ）の確保に関する規制についても見直しが行われ、オリジネーターのリスクの継続保有状況についても、情報の収集や適切な説明が可能となるための分析を行うこと等が求められている（金商業者等向け監督指針Ⅳ－3－1－2(7)①およびⅤ－2－1－1(5)①、ならびに上記の標準レポーティング・パッケージの「RMBS（我が国住宅ローン債権を裏付けとする証券化商品）」Ⅲ－5およびⅣ－9等）。

第 4 節

金融サービス提供法に基づく説明

　金融サービス提供法は、①金融商品販売業者等の顧客に対する説明義務など、②かかる義務を果たさなかったことにより顧客に生じた損害の賠償責任その他の金融商品の販売等に関する事項、および、③金融サービス仲介業などについて定めている法律である（金融サービス提供法1条）。後述するとおり、証券化商品についても同法が適用される場合があることから、証券化商品を取り扱うに際しては、金融サービス提供法にも留意する必要がある。

　なお、金融サービス提供法は、令和3年11月1日の施行の改正により、従前の金融商品の販売等に関する法律（かかる改正前の金融サービス提供法を、以下「金販法」という）の題名が変更されるとともに、金融サービス仲介法制に関する規定が追加されたものである。改正前より金販法に定められていた上記①および②の内容は、金融サービス提供法上も基本的に維持されている。

1　金融商品販売業者等の説明義務

　金融商品販売業者等（「金融商品の販売等」を業として行う者をいう（金融サービス提供法3条3項））は、「金融商品の販売等」を業として行うときは、当該金融商品の販売が行われるまでの間に、原則として、顧客に対し、一定の事項について説明をしなければならない（同法4条1項）。そのため、行おうとする証券化商品に関する取引が「金融商品の販売等」に該当する場合には、金融サービス提供法に基づく説明が必要になりうる[1]。かかる金融サービス提供法に基づく説明は、顧客の知識、経験、財産の状況および当該金融

商品の販売に係る契約を締結する目的に照らして、当該顧客に理解されるために必要な方法および程度によるものでなければならない（同法4条2項）。

なお、金融サービス提供法に基づく説明義務（同法4条1項）と金商法に基づく契約締結前交付書面（金商法37条の3）の交付義務を履行する方法として、業者が顧客に対して同一の書面を交付して説明することも可能であろう[2]。

(1) 金融商品の販売等

「金融商品の販売等」とは「金融商品の販売」またはその代理もしくは媒介をいう（金融サービス提供法3条2項）。「金融商品の販売」に該当する行為は金融サービス提供法3条1項各号に列挙されている。証券化との関係では、たとえば、

・信託財産の運用方法が特定されていない信託に係る信託契約（当該信託契約に係る受益権が金商法2条2項1号または2号に規定される信託受益権であるものに限る）の委託者との締結（金融サービス提供法3条1項3号、同項11号、同法施行令6条1号）

・金商法上の有価証券またはみなし有価証券（ただし、金商法2条2項1号および2号に規定される信託受益権を除く）を取得させる行為（金融サービス提供法3条1項5号）

・金商法2条2項1号または2号に規定される信託受益権を取得させる行為（金融サービス提供法3条1項6号イ）

・金商法2条22項に規定する店頭デリバティブ取引またはその取次（金融サービス提供法3条1項9号）

---

[1] なお、金融商品の販売等を業として行うことについては、当該金融商品の販売が行われるまでの間に、顧客に対し、当該金融商品の販売に係る事項について、不確実な事項について断定的判断を提供すること、また、確実であると誤認させるおそれのあることを告げることも禁止されている（金融サービス提供法5条）。
[2] 金販法に関するものであるが、パブコメ回答671頁。

などが「金融商品の販売」に該当する。信託に関係する規定が複数あるが、これは、①金商法2条1項に規定される信託受益権（これらの権利がみなし有価証券として取り扱われる場合を含む）については、信託行為が行われる段階で（みなし）有価証券が発行されたといえることから、信託行為といったん組成された信託受益権を第三者に取得させる行為とを区別することなく、「有価証券……を取得させる行為」として金融サービス提供法3条1項5号で規定されているのに対し、②金商法2条2項1号、2号に規定される信託受益権については、信託行為が行われる段階でみなし有価証券が発行されたといえるかどうかは必ずしも明らかではないことから、(i)信託行為によって取得させる行為（金融サービス提供法3条1項3号、同項11号、同法施行令6条1号）と、(ii)いったん組成された信託受益権を取得させる行為（金融サービス提供法3条1項6号イ）とを区別して規定していることによる[3]（図表3-21

図表3-21　信託受益権についての適用関係の整理

	金商法2条1項に規定される信託受益権（これらの権利がみなし有価証券として取り扱われる場合を含む）	金商法2条2項1号、2号に規定される信託受益権
設定行為	金融サービス提供法3条1項5号により金融サービス提供法の規制対象となる	信託財産の運用方法が特定されていない信託に係る信託契約の委託者との締結 金融サービス提供法3条1項3号、同法3条1項11号、同法施行令6条1号により同法の規制対象となる
		信託財産の運用方法が特定された信託に係る信託契約の委託者との締結 金融サービス提供法の規制対象とならない
譲渡行為		金融サービス提供法3条1項6号イにより同法の規制対象となる

参照)。

(2) 説明義務の対象となる事項

説明義務の対象となる事項（以下「重要事項」という）は、図表3－22のとおり元本欠損または元本超過損が生ずるおそれに直接結びつくリスクを中心に規定されている（金融サービス提供法4条1項各号）。

図表3－22　説明義務の対象となる事項（重要事項）

【4条1項1号、3号、5号】 ①　元本欠損が生ずるおそれがある旨 ②　元本欠損を生じさせる直接の原因となる、金利、通貨の価格、金融商品市場における相場その他の指標に係る変動（1号）、当該金融商品の販売を行う者その他の者の業務または財産の状況の変化（3号）、当該金融商品の販売について顧客の判断に影響を及ぼすこととなる重要なものとして政令で定める事由（5号） ③　前記②の要因を直接の原因として元本欠損が生ずるおそれを生じさせる当該金融商品の販売に係る取引の仕組みのうちの重要な部分
【4条1項2号、4号、6号】 ①　当初元本を上回る損失が生ずるおそれがある旨 ②　当初元本を上回る損失を生じさせる直接の原因となる、金利、通貨の価格、金融商品市場における相場その他の指標に係る変動（2号）、当該金融商品の販売を行う者その他の者の業務または財産の状況の変化（4号）、当該金融商品の販売について顧客の判断に影響を及ぼすこととなる重要なものとして政令で定める事由（6号） ③　前記②の要因を直接の原因として当初元本を上回る損失が生ずるおそれを生じさせる当該金融商品の販売に係る取引の仕組みのうちの重要な部分
【4条1項7号】 金融商品の販売の対象である権利を行使することができる期間の制限または金融商品の販売に係る契約の解除をすることができる期間の制限があるときは、その旨

3　金販法に関するものであるが、松尾直彦監修・池田和世著『逐条解説新金融商品販売法』59頁（金融財政事情研究会、平成20年）参照。

(3) 説明義務の適用除外

重要事項の説明義務については、二以上の金融商品販売業者等が同一の顧客に対し重要事項について説明をしなければならない場合において、いずれか1つの金融商品販売業者等が重要事項について説明をしたときは、他の金融商品販売業者等は、原則として、重ねて重要事項について説明をすることは要しない（金融サービス提供法4条6項本文）。また、①顧客が金融商品販売業者等および金商法2条31項に規定する特定投資家（なお、特定投資家に移行した一般投資家を含み、一般投資家に移行した特定投資家を除く）である場合（金融サービス提供法4条7項1号、同法施行令12条1項、2項）、②（金融商品の販売が商品関連市場デリバティブ取引およびその取次のいずれでもない場合において）重要事項について説明を要しない旨の顧客の意思表示があった場合（金融サービス提供法4条7項2号）も、説明義務の適用が除外されている。

ただし、顧客が特定投資家に該当することにより業者の金融サービス提供法（や金商法）に基づく説明義務が免除される場合であっても、業者のこれら以外の義務、たとえば民法上の信義則を根拠とする説明義務などの民事上の義務が免除されるとは限らないと考えられること[4]に留意が必要である。

2 説明義務違反等に対する損害賠償責任

重要事項の説明義務違反、または、断定的判断の提供等について、金融サービス提供法は、民法の不法行為の特則を設けることにより、顧客の保護を図っている。

すなわち、金融商品販売業者等は、顧客に対し重要事項について説明をしなかったときまたは断定的判断の提供等を行ったときは、これによって生じた顧客の損害を賠償する責任を負うとされている（金融サービス提供法6

---

[4] パブコメ回答674頁。

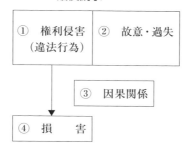

図表3-23　民法709条に基づく損害賠償請求

原告たる顧客が①～④を立証する必要

条)。民法上の不法行為(民法709条)においては、故意または過失が要件とされているのに対し、説明義務違反または断定的判断の提供等について、金融商品販売業者等の故意・過失を問わない無過失責任が課されているといえる(図表3-23参照)。

加えて、元本欠損額は、金融商品販売業者等が重要事項について説明をしなかったことまたは断定的判断の提供等を行ったことによって顧客に生じた損害の額と推定するとされており(金融サービス提供法7条1項)、①説明義務違反または断定的判断の提供等と顧客に生じた損害との間の因果関係の存在、および、②損害額について推定規定が設けられている。これにより、顧客に損害が生じていないことまたは顧客に生じた損害が元本欠損額より少額であること、説明義務違反または断定的判断の提供等と顧客に生じた損害との間に因果関係がないことについて、金融商品販売業者等が立証責任を負うことになる(図表3-24参照)。

図表3－24 金融サービス提供法の特則

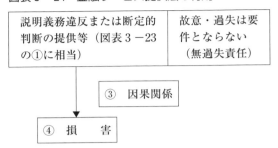

原告たる顧客が、金融商品販売業者等による説明義務違反または断定的判断の提供等を立証した場合は、金融商品販売業者等が③および④を覆す事実を立証する必要がある

第 5 節　信用格付業者規制

1　総　　論

　平成21年通常国会において成立した「金融商品取引法等の一部を改正する法律」（平成21年法律第58号）により、市場の公正性・透明性の確保の観点から、信用格付業者に対する公的規制が金商法に盛り込まれた。

　いわゆるサブプライムローン問題が顕在化した2007年半ば頃、欧米では多数の証券化商品について短期間に大幅な格下げが行われるという事態が生じた。このような状況から、証券化商品の格付のあり方がサブプライムローン問題に関する中心的な論点の1つとなり、国際的に格付会社に対する監督・規制を強化する動きが強まった。そして、国際的な動向もふまえて、わが国でも格付のあり方や格付会社に対する監督・規制に関する議論が進められ、最終的に金商法の改正によって信用格付業者に対する規制が導入されることとなった。

2　信用格付業者規制の概要

(1)　総　　論

　信用格付業者規制の立法に際して金融庁から公表された「金融商品取引法等の一部を改正する法律案の概要」では、信用格付業者に対する公的規制に関して次のようにまとめられている。

【金融商品取引法等の一部を改正する法律案の概要（抜粋）】

> Ⅰ　市場の公正性・透明性の確保
> ・信用格付業者に対する公的規制の導入
> ▶　信用格付業者に対する登録制の導入
> 　○信用格付業を公正かつ的確に遂行するための体制が整備された格付会社を登録
> ▶　信用格付業者に対する規制・監督
> 　○登録を受けた信用格付業者に対し以下を義務づけ
> 　　・誠実義務
> 　　・格付方針等の公表、説明書類の公衆縦覧の情報開示義務
> 　　・利益相反防止、格付プロセスの公正性確保等の体制整備義務
> 　　・格付対象の証券を保有している場合等の格付の提供の禁止
> 　○登録を受けた信用格付業者に対する報告徴求・立入検査、業務改善命令等の監督規定を整備
> ▶　無登録業者による格付を利用した勧誘の制限
> 　○金融商品取引業者等が、無登録業者による格付である旨等を説明することなく無登録業者による格付を提供して、金融商品取引契約の締結の勧誘を行うことを制限

(2)　「信用格付業者」の内容

　金商法では規制の対象となる「信用格付業者」の範囲に関して、「信用格付」（金商法2条34項）、「信用格付業」（同条35項）および「信用格付業者」（同条36項）の3つの用語の定義が定められている。

　「信用格付」とは、「金融商品[1]の信用状態」または「法人（これに類するものとして内閣府令で定めるもの[2]を含む）の信用状態」に関する評価の結果について、記号または数字（これらに類するものとして内閣府令で定めるもの[3]を含む）を用いて表示した等級のうち内閣府令で定めるもの[4]を除いたものとされている。定義上、「等級」に該当しないような各種の指標は信用格付

1　金商法2条24項参照。
2　①法人でない団体、②事業を行う個人、③法人または個人の集合体、④信託財産が指定されている（定義府令24条1項）。
3　順序を示す簡易な文章または文字が指定されている（定義府令24条2項）。

に該当しないことになる。

　「信用格付業」とは、信用格付を付与し、かつ、提供しまたは閲覧に供する行為（内閣府令で定めるもの[5]を除く）を業として行うこととされている。信用格付業に該当するには、信用格付を付与するだけでは足りず、提供し、または閲覧に供することが必要とされている。したがって、信用格付を内部的に利用するのみで、外部には提供せず、閲覧にも供しない場合には信用格付業に該当しないことになる。また、いわゆるプライベートレーティングを付与し、提供することについては、定義府令25条1号により「信用格付業」に該当しない場合もある。

　「信用格付業者」とは、金商法66条の27の規定により、内閣総理大臣の登録を受けた者とされている。金商法66条の27は、信用格付業を行う法人は登録を受けることが「できる」旨を定めており、同条の登録を受けないでも信用格付業を行うことが禁じられるわけではない。もっとも、後述のとおり、金融商品取引業者が無登録業者の付与した信用格付を利用する場合には一定の説明義務を負担することになるなど、無登録業者の付与した信用格付が利用しにくい制度となっており、信用格付業を営もうとする者に金商法66条の

4　①金利、通貨または商品の価格、金融商品市場における流動性および相場その他の指標に係る変動に関する評価の結果について表示した等級、②有価証券の発行者が行う資産の運用その他これに類似する事業の遂行能力に関する評価の結果について表示した等級、③債権の管理および回収に関する業務の遂行能力に関する評価の結果について表示した等級、④信託財産の管理能力その他信託業務の運営の適切性に関する評価の結果について表示した等級、⑤前記①〜④に掲げるもののほか、主として信用状態以外の事項に関する評価の結果について表示した等級が指定されている（定義府令24条3項）。

5　①格付関係者その他の者の要求に基づき信用格付を付与し、かつ、当該信用格付を当該格付関係者その他の者に対してのみ提供する行為（当該格付関係者その他の者が当該信用格付を第三者に提供し、または閲覧に供するおそれがない場合に限る）、②法人（中小企業基本法2条1項各号に掲げる中小企業者に該当する者であり、かつ、金商法193条の2第1項または2項の規定により監査証明を受けなければならない者以外の者その他これに類するものとしてあらかじめ定めて公表された範囲に属するものに限る）の信用状態に関する評価として、主として当該法人の信用状態に関する客観的な指標に基づきあらかじめ定められた計算方法により算定した結果について、記号または数字を用いて表示した等級を提供し、または閲覧に供する行為が指定されている（定義府令25条）。

27の登録を受けて業務を行うインセンティブを付与している。

(3) 信用格付業者に対する規制

信用格付業者に対しては、金商法第3章の3（66条の27～66条の49）に規制が定められている。信用格付業者は金融商品取引業者の一類型として規制の適用を受けるのではなく、金融商品取引業者とは別の業態として同法の規制が適用される。

信用格付業者に対する規制の内容を概観すると次のような規定が設けられている。

- ・登録（金商法66条の27～66条の31）
- ・誠実義務（金商法66条の32）
- ・業務管理体制の整備（金商法66条の33）
- ・名義貸しの禁止（金商法66条の34）
- ・禁止行為（金商法66条の35）
- ・格付方針等（金商法66条の36）
- ・業務に関する帳簿書類（金商法66条の37）
- ・事業報告書の提出（金商法66条の38）
- ・説明書類の縦覧（金商法66条の39）
- ・監督規定・雑則（金商法66条の40～66条の49）

金融商品取引業者と同様の登録制がとられており（ただし、前述のとおり、登録を受けることが「できる」制度となっている点に特色がある）、誠実義務、体制整備、禁止行為、情報開示などを規制の内容としている。

信用格付業者規制との関係で「資産証券化商品」の用語が定義されており[6]、資産証券化商品の信用格付に関しては、業務方法書、体制整備、格付方針、情報開示などの内容について他の商品の信用格付とは異なる取扱いが信用格付業者に求められる。特に信用格付業者に求められる体制整備の一環

として、第三者が信用格付の妥当性を評価するために重要と認められる情報の項目を整理して公表することや、オリジネーターなどの格付関係者に対し、資産証券化商品に関する情報の公表その他の第三者が信用格付の妥当性について検証することができるための措置を講じるよう働きかけを行い、かつ、働きかけの内容およびその結果について公表することといった措置をとることが求められており、信用格付業者以外の証券化の関係当事者の実務にも影響が生じる内容となっている。また、オリジネーターなどの格付関係者に関する一定の情報や損失、キャッシュフローおよび感応度の分析に関する情報の公表を信用格付業者が求められる点も証券化の実務に影響を与えるものである。

(4) 金融商品取引業者が無登録業者による格付を利用した場合の説明義務

信用格付業者の登録制度の実効性を高める観点から、金商法38条3号により、金融商品取引業者等には無登録業者の付与した信用格付を利用する場合の説明義務が課せられる。具体的には、金融商品取引業者等は、顧客に対し、登録を行った信用格付業者以外の信用格付業を行う者の付与した信用格付（内閣府令で定めるもの[7]を除く）について、一定の告知事項を告げることなく提供して、金融商品取引契約の締結の勧誘をすることが禁止される。

---

6 金商業等府令295条3項1号。キャッシュ型（現物型）とシンセティック型（合成型）の双方が含まれ、また、金商法の有価証券として取り扱われる社債、コマーシャル・ペーパー、信託受益権などの形態だけでなく、有価証券としては取り扱われない貸付債権の形態の商品も「資産証券化商品」の対象となる。

7 ①当該金融商品取引契約に係る資産証券化商品の原資産の信用状態に関する評価を対象とする信用格付（実質的に当該資産証券化商品の信用状態に関する評価を対象とする信用格付と認められる信用格付を除く）、②前記①のほか、当該金融商品取引契約に係る有価証券以外の有価証券または当該有価証券の発行者以外の者の信用状態に関する評価を主たる対象とする信用格付（実質的に当該金融商品取引契約に係る有価証券または当該有価証券の発行者の信用状態に関する評価を対象とする信用格付と認められる信用格付を除く）が指定されている（金商業等府令116条の2）。

金融商品取引業者等が無登録業者の付与した信用格付を提供する行為については、口頭、書面などの提供方法を問わず、規制の対象となる。

　また、金商法38条3号の文言上は、金融商品取引契約の対象となる商品に付与された信用格付に限らず、たとえば証券化商品の販売の場面では証券化商品の裏付資産に付与された信用格付を提供する行為についても、規制の対象となりうる内容となっている。もっとも、金商業等府令116条の2第1号により、資産証券化商品の原資産の信用状態に関する評価を対象とする信用格付は、原則として金商法38条3号の規制の対象から除外されており、裏付資産と証券化商品の信用状態が実質的に同一となるような商品を除き、証券化商品の裏付資産に付与された信用格付について、金商法38条3号の規制を考慮する必要はないと考えられる。

　なお、あくまでも所定の説明を行うことなく無登録業者の付与した信用格付を提供して、金融商品取引契約の締結等の勧誘をする行為が禁止されるだけであり、このような勧誘以外の場面では無登録業者の付与した信用格付を利用することが制限されるわけではない。

3　信用格付業者以外の証券化取引の関係者への影響

　金商法に定められる信用格付業者規制は、直接は格付会社を規律するものである。もっとも、オリジネーターや金融商品取引業者を中心とした他の証券化取引の関係者の実務にも一定の影響を与えることになる。

　まず、金商法38条3号により、金融商品取引業者等には無登録業者による信用格付を利用する場合の説明義務が課せられる。そのため、無登録業者による信用格付を利用する場合の説明が負担となったり、あるいは、積極的に無登録業者による信用格付を利用しようとしない場合であっても、顧客に対する説明のなかに規制の対象となりうる「信用格付」が含まれないことを確認するための事務負担が生じたりすることになる。

　次に、金商法66条の35第2号により、信用格付業者には、一定の助言行為

を行った場合に、信用格付を提供し、または閲覧に供してはならないとする助言行為の禁止に関する規制が課せられる。この規制の趣旨は、格付会社から提案・推奨された内容に従って組成された金融商品に高い信用格付が付与されるのでは、格付会社の独立性・公正性が損なわれかねないことから、そのような弊害を防ぐことにあると考えられる。この点、証券化商品の組成に際しては、案件関係者と格付会社が相互にコミュニケーションをとりながら、信用格付の付与のプロセスがとられることも多い。適切な範囲でこのようなコミュニケーションがなされる限りは、前述の弊害を引き起こすものではなく、信用格付業者規制の対象とすべきではないと考えられるが、コミュニケーションは言葉のキャッチボールの様相があり、一部分だけを切り出してみると格付会社から案件関係者に対する助言がなされていると評価できる場合も想定される。そこで、この規制により、格付会社とのコミュニケーションが制限され、証券化商品の組成に影響を及ぼす可能性もあると考えられる。このような影響もふまえて、金商法66条の35第2号の規制については、格付関係者の求めに応じて信用格付業者が一定の対応をすることについては、規制の対象から除外する手当が立法的になされている。

　また、信用格付業者には、証券化商品に関する一定の事項を公表することが義務づけられていることに加えて、オリジネーターなどの格付関係者に対し、資産証券化商品に関する情報の公表その他の第三者が信用格付の妥当性について検証することができるための措置を講じるよう働きかけを行い、かつ、働きかけの内容およびその結果について公表する措置をとることが求められている。そのため、信用格付業者がこれらの規制を履践することに伴って、オリジネーターその他の証券化取引の関係者には間接的に情報提供・開示の対応が求められることになる。

第 6 節

バーゼルIIIにおける証券化取引の取扱い

1 はじめに

　本邦における証券化・流動化市場では、銀行等の預貯金取扱金融機関[1]が、オリジネーターとしても投資家としても、重要なプレーヤーとして活躍している。これらの金融機関や銀行持株会社には、経営の健全性を図る見地から、自己資本比率規制が課されている[2]。自己資本比率規制は、資産等によるリスクに対して自己資本の割合を一定以上に保つことを求めるものである。

　自己資本比率を向上させるには、分子となる自己資本を増やす方法と、分母となる資産を減らす方法がある。他方、留保利益の減少などにより自己資本が減少する場合や、資産の購入などにより保有する資産が増える場合には、自己資本比率は低下する。

　銀行等がオリジネーターとして証券化・流動化に関与する場合、自らが保有する資産を減少させることにより、自己資本比率の向上を期待することができる。この場合は、オリジネーター（およびそのアドバイザー等）は、本邦規

---

[1] 銀行のほか、株式会社商工中央金庫と協同組織金融機関（信用金庫、信用金庫連合会（信金中央金庫）、信用協同組合、信用協同組合連合会（全国信用協同組合連合会）、労働金庫、労働金庫連合会および系統金融機関（農林中央金庫、信用事業を行う農業協同組合、信用事業を行う漁業協同組合、信用農業協同組合連合会および信用漁業協同組合連合会））が該当する。以下、単に「銀行等」という。

[2] 同様の観点から、第一種金融商品取引業を行う金融商品取引業者および最終指定親会社（注7参照）については自己資本比率規制が、保険会社・外国保険会社等・免許特定法人・少額短期保険業者および保険持株会社に対してはソルベンシー・マージン比率規制が、それぞれ課されており、これらについても留意を要する。これらのうち、最終指定親会社については、銀行等と同様の自己資本比率規制が適用される。

制上、信用リスクの移転または削減が認められ、銀行等の意図するとおりの自己資本比率の向上が果たされているかを案件組成時に検討する必要がある。

他方、銀行等が投資家として関与する場合には、銀行等がリスク資産を新たに保有することにより、自己資本比率が低下する。この場合は、新たに保有する資産が自己資本比率規制上どのように評価されるのかに留意する必要がある。

さらに、近年は、銀行等に対するバーゼルⅢに基づく健全性規制として、自己資本比率規制に加え、レバレッジ比率規制、流動性規制およびTLAC規制も導入されているところであり[3]、銀行等が証券化・流動化に関与する場合、これらの規制との関係についても留意する必要が生じている。

本節では、このような健全性規制における証券化取引の取扱いについて、自己資本比率規制を中心に解説する。

2 バーゼルⅢに基づく健全性規制の概要

(1) バーゼル合意

自己資本比率規制は、バーゼル銀行監督委員会[4]における国際的に活動する銀行の健全性規制に関する国際合意（バーゼル合意[5]）に基づいて、日本を含む各国の国内法制において定められている。

歴史をたどると、もともとはバーゼル銀行監督委員会により1988年7月に公表された「自己資本比率の測定と基準に関する国際的統一化」（International Convergence of Capital Measurement and Capital Standards）と題する国

---

[3] これらの規制は最終指定親会社についても導入されている。
[4] バーゼル銀行監督委員会（略称は、バーゼル委員会またはBCBS）は、1974年にG10諸国の中央銀行総裁らにより創設された銀行監督に関する国際的な協議の場であり、銀行の健全性規制に関する国際基準を策定・公表している。現在は28の国・地域の当局が参加しており、日本からは金融庁と日本銀行が参加している。事務局はスイスのバーゼル所在の国際決済銀行（BIS）に置かれている。
[5] バーゼル規制やBIS規制とも呼ばれる。ただし、前注記載のとおり、BIS（国際決済銀行）はバーゼル銀行監督委員会とは異なる組織である。

際合意（いわゆるバーゼルⅠ）に基づくものであったが、その後、これが大幅に改訂され、2004年6月26日に「自己資本の測定と基準に関する国際的統一化：改訂された枠組」（International Convergence of Capital Measurement and Capital Standards: A Revised Framework）（いわゆるバーゼルⅡ）が公表された。その後、いわゆるサブプライムローン問題に端を発するグローバル金融危機を契機として見直しが行われ、2009年7月の「バーゼルⅡの枠組みの強化」（Enhancements to the Basel II framework）（いわゆるバーゼル2.5）により再証券化エクスポージャーに対する取扱いが厳格化されるなどし、さらに2010年12月の「バーゼルⅢ：より強靭な銀行および銀行システムのための世界的な規制の枠組み」（Basel III: A global regulatory framework for more resilient banks and banking systems）（いわゆるバーゼルⅢ）によって自己資本の再定義やレバレッジ比率規制および流動性規制の導入が行われている。その後も継続的に見直しが続けられ、たとえば、2013年1月には「バーゼルⅢ流動性カバレッジ比率及び流動性リスクモニタリングツール」（Basel III: The Liquidity Coverage Ratio and liquidity risk monitoring tools）が、2014年10月には「バーゼルⅢ安定調達比率」（Basel III: the net stable funding ratio）が、2014年12月には「証券化商品の資本賦課枠組みの見直し」（Revisions to the securitisation framework）が、2016年7月にはその改訂版（Revisions to the securitisation framework: Amended to include the alternative capital treatment for "simple, transparent and comparable" securitisations）が、2016年10月には「TLAC保有」（TLAC holdings）が、2018年5月には「簡素で、透明性が高く、比較可能な短期証券化商品の自己資本規制上の取扱い」（Capital treatment for short-term "simple, transparent and comparable" securitisations）が、それぞれ公表された。そして、2017年12月には「バーゼルⅢの最終規則文書」（Basel III: Finalising post-crisis reforms）が、2019年1月には「マーケット・リスクの最低所要自己資本」（Minimum capital requirements for market risk）が公表された（いわゆるバーゼルⅢの最終化）。

以下では、わが国におけるバーゼルⅢに基づく自己資本比率規制その他の健全性規制の概要を解説する。

⑵　**自己資本比率規制**

わが国においては、バーゼル合意をふまえた内容の自己資本比率規制が、銀行等の預貯金取扱金融機関、銀行持株会社および最終指定親会社[6]を対象に導入されており、その基準については、それぞれの業法の規定（たとえば、銀行法14条の2）およびこれに基づく告示（たとえば、「銀行法第十四条の二の規定に基づき銀行がその保有する資産等に照らし自己資本の充実の状況が適当であるかどうかを判断するための基準」（銀行告示）において定められている。その解釈については、金融庁の考え方を整理したQ&A（「自己資本比率規制に関するQ&A」（以下「自己資本比率規制Q&A」という）など））が参考になる。

なお、実務上の対応を図るうえでは、これらのほか、金融庁の定めた監督指針（たとえば、主要行等向けの総合的な監督指針（以下「主要行等監督指針」という）Ⅲ－2等）の規定やディスカッション・ペーパー（「金融システムの安定を目標とする検査・監督の考え方と進め方（健全性政策基本方針）」（平成31年3月））、各改正の際のパブリックコメントの結果として示される金融庁の考え方（いわゆる「パブコメ回答」）、策定の根拠となったバーゼル合意やこれに関連してバーゼル銀行監督委員会から公表されるその他の文書が参考になる場合もある。

バーゼル合意の対象は国際的に活動する銀行に限られることから、日本においてバーゼルⅢの内容に即した自己資本比率基準（国際統一基準）の適用を受けるのは、海外営業拠点（海外支店または海外現地法人）を有する銀行、海外拠点を有する銀行（または外国所在の金融機関でバーゼル合意に基づく自己資本比率の基準もしくは類似の基準の適用を受けるもの）を子会社とする銀行持

---

[6] 金商法57条の12第3項において定義され、主要な証券会社グループの持株会社が指定されている。

株会社、株式会社商工中央金庫、農林中央金庫および最終指定親会社[7]（いわゆる「国際基準行」）に限られており、その他の金融機関（海外営業拠点を有しない銀行およびその銀行持株会社ならびに農林中央金庫以外の協同組織金融機関。いわゆる「国内基準行」）については国際統一基準とは異なる自己資本比率基準（国内基準）が設けられている。

国際統一基準と国内基準は、いずれも連結ベースと単体ベースで定められており（ただし、銀行持株会社と最終指定親会社は連結ベースのみ）、その概要は、銀行の場合を例にとると図表3－25および図表3－26のとおりである[8]。

自己資本比率規制のもとでは、対象となる金融機関等は、その有する各資

図表3－25　国際統一基準

① 普通株式等Tier1比率

$$= \frac{普通株式等Tier1資本}{信用リスク・アセットの額の合計額 + マーケット・リスク相当額の合計額 \times 12.5 + オペレーショナル・リスク相当額の合計額 \times 12.5} \geq 4.5\%$$

② Tier1比率

$$= \frac{普通株式等Tier1資本 + その他Tier1資本}{信用リスク・アセットの額の合計額 + マーケット・リスク相当額の合計額 \times 12.5 + オペレーショナル・リスク相当額の合計額 \times 12.5} \geq 6\%$$

③ 総自己資本比率

$$= \frac{普通株式等Tier1資本 + その他Tier1資本 + Tier2資本}{信用リスク・アセットの額の合計額 + マーケット・リスク相当額の合計額 \times 12.5 + オペレーショナル・リスク相当額の合計額 \times 12.5} \geq 8\%$$

図表3－26　国内基準

自己資本比率

$$= \frac{自己資本の額}{信用リスク・アセットの額の合計額 + マーケット・リスク相当額の合計額 \times 25 + オペレーショナル・リスク相当額の合計額 \times 25} \geq 4\%$$

---

[7] このほか、信用金庫連合会についても、仮に海外拠点を有することとなった場合には国際統一基準の適用を受けることとなる。

[8] 銀行告示2条、16条。

産について信用リスク・アセットの額を自ら計算する[9]。これを計算する手法には、バーゼルⅠ規制以来の枠組みを踏襲した標準的手法（SA）と金融機関等の内部データを利用する内部格付手法（IRB）がある。同一の取引を行う場合であっても、選択する手法により個々の金融商品に係る信用リスク・アセットの額は異なりうる。

　信用リスク・アセットの額の計算方法は、エクスポージャーの種類ごとに定められているが、各エクスポージャーの額に当該エクスポージャーに応じた所定のリスク・ウェイトを乗じることによって算出するなどの方法がとられる。たとえば、AAA（Aaa）の長期格付を付された証券化エクスポージャー（再証券化エクスポージャーでないもの）のリスク・ウェイトは、後述のとおり、外部格付準拠方式による場合は15～20％とされており、適格STC証券化エクスポージャーに該当する場合には10％となる。

　自己資本比率が最低所要自己資本比率を下回った場合には、図表3－27のように、その程度の区分に応じて早期是正措置命令の対象となる。

　また、バーゼルⅢのもとでは、国際基準行に対して資本バッファーの上積みが求められている[10]。具体的には、普通株式等Tier1比率からその所要比率である4.5％を控除したもの（さらに、その他Tier1資本の比率が1.5％に満たない場合またはTier2資本の比率が2％に満たない場合にはそれぞれの不足額を控除したもの）について、①資本保全バッファー比率（2.5％）と②カウンター・シクリカル・バッファー比率の合計額以上となることが求められる。さらに、G-SIBs（金融安定理事会（FSB）により「グローバルなシステム上重要な銀行」（Global Systemically Important Banks）に選定された銀行等）およびD-SIBs（各国金融当局により「国内のシステム上重要な銀行」（Domestic Systemically Important Banks）に選定された銀行等）に該当する銀行持株会社、

9　ただし、特定取引勘定（いわゆるトレーディング勘定。たとえば、銀行法施行規則13条の6の3）に経理される資産については、信用リスク・アセットの額ではなく、マーケット・リスク相当額を算出し、自己資本比率の分母に算入される。
10　たとえば、銀行告示2条の2、14条の2。

図表3−27　銀行の自己資本比率の区分と早期是正措置命令[11]

国際基準行の連結・単体 ① 普通株式等Tier1比率 ② Tier1比率 ③ 総自己資本比率	国内基準行の連結・単体自己資本比率	早期是正措置命令の概要（原則）
① 4.5％以上 ② 6％以上 ③ 8％以上	4％以上	
① 2.25％以上4.5％未満 ② 3％以上6％未満 ③ 4％以上8％未満	2％以上4％未満	経営改善計画（原則として資本増強措置を含む）の提出・実行
① 1.13％以上2.25％未満 ② 1.5％以上3％未満 ③ 2％以上4％未満	1％以上2％未満	・資本増強計画の提出・実行 ・配当・役員賞与の禁止・額の抑制 ・総資産の圧縮・増加抑制 ・不利な条件の預金・定期積金等の受入れの禁止・抑制 ・一部の営業所における業務の縮小 ・本店を除く一部の営業所の廃止 ・子会社等の業務の縮小【連結の場合】 ・子会社等の株式・持分の処分【連結の場合】 ・固有業務以外の業務の縮小・新規取扱い禁止 ・その他金融庁長官が必要と認める措置
① 0％以上1.13％未満 ② 0％以上1.5％未満 ③ 0％以上2％未満	0％以上1％未満	自己資本の充実、大幅な業務の縮小、合併または銀行業の廃止等の措置のいずれかの選択・実施
① 0％未満 ② 0％未満 ③ 0％未満	0％未満	業務の全部または一部の停止

11　銀行法第二十六条第二項に規定する区分等を定める命令（平成12年総理府・大蔵省令第39号。以下「銀行法区分命令」という）1条1項1号、2項1号。

農林中央金庫および最終指定親会社については、最低資本バッファー比率が各金融機関等のシステム上の重要性に応じて加重される（図表3-28参照）。

　資本バッファー比率が最低資本バッファー比率を下回った場合には、図表3-29記載のように、その程度の区分に応じて、剰余金の配当や役員賞与などの社外流出額を制限する内容を含む資本バッファー比率を回復するための改善計画（社外流出制限計画）の提出・実行を内容とする社外流出制限措置命令を受けることとなる。

図表3-28　資本バッファー比率規制の概要[12]

資本バッファー比率

$$= \left(\frac{普通株式等}{Tier1比率} - 4.5\% \right)$$

$$- max\left(1.5\% - \frac{その他Tier1資本の額}{信用リスク・アセットの額の合計額 + マーケット・リスク相当額の合計額 \times 12.5 + オペレーショナル・リスク相当額の合計額 \times 12.5}, 0 \right)$$

$$- max\left(2\% - \frac{Tier2資本の額}{信用リスク・アセットの額の合計額 + マーケット・リスク相当額の合計額 \times 12.5 + オペレーショナル・リスク相当額の合計額 \times 12.5}, 0 \right)$$

≧最低資本バッファー比率

$$= 資本保全バッファー比率 + カウンター・シクリカル・バッファー比率 + max(G\text{-}SIBsバッファー比率, D\text{-}SIBsバッファー比率)$$

(注)　1.　資本保全バッファー比率：2.5％。
　　　2.　カウンター・シクリカル・バッファー比率：国・地域の金融当局の定める比率（0～2.5％。本邦は0％）の、当該国・地域に係る信用リスク・アセットの額による加重平均。

---

[12]　「銀行法第五十二条の二十五の規定に基づき、銀行持株会社が銀行持株会社及びその子会社の保有する資産等に照らしそれらの自己資本の充実の状況が適当であるかどうかを判断するための基準第二条の二第五項第一号及び第二号の規定に基づき、金融庁長官が別に指定する銀行持株会社及びその子会社等及び金融庁長官が別に定める比率」（平成27年金融庁告示第80号）、「農林中央金庫がその経営の健全性を判断するための基準第二条の二第五項第二号に規定する農林水産大臣及び金融庁長官が別に定める比率」（平成27年金融庁・農林水産省告示第8号）、「最終指定親会社及びその子法人等の保有する資産等に照らし当該最終指定親会社及びその子法人等の自己資本の充実の状況が適当であるかどうかを判断するための基準第二条の二第五項第二号の規定に基づき、金融庁長官が別に指定する最終指定親会社及びその子法人等及び金融庁長官が別に定める比率」（平成27年金融庁告示第81号）。

図表3−29　資本バッファー比率の区分と社外流出制限措置命令[13]

連結・単体資本バッファー比率	社外流出制限措置命令における社外流出額の制限額
最低資本バッファー比率の100％以上	N/A
最低資本バッファー比率の75％以上100％未満	調整税引後利益の60％
最低資本バッファー比率の50％以上75％未満	調整税引後利益の40％
最低資本バッファー比率の25％以上50％未満	調整税引後利益の20％
最低資本バッファー比率の25％未満	零

(3) レバレッジ比率規制

　レバレッジ比率規制は、金融危機においてリスクベースの自己資本比率規制のみでは銀行における過度のレバレッジの積み上がりを防止できなかったことの反省に基づき、自己資本比率の補完的指標として簡素でノンリスクベースの指標を導入し、一定水準以上の維持を求めるものである。

　わが国では、バーゼル合意に基づく内容のレバレッジ比率規制が、国際基準行を対象に平成30年度から導入されている。その基準については、それぞれの業法の規定（たとえば、銀行法14条の2）およびこれに基づく告示（たとえば、「銀行法第十四条の二の規定に基づき、銀行がその保有する資産等に照らし自己資本の充実の状況が適当であるかどうかを判断するための基準の補完的指標として定めるレバレッジに係る健全性を判断するための基準」（平成31年金融庁告示第11号。以下「銀行レバレッジ比率告示」という））において定められている。その解釈については、金融庁の考え方を整理した「レバレッジ比率告示に関するQ&A」が参考になる。

　レバレッジ比率規制は連結ベースと単体ベースとで定められているが、その概要は図表3−30のとおりである。

13　たとえば、銀行法区分命令1条1項2号、2項2号。

また自己資本比率規制と同様に、レバレッジ比率が最低比率（3％）を下回った場合には、その程度に応じて早期是正措置命令の対象となる（図表3-31参照）。

図表3-30　レバレッジ比率規制の概要[14]

$$レバレッジ比率 = \frac{資本の額}{総エクスポージャーの額} \geq 3\％$$

図表3-31　国際基準行である銀行のレバレッジ比率の区分と早期是正措置命令[15]

連結・単体 レバレッジ比率	早期是正措置命令の概要（原則）
3％以上	
1.5％以上3％未満	経営改善計画（原則として資本増強措置を含む）の提出・実行
0.75％以上1.5％未満	・資本増強計画の提出・実行 ・総資産の圧縮・増加抑制 ・不利な条件の預金・定期積金等の受入れの禁止・抑制 ・一部の営業所における業務の縮小 ・本店を除く一部の営業所の廃止 ・子会社等の業務の縮小【連結の場合】 ・子会社等の株式・持分の処分【連結の場合】 ・固有業務以外の業務の縮小・新規取扱い禁止 ・その他金融庁長官が必要と認める措置
0％以上0.75％未満	自己資本の充実、大幅な業務の縮小、合併または銀行業の廃止等の措置のいずれかの選択・実施
0％未満	業務の全部または一部の停止

14　たとえば、銀行レバレッジ比率告示2条、5条、「銀行法第十四条の二の規定に基づき、銀行がその保有する資産等に照らし自己資本の充実の状況が適当であるかどうかを判断するための基準の補完的指標として定めるレバレッジに係る健全性を判断するための基準第二条第二項の規定に基づき、金融庁長官が別に定める比率」（令和2年金融庁告示第33号）。
15　銀行法区分命令1条1項3号、2項3号。

(4) 流動性比率規制

流動性比率規制は、流動性カバレッジ比率規制と安定調達比率規制から構成される。

a 流動性カバレッジ比率規制

流動性カバレッジ比率規制は、金融危機など継続するストレス下においても銀行等が流出する資金以上に流動資産を確保し通常の業務を継続できることを目的として、流動性カバレッジ比率を一定水準以上に保つことを求めるものである。

わが国では、バーゼル合意に基づく内容の流動性カバレッジ比率規制が、国際基準行を対象に平成30年度から導入されている。その基準については、それぞれの業法の規定（たとえば、銀行法14条の2）およびこれに基づく告示（たとえば、「銀行法第十四条の二の規定に基づき、銀行がその経営の健全性を判断するための基準として定める流動性に係る健全性を判断するための基準」（平成26年金融庁告示第60号。以下「銀行流動性比率告示」という））において定められている。その解釈については、金融庁の考え方を整理した「流動性比率規制に関するQ&A」が参考になる。

流動性カバレッジ比率規制は連結ベースと単体ベースで定められているが、その概要は図表3－32のとおりである。

分子である「算入可能適格流動資産の合計額」は、ストレス時においても大きく減価することなしに換金できる資産であって換金に係る障害がないものを、その流動性の高さに応じて分類した適格レベル1資産、適格レベル2A資産および適格レベル2B資産のそれぞれについて、当該資産の流動性の

図表3－32 流動性カバレッジ比率規制の概要[16]

$$流動性カバレッジ比率 = \frac{算入可能適格流動資産の合計額}{純資金流出額} \geq 100\%$$

---

16 銀行流動性比率告示2条、4条、8条。

度合いに応じた算入率（掛目）を乗じたうえで算出されるが、適格レベル2A資産および適格レベル2B資産については合計で算入可能適格流動資産の全体の40％に至るまでしか算入できず、適格レベル2B資産については全体の15％までしか算入ができない[17]。

分母である純資金流出額は資金流出額から資金流入額（当該額が資金流出額に75％を乗じて得た額を上回る場合には、当該乗じて得た額）を減じて得た額である[18]。資金流出額は資金流出の原因となる取引関係の種類に応じてその金額に所定の資金流出率を乗じて得た額を合計した額であり[19]、資金流入額は資金流入の原因となる取引関係の種類に応じてその金額に所定の資金流入率を乗じて得た額を合計した額である[20]。

流動性カバレッジ比率が最低水準を下回った場合には、業務改善命令の対象となりうる[21]。

b　安定調達比率規制

安定調達比率規制は、流動性が低く売却が困難な資産を保有する場合には、これに対応して中長期的に安定した調達（資本・負債）を求めるものである。

わが国では、バーゼル合意に基づく内容の安定調達比率規制が、国際基準行を対象に令和3年度中間期から導入されている。その基準については、それぞれの業法の規定（たとえば、銀行法14条の2）およびこれに基づく流動性カバレッジ比率規制と同じ告示（たとえば、銀行流動性比率告示）において定められている。その解釈については、金融庁の考え方を整理した「流動性比率規制に関するQ&A」が参考になる。

安定調達比率規制は連結ベースと単体ベースで定められているが、その概

17　銀行流動性比率告示3条、8条。
18　銀行流動性比率告示4条、8条。
19　銀行流動性比率告示18条。
20　銀行流動性比率告示61条。
21　たとえば、主要行等監督指針Ⅲ-2-3-4-4-3-2(2)。

図表3−33 安定調達比率規制の概要[22]

$$安定調達比率 = \frac{利用可能安定調達額}{所要安定調達額} \geq 100\%$$

要は、図表3−33のとおりである。

なお、分子である利用可能安定調達額は負債または資本の種類ごとにその額に所定の算入率を乗じて得た額の合計額であり、分母である所要安定調達額の種類ごとにその額に所定の算入率を乗じて得た額の合計額である[23]。

安定調達比率が最低水準を下回った場合には、業務改善命令の対象となりうる[24]。

(5) TLAC規制

TLAC規制は、G-SIBsに該当する金融機関が万一危機に陥った場合に、当該金融機関の債権者等に損失を負担させ、かつ、資本の再構築を行うことにより、当該金融機関の重要な機能を維持しつつ秩序ある処理を行うことを目的とした国際的な枠組みにおいて、対象となる各金融機関に一定の総損失吸収力（total loss absorbing capacity：TLAC）を有する資金調達を求めるものである。

わが国では、金融安定理事会における国際合意に基づく内容のTLAC規制が、国内の金融システムに与える影響が特に大きいと認められる銀行持株会社および最終指定親会社金融機関国際基準行を対象に、前者については平成30年度（完全適用は令和3年度）から、後者については令和2年度（完全適用は令和5年度）から導入されている。その基準については、それぞれの業法の規定（銀行法52条の25および金融商品取引法57条の17第1項）およびこれに基

---

22 銀行流動性比率告示74条、78条。
23 銀行流動性比率告示76条、77条。
24 たとえば、主要行等監督指針Ⅲ−2−3−4−4−3−2(2)。

づく告示(「銀行法第五十二条の二十五の規定に基づき銀行持株会社が銀行持株会社及びその子会社等の経営の健全性を判断するための基準として定める総損失吸収力及び資本再構築力に係る健全性を判断するための基準であって銀行の経営の健全性の判断のために参考となるべきもの」(平成31年金融庁告示第9号)。以下「銀行持株会社TLAC1柱告示」という)および「金融商品取引法第五十七条の十七第一項の規定に基づき最終指定親会社が最終指定親会社及びその子法人等の経営の健全性を判断するための基準として定める総損失吸収力及び資本再構築力に係る健全性の状況を表示する基準」(平成31年金融庁告示第10号)において定められている[25]。

TLAC規制においては、グループの外部総損失吸収力および資本再構築力に係る最低所要基準を定める外部TLAC比率規制と、主要子会社グループに係る内部総損失吸収力および資本再構築力に係る最低所要基準を定める内部TLAC額規制が定められている。

外部TLAC比率規制の概要は、完全適用後においては図表3-34のとおりである。

内部TLAC額規制においては、各主要子会社について、その損失をグループ内で負担させるため、一定の内部TLAC額が求められる。たとえば、国際

図表3-34 外部TLAC比率規制の概要[26]

リスク・アセットベース外部TLAC比率

$$= \frac{\text{外部TLACに係る基礎項目の額} - \text{外部TLACに係る調整項目の額}}{\text{連結自己資本比率規制上のリスク・アセットの額}} \geq 18\%$$

総エクスポージャーベース外部TLAC比率

$$= \frac{\text{外部TLACに係る基礎項目の額} - \text{外部TLACに係る調整項目の額}}{\text{連結レバレッジ比率規制上の総エクスポージャーの額}} \geq 6.75\%$$

---

25 銀行に対するものとして、「銀行法第十四条の二の規定に基づき銀行がその経営の健全性を判断するための基準として定める総損失吸収力及び資本再構築力に係る健全性を判断するための基準」(平成31年3月31日金融庁告示第8号)が定められているが、本書の執筆時点において適用対象となる銀行は指定されていない。
26 たとえば、銀行持株会社TLAC1柱告示2条、1条10号、11号、別表。

統一基準行である主要子会社の場合、完全適用後であれば、内部TLAC額の最低所要額は、①当該主要子会社グループに係る連結自己資本比率規制上のリスク・アセットの額×8％×2.25×内部TLAC水準調整係数（いずれも75％）と②当該主要子会社グループに係る連結自己資本比率規制上の総エクスポージャーの額×3％×2.25×内部TLAC水準調整係数（いずれも75％）のうちいずれか大きい額である[27]。

これらの基準を満たさない場合の措置は以下のとおりである。まず、総エクスポージャーベース外部TLAC比率が最低所要比率を下回った場合には業務改善命令の対象となりうる[28]。他方、リスク・アセットベース外部TLAC比率については、計算上、外部TLACが不足する場合には資本バッファーが外部TLACに充当されることから、基本的には資本バッファー比率規制に基づく社外流出制限措置によって（場合によっては自己資本比率規制に基づく早期是正措置命令によって）健全性を回復することが期待されることになる[29]。内部TLACについては、その所要額を満たしているか否かもふまえ、必要に応じて業務改善命令等により内部TLACの追加配賦が求められることとなる[30]。

3 自己資本比率規制上の証券化取引の取扱い

以下では、現行の自己資本比率規制上の証券化取引の取扱いについて、銀行の場合を例に説明する。

（1） 基本概念

a 証券化取引と証券化エクスポージャー

自己資本比率規制上、「証券化エクスポージャー」は「証券化取引に係る

---

27 銀行持株会社TLAC1柱告示5条1項。
28 たとえば、主要行等監督指針Ⅲ-11-6-1-2③イd。
29 注28参照。
30 たとえば、主要行等監督指針Ⅲ-11-6-1-2④ロe。

エクスポージャー」と定義され[31]、さらに「証券化取引」は「原資産に係る信用リスクを優先劣後構造の関係にある二以上のエクスポージャーに階層化し、その一部又は全部を第三者に移転する性質を有する取引」から「特定貸付債権に該当するもの」を除くものと定義される[32]。

証券化取引は、資産譲渡型証券化取引と合成型証券化取引に分類される。「資産譲渡型証券化取引」とは、「証券化取引であって、原資産の全部又は一部が証券化目的導管体に譲渡されており、当該取引における投資家に対する支払の原資が当該原資産からのキャッシュ・フローであるもの」と定義される[33]。他方、「合成型証券化取引」とは、「証券化取引であって、原資産の信用リスクの全部又は一部が原資産を参照債務とするクレジット・デリバティブ、原資産に対する保証又は原資産を被担保債権とする質権の設定その他これらに類する方法により移転されており、投資家が原資産の信用リスクを負担しているもの」と定義される[34]。シンセティックCDOなどが想定されている。

「原資産」とは、資産譲渡型証券化取引においては「オリジネーターその他の者が証券化目的導管体に譲渡する資産」として、合成型証券化取引においては「クレジット・デリバティブの原債権、被保証債権又は被担保債権等」として、定義されている[35]。なお、原資産と似て非なる概念として「裏付資産」があり、これは、「証券化エクスポージャーに係る元利金の支払の原資となる資産を総称していう」ものと定義されている[36]。

上記の定義上、証券化エクスポージャーに該当するか否かの判断において

---

[31] 銀行告示1条16号。
[32] 銀行告示1条2号。なお、特定貸付債権（プロジェクト・ファイナンス、オブジェクト・ファイナンス、コモディティ・ファイナンスおよび事業用不動産向け貸付けをいう。銀行告示1条47号）は内部格付手法についてのみ適用される概念であるため、標準的手法においては、内部格付手法であれば特定貸付債権に該当するものであっても証券化エクスポージャーからは除外されない。
[33] 銀行告示1条67号。
[34] 銀行告示1条72号。
[35] 銀行告示1条22号。

は、（特定貸付の点を除けば、）①ノン・リコースおよび②優先劣後構造の２つの特徴をともに有するか否かが問われることとなる。

「ノン・リコース」とは、通常、信用供与の返済原資が一定の責任財産に限定され、責任財産のみからでは当該信用供与の返済ができなかったとしても、オリジネーターに遡及（リコース）できない形態をいう。証券化取引では、通常、投資家は証券化目的導管体（SPE）に対して債務の履行を請求することができるにとどまり、オリジネーターに対しては原則として遡及できないが、このような仕組みにおいては、当該信用供与のリスクは、オリジネーターの信用度（信用リスク）ではなく、裏付けとなっている特定の資産のキャッシュフローに依拠することになる。

「優先劣後構造」とは、裏付けとなる資産から得られるキャッシュフローが、あらかじめ契約で定められた支払順序（いわゆるウォーター・フォール）に従って優先部分への支払から劣後部分への支払へと割り当てられる仕組みをいう。逆にいえば、キャッシュフローが割り当てられる順序と逆の順序で損失が割り当てられることになる。このような階層的な仕組みにおいては、優先部分に対する契約上の支払を妨げることなく劣後部分が損失を吸収することになる[37]。

自己資本比率規制においては、標準的手法と内部格付手法のそれぞれについて、各資産項目（たとえば内部格付手法の場合は、事業法人向けエクスポージャー、ソブリン向けエクスポージャー、金融機関等向けエクスポージャー、居住用不動産エクスポージャー、適格リボルビング型リテール向けエクスポージャー、その他リテール向けエクスポージャーおよび株式等エクスポージャー）について信用リスク・アセットの額の計算方法が定められているが、証券化エクスポージャーについては、上記のようなリスク特性にかんがみ、これら

---

[36] 銀行告示1条65号。たとえば、銀行がその有するローン債権についてSPCによる保証を受けることで合成型証券化取引を組成する場合、「原資産」は当該ローン債権を指し、「裏付資産」は当該SPCが当該銀行に対して有する保証料債権を指すこととなる。
[37] 以上につき、自己資本比率規制Q&A164頁（第1条-Q3）。

とは別個に、独自の信用リスク・アセットの額の計算方法が定められている[38]。

個々の金融商品が証券化エクスポージャーに該当するか否かの検討に際しては、上記の定義、趣旨をふまえることになるが、自己資本比率規制Q&Aでは、図表3-35のように、証券化商品やファンドの類型ごとに証券化エクスポージャーに当たるか否かについての金融庁の考え方を示している。

b 再証券化取引と再証券化エクスポージャー

いわゆるバーゼル2.5により、証券化エクスポージャーのなかでも再証券化エクスポージャーは、後述のように通常の証券化エクスポージャーよりも信用リスク・アセットの額を大きく計上することが求められるため[39]、証券化スキームの検討にあたっては十分に検討を要する[40]。

「再証券化エクスポージャー」とは、「再証券化取引に係るエクスポージャー」と定義されており[41]、「再証券化取引」とは、原資産の一部または全部が証券化エクスポージャーである取引をいうが、以下のイおよびロは除かれる[42]。

> イ 原資産の全部が証券化エクスポージャーである証券化取引であって、当該証券化取引に係るエクスポージャーのキャッシュフローが、いかなる状況においても、証券化エクスポージャーを含まない一の原資産プールによる一の証券化取引に係るエクスポージャーのキャッシュフローとして再現できるもの
> ロ 日本国政府、わが国の地方公共団体または銀行告示61条1項に規定

---

[38] 銀行告示第8章。
[39] いわゆるトレーディング勘定に経理される場合のマーケット・リスク相当額の算出においても不利に取り扱われる。
[40] 以下の記述につき、斎藤創=徳安亜矢=芝章浩「バーゼル2.5が証券化スキームにもたらす影響」金融法務事情1924号30頁(平成23年)も参照。
[41] 銀行告示1条16号の2。
[42] 銀行告示1条2号の2。

図表3－35　自己資本比率規制Q&Aにおいて示された証券化商品・ファンドの取扱い

不動産証券化商品・ファンドの取扱い事例（注1）

主要な不動産証券化・ファンドのスキーム	①ノン・リコース（注2）	②優先劣後構造（注2）	標準的手法	内部格付手法
●上場不動産会社：株式会社	△	×	デット：法人等／不動産取得等事業向け（65条、70条） エクイティ：出資等（76条）	デット：事法等 エクイティ：株式等
●上場不動産ファンド：上場J－REIT	△	×	デット：不動産取得等事業向け（70条） エクイティ：出資等（76条）	デット：事法等 特定貸付債権 エクイティ：株式等
●私募ファンド：不動産投資法人	△	△	デット：不動産取得等事業向け（70条） エクイティ：ファンド（ルックスルー）	デット：特定貸付債権 エクイティ：株式等
●私募ファンド：匿名組合（TK）＋有限会社（YK）／株式会社（KK）	△	○		
●不動産証券化（裏付資産は不動産・信託受益権）：TK＋YK／KK	○	○	デット：証券化 エクイティ：証券化（経過措置あり）（注3）	
●不動産証券化（裏付資産は不動産・信託受益権）：特定目的会社（TMK）	○	○		
●不動産証券化（裏付資産はノンリコースローン）：TK＋YK／KK	○	○		デット：証券化 エクイティ：証券化
●不動産証券化（裏付資産はノンリコースローン）：TMK	○	○		

(注)　1.　ここで取り上げている不動産証券化・ファンドのスキームの取扱いは、あくまで代表的な事例を想定したもの（目安）であり、個々の取引については各金融機関が証券化エクスポージャーに該当するか否かを確認・判断していくこととなる。また、「デット」および「エクイティ」は、法的形式や呼び名ではなく、経済実態をもとに判断されることとなる。
　　　2.　○は「通常は明確な特性を有している」、△は「明確な特性を有している場合と有していない場合がある（ケース・バイ・ケース）」、×は「通常は明確な特性を有していない」を指す。
　　　3.　特定貸付債権に該当するものについては、証券化エクスポージャーに係る計算方法により信用リスク・アセットの額を算出してさしつかえない。

市場性証券化商品・ファンドの取扱い事例（注4）

主要な市場性証券化商品・ファンドのスキーム	①ノン・リコース（注5）	②優先劣後構造（注5）	標準的手法	内部格付手法
●投資事業を業務の一部とする上場株式会社	×	×	デット：法人等（65条）エクイティ：出資等（76条）	デット：事法等 エクイティ：株式等
●上場証券投資信託（ETF）	△	×		
●公募ファンド：証券投資法人、証券投資信託	△	△	デット：法人等（65条）エクイティ：ファンド（ルックスルー）	デット：事法等 エクイティ：ファンド（ルックスルー）
●私募ファンド：証券投資法人、証券投資信託	△	△		
●私募ファンド：ヘッジファンド	△	△		
●PE／LBOファンド：投資事業組合	△	△		
●CDO（Collateralised Debt Obligation）	○	○	デット：証券化 エクイティ：証券化（経過措置あり）	デット：証券化 エクイティ：証券化

4. ここで取り上げている不動産証券化・ファンドのスキームの取扱いは、あくまで代表的な事例を想定したもの（目安）であり、個々の取引については各金融機関が証券化エクスポージャーに該当するか否かを確認・判断していくこととなる。また、「デット」および「エクイティ」は、法的形式や呼び名ではなく、経済実態をもとに判断されることとなる。
5. ○は「通常は明確な特性を有している」、△は「明確な特性を有している場合と有していない場合がある（ケース・バイ・ケース）」、×は「通常は明確な特性を有していない」を指す。

（出所）　金融庁「自己資本比率規制に関するQ&A」228、229頁

するわが国の政府関係機関（(1)から(3)までにおいて「国等」という）により、中小企業に対する金融の円滑化を主たる目的として行われる証券化取引であって、次に掲げる要件のすべてに該当するもの
(1) 国等がオリジネーターとして当該証券化取引に係る最劣後部分を保有するものであること。
(2) 国等が法令に基づいて当該証券化取引の勘定を区分して経理することとされていること。
(3) 国等が当該証券化取引の原資産に係るデフォルト情報を定期的に公表していること。

　イにより、たとえば、単に再トランチングを行っただけでリスク特性が実質的に変更されておらず、一次証券化と同様のものと認められる場合には、再証券化取引には該当しないこととなるものと考えられる[43]。

　また、ロは、日本政策金融公庫の中小企業事業における証券化支援業務において組成するCLOを想定した規定であり、個別案件のスキームごとの検討は必要であるが、かかるCLOは基本的には再証券化エクスポージャーに該当しないものと考えられる。

c　適格STC証券化エクスポージャー

　適格STC証券化エクスポージャーに該当する場合にはリスク・ウェイトが軽減される。「STC」とは、簡素で（simple）、透明性が高く（transparent）、比較可能（comparable）の意味であり、具体的には、以下に掲げる要件のすべてを満たすことをオリジネーターおよび投資家が常に確認することができる[44]資産譲渡型証券化取引（ABCPおよびABCPプログラムにおける証券化目的導管体に対する貸付ならびに再証券化取引を除く[45]）に係るエクスポー

---

[43] 平成31年3月15日公表の告示改正前の文言についてのものであるが、金融庁「「バーゼルⅡに関する告示を一部改正する告示（案）」に対するコメントの概要及びそれに対する金融庁の考え方」（平成23年5月27日）1頁（第1の柱番号2、3）参照。

ジャーが「適格STC証券化エクスポージャー」とされる[46]。

① 原資産の特性が同質であること。
② 投資家が証券化取引のリスク特性を把握するために十分な期間にわたる原資産と実質的にリスク特性が類似する資産に係る損失実績（延滞状況を含む）に関する情報を入手可能であること。
③ オリジネーターが、原資産と実質的にリスク特性が類似する資産につき、次のイまたはロに掲げるエクスポージャーの区分に応じて、当該イまたはロに定める組成の経験年数を有していること。
　イ　個人向けのエクスポージャーまたはこれに類するもの　5年以上
　ロ　イに掲げるもの以外のエクスポージャー　7年以上
④ 原資産が原資産プールに含められる時点で、次に掲げる要件のすべてを満たすこと。
　イ　当該原資産プールに延滞もしくはデフォルトの状態またはこれらの兆候を示す債権が含まれていないこと。
　ロ　証券化取引の関係者がデフォルトの可能性が高いことを示す証拠を認識している債権または差押え、仮差押えその他の強制執行手続が行われている債権が含まれていないこと。

---

[44] オリジネーターおよび投資家による確認の方法については、たとえばオリジネーターが当該証券化エクスポージャーについて一定期日においてすべての適格STC証券化エクスポージャーにかかる要件をすべて満たしていることを表明・保証し、投資家が目論見書、商品概要書等でこれを一括して確認する方法などが考えられるとされている（自己資本比率規制Q&A257頁以下（第267条の2-Q1））。

[45] もっとも、投資家としてではなく、スポンサーとして流動性補完および信用補完を提供する立場である場合、当該スポンサーは、ABCPプログラムにおける個々の原資産の取引状況を常に確認できる立場にあることから、銀行告示267条の2第3項各号の要件を充足することを常に確認できる場合には適格STC証券化エクスポージャーとして取り扱うことができるものとされている（自己資本比率規制Q&A267頁（第267条の2-Q2））。

[46] 銀行告示267条の2第3項。なお、各要件についての具体的な当てはめについては自己資本比率規制Q&A257頁以下（第267条の2-Q1）において個別に説明がされている。

第6節　バーゼルⅢにおける証券化取引の取扱い　219

⑤ 原資産プールを構成するすべての債権が次のイからニまでのいずれにも該当しないことについて、オリジネーターによる確認が原則として証券化取引の実行日の45日前から実行日までの間に行われていること。

　イ　債権の組成に先立つ３年の間に債務者が破産手続開始の決定、再生手続開始の決定、更生手続開始の決定、特別清算開始の命令もしくは外国倒産処理手続の承認の決定（これらに準ずる外国の手続を含む）を受けていることまたは債務者について特定調停が成立していること。

　ロ　債務者に係る事故情報（延滞、債務整理、代位弁済その他債務者の支払能力が低下していることを推認させる情報をいう）が信用情報機関に登録されていること。

　ハ　債務者が適格格付機関による格付またはこれに類する外部信用評価を付与されている場合において、信用リスクが著しく高いと評価されていることまたはデフォルトしていると評価されていること。

　ニ　当初の債権者（オリジネーターを含む）と債務者との間で民事上の紛争が起きていること。

⑥ 原資産プールを構成する債権が当該原資産プールに含められる時点で、当該債権の返済実績が原則として１回以上あること。

⑦ 原資産プールを構成する債権が、著しい信用力の劣化を伴わず、かつ、著しく資産を劣化させないオリジネーターの一貫した審査基準に基づいて組成されていること。

⑧ 原資産がオリジネーターによって恣意的に選択されたものではないこと。

⑨ オリジネーターが原資産に対して有効な支配権を有せず、当該オリジネーターの倒産手続等においても当該オリジネーターまたは当該オリジネーターの債権者の支配権が及ばないように、原資産が法的に当

該オリジネーターから隔離されており、かつ、かかる状態について弁護士等による適切な意見書を具備していること。
⑩　投資家が原資産に係る個別明細データまたはリスク特性を把握することができる階層別データ（分散度の高い原資産プールである場合のものに限る）を証券化取引の実行前および取引期間中に入手可能であること。
⑪　証券化取引における投資家への償還が原資産の売却や借換えに依存するものではないこと。
⑫　元本および利息の支払に関し金利リスクまたは外国為替リスクが存在する場合に、かかるリスクが適切にヘッジされ、かつ、投資家がヘッジ取引に関する情報を入手可能であること。
⑬　元本および利息の支払順位が関連契約において適切に規定され、かつ、元本および利息の支払に関する情報（支払に影響を与える可能性がある事項に関する情報を含む）が取引の実行前および取引期間中に投資家に対して開示されていること。
⑭　個々の原資産に係るオリジネーターのいっさいの権利（議決権を含む）が当該原資産の証券化目的導管体への譲渡に伴い当該証券化目的導管体に移転され、かつ、投資家が有する権利が関連契約において明確に規定されていること。
⑮　投資家が弁護士等により確認されている適切な取引関連書類またはその写しを実務上可能な範囲で取引の実行前および取引期間中に入手可能であること。
⑯　オリジネーターが証券化エクスポージャーの一部を適切な態様で保有していること（銀行告示248条3項各号に掲げる条件のいずれかを満たしていることを含む）。
⑰　証券化取引に係る業務受託者が次に掲げる要件のすべてを具備していること。

イ　受託業務について高度な専門的知識をもって適切に業務遂行できる能力および十分な実績を備えていること。
　　ロ　取引関連書類において、当該業務受託者につき、各トランシェの債権者の衡平を害しないよう行動する義務が規定されていること。
　　ハ　業務内容に応じた報酬体系が定められていること。
⑱　取引関連書類に次に掲げる事項が明記されていること。
　　イ　当該証券化取引の関連当事者の契約上の義務および責任
　　ロ　重要な関連当事者の信用力悪化時の交代に関する事項
⑲　投資家が次に掲げる情報を入手可能であること。
　　イ　原資産に係る元本および利息の支払実績（予定されていた支払額、期限前償還元本額および未収利息の額を含む）
　　ロ　原資産に係る延滞状況等
　　ハ　その他証券化取引に係る収入および支払に関する情報
⑳　原資産のカットオフ日（証券化目的導管体に譲渡する原資産を確定する基準日をいう。㉑において同じ）において、原資産が不動産取得等事業向けエクスポージャーではなく、かつ、銀行告示第6章の規定により算出される原資産のリスク・ウェイト（信用リスク削減手法の効果を勘案することができる場合にあっては、当該効果の勘案後のリスク・ウェイト）が、次のイからハまでに掲げる原資産の種類に応じ、当該イからハまでに定める要件を満たしていること。
　　イ　抵当権付住宅ローンまたは十分な保証が付された住宅ローン当該住宅ローンで構成される原資産のポートフォリオにおける金額加重平均リスク・ウェイトが40％以下であること。
　　ロ　中小企業等向けエクスポージャーまたは個人向けエクスポージャー（イに該当するものを除く）個々の原資産のリスク・ウェイトが75％以下であること。
　　ハ　イおよびロに掲げるもの以外のエクスポージャー個々の原資産の

リスク・ウェイトが100％以下であること。
㉑　原資産のカットオフ日において、個々の原資産の債権の残高が原資産プールのすべての債権の残高の合計額に占める割合がいずれも１％（原資産がいずれも事業法人向けエクスポージャーであり、かつ、オリジネーターが証券化取引における証券化エクスポージャーの最劣後のトランシェを保有し、当該証券化エクスポージャーの合計額が当該証券化取引の原資産のエクスポージャーの総額の10％以上である場合（オリジネーターが負担する信用リスクがこれと同等である場合を含む）にあっては、２％）以下であること。
㉒　法令（外国の法令を含む）または契約に基づき、当該証券化取引につき、前各号に掲げる要件または外国におけるこれらの要件と同種類の要件を確認するために必要な情報を投資家に対して適切に開示することがオリジネーターに義務づけられていること。

(2)　証券化エクスポージャーの信用リスク・アセットの額の算出

　証券化エクスポージャーの信用リスク・アセットの額は、証券化エクスポージャーの額にリスク・ウェイトを乗じることによって算出される[47]。以下では、その算出方法について概説する。

a　証券化エクスポージャーの額

　オン・バランス資産項目の証券化エクスポージャーの額を算出するにあたっては、①個別貸倒引当金を控除することができるほか、②オリジネーターである銀行が証券化取引の原資産に対して計上している個別貸倒引当金または証券化取引において原資産の譲渡時に行ったディスカウントの額（返金を要しないものに限る）を当該証券化取引について銀行が保有する証券化エク

---

[47]　銀行告示248条の４第１項。

スポージャー（後記 b、c によらずに1,250％のリスク・ウェイトが適用されるものに限る）の額から控除することができる[48]。

オフ・バランス資産項目の証券化エクスポージャーの額を算出するにあたっては、適格なサービサー・キャッシュ・アドバンス[49]の信用供与枠のうち未実行部分については証券化エクスポージャーの額に算入せず、その他の証券化エクスポージャーについてはその名目額が証券化エクスポージャーの額とされる[50]。

b　デュー・ディリジェンス体制の整備

証券化エクスポージャーについて適用のあるリスク・ウェイトは、主に銀行告示第2節第2款に定められているが、その前提として、銀行は、一定のデュー・ディリジェンス体制を整備していることが求められ、これを満たさない場合の証券化エクスポージャーについては1,250％のリスク・ウェイトが適用される[51]。

c　リスク・リテンション規制

証券化エクスポージャーに係る信用リスク・アセットの額の計算に関しては、2012年11月16日に公表された証券監督者国際機構（IOSCO）による報告書をふまえ、オリジネーターによる原資産に係る信用リスクの負担（リスク・リテンション）を間接的に促す仕組みが組み込まれている[52]。すなわち、銀行は、オリジネーターによるリスク・リテンションが一定の条件を満たすかたちでなされていることを確認することができないときは、オリジネーターの原資産に対する関与の状況、原資産の質その他の事情から不適切な原

48　銀行告示248条の4第2項。
49　投資家に対する支払を滞りなく行うことを目的として、約定された額の範囲内でサービサー（委託または再委託に基づき、原資産の管理、原資産の債務者に対する原資産の請求および回収金の受領事務を受託した者をいう）が行う信用供与であって、①実行した信用供与の全額について裏付資産から生じるキャッシュ・フローから最優先で返済を受ける権利を有するものであり、かつ、②サービサーが任意に事前の通知なくして取り消すことができるものをいう（銀行告示1条77号）。
50　銀行告示248条の4第3項。
51　銀行告示248条1項、2項。

資産の組成がされていないと判断することができない限り、3倍のリスク・ウェイト（ただし、上限は1,250％）が課されることとになる[53]。

d　リスク・ウェイト算出の方式（総論）

証券化エクスポージャーに係る信用リスク・アセットの額の計算については、(1,250％のリスク・ウェイトが課されることになる信用補完機能をもつI/Oストリップス[54]を除けば)内部格付手法準拠方式、外部格付手法準拠方式、標準的手法準拠方式および内部評価方式が定められている。どの手法が用いられるかはその証券化エクスポージャーに係る裏付資産のプールがIRBプール、SAプール、混合プールのいずれかに該当するかによって定まる。「IRBプール」とは、裏付資産のプールであって、当該プールを構成するエクスポージャーのすべてについて、(a)当該エクスポージャーと同種のエクスポージャーに内部格付手法を適用することについて金融庁長官の承認を得ていること、および、(b)当該エクスポージャーに内部格付手法を適用するために十分な情報を取得していること、の2要件を満たしているものである[55]。混合プールとは裏付資産のプールであって、当該プールを構成するエクスポージャーの一部についてのみ上記(a)(b)の2要件をすべて満たすものをいう[56]。「SAプール」とは裏付資産のプールであって、当該プールを構成するエクスポージャーのすべてが上記(a)(b)の2要件のいずれかを満たさないものをい

52　なお、自己資本比率規制上の措置とは別に、預貯金取扱金融機関、保険会社および第一種金融商品取引業者については、それぞれに適用のある監督指針上、留意すべき点として、「証券化商品については、オリジネーターによる原資産の組成において、その組成当初から当該原資産の全てを証券化ビークルに譲渡することを意図した場合、投資分析等が疎かになるなど不適切な原資産組成がなされ、その結果当該証券化商品の持分のリスクが高くなるおそれがある。そのため、オリジネーターが証券化商品に係るリスクの一部を継続保有しているか確認しているか。また継続保有していない場合には、オリジネーターの原資産に対する関与状況や原資産の質についてより深度ある分析をしているか」と定められている（たとえば、主要行等監督指針Ⅲ－2－3－3－2(3)②ニ）。

53　銀行告示248条3項。
54　銀行告示248条の4第1項1号。
55　銀行告示1条73号。
56　銀行告示1条74号。

う[57]。

　IRBプールに係る証券化エクスポージャーのリスク・ウェイトの算出にあたっては内部格付準拠方式を用いるものとされる[58]。SAプールに係る証券化エクスポージャーのリスク・ウェイトの算出にあたっては当該証券化エクスポージャーについて適格格付機関の付与する一定の要件を満たす格付（または推定格付[59]。以下同じ）が存在する場合には外部格付準拠方式（後述）、それ以外の場合には標準的手法準拠方式によるものとされる[60]。ただし、内部格付手法採用行は、ABCP（Asset Based Commercial Paper）プログラム（ABCPの満期が1年以内のものに限る）に対する流動性補完、信用補完その他の証券化エクスポージャーに適用するリスク・ウェイトを算出するにあたっては、金融庁長官の承認を受けたときに限り、標準的手法準拠方式にかえて内部評価方式を用いることができる[61]。混合プールに係る証券化エクスポージャーのリスク・ウェイトの算出にあたっては当該証券化エクスポージャーの裏付資産のプールを構成するエクスポージャーのうち、上記の(a)(b)の2要件をすべて満たすエクスポージャーの占める割合が95％以上である場合には内部格付手法準拠方式を、それ以外の場合にはSAプールに係る証券化エクスポージャーとみなして取り扱うものとされる[62]。

　ただし、再証券化エクスポージャーに係るリスク・ウェイトの算出にあたっては標準的手法準拠方式を用いるものとされている[63]。

e　内部格付準拠方式

　証券化エクスポージャーのリスク・ウェイトを内部格付準拠方式により算

57　銀行告示1条75号。
58　銀行告示250条1項。
59　一定の要件を満たす場合における当該証券化エクスポージャーと同順位または劣後する証券化エクスポージャーのなかで最も優先するものに対して適格格付機関の付与する格付と同じ格付をいう（銀行告示259条）。
60　銀行告示250条1項。
61　銀行告示250条3項。
62　銀行告示250条4項。
63　銀行告示250条5項。

出する場合、内部格付手法により算出した裏付資産の所要自己資本率[64]、アタッチメント・ポイント（A）[65]およびデタッチメント・ポイント（D）[66]に基づいてリスク・ウェイトを算出する[67]。具体的な算出方法は省略する。

f　外部格付手法準拠方式

外部格付手法準拠方式（RBA）を用いる場合、当該証券化エクスポージャーについて適格格付機関（R&I、JCR、Moody's、S&PおよびFitch[68]）の付与する格付に対応する信用リスク区分ごとに設定されるリスク・ウェイトを用いることになる[69]。なお、格付が2以上付されているときは、最も小さいリスク・ウェイトから数えて2番目に小さいリスク・ウェイト（複数の格付が最も小さいリスク・ウェイトに対応するときは当該リスク・ウェイト）を用いるものとされている[70]。

外部格付準拠方式の場合に証券化エクスポージャーの格付に応じて原則的に賦課されるリスク・ウェイトは、図表3－36のとおりである。

なお、外部格付準拠方式を用いて算出されるリスク・ウェイトが、同一の証券化取引における最優先証券化エクスポージャー（格付および残存期間が同一のもの）について外部格付準拠方式によって算出されるリスク・ウェイトを下回るときは、当該最優先証券化エクスポージャーについてのリスク・ウェイトを当該証券化エクスポージャーのリスク・ウェイトとする[71]。

64　銀行告示254条1項。
65　注75参照。
66　注74参照。
67　銀行告示252条、253条。
68　『銀行法第十四条の二の規定に基づき、銀行がその保有する資産等に照らし自己資本の充実の状況が適当であるかどうかを判断するための基準等に規定する金融庁長官が別に定める格付機関及び適格格付機関の格付に対応するものとして別に定める区分』（平成19年金融庁告示第28号。以下「適格格付機関告示」という）2条。
69　銀行告示258条。
70　銀行告示260条3項、53条。
71　銀行告示258条2項。

図表3-36 外部格付準拠方式における証券化エクスポージャーの信用リスク区分とリスク・ウェイト

[長期格付が付与されている場合]
・最優先エクスポージャーの場合[72]

長期格付	リスク・ウェイト			
	非適格STC証券化エクスポージャー		適格STC証券化エクスポージャー	
	残存期間1年	残存期間5年	残存期間1年	残存期間5年
AAA/Aaa	15%	20%	10%	
AA+/Aa1	15%	30%	10%	15%
AA/Aa2	25%	40%	15%	20%
AA-/AA3	30%	45%	15%	25%
A+/A1	40%	50%	20%	30%
A/A2	50%	65%	30%	40%
A-/A3	60%	70%	35%	40%
BBB+?Baa1	75%	90%	45%	55%
BBB/Baa2	90%	105%	55%	65%
BBB-/Baa3	120%	140%	170%	85%
BB+/Ba1	140%	160%	120%	135%
BB/Ba2	160%	180%	135%	155%
BB-/Ba3	200%	225%	170%	195%
B+/B1	250%	280%	225%	250%
B/B2	310%	340%	280%	305%
B-/B3	380%	420%	340%	380%
CCC+/Caa1〜CCC-/Caa3	460%	505%	415%	455%
CCC-/Caa3未満	1,250%		1,250%	

・最優先エクスポージャーでない場合[73]
　　次に掲げる算式により算出される比率（当該比率が15％を下回る場合には、15％）
　　$R \times [1 - \min(T; 50\%)]$
　　R：下記の表における当該証券化エクスポージャーの格付に対応する信用リスク

---

[72] 銀行告示258条1項1号イ、267条の2第1項1号イ、適格格付機関告示3条6号。
[73] 銀行告示258条1項1号ロ、267条の2第1項1号ロ、適格格付機関告示3条6号。

区分および当該証券化エクスポージャーの残存期間の区分に応じ、同表に定めるリスク・ウェイト。ただし、証券化エクスポージャーの残存期間が1年を超え、かつ、5年未満である場合には、同表から得られる1年または5年の残存期間に対応するリスク・ウェイトを用いた線形補間によって得られる比率。

T：当該証券化エクスポージャーのデタッチメント・ポイント(D)[74]からアタッチメント・ポイント(A)[75]を控除した額

長期格付	リスク・ウェイト			
	非適格STC証券化エクスポージャー		適格STC証券化エクスポージャー	
	残存期間1年	残存期間5年	残存期間1年	残存期間5年
AAA/Aaa	15%	70%	10%	40%
AA+/Aa1	15%	90%	15%	15%
AA/Aa2	30%	120%	15%	55%
AA-/AA3	40%	140%	15%	70%
A+/A1	60%	160%	25%	80%
A/A2	80%	180%	35%	95%
A-/A3	120%	210%	60%	135%
BBB+?Baa1	170%	260%	95%	170%
BBB/Baa2	220%	310%	150%	225%
BBB-/Baa3	330%	420%	180%	255%
BB+/Ba1	470%	580%	270%	345%
BB/Ba2	620%	760%	405%	500%
BB-/Ba3	750%	860%	535%	655%
B+/B1	900%	950%	645%	740%

[74] デタッチメント・ポイント(D)とは、証券化エクスポージャーの裏付資産の残高の合計額から、リスク・ウェイトの算出の対象となる保有する証券化エクスポージャーに優先するトランシェの残高の総額を控除した額を、当該裏付資産の残高の合計額で除した値（当該値が零を下回る場合にあっては、零とする）をいう。

[75] アタッチメント・ポイント(A)とは、証券化エクスポージャーの裏付資産の残高の合計額から、リスク・ウェイトの算出の対象となる保有する証券化エクスポージャーに優先するトランシェの残高の総額および当該保有する証券化エクスポージャーと同順位であるトランシェ（自己が保有する証券化エクスポージャーの額を含む）の残高の総額を控除した額を、当該裏付資産の残高の合計額で除した値（当該値が零を下回る場合にあっては、零とする）をいう。

B/B2	1,050%	810%	855%
B-/B3	1,130%	945%	
CCC+/Caa1〜CCC-/Caa3	1,250%	1,015%	
CCC-/Caa3未満	1,250%	1,250%	

[短期格付が付与されている場合][76]

短期格付	リスク・ウェイト	
	非適格STC証券化エクスポージャー	適格STC証券化エクスポージャー
a-1/J-1/P-1/A-1/F1	15%	10%
a-2/J-2/P-2/A-2/F2	50%	30%
a-3/J-3/P-3/A-3/F3	100%	60%
a-3/J-3/P-3/A-3/F3未満	1,250%	1,250%

(注) 1. 証券化エクスポージャーの残存期間（M_T）は、次に掲げる計算方式のいずれかを用いて算出され、1年を下回る場合にあっては1年、5年を超える場合にあっては5年とする。ただし、①に掲げる計算方式を用いることができるのは、証券化取引の契約に基づいて証券化エクスポージャーに配分されるキャッシュフローが、原資産のパフォーマンスその他の条件に依存せず、無条件に決定されるものである場合に限る。
　① 証券化取引の契約に基づいて証券化エクスポージャーに配分されるキャッシュフローに基づく次に掲げる計算方式
$$M_T = \frac{\Sigma_t t \cdot CF_t}{\Sigma_t CF_t}$$
　　　CF_t：期間 t に証券化エクスポージャーの保有者に対し契約上支払われるキャッシュフロー
　② 証券化エクスポージャーの最終法定満期日に基づく次に掲げる計算方式
　　　$M_T = 1 + (M_L - 1) \times 80\%$
　　　M_L：証券化エクスポージャーの最終法定満期日までの期間（年）
2. 証券化エクスポージャーの残存期間が1年を超え5年未満である場合は、当該証券化エクスポージャーのリスク・ウェイトは、上記の表から得られる1年または5年の残存期間に対応するリスク・ウェイトを用いた線形補間によって得られる比率。

76　銀行告示258条1項2号、267条の2第1項1号ハ、適格格付機関告示3条6号。

g 標準的手法準拠方式

証券化エクスポージャーのリスク・ウェイトを標準的手法準拠方式により算出する場合、標準的手法により算出した延滞率を勘案した裏付資産の所要自己資本率(K_A)[77]、アタッチメント・ポイント（A）[78]およびデタッチメント・ポイント（D）[79]に基づいてリスク・ウェイトを算出する[80]。具体的な算出方法は省略するが、再証券化エクスポージャーについてのリスク・ウェイトは最低100％、それ以外の証券化エクスポージャーについてのリスク・ウェイトは最低15％とされるなど[81]、再証券化エクスポージャーについてはリスク・ウェイトが大幅に加重されるため、留意を要する。なお、銀行が保有する無格付の証券化エクスポージャーについて標準的手法準拠方式を用いて算出されるリスク・ウェイトが、当該保有する証券化エクスポージャーに優先する適格格付機関の格付が付与されている証券化エクスポージャーのなかで最も劣後するものについて外部格付準拠方式を用いて算出されるリスク・ウェイトを下回るときは、当該証券化エクスポージャーのリスク・ウェイトは、かかる最も劣後する証券化エクスポージャーについてのリスク・ウェイトを適用するものとされる[82]。

h 内部評価方式

金融庁長官の承認を得て内部評価方式を用いる場合には、内部評価制度により証券化エクスポージャーに付与した内部評価をこれに相当する適格格付機関の付与する格付に紐付けすることにより、当該格付を有するものとして外部格付準拠方式の場合と同様にリスク・ウェイトを定める[83]。ただし、承

---

[77] 銀行告示264条。なお、再証券化エクスポージャーの場合は、K_Aは、裏付資産が証券化エクスポージャーである部分とそれ以外の部分に区分したうえで、当該区分ごとにK_Aを算出し、区分ごとのエクスポージャーの額で加重平均した値を用いる（銀行告示262条4項前段）。

[78] 注75参照。

[79] 注74参照。

[80] 銀行告示262条、263条。

[81] 銀行告示262条1項2号、3号。

[82] 銀行告示262条2項。

認の基準として、ABCPプログラムに所定の基準を満たした外部格付が付与されていることや、内部評価が主要な適格格付機関が公表している評価基準以上に保守的なものであることなど、厳しい要件を満たすことが求められる[84]。

i 最優先証券化エクスポージャーのリスク・ウェイトの上限

銀行が最優先証券化エクスポージャー（再証券化エクスポージャーを除く）を保有する場合であって、その裏付資産の構成を常に把握することができるときは、裏付資産のプールの分類に応じて、①内部格付手法により算出される信用リスク・アセットの額に1.06を乗じた額と期待損失の額に12.5を乗じて得た額の合計額の当該最優先証券化エクスポージャーの額で除して得た割合をリスク・ウェイトとして使用し、または②標準的手法により算出されるリスク・ウェイトを使用した場合の当該裏付資産のすべてのエクスポージャーを対象に算出される金額を加重平均したリスク・ウェイトを、当該最優先証券化エクスポージャーに適用されるリスク・ウェイトの上限とすることができる[85]。

j 一の証券化取引における所要自己資本の総額の上限

銀行は、一の証券化取引（再証券化取引を除く）において保有する一以上の証券化エクスポージャーの所要自己資本の額（証券化エクスポージャーの信用リスク・アセットの額に8％を乗じて得た額）の総額について、当該証券化エクスポージャーについて内部格付手法準拠方式を用いる場合や、当該銀行がオリジネーターであって外部格付準拠方式または標準的手法準拠方式を用いてリスク・ウェイトを算出する場合などには、当該証券化エクスポージャーの裏付資産のエクスポージャーの総額に裏付資産に係る所要自己資本率を乗じてトランシェごとに算出した当該銀行の持分比率の額のうち最大の

---

83 銀行告示261条の6。
84 銀行告示261条の3。
85 銀行告示267条。

もの乗じて得た額を上限とすることができる[86]。

(3) 証券化取引による信用リスクの削減

　銀行がオリジネーターとして証券化・流動化に関与することにより、自己資本比率の向上を図ろうとすることがある。もっとも、証券化・流動化が組成された場合であっても、オリジネーターである銀行に原資産のリスクが実質的に残存しているような場合には、自己資本比率の算定上、銀行が原資産の信用リスクを削減することは認められない。

a　資産譲渡型証券化取引のオリジネーターとなる場合

　銀行が資産譲渡型証券化取引のオリジネーターとなる場合、当該銀行は、以下に掲げる条件のいずれかを満たさないときは、証券化取引による信用リスクの十分な移転がないものとして、原資産に係る信用リスク・アセットの額を計上しなければならない[87]。

① 　原資産に係る主要な信用リスクが第三者に移転されていること。
② 　当該銀行が原資産に対して有効な支配権を有しておらず、銀行の倒産手続等においても当該銀行または当該銀行の債権者の支配権が及ばないように、原資産が法的に銀行から隔離されており、かつ、かかる状態について適切な弁護士・外国弁護士による意見書を具備していること。この場合において、次のイまたはロの要件を満たすときは、有効な支配権を有しているものとみなす。

　　イ　当該銀行が譲受人に対して当該原資産の買戻権を有していること。ただし、買戻権の行使が⑥に該当するクリーンアップ・コールである場合は、この限りでない。

　　ロ　当該銀行が当該原資産に係る信用リスクを負担していること。ただし、イの要件に反しない限度での劣後部分の保有は妨げられない。

86　銀行告示248条の2。
87　銀行告示247条1項、4項。

③ 当該証券化取引における証券化エクスポージャーに係る投資家の権利は、原資産の譲渡人である当該銀行に対する請求権を含むものでないこと。
④ 原資産の譲受人が証券化目的導管体であって、かつ、当該証券化目的導管体の出資持分を有する者が、当該出資持分について任意に質権を設定し、または譲渡する権利を有すること。
⑤ 原資産の譲渡契約において次のイからハまでに掲げる条項のいずれかが含まれるものでないこと。
　イ　原資産の平均的な信用力の向上を目的として、当該銀行が証券化エクスポージャーの裏付資産を構成する資産を交換するよう義務づける条項。ただし、原資産を独立した無関係の第三者に対して市場価額で売却することを妨げない。
　ロ　譲渡日以降に当該銀行による最劣後部分や信用補完の追加的な引受けを認める条項
　ハ　証券化エクスポージャーの裏付資産の信用力の劣化に応じて投資家、第三者たる信用補完提供者その他の当該銀行以外の者に対する利益の支払を増加させる条項
⑥ 当該証券化取引にクリーンアップ・コールが含まれる場合は、当該クリーンアップ・コールが次のイからハまでに掲げる条件のすべてを満たすものであること。
　イ　クリーンアップ・コールの行使は、当該銀行の裁量にのみ依存すること。
　ロ　クリーンアップ・コールが、投資家に損失が移転することを妨げる目的または当該投資家の保有する証券化エクスポージャーに対して信用補完を提供する目的で組成されたものでないこと。
　ハ　クリーンアップ・コールの行使は、原資産またはオリジネーター以外のものが保有する未償還の証券化エクスポージャーの残高が当初の残高

の10％以下となった場合に限られること。
⑦ 当該証券化取引に係る契約において、⑥イからハまでに掲げる条件のすべてを満たすクリーンアップ・コールに係る条項またはやむをえないと認められる場合における取引の終了を定める条項を除き、当該証券化取引を早期に終了させる権利または条件を定めた条項が含まれていないこと。
⑧ 一以上のリボルビング型の信用供与を原資産に含む証券化取引に係る契約において、当該リボルビング型の信用供与に係る当該銀行の持分に対して次に掲げる効果のいずれかをもたらす早期償還条項またはこれに類する条項が含まれていないこと。
　イ　当該銀行の保有する持分が当該銀行以外の投資家の持分に優先する状況または当該投資家の持分と同順位にある状況において、当該銀行の持分を当該投資家の持分よりも劣後させる変更
　ロ　当該銀行の持分が当該証券化取引における劣後部分を構成する状況において、当該銀行の持分を当該証券化取引の他の当事者の持分よりもさらに劣後させる変更
　ハ　イおよびロ以外の方法により当該銀行の持分の損失リスクを増加させる変更
⑨ 契約外の信用補完等を提供していないこと（なお、クリーンアップ・コールの行使が信用補完を提供する効果を有する場合は、銀行が契約外の信用補完等を提供したものとみなされる）。

b　合成型証券化取引のオリジネーターとなる場合

また、銀行が合成型証券化取引のオリジネーターとなる場合は、上記a⑥、⑧もしくは⑨の条件または次に掲げる条件のいずれかを満たさない場合を除き、銀行告示第6章第5節に定める信用リスク削減手法の規定が、合成型証券化取引における原資産に対する信用リスクの削減について準用される[88]。すなわち、上記a⑥、⑧および⑨ならびに以下の①から③までの要件を満たしたうえで、一般的な信用リスク削減手法の要件に準じた要件を満た

した場合に限り、原資産の信用リスクの削減効果が認められることになる。
① 原資産に係る主要な信用リスクが第三者に移転されていること。
② 原資産の信用リスクの移転に係る契約において次のイからホまでに掲げる条項またはこれに類する移転される信用リスクの量を制限するその他の条項を含まないこと。
　イ　リボルビング型の信用供与を原資産プールに含む証券化取引における銀行の持分を実質的に劣後させる効果をもたらす早期償還条項、信用事由が生じた場合でも保証、担保権もしくはプロテクションの支払が実行されないと見込まれる水準に下限を設定する条項、原資産を構成するエクスポージャーの信用力の低下に伴い信用補完の提供が終了する条項またはこれらに類する信用リスクの移転を重大な程度に制限するその他の条項
　ロ　原資産を構成するエクスポージャーの平均的な信用力の向上を目的として、銀行が原資産を構成する資産を交換するよう義務づける条項
　ハ　原資産を構成するエクスポージャーの信用力の低下に伴い信用補完の対価が上昇する条項
　ニ　信用リスク削減手法に係る取引の実行日より後に銀行による最劣後部分や信用補完の追加的な引受けを定めた条項
　ホ　原資産を構成するエクスポージャーの信用力の低下に応じて投資家、第三者である信用補完提供者その他の当該銀行以外の者に対する利益の支払を増加させる条項
③ 信用リスク削減手法に係る契約は、関連のある法律に照らして適法かつ有効に成立しており、当該契約の諸条項に従って強制執行可能なものであることにつき、弁護士・外国弁護士の意見書を取得していること。

88　銀行告示247条2項。

c 原資産にリボルビング型の信用供与が含まれる早期償還条項を有する証券化取引のオリジネーターとなる場合

上記 a、b にかかわらず、銀行が、オリジネーターとして原資産にリボルビング型の信用供与が含まれる早期償還条項を有する証券化取引を行う場合には、実質的に原資産の信用リスクを引き受けているものと評価され、証券化取引による信用リスク削減効果が認められない場合があるものと考えられる[89]。

4 その他の健全性規制上の証券化取引の取扱い

以下では、現行のレバレッジ比率規制、流動性比率規制、およびTLAC規制上の証券化取引の取扱いについて、銀行の場合を例に説明する。

(1) レバレッジ比率規制における証券化取引の取扱い

レバレッジ比率規制上、分母となる総エクスポージャーの額には、オン・バランス資産としての証券化エクスポージャーの額が含まれると考えられるほか[90]、オフ・バランス取引についても、銀行または連結子法人等が行う①適格なサービサー・キャッシュ・アドバンス[91]の信用供与枠のうち未実行部分に係る証券化エクスポージャーについてはその名目額の10％が、その他の証券化エクスポージャーについてはその名目額全額が、それぞれ算入される[92]。

他方、銀行または連結子法人等が資産譲渡型証券化取引のオリジネーター

---

[89] 銀行告示247条3項は、文言上、その趣旨は必ずしも明確ではないが、バーゼル銀行監督委員会「証券化商品の資本賦課枠組みの見直し」（平成28年7月改訂版）パラ27に照らせば、必ずしも247条1項または2項前段により原資産に係る信用リスク・アセットの額を算出する（すなわち、信用リスクの削減効果を認めない）こととする必要がない場合を例示する趣旨ではないかと考えられる。

[90] 銀行レバレッジ比率告示6条1項1号、7条1号。

[91] 注49参照。

[92] 銀行レバレッジ比率告示6条1項4号、10条1項3号、4項。

となる場合、自己資本比率規制上の信用リスク削減効果が認められるための要件である前記3(3)a①～⑨を満たす場合に限り、当該資産譲渡型証券化取引を構成する証券化エクスポージャーは、総エクスポージャーの額に算入することを要しないものとされている[93]。

(2) 流動性比率規制における証券化取引

流動性カバレッジ比率の分子（算入可能適格流動資産の合計額）および分母（純資金流出額）のそれぞれについて一定の証券化商品に関する算入がなされる。

分子については、一定の条件を満たした住宅ローン担保証券[94]が適格レベル2B資産として算入され、75％の算入率（掛目）が適用される[95]。

また分母については資金流出額には、銀行もしくは連結子法人等または銀行もしくは連結子法人等と密接な関係を有する者がオリジネーターである仕組金融商品[96]またはこれらの者が発行する仕組金融商品から生じる金銭の支払のうち、①基準日から30日を経過するまでの間に行われる元利金の支払（負債性有価証券から生じるものを除く）の合計額および②当該仕組金融商品に係る特別目的事業体に対し、当該仕組金融商品の原資産の買取りまたは当該仕組金融商品に関連した資金の貸与（ファシリティに該当するものを除く）を行うことが契約に定められている場合における当該買取りが見込まれる額または貸与すべき資金の額の合計額が含まれる[97]。

(3) TLAC規制における証券化取引

TLAC規制においては、前述のとおり、連結自己資本比率規制上のリス

---

[93] 銀行レバレッジ比率告示6条3項。
[94] 銀行流動性比率告示1条39号に定義される。
[95] 銀行流動性比率告示11条1項1号。
[96] 銀行流動性比率告示1条69号に定義される。
[97] 銀行流動性比率告示45条。

ク・アセットの額と連結レバレッジ比率規制上の総エクスポージャーの額が、外部TLAC規制上は持株会社レベルのものが分母として用いられ、内部TLAC規制上は主要子会社レベルのものが最低所要額の算出に用いられる。そのため、証券化取引の自己資本比率規制上の取扱いおよびレバレッジ比率規制上の取扱いが、そのままTLAC規制にも影響を及ぼすこととなる。

5 最終化されたバーゼルⅢの国内実施

　最終化されたバーゼルⅢの国内実施に向け、金融庁は、令和2年12月24日にその規制方針案を公表し[98]、その後、改正告示案として、令和3年3月31日にオペレーショナル・リスクに係る告示改正案を[99]、令和3年9月28日に信用リスク、CVAリスクおよびマーケット・リスクに係る銀行告示等の改正案を[100]、令和3年10月29日にレバレッジ比率規制に係る告示の一部改正案を[101]、それぞれ公表してパブリックコメント手続に付した。いずれも（一部の開示様式の改正を除き）令和4年度より適用予定であるが、（一定の要件を満たす国内基準行である標準的手法採用行は令和4年度についてはなお従前の例によることができるなど）一定の経過措置が定められている。

　以下では、銀行を例に、証券化に関連する改正箇所について簡単に述べる。なお、いずれの告示改正案についても、本書の執筆時点においてはパブリックコメントの結果が公表されておらず、それぞれ実際に実施される告示

---

[98] 金融庁「最終化されたバーゼルⅢの国内実施に関する規制方針案について」（https://www.fsa.go.jp/news/r2/ginkou/20201224_3.html）。

[99] 金融庁「『自己資本比率規制（第1の柱・第3の柱）におけるオペレーショナル・リスクに係る告示の一部改正（案）』の公表について」（https://www.fsa.go.jp/news/r2/g_nkou/20210331-3.html）。

[100] 金融庁「自己資本比率規制（第1の柱・第3の柱）における信用リスク、CVAリスク及びマーケット・リスクに係る告示の一部改正（案）等の公表について」（https://www.fsa.go.jp/news/r3/ginkou/20210928-2.html）。以下、ここで公表された改正案による改正後の銀行告示を「銀行告示改正案」と、同改正案による改正後の適格格付機関告示を「適格格付機関告示改正案」という。

[101] 金融庁「レバレッジ比率規制に係る告示の一部改正（案）等の公表について」（https://www.fsa.go.jp/news/r3/ginkou/20211029-2.html）。

は異なった内容になる可能性があることにご留意されたい。

(1) 不動産関連エクスポージャーの導入

標準的手法において、居住用および商業用不動産関連債権について、LTV（担保価値に対する貸出金総額の割合）に基づきリスク・ウェイトが設定されることとなる。具体的には自己居住用不動産向けエクスポージャー[102]、賃貸用不動産向けエクスポージャー[103]、事業用不動産関連エクスポージャー[104]、その他不動産関連エクスポージャー[105]およびADC向けエクスポージャー[106]がそれぞれ新たに定義されてリスク・ウェイトが定められることとなり、これに伴い、証券化取引の定義より、事業用不動産関連エクスポージャーおよびADC向けエクスポージャーに該当するものが除外される[107]。

(2) 特定貸付債権向けエクスポージャーの導入

標準的手法において、不動産関連債権と同様に、プロジェクト・ファイナンス、オブジェクト・ファイナンスおよびコモディティ・ファイナンスに関するノン・リコースの法人向けエクスポージャーが特定貸付債権向けエクスポージャーとして新たに定義されてリスク・ウェイトが定められることとなり[108]、これに伴い、特定貸付債権向けエクスポージャーも証券化取引の定義から除外される[109]。

---

102 銀行告示改正案68条。
103 銀行告示改正案69条。
104 銀行告示改正案70条。
105 銀行告示改正案70条の2。
106 銀行告示改正案70条の3。
107 銀行告示改正案1条2号。
108 銀行告示改正案65条の2。
109 銀行告示改正案1条2号。

(3) 適格なサービサー・キャッシュ・アドバンスの信用供与枠

　オフ・バランス資産項目の証券化エクスポージャーの額を算出するにあたっては、適格なサービサー・キャッシュ・アドバンス[110]の信用供与枠のうち未実行部分（前記3(2)a参照）について、その名目額の10％が証券化エクスポージャーの額に算入されることとなる[111]。

(4) 内部格付手法における1.06倍の乗数の撤廃

　内部格付手法において、内部モデルを用いて計算された信用リスク・アセットの額を1.06倍する乗数が撤廃される[112]。

　これに伴い、内部格付手法準拠方式において用いる内部格付手法による裏付資産の所要自己資本率（前記3(2)e参照）や、最優先証券化エクスポージャー（再証券化エクスポージャーを除く）を保有する場合であって、その裏付資産の構成を常に把握することができる場合のリスク・ウェイトの上限（前記3(2)i参照）に関しても、同様に1.06の乗数が撤廃される[113]。

(5) 適格格付機関および格付マッピングに関する基準等の追加

　自己資本比率規制において準拠することのできる適格格付機関を定めるにあたっては、一定の基準に適合し、かつ、その状態が継続すると認められるものとすることとされた[114]。また、適格格付機関の付与する格付と信用リスク区分の対応関係（マッピング）を定めるにあたっても、一定の要因を考慮し、一定の定量的な基準に適合したものとすることとされた[115]。

　ただし、具体的な適格格付機関の構成およびその付与する格付のマッピン

110　注49参照。
111　銀行告示改正案248条の4第3項。
112　銀行告示改正案152条1号イ、2号イ。
113　銀行告示改正案254条、267条1項1号。
114　適格格付機関告示改正案4条。
115　適格格付機関告示改正案13条。

グそのものについての変更は示されていない。

(6) その他信用リスク・アセットの算定手法の見直し

　その他、無格付の中堅中小企業向け債権のリスク・ウェイトの引下げや信用リスクに関する内部モデル手法の見直しなど、信用リスク・アセットの額の計算方法が変更されたエクスポージャーがある。これらのエクスポージャーが証券化エクスポージャーの原資産を構成している場合、当該証券化エクスポージャーの信用リスク・アセットの額の計算にも影響を及ぼすため注意が必要である。

　また、不動産関連エクスポージャーや中堅中小企業向けエクスポージャーの導入に伴い、適格STC証券化エクスポージャーの要件も若干修正されている[116]。

116　銀行告示改正案267条の2第3項20号。

第4章

証券化の具体的手法

第 1 節

金銭債権の証券化

1 金銭債権の証券化の概要

　金銭債権の証券化の基本的な仕組みとしては、オリジネーターがSPCに対して債権を譲渡する方式、オリジネーターが債権を信託し、これによって取得した信託受益権を投資家に販売する方式、オリジネーターが債権を信託し、これによって取得した信託受益権をさらにSPCに譲渡する方式などの方法が存在する。また、金銭債権の証券化は、資産の保有者であるオリジネーターの資金調達目的や信用リスク・金利リスクなどのリスク・ヘッジの目的など、さまざまな目的で行われる。また、金銭債権の種類によって、民法の特則に当たる特別なルールが適用されたり、関連する規制が存在したりすることがある。各証券化商品において利用される仕組みは、オリジネーターの目的、投資家のニーズやコスト、証券化対象となる資産の特性などを総合的に考慮して決定されることになる。

　以下では、ノンバンクが、資金調達を目的として、均質・小口・多数の金銭債権を証券化する場合を念頭に置いて、信託を利用した方式を紹介した後、代表的な金銭債権の種類ごとに、債権の特徴と証券化にあたって留意すべき主要なポイントを説明する。

(1) 信託方式による金銭債権の証券化の基本的な仕組み

　信託を利用した金銭債権の証券化は、図表4－1のような方式で行われる。

図表4−1　証券化のスキーム例

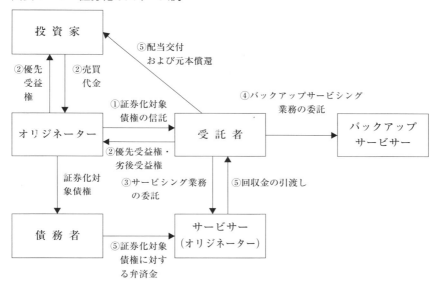

a　証券化対象債権の信託

　オリジネーターは、保有する債権から証券化の対象となる債権を抽出して、受託者に信託譲渡する。

　債権の抽出は、信託契約で定められた要件（適格要件などと呼ばれる）を満たす債権のなかから無作為に行われる。もっとも、債権抽出の時点では適格要件を満たしていないことが認識されておらず、適格要件を満たしていない債権が抽出されてしまう可能性や、債権抽出は信託譲渡より1カ月程度前に行われることが多いため、債権抽出の時点では適格要件を満たしていた債権が、債権抽出後信託譲渡までに適格要件を満たさなくなる可能性がある。そのため、適格要件を満たしていない債権が信託譲渡されたことが判明した場合には、オリジネーターが当該債権を買い戻すという仕組みがとられる。具体的には、信託譲渡される債権が適格要件を満たしていることをオリジネーターが表明保証する旨が信託契約において規定され、信託譲渡された債権が

適格要件を満たしておらず、表明保証に事実と異なる点があったことが判明した場合には、オリジネーターが当該債権を買い戻す義務を負担することとされる。

信託された債権の譲渡について、債権譲渡登記により第三者対抗要件を具備し、債務者対抗要件の具備は留保する。これは、債務者に債権譲渡の事実を知らせたくないというオリジネーターの要請があることや、大量の債務者に係る個別の通知または個別の承諾の取得に多大なコスト・時間がかかることによる。

　b　オリジネーターによる受益権の取得および投資家への譲渡

証券化対象債権を信託することにより、オリジネーターは優先受益権および劣後受益権を取得する。

オリジネーターは、優先受益権のみを投資家に売却することにより、資金を調達するのが通常である。劣後受益権は信用補完として機能するほか、オリジネーターが劣後受益権を保有し続けることにより、オリジネーターによるモラルハザードを防止することも期待されている。

　c　受託者によるサービサーに対するサービシング業務の委託

受託者は、サービサーとの間で、信託事務委任契約を締結し、サービサーに対し、正常債権の管理、関連する契約書の保管、正常債権の回収、債権の回収状況に関する報告などのサービシング業務を委託する。

サービサーは、オリジネーター自らが就任することが多い。その理由としては、対象債権に関連する取引を実行し、債権の管理・回収に従事してきたオリジネーターは、債権に関する知識・ノウハウを有しており、当該債権の回収に適したシステムを保有していることから、オリジネーターにサービシング業務を委託することが効率的であることが多いこと、多数の債務者が存在することから、支払先を変更するには多大なコスト・時間がかかり、債権回収に影響を与える可能性もあること、顧客との関係を維持しつつ、業務委託料の支払も受けられることから、オリジネーターはサービシング業務を継

続することを希望することが多いことがあげられる。

　なお、弁護士法72条は、弁護士でない者が、報酬を得る目的で法律事務を取り扱うことを業とすることを禁止しており、かかる法律事務の取扱いには、債権の成立やその額について争いがあるものや債務者において支払を遅延し回収困難な状態にあるもので、通常の状態では債権を満足させることができない債権について債権者からの債権の取立ての委任を受けてその取立てのための請求、弁済の受領、債務の免除などの行為をすることが含まれるものと考えられている[1]。したがって、サービサーは、これらの債権の管理および回収を行うことはできず、サービサーが委託を受ける業務は、正常債権の管理および回収に限定される。正常債権でなくなった債権は、劣後受益権に対する配当などとして、オリジネーターに交付し、オリジネーターが自己の債権として管理および回収を行う仕組みがとられることが多い。

d　受託者によるバックアップサービサーに対するバックアップサービシング業務の委託

　サービサーによる信託事務委任契約の違反、サービサーの回収能力の低下、サービサーの信用力悪化によるコミングリング・リスク（第2章第2節4(4)、本章第1節1(1)c参照）の顕在化などサービサーにサービシング業務を継続させることが適当でない状況が生じた場合に備えて、サービサーのかわりにサービシング業務を引き継ぐバックアップサービサーを証券化商品組成時から選任しておくことがある。

　バックアップサービサーは、サービサーが解任された際に備えて準備をし、実際にサービサーが解任された場合には、サービサーにかわってサービシング業務を遂行することになるが、バックアップサービサーの証券化商品組成時点の準備状態は、案件によってさまざまである。サービサーが解任された場合にはすぐにサービシング業務を引き継げるような状態で、証券化商

1　黒川弘務『逐条解説サービサー法（四訂版）』（金融財政事情研究会、平成24年）73頁参照。

品組成時点からバックアップサービサーが準備をしておく場合もあれば、証券化商品組成当初は最低限の準備のみをしておき、サービサーが解任される懸念が生じてから、バックアップサービサーがいつでもサービシング業務を引き継げるよう準備を開始することとする場合もある。

　　e　サービサーによる債権回収と回収金の受託者への引渡し、投資家への配当交付と元本償還

サービサーは、債権を回収し、回収金を受託者に対して引き渡す。

受託者は、かかる回収金をもって、信託契約中のウォーターフォールと呼ばれる規定において定められた順序に従って、費用および信託報酬の支払や受益権に対する配当交付および元本償還を行う。

(2)　債権の証券化の具体例

証券化の対象とされる債権の代表例として、ショッピングクレジット債権、消費者ローン債権、リース料債権、住宅ローン債権について、債権の特徴と証券化にあたって留意すべきポイントを簡単に記述する。

　　a　ショッピングクレジット債権の証券化

商品や役務（英会話教室やエステティックサロンなど）を分割払いで購入する方法として、ショッピングクレジットがある。ショッピングクレジットの契約形態には、債務引受（立替払）型、債権譲渡型、保証委託型など複数の方式がある。

債務引受（立替払）型では、商品・役務の購入者は、当該信販会社との間で立替払いに関する契約を締結し、かかる契約に基づき信販会社が商品・役務の提供者に商品・役務の購入代金を立替払いし、商品・役務の購入者は、分割で信販会社に立替払金の返済を行う（図表4－2参照）。債権譲渡型では、商品・役務の提供者の商品・役務の購入者に対する債権を、商品・役務の提供者が信販会社に債権譲渡し（図表4－3参照）、保証委託型では、商品・役務の購入者が信販会社との間で保証委託契約を締結し、信販会社はこ

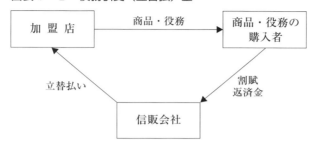

図表4-2　債務引受（立替払）型

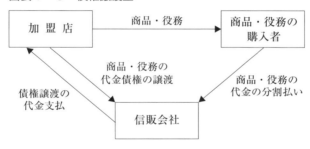

図表4-3　債権譲渡型

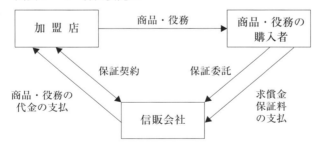

図表4-4　保証委託型

れに基づき商品・役務の購入者の保証人として商品・役務の提供者に対して商品・役務の購入代金を代位弁済したうえで、商品・役務の購入者は分割で信販会社に対して支払を行う（図表４－４参照）。

　契約形態にかかわらず、上記のような取引のうち、商品・役務の購入契約の締結時から商品・役務の購入代金の完済期限までの期間が２カ月を超えるものについての信販会社の行為は、個別信用購入あっせん（割賦販売法２条４項）に該当し、かかる取引に基づくショッピングクレジット債権には、割賦販売法が適用される。個別信用購入あっせんを業として行うためには、経済産業省に備える個別信用購入あっせん業者登録簿に登録を受けることが必要である（割賦販売法35条の３の23）。

　証券化との関係で重要な割賦販売法の規定として、抗弁の接続を認めた35条の３の19があげられる。抗弁の接続により、個別信用購入あっせんを利用した商品・役務の提供契約が無効であったり、商品・役務の提供契約を商品・役務の購入者が取り消したり解除したりしたような場合に、商品・役務の購入者は、信販会社に対する購入代金の弁済を拒むことができる。ショッピングクレジット債権の弁済を商品・役務の購入者が拒むと、受託者から投資家への元本償還や配当の原資が減少することになってしまう。そこで、商品・役務の提供契約に瑕疵がないことや、商品の引渡しまたは役務の提供が完了していることなどを適格要件とし、商品・役務の提供契約が無効であったことや、加盟店が商品・役務を提供しないため商品・役務の提供契約を解除したことなどを理由に商品・役務の購入者が弁済を拒んだ場合には、オリジネーターにショッピングクレジット債権を買い戻させることとするといった対応がとられる。

　なお、訪問販売等に係るクレジット契約については、訪問販売の方法により、特別の事情もないのに、通常必要とされる分量を著しく超える商品・役務の提供契約が締結された場合（いわゆる過量販売）や、加盟店がクレジット契約の締結について勧誘をするに際し、一定の事項について不実のことを

告げる行為をしたことにより商品・役務の購入者がその内容が事実であるとの誤認をした場合（いわゆる不実告知）などの場合には、商品・役務の購入者はクレジット契約を解除または取り消し、信販会社に対して既払金の返還請求ができることとされている点についても留意が必要である（割賦販売法35条の3の12第1項、6項、35条の3の13第1項、4項等）。

b　消費者ローン債権の証券化

いわゆる消費者金融会社による貸付に係る債権や信販会社の発行するクレジットカードを利用したキャッシングに係る債権などは、貸金業者による貸付に係る債権に該当し、貸金業法の適用を受ける。

証券化との関係で特に重要な貸金業法の規定としては、譲渡に係る貸付債権に係る契約内容を明らかにする書面の債務者への交付義務を貸付債権の譲受人に課す、貸金業法24条2項（同法17条を準用している）があげられる。消費者ローン債権の信託譲渡にあたって、債務者への書面交付をしなければならないこととなると、多大な事務負担とコストがかかってしまうためである。

この点、信託譲渡の時点では、かかる書面交付を留保することとしている案件も多々存在する。かかる取扱いが認められるべき根拠の1つとして、信託譲渡の時点でかかる書面交付を留保しても、貸金業法24条2項の趣旨に反しないことがあげられている。すなわち、同項が書面交付義務を課している趣旨は、債務者の関知しないところで債権者の変更が行われ、請求時に突然その事実が債務者に示されるということでは、債務者の保護に十分でないためであると解されている[2]。そのため、信託譲渡の時点では、債権譲渡登記により第三者対抗要件のみを具備し、オリジネーターがサービサーとして債権回収を継続する案件においては、信託譲渡の時点で、債務者に対する不意打ちを防止する必要はないのであるから、書面交付の留保は認められるべき

---

[2]　大蔵省銀行局内貸金業関係法令研究会編『一問一答貸金業規制法の解説』（金融財政事情研究会、昭和58年）75頁。

であるとする[3]。もっとも、かかる見解も、書面交付を留保することができると解しているにすぎず、書面交付を省略することができると解しているわけではない。そのため、受託者が直接またはサービサーであるオリジネーター以外の第三者を通じて、弁済請求その他の債務者への接触を行う場合や、オリジネーターがサービサーから解任され、受託者が直接またはオリジネーター以外の第三者を通じて弁済請求をする必要が生じた場合などには、債務者に対する書面の交付をする必要があると考えられる点に留意が必要である。

また、いわゆるグレーゾーン利息（利息制限法に定める上限金利を超える利息）にも留意が必要である。平成22年6月18日に施行された改正貸金業法により、貸金業者が利息制限法の制限を超える利息の契約を締結することおよびかかる利息を受領することが禁止されたため（貸金業法12条の8第1項および4項）、オリジネーターがかかる条項を遵守している限り、改正貸金業法の施行日以降はグレーゾーン利息は発生しないことになるが、貸金業法の改正前に貸金業者がグレーゾーン利息を受領していた可能性がある。債務者が支払った利息制限法の超過部分の利息は、元本に充当されていき、計算上元本が完済された後に支払われた金額は、不当利得として債務者から返還請求（いわゆる過払金返還請求）を受けるおそれがある。そのため、過払金返還請求のリスクがある場合には、信託契約において、オリジネーターまたは受託者に対して信託債権について過払金返還請求がなされた場合には、オリジネーターが債務者に対して支払を行う旨の規定や、過払金返還請求により受託者が損害を受けた場合は、オリジネーターが受託者の損害を補償する旨の規定や、受託者が損害の補填を受けられることを確保するために、信託財産内に、一定額の金銭を留保する旨の規定が置かれる。

---

[3] 道垣内弘人「資産担保証券と貸金業規制法」高木多喜男先生古稀記念『現代民法学の理論と実務の交錯』（成文堂、平成13年）169頁以下、大嶋正道「カード債権流動化スキームの概要と法的問題点」季刊債権管理97号52頁（平成14年）参照。

c　リース料債権の証券化

　証券化の対象となるリース料債権は、いわゆるファイナンス・リース契約に基づくリース料債権であることが多い。ファイナンス・リース契約とは、以下のような内容の契約である。

① 　レッサー（貸し手）は、レッシー（借り手）の指定する物件を購入してレッシーに一定の期間リースする。
② 　レッシーは、リースの対価として、レッサーに対しリース料を支払う。このリース料は、リース期間満了時においてリース物件に残存価値はないものとみて、レッサーがリース期間中にリース物件の取得費その他の投下資本の全額を回収できるように算定される。そのため、リース料の総額は契約当初に決定され、これをリース期間にわたって分割払いすることになる。
③ 　レッシーによる中途解約は禁止される。
④ 　レッサーは、リース物件の瑕疵に関し、なんらの責任も負わない。
⑤ 　レッシーは、リース期間中、リース物件の点検・整備、修繕・修復をすべて自己の責任と負担で行い、リース物件を使用しない期間または使用できない期間があっても、理由のいかんを問わずリース料の支払義務を免れない。
⑥ 　リース期間中のリース物件の滅失毀損の危険をレッシーが負担し、リース物件が滅失した場合には、リース契約は終了し、レッシーはレッサーに対し、残リース料またはこれに相当する規定損害金を支払う。
⑦ 　レッシーの債務不履行によりリース契約が解除された場合には、レッシーはレッサーに対し、リース物件を返還するほか、残リース料またはこれに相当する規定損害金を支払う。

　このようなファイナンス・リース契約の実質はレッサーがレッシーに対して金融上の便宜を付与するものである。すなわち、レッサーは、前記④や⑤に表れているように、リース物件を使用させる義務を負わないことから、

リース物件の所有者として、レッシーにリース物件を賃貸しているというよりは、レッシーのかわりにリース物件を取得し、リース物件の購入代金を分割でレッシーから受け取っていると考えるのが実態に整合する。そのため、リース料債務は、レッシーがリース物件を使用することの対価としての性質を有さず、リース料の支払が毎月一定額によることと約定されていても、それはレッシーに対して期限の利益を与えるものにすぎず、リース料債権は、ファイナンス・リース契約の成立と同時にその全額について発生すると考えることができる。

　ファイナンス・リース契約に基づくリース料債権が証券化の対象となりやすい理由は、かかるファイナンス・リース契約の性質にある。まず、リース料の総額がリース契約締結時点で確定しているため、リース料債権からの回収金総額が予測しやすい。また、オリジネーターが倒産した場合でも、オリジネーターの管財人等が、双方未履行双務契約の解除について定めた破産法53条1項等に基づき、ファイナンス・リース契約を解除することができない。これは、レッサーは、リース物件の引渡しを終えてしまえば、目的物を使用させる義務を負わないので、レッシーに対してリース料の支払債務と牽連関係に立つ未履行債務を負担していないことになるためである（最判平7.4.14民集49巻4号1063頁参照）。証券化取引では、裏付資産の価値が、オリジネーターの倒産により影響を受けないことが重要であることから、破産法53条1項等の適用を受けないファイナンス・リース契約は、通常のリース契約と比較して証券化に適しているといえる。

d　住宅ローン債権の証券化（RMBS）

　住宅ローン債権には、当該債権を担保するために住宅に抵当権が設定されているか、住宅ローン債権を保証会社が保証し、保証会社から住宅ローンの債務者に対する求償権を担保するために住宅に抵当権が設定されていることが多い。

　証券化の対象となる住宅ローン債権のために抵当権が設定されている場合

（図表4−5参照）、住宅ローン債権の信託に伴って抵当権も移転するため、債務者がローンを返済しない場合には、受託者が抵当権を実行することができる。しかし、保証会社から住宅ローンの債務者に対する求償権のために抵当権が設定されている場合には（図表4−6参照）、住宅ローン債権自体が抵当権によって担保されているわけではないため、住宅ローン債権の信託に伴って抵当権が移転することはなく、受託者は、抵当権を実行することができない。そのため、後者の場合には、受託者が住宅の担保価値を把握できるように、スキーム上の手当をする場合がある。その一例として、保証会社の求償権を被担保債権とする抵当権に、保証会社に対する保証債務履行請求権を

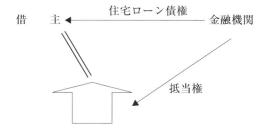

図表4−5　住宅ローン債権のために抵当権が設定されている場合

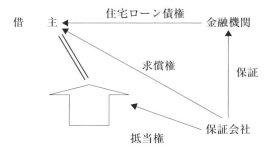

図表4−6　保証会社の求償権のために抵当権が設定されている場合

被担保債権とする転抵当を設定するスキームがある（民法376条1項）。ただし、転抵当は、保証会社に対する保証債務履行請求権を被担保債権として設定されるため、保証会社について更生手続が開始された場合には、更生手続によらずに担保権の実行をすることができなくなり（会社更生法47条1項）、更生計画の定めに従い、保証債務履行請求権が一部免除された場合には、保証会社の求償権も縮減し、転抵当の把握する担保価値も縮減してしまうと考えられるため（会社更生法205条）[4]、このような住宅ローン債権の証券化商品は、保証会社の信用リスクを負担することになる。なお、転抵当の設定を主たる債務者等に対抗するためには、その旨を主たる債務者に通知し、または主たる債務者からの承諾を取得しなければならないが（民法377条1項）、住宅ローンの債務者に債権譲渡の事実を知らせたくないというオリジネーターの要請があることや、大量の債務者に係る個別の通知または個別の承諾の取得に多大なコスト・時間がかかることから、保証会社の信用力悪化などの一定の事由が生じるまで、かかる対抗要件の具備を留保することが多い。

　その他の特徴として、住宅ローン債権には、団体信用生命保険が付されていることがある。団体信用生命保険とは、住宅ローンの債務者を被保険者、住宅ローンの債権者を保険契約者および保険金受領者とし、住宅ローンの債務者が死亡または所定の高度障害状態になったときに住宅ローンの債権者に対して住宅ローン債権を完済するに足りる保険金が支払われるという契約内容の生命保険である。保険金は、住宅ローンの弁済に充当される。団体信用生命保険の被保険者の範囲が、「オリジネーターの保有する住宅ローンの債務者」というように定義されている場合があり、この場合には、住宅ローン債権の信託により、保険契約上、対象債権の債務者が被保険者の範囲から外れてしまう可能性がある。そこで、住宅ローン債権が信託されても、当該債権の債務者は被保険者の範囲に含まれることを保険会社との間で合意してお

---

[4] 田原睦夫・木村圭二郎「保証会社の倒産と債権管理上の諸問題」金融法務事情1462号40頁（平成8年）。

くなどの対応が必要となる。

　また、住宅に抵当権が設定されている住宅ローン債権または保証会社の債務者に対する求償権を担保するために住宅に抵当権が設定されている住宅ローン債権については、民事再生法の住宅資金貸付債権に関する特則が適用される（民事再生法196条以下）。そのため、債務者について民事再生手続が開始した場合には、いったん喪失された期限の利益が回復され、弁済期未到来の元本の支払を契約上の返済期限の約定に従ってなすこととされたり（同法199条）、保証会社による保証債務の履行がなかったものとみなされたりする可能性がある（いわゆる巻戻し。同法204条１項）。巻戻しにより、履行によって消滅した保証債務は復活し、保証会社が保証債務の履行として受託者に支払った金額について、保証会社は受託者に対して不当利得返還請求権を取得する。そのため、受託者は、保証会社から保証債務の履行として受領した金銭を一定期間留保するなどして、巻戻しにより保証会社への返還が必要になる場合に備える必要がある。

2　証券化に用いられる仕組み

(1)　信用補完、流動性補完、コミングリング・リスク軽減措置の仕組み

　金銭債権の証券化では、裏付資産である多数の金銭債権から生じるキャッシュフローによって投資家に対する元利金等の支払を行うところ、期中に裏付資産の一部の信用力が悪化した場合には、証券化商品の元利金等の支払に悪影響が生じる可能性がある。このように、裏付資産の信用力の悪化が証券化商品の元利金等の支払に悪影響を及ぼすことを防止するための仕組みを、信用補完という。

　また、裏付資産の信用力が悪化していなくとも、サービサーによる回収金の引渡しが過誤により遅延したような場合には、一時的に証券化商品の元利金等の支払に充てる資金が不足する可能性がある。このような一時的な資金不足を補う仕組みを流動性補完という。

図表4－7　信用補完、流動性補完、コミングリング・リスク軽減措置

信用補完	内部信用補完	優先劣後構造、超過スプレッドの利用
	外部信用補完	裏付資産の保証、証券化商品の保証
流動性補完	現金準備金	
コミングリング・リスク軽減措置	劣後受益権による対応、セラー受益権による対応、回収金の前払い	

　さらに、サービサーのコミングリング・リスクにより証券化商品の元利金等の支払に悪影響が生じる可能性がある。証券化取引においては、このようなコミングリング・リスクを軽減するための仕組みが施されることがある。

　信用補完、流動性補完およびコミングリング・リスク軽減措置としてどのような仕組みを用いるか、またどの程度の補完水準を設定するかは、個々の案件の特徴、裏付資産の信用力の程度等によって異なる。

　なお、オリジネーターが信用補完を行う場合には、裏付資産の信用力に照らして信用補完の水準が過大であると、裏付資産の信用リスクが十分に移転されていないとして、裏付資産の真正譲渡性の判断に悪影響を及ぼし、オリジネーターからの倒産隔離が十分に確保されない可能性がある。そのため、案件組成に際しては、オリジネーターによる信用補完の水準を慎重に吟味する必要がある。オリジネーターによる信用補完が裏付資産の真正譲渡性の観点からどの程度まで許容されるかについて一律の基準はなく、案件ごとの裏付資産の信用力に照らした個別的な検証が必要となる。

　以下では、信託を用いた金銭債権の証券化を前提として、信用補完、流動性補完およびコミングリング・リスク軽減措置の具体的な仕組みとともに、裏付資産の真正譲渡性の判断との関係で留意すべき点を説明する（図表4－7参照）。

　　a　信用補完

　信用補完には、裏付資産から生じるキャッシュフローの組替え・加工によ

って証券化商品の信用力を高める方法（内部信用補完）と、外部の第三者から信用供与を受けることにより証券化商品の信用力を高める方法（外部信用補完）がある。

(イ) 内部信用補完

(i) 優先劣後構造

　優先劣後構造とは、証券化商品を、裏付資産から生じるキャッシュフローから優先的に元利金等の支払を受けることのできる部分と、それに劣後して元利金等の支払を受けることのできる部分に分けて、劣後部分を優先部分の信用補完として機能させることをいう（図表4－8参照）。裏付資産である金銭債権の一部が回収不能になったとしても、それによる損失はまず劣後部分が負担し、劣後部分に相当する部分を超えた場合にはじめて優先部分に損失が生じることになる。

　劣後受益権の償還方法には、シークエンシャル方式（優先受益権の元本償還が完了するまで劣後受益権への元本償還を行わない方法）とプロラタ方式（優先受益権と劣後受益権の比率を維持して劣後受益権への償還を行う方法）があり、シークエンシャル方式のほうが、期中に償還が進むほど劣後比率が増加するため信用補完効果が高い。なお、プロラタ方式を採用する証券化商品でも、対象債権のパフォーマンス悪化などの事由が生じた場合には劣後受益権への

図表4－8　優先劣後構造

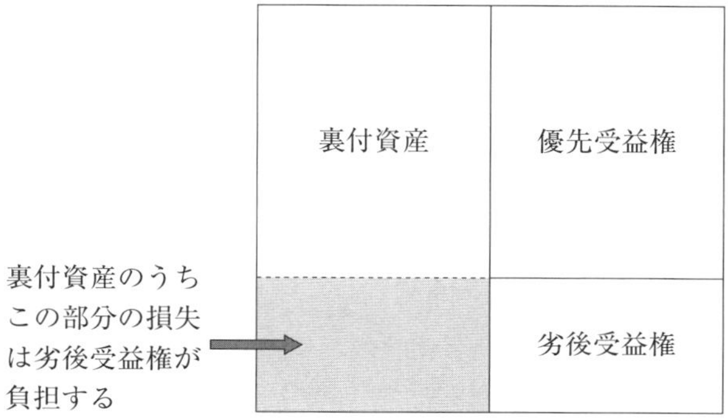

分配を停止し、余剰キャッシュフローをすべて優先受益権の償還に充てる方法がとられることが多い。

劣後受益権はオリジネーターが保有するケースが大半である。オリジネーターが保有する劣後受益権が過大であると、裏付資産の真正譲渡性の判断に悪影響を及ぼすことになるため、劣後受益権の比率に留意する必要がある。

(ii) 超過スプレッドを利用した信用補完

信託方式の金銭債権の証券化では、金銭債権からの回収金を利息回収金と元本回収金に分け、利息回収金から公租公課、信託報酬、サービサー費用などの諸経費の支払や信託受益権の配当を行い、元本回収金を信託受益権の元本償還に充てる仕組みがとられるが、利息回収金から上記の諸経費を支払ってなお余剰がある場合に、余剰金を信用補完として用いる場合がある。具体的には、デフォルトトラップ（裏付資産に損失が発生した場合には余剰金を用いて損失を補填する仕組み）、早期償還またはターボ償還（裏付資産のパフォーマンスの悪化などの事由が発生した場合に余剰金をすべて優先受益権の元本償還に充てる仕組み）、ダイナミック・リザーブ（裏付資産のパフォーマンスが悪化した場合に、超過スプレッドから積立を行い、将来優先受益権に対する支払に不足が生じた場合には、積立金を取り崩して充当する仕組み）などがある。

(ロ) 外部信用補完

外部信用補完として、裏付資産である金銭債権の履行について第三者の保証を付す方法や、保険会社が証券化商品の元利金等の支払を保証する方法がある。

外部信用補完を提供する第三者がオリジネーターから独立した利害関係のない第三者である場合には、外部信用補完が裏付資産の真正譲渡性の判断について悪影響を与えないと考えられるが、外部信用補完を提供する第三者がオリジネーターの関連会社である場合などにおいては、裏付資産のリスクや裏付資産に対する権限がオリジネーターから十分に移転されていないとして、裏付資産の真正譲渡性の判断に悪影響を及ぼす可能性がある。

b　流動性補完

　金銭債権の証券化では、裏付資産の弁済期と証券化商品の弁済期との不一致やサービサーからの送金の事務処理上の過誤による延滞など、裏付資産の信圧力の悪化以外の理由により回収金が証券化商品の元利金等の支払に一時的に不足する可能性がある。かかるリスクに対応するために、一定の現金を準備金として積み立てておき、回収金が証券化商品の元利金等の支払に不足する場合に取り崩して支払に充てることを流動性補完という。

　実際には、回収金の不足の原因が裏付資産の信用力の悪化によるものであるか否かにかかわらず、現金準備金を取り崩せることとする場合が多く、この場合には、現金準備金が結果として信用補完として機能する可能性がある。このことから、現金準備金に相当する受益権をオリジネーターが保有する場合には、裏付資産の真正譲渡性の判断において、現金準備金も、優先受益権の信用補完とみなすことになる。

　流動性補完が必要な場面として典型的に想定される場面は、サービサーについて倒産手続が開始された場合である。この場合、サービサーを解任し、後任のサービサーに切り替えることが想定されるため、サービサー交代時に必要となる費用（債務者対抗要件具備のための通知費用や後任のサービサーへの手数料等）の支払が必要になる。また、サービサーの切替えには時間を要し、一定期間サービサーによる回収が継続することが想定されるが、サービサーの倒産手続との関係で、サービサーから信託受託者に対する送金が遅延する可能性がある。そこで、サービサー交代時に必要となる費用およびサービサーの切替えまでに必要と見込まれる期間中の諸経費と優先受益権に対する支払額をあらかじめ積み立てておくことが多い。

c　コミングリング・リスク軽減措置

　サービサーが回収した裏付資産である金銭債権の回収金は、信託受託者に対して引き渡されるまではサービサーに帰属し、信託受託者はサービサーに対して回収金引渡請求権を有するにすぎない。したがって、回収から送金ま

図表 4 − 9　コミングリング・リスク軽減措置の必要性

【裏付資産の譲渡とサービサー業務の委任】

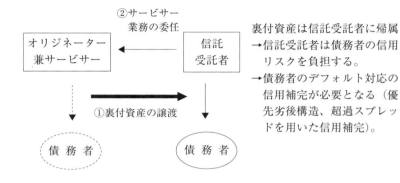

裏付資産は信託受託者に帰属
→信託受託者は債務者の信用リスクを負担する。
→債務者のデフォルト対応の信用補完が必要となる（優先劣後構造、超過スプレッドを用いた信用補完）。

【期中の回収金の流れ】

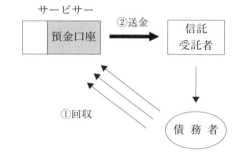

回収金は預金債権としてサービサーに帰属し、信託受託者はサービサーに対し回収金引渡請求権を取得する。
→サービサーが破綻すると、信託受託者はサービサーのもとで滞留している回収金相当額の損失を受けるおそれがある（コミングリング・リスク）。
→コミングリング・リスク軽減措置が必要となる。

での間、証券化商品は、サービサーの信用リスクにさらされることになる。特に、サービサーについて倒産手続が開始した場合、当該回収金引渡請求権は倒産手続に服することになり、信託受託者が回収金を受領するまでに時間がかかり、また、信託受託者が回収金の全額を受領できない可能性がある。このようなリスクをコミングリング・リスクという。コミングリング・リスクを軽減するための方法として、次のような対応がとられる（コミングリング・リスク軽減措置の必要性については、図表 4 − 9 参照）。

(イ) 劣後受益権による対応

　コミングリング・リスクに対応するために裏付資産または現金を余分に信託し、劣後受益権に含め、コミングリング・リスクによる損失を劣後受益権に負担させる方法である。コミングリング・リスク対応の劣後受益権が、裏付資産の信用補完のために設定されている劣後受益権と区別がなされていないことが多く、コミングリング・リスク対応の劣後受益権が、コミングリング・リスク対応としてだけではなく、裏付資産の信用補完として機能する可能性がある。そのため、裏付資産の真正譲渡性の判断においては、コミングリング・リスク対応の劣後受益権も裏付資産の信用補完とみなすことになる。

(ロ) セラー受益権による対応

　1つの信託の設定につき、共通のプールを利用した複数回の証券化商品の発行を行うマスタートラスト方式などの場合、オリジネーターが保有するセラー受益権にコミングリング・リスクに対応する機能をもたせることが多い。具体的には、コミングリング・リスクによる損失として想定される金額を最低セラー受益権必要額として維持することをオリジネーターに義務づけ、サービサーであるオリジネーターによる回収金引渡義務が履行されない場合に、セラー受益権の償還請求権と回収金引渡請求権を相殺する仕組みを設ける。

(ハ) 回収金の前払い

　回収予定日よりも前に、サービサーが信託受託者に対して回収予定額を前払いする方法である（アドバンスまたは仮払いとも呼ばれる）。具体的には、裏付資産である金銭債権の回収予定額を前もって見積もり、サービサーが当該金額をあらかじめ受託者に送金しておき、サービサーからの回収金の送金時に過不足を精算する。この仕組みによって、サービサーが回収した回収金がサービサーの倒産手続に服することになったとしても、信託受託者はすでに当該回収金相当額を受領していることになる。前払いの仕組みは、たとえ

ば、オートローン債権の証券化のようにボーナス払いの影響で一定の月に極端にコミングリング・リスクが大きくなるケースにおいて用いられることが多い。これは、劣後部分に含める方法では、期中にわたり大きな劣後部分を維持しなければならず、オリジネーターの資金効率性の面や裏付資産の真正譲渡性の判断への悪影響が生じる可能性がある点で望ましくないからである。

㈡ 格付トリガーの利用

コミングリング・リスクは、サービサーの信用力が悪化した場合に現実的な発生可能性が高まる。そこで、サービサーやサービサーの親会社の格付が一定水準を下回った場合に、コミングリング・リスク対応の仕組みをとることとする案件もみられる。

(2) マスタートラストとセラー・インベスター構造
a マスタートラスト方式の概要
⑷ セラー受益権とインベスター受益権

マスタートラスト方式とは、信託を利用した証券化において、1つの信託の設定につき1回の証券化商品の発行を行う方式（スタンドアローン方式）に対し、1つの信託の設定につき、共通のプールを利用した複数回の証券化商品の発行を行う方式をいう。マスタートラスト方式においては、信託の設定時に、セラー（信託の委託者であるオリジネーター）が、セラー受益権を取得する。そして、シリーズ受益権の発行ごとに、セラーと受託者との間で、信託契約を補足する契約を締結することにより、セラー受益権の一部を、シリーズ優先受益権と（シリーズ）劣後受益権に分割し、セラーは、シリーズ優先受益権を投資家に譲渡して、（シリーズ）劣後受益権はセラーが保有する（図表4－10参照）。なお、全シリーズに共通の1つの劣後受益権を設定する方式と、各シリーズごとに個別の劣後受益権を設定する方式が考えられる。シリーズ優先受益権と（シリーズ）劣後受益権は、セラー受益権に対

図表 4 −10 シリーズ受益権の発行

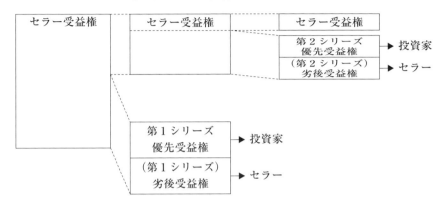

し、インベスター受益権と呼ばれる。

　マスタートラスト方式を採用するメリットとしては、大規模な信託ポートフォリオを組成することができるため、より大数の法則を働かせることができることや、機動的でコストの低い証券化商品の発行が可能になることなどがある。また、クレジットカード債権の証券化の場合、既発生の債権に加えて、同一のクレジットカードに基づいて将来発生する債権も信託譲渡の対象とされる。このように、将来債権の譲渡がなされる場合、セラー受益権は将来債権部分を吸収する役割も果たす。

㈹　マスタートラスト方式の留意点

　マスタートラスト方式においては、新たなシリーズ発行を行うために信託財産を増大させるためのセラーの任意による追加債権信託や、コミングリング・リスク対応に用いるセラー受益権（セラー受益権に対する元本償還債務とサービサーであるセラーの回収金引渡債務とを相殺する）の残高を維持するためにセラーの義務としてなされる追加債権信託についての定めが置かれることがある。

　この場合、信用力の低い債権が追加信託されることにより、既存のシリー

ズ受益者に悪影響が及ばないかや、追加債権信託による信用補完がなされ、債権信託の真正譲渡性の判断に悪影響を与えないかという点に留意が必要である。

また、マスタートラスト方式においては複数のシリーズ受益権の発行が予定されているため、新規のシリーズの予定配当率が高率である場合などにおいて、新規のシリーズ発行により既存のシリーズ受益者に悪影響が生じる可能性や、新規のシリーズ発行に伴うシリーズ共通の劣後受益権の増加により、既存のシリーズ受益権の信用補完がなされ、債権信託の真正譲渡性の判断に悪影響を与える可能性がある。

b マスタートラスト方式の元本償還方法の概要

マスタートラスト方式の元本償還方法は、証券化商品によってさまざまではあるが、その一例について、以下、概要を説明する。

なお、マスタートラスト方式の元本償還方法は、後記cのとおり、債権信託の真正譲渡性の判断にかかわるものである。

(イ) 通常償還期間

証券化対象債権の元本回収金等は、まずマスタートラストに共通する勘定に入り、当該回収金等の金額にセラー持分割合（セラー受益権が、マスタートラストに係る全受益権に占める割合）を乗じた金額が、セラーに対し交付またはセラーに対する交付のために留保され、当該回収金等の金額にインベスター持分割合（インベスター受益権が、マスタートラストに係る全受益権に占める割合）を乗じた金額は、各シリーズ受益権の割合に応じて、シリーズごとの勘定に流れる（図表4－11参照）。

各シリーズごとの勘定に流れた金額は、各シリーズごとの金銭分配方法に従って、シリーズ受益者に分配されることになる。

(ロ) シリーズ早期償還期間

証券化対象債権の回収状況が悪化した場合など一定の早期償還事由が発生した場合に、証券化商品の償還を早める仕組みが採用されることが多い。マ

図表4－11　通常償還
共通の勘定

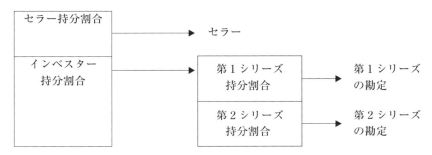

　スタートラスト方式の証券化商品においては、複数のシリーズ受益権が存在するため、後記(ハ)のようなマスタートラストに共通する早期償還事由に加えて、シリーズごとに早期償還事由が設定されることがある。

　あるシリーズ受益権についてシリーズごとの早期償還事由が発生した場合、当該シリーズ受益権の早期償還が開始されるが、シリーズ早期償還事由が発生していないシリーズ受益権の償還には、影響を与えない。

　そのため、マスタートラストに共通する勘定に入った証券化対象債権の回収金等にセラー持分割合を乗じた金額は、早期償還が開始したシリーズ受益権の勘定に流れ、証券化対象債権の回収金等にインベスター持分割合を乗じた金額については、通常償還期間と同様の処理がなされる（図表4－12参照）。

(ハ)　共通早期償還期間

　全シリーズに共通する早期償還事由が発生した場合、マスタートラストに共通する勘定に入った証券化対象債権の回収金等は、全額がインベスター受益権の元本償還に回され、セラー受益権の償還に優先して、インベスター受益権の償還に充てられる（図表4－13参照）。

　インベスター受益権の償還は、各シリーズ受益権に対してプロラタで行われる。

図表 4 −12　早期償還
共通の勘定

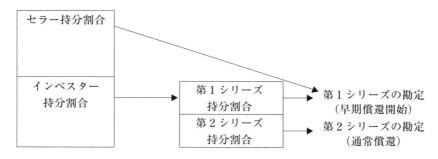

図表 4 −13　共通早期償還
共通の勘定

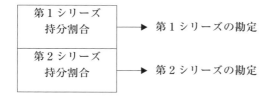

(二)　プロラタ償還期間

　証券化対象資産のパフォーマンスが相当程度悪化した場合には、プロラタ償還期間が開始する。プロラタ償還期間においては、セラー受益権とインベスター受益権の償還を按分比例により行うことになる（図表 4 −14参照）。

　このプロラタ償還期間の存在は、債権信託の真正譲渡性との関係で重要な役割をもつ（後記 c 参照）。

c　マスタートラスト方式と真正譲渡

　マスタートラスト方式においては、セラー受益権をセラーが保有することから、セラーに証券化対象資産に対する実質的・経済的支配が残存しているとみなされ、債権信託の真正譲渡性が否定されるのではないかという点が問題となる。

図表4−14　プロラタ償還

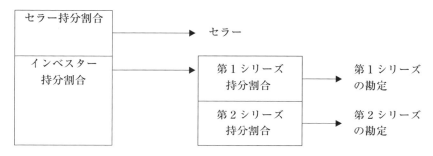

　マスタートラスト方式において、債権信託の真正譲渡性を検討する場合の基本的な視点は、取引後に売主と買主が経済的・実質的に不動産を共有する結果となるような不動産取引との対比の視点である。

　たとえば、Aが不動産を信託し、その受益権を2つに分割してその1つをBに譲渡した場合を考えると、Aの信託不動産に対する実質的・経済的支配の程度と、Bの信託不動産に対する実質的・経済的支配の程度が、その実質的持分に応じてプロラタに設定されている限り、信託不動産は実質的・経済的にAおよびBにより共有されることになり（図表4−15参照）、このような取引は、通常、担保取引とはみなされないと考えられる。

　一方、マスタートラスト方式の金銭債権の証券化においては、Aが金銭債権を信託し、その受益権をセラー受益権とインベスター受益権に分割して、インベスター受益権をBに譲渡するという取引がなされるのであるから、不動産取引と対比した場合、セラー受益権をセラーが保有していたとしても、セラー受益権の信託財産に対する実質的・経済的支配の程度と、インベスター受益権の信託財産に対する実質的・経済的支配の程度とが、持分に応じてプロラタに設定されており、セラー受益権がインベスター受益権の信用補完になっていない限り、債権信託の真正譲渡性が認められると考えることができる（図表4−16参照）。

第1節　金銭債権の証券化　269

そこで、マスタートラスト方式においては、セラー受益権に対する元本償還と、インベスター受益権に対する元本償還がプロラタでなされるような仕組みがとられるのが原則である。もっとも、前記bのとおり、シリーズ早期償還期間や共通早期償還期間中は、インベスター受益権の元本償還がセラー受益権に優先してなされることとしても、そのことのみをもって、債権信託の真正譲渡性が否定されるものではない。マスタートラスト方式による証券化商品以外のABSや通常の債権に関し、設定される各トランシェの予定償還期間が異なるとしても、償還のタイミングが異なるにすぎず、かかる償還期間の差異によって、実質的な償還可能性に差異が生じない場合には、償還

図表4－15　不動産の場合

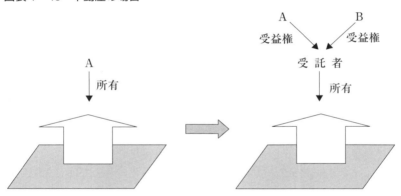

図表4－16　マスタートラスト方式の場合

期間の差異は、各トランシェの優先劣後性に影響を与えないと考えられている。同様の視点から、信託対象債権のパフォーマンスが悪化した場合に償還方法が変更されることなどにより、最終的にセラー受益権とインベスター受益権の実質的な償還可能性に差異が生じない場合には、償還期間の差異は、債権信託の真正譲渡性に影響を与えないと考えることができる。

(3) 信託ABLおよび信託社債

a スキームの概要

信託を用いた証券化のスキームとして最もオーソドックスなスキームは、①オリジネーターが受託者に対し証券化対象資産を信託譲渡し、これに対し受託者がオリジネーターに対し信託受益権を発行し、②オリジネーターが取得した信託受益権を投資家に売却することにより、当該売却に係る売却代金をもってオリジネーターの資金調達を図るという「受益権譲渡型」のスキームである（図表4－17参照）。

このようなスキームのほか、①オリジネーターが受託者に対し証券化対象資産を信託譲渡し、これに対し受託者がオリジネーターに対し信託受益権を発行し、②受託者が信託財産である証券化対象資産を引当てとして投資家から借入れを行い、あるいは、信託社債[5]を発行することで資金調達を行い、③かかる借入金または信託社債の発行代り金をもってオリジネーターが取得

---

[5] 信託社債は、信託法の制定に伴って、会社法施行規則の改正により、導入された制度である。信託社債は、信託の受託者が発行する社債であって、信託財産のために発行するものである（会社法施行規則2条3項17号）。信託法に信託社債に関する規定は置かれていないが、会社法施行規則において、通常の社債を発行する場合とは異なる特則が規定されている。たとえば、社債が信託社債である場合は、社債の募集事項として、信託社債である旨および当該信託社債についての信託を特定するために必要な事項を定めなければならない（会社法施行規則162条8号）。また、（責任財産が信託財産に限定される）信託社債については、取締役会の決定権限の委任に対する制限が緩和されており、取締役会において、（責任財産限定特約付）信託社債の募集事項の決定を委任する旨を決議すれば足りることとされている（会社法施行規則99条2項）。信託社債についても、社債等振替法の適用を受ける振替債とすることは可能であり、現に実例としても、振替債の形式で信託社債を発行した例がみられる。

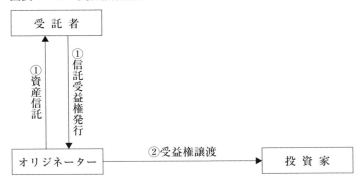

図表 4 －17　受益権譲渡型

した信託受益権の一部を償還することにより当該信託受益権の償還金をもってオリジネーターの資金調達を図るというスキームを採用することも考えられる。

　受託者が信託財産を引当てに借入れや信託社債の発行を行うスキームは、たとえば、投資家の内部事情により信託受益権を購入するかたちではなく、ローンを供与するかたちで投資を行いたいという要請があり、他方で、オリジネーター等の案件を組成する側において信託を利用することでSPCの設立・管理コストを節約したいという要請がある場合等に用いられている[6]。

　なお、ローンや信託社債を用いる証券化スキームのなかには、オリジネーターが継続して保有する受益権（たとえば、劣後受益権）以外の受益権（優先受益権）のすべてをローンの借入金や信託社債の発行代り金によって償還するのではなく、償還する優先受益権を一部にとどめ、残りの優先受益権については受益権のまま投資家に譲渡するという「ハイブリッド型」のスキーム

6　ローンにより投資を行いたいという投資家のニーズを満たすだけであれば、証券化対象資産を引当てとした信託受益権をSPCに譲渡し、SPCが投資家からローンで資金調達を行うというスキームを採用することで足りる。しかし、その場合には、信託に係る費用（受託者の報酬など）に加え、SPCの管理費用が別途生じることになり、コストをできる限り抑えたいというオリジネーター等の案件を組成する側のニーズをも満たそうとすれば、信託の受託者自身が借入れを行うという方法が採用されることになる。

も存在する。

また、一般的には、信託社債を用いるスキームではなく、ローンを用いるスキームが採用される場合が多い。以下における議論は、ローンの場合と信託社債の場合とのいずれにも基本的に共通することから、ローンの場合を例にとって説明を加えることとし、(「ハイブリッド型」のものを含め) ローンを用いるスキームを「借入目的信託」[7]と呼ぶこととする (図表4－18、図表4－19参照)。

図表4－18　借入目的信託

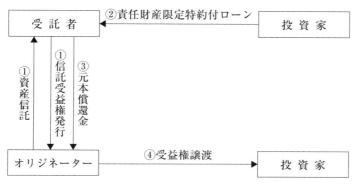

図表4－19　ハイブリッド型信託

b 解除リスク

旧信託法下では、私益信託においては、「受益者カ信託利益ノ全部ヲ享受スル場合」に、受益者が「信託財産ヲ以テスルニ非サレハ、其ノ債務ヲ完済スルコト能ハサルトキ其ノ他已ムコトヲ得サル事由」のあるときは、「裁判所ハ受益者又ハ利害関係人ノ請求ニ因リ信託ノ解除ヲ命スルコト」ができるとされていた（同法58条）。

そして、旧信託法58条に基づく解除については、信託行為で解除に関し異なる定めをすることも可能であるが（同法59条）、信託目的の遂行よりも受益者当人ないし第三者の利益を尊重すべきものと裁判所が判断すべき場合には、信託の解消を認めるべきという同法58条の趣旨から考えて、裁判所のこの解除権を絶対的に排除することは許されないと解されていた。

借入目的信託では、証券化商品の安定性の確保という観点から、オリジネーターその他の当事者の事情により信託が解除され、予定よりも早くスキームが終了する事態は避ける必要がある。そこで、旧信託法58条に基づく解除リスクについても、かかるリスクを低減するよう、スキーム上一定の手当がなされていた。

具体的には、信託による借入れにより信託受益権の一部が償還された後においても受益者が1人となることのないよう、オリジネーターによる証券化対象資産の信託譲渡によりA、B、Cという3つの信託受益権を組成し、A信託受益権は信託による借入金により償還し、B信託受益権は投資家その他の第三者に譲渡し、C信託受益権はオリジネーターが保有し続けるという仕組みを採用する案件がみられた。これは、オリジネーターのみが受益者となることで、オリジネーターの倒産時にオリジネーターの利益のみを考慮して旧信託法58条に基づく解除がなされてしまうのを防ぐための仕組上の工夫であった。

---

[7] 実務上は、信託財産を引当てにしたローンが実行される点に着目し、信託ABL（Asset Backed Loan）と呼ばれることがある。

信託法においては、旧信託法58条の解除リスク（受託者や貸付人が関与しえない受益者側の事情によって信託が終了してしまうリスク）を解消しつつ、事情変更に基づく裁判所による信託の終了命令の制度自体には有用性があることを考慮し、新たに165条1項[8]を設けている。

信託法165条1項は、旧信託法58条リスクの解消という観点から以下の点を旧信託法58条から修正しているとされている[9]。

第1に、「已ムコトヲ得サル事由」との要件をより具体化・明確化して「信託行為の当時予見することができなかった特別の事情」とし、特別の事情変更がある場合に限って適用されるものであることが明らかにされている。

第2に、「已ムコトヲ得サル事由」の一態様として、「信託財産ヲ以テスルニ非サレハ其ノ債務ヲ完済スルコト能ハサルトキ」があげられていたのを、受益者の倒産による影響を受けないことを目的とした信託も考えられるため、「信託を終了することが信託の目的及び信託財産の状況その他の事情に照らして受益者の利益に適合するに至ったことが明らかであるとき」に改めている。

第3に、申立権者を委託者、受託者または受益者に制限している。

以上のようなことから、信託法の改正により、旧信託法58条に基づく解除リスクはおおむね解消されたものと考えられる。ただし、証券化目的の信託に信託法165条1項が適用される可能性を完全に否定することはできないことから、証券化目的の信託に対する同項の適用を排除することを目的として、①流動化取引が委託者の倒産による影響を受けないことが信託目的に含まれていること、②委託者（オリジネーター）が倒産またはその可能性が

---

[8] 「信託行為の当時予見することのできなかった特別の事情により、信託を終了することが信託の目的及び信託財産の状況その他の事情に照らして受益者の利益に適合するに至ったことが明らかであるときは、裁判所は、委託者、受託者又は受益者の申立てにより、信託の終了を命ずることができる」と規定している。

[9] 逐条解説信託法368頁。

図表 4 −20　信託法165条 1 項に対応した条項（サンプル）

> 委託者および受託者は、本信託契約に基づく信託の設定、その受益権の委託者による売却および信託財産を引当てとした受託者による金銭の借入れに関連する一連の取引が、委託者の倒産により影響を受けない、資産からのキャッシュフローを引当てにした資金調達スキームであることを認識し、これを相互に了解しており、したがって、信託債権の信託期間中において委託者が倒産またはその可能性があることも、本信託契約の締結時において予見可能な事項として認識していることを相互に確認する。

あることが、「信託行為の当時予見することのできなかった特別の事情」に該当しないことを確認する条項を設けることが考えられる。

　実務上は、たとえば、図表 4 −20のような条項を信託目的に係る規定、表明保証に係る規定、信託終了に係る規定等に加えるケースがある[10]。

c　「真正譲渡」性

　借入目的信託においても、いわゆる「真正譲渡」性が問題となる。「真正譲渡」という用語は多義的に用いられるが、法的な意味における「真正譲渡」とは、借入目的信託の場合には、信託の委託者（オリジネーター）について破産手続、会社更生手続または民事再生手続が開始された場合において、証券化対象資産が破産財団や委託者に属するものであり、受託者の有する権利が破産手続、会社更生手続または民事再生手続に服する担保権であるとは判断されないことを意味する。

　「真正譲渡」性を検討するにあたってどのような要素を考慮するのかについては、種々の見解が存在するところであるが、借入目的信託との関係で特筆すべき考慮要素は、①オリジネーターの証券化対象資産に対する権限の有無およびその内容または証券化対象資産に対する支配権の有無およびその程度、②オリジネーターの証券化対象資産の価値および信用力についての担保

10　「これを相互に了解しており」までの前半部分が上記の①に対応する文言であり、「したがって」以下の後半部分が上記の②に対応した文言である。

責任の程度という点になる。

　まず、①のオリジネーターの証券化対象資産に対する権限の有無およびその内容または証券化対象資産に対する支配権の有無およびその程度という点に関して、「真正譲渡」であるためには、オリジネーターから投資家に対し証券化対象資産に関する権限および支配権が移転していることが重要となる。具体的には、オリジネーターが委託者兼劣後受益者である典型的な場合を想定すれば、オリジネーターが委託者、あるいは、劣後受益者として信託に対していかなる権利を有しているかを、支配権の有無・程度という観点から検討することになる。

　この点、信託法においては、委託者および受益者の信託に対する権利の内容が明確にされていることから、これに対応して、たとえば、図表4－21のような手当をすることが考えられる（旧信託法下においては、必ずしも明確でない点もあったことから、対応に苦慮する点もあった）。

　以上のように、信託法のもとにおいては、（旧信託法と比較すれば）借入目的信託における真正譲渡性を確保するための手当も比較的しやすいといえる。ただし、投資家は貸付人のみであり、受益者は劣後受益者としてのオリジネーターだけという純粋な借入目的信託における真正譲渡性については、

図表4－21　借入目的信託における真正譲渡性を確保するための手当

> ①　信託の意思決定を投資家（貸付人および優先受益権の受益者）が行う建付けとすること
> ②　委託者の権利について、スキームを運営するうえで必要最小限の権利だけを信託契約に規定し、他の信託法上認められる権利はいっさい有しない旨の規定を設けること[11]
> ③　オリジネーターが受益者（たとえば、劣後受益権の受益者）である場合には、信託契約において与えた権利および信託法92条によって認められている権利以外の権利は有しない旨を規定すること[12]
> ④　貸付人[13]に対して、可能な限り、信託法92条に規定する権利（と類似する権利）を付与するよう信託契約の規定を工夫すること[14]

なお慎重な検討が必要である。このような借入目的信託における真正譲渡性を確固たるものとするためには、信託法92条に規定する受益者から奪うことのできない権利のすべてを貸付人に付与することができるわけではないことに加え、仮に信託行為である信託契約において、信託の意思決定は投資家である貸付人の判断に従う旨を定めたとしても、有事の際に、受託者が受益者（この場合には唯一の受益者である劣後受益者であるオリジネーター）の意思を無視することができるかという問題を解決する必要がある[15]。

そこでは、受託者の行為規範として、信託行為に定められた信託の目的に忠実に行動すべき（貸付人の利益になるように行動すべき）義務と現在の受益者（劣後受益者）の指図に従うべき義務とのいずれの義務が優先されるべき

---

11 信託行為において、信託法上認められている委託者の権利をすべて有しない旨を規定することが可能であるとされている（信託法145条1項）。
12 受益者の権利については、信託法92条により、信託行為の規定によっては受益者から奪うことができない権利が規定されている。
13 信託債権者という位置づけであり、信託法上、受益者としての権利が認められるわけではない。
14 もちろん、裁判所に対する申立権（信託法92条1号）のように信託行為により付与することのできない権利も存在する。
15 信託法92条に規定する受益者から奪うことのできない権利については、信託行為の定めにより制限することができないにすぎず、受益者との個別の合意により制限することは可能であると考えられることから、劣後受益者との個別の合意により、同条に規定する権利についても、スキームの運営上必要なものを除き制限することは考えられる。また、証券化対象資産からのキャッシュフローに係る権利（元本償還や配当を受ける権利）は最小限の範囲でしか有しないものの、受託者に対する指図権を行使する権限を含む指図受益権を設定し、これをオリジネーター以外の第三者に保有させることで、オリジネーターによる信託に対する支配の程度を弱めるという方法も投資家が貸付人だけとなる借入目的信託における真正譲渡性の議論にプラスの効果を与える可能性があるように思われる。加えて、支配の移転の観点から真正譲渡性を議論するにあたっては、オリジネーターが証券化対象資産を自らの資産と扱っていないことを対外的に開示することも重要である。そのため、たとえば、信託ABLの方式を採用したがゆえに、オフバランスとならずにオリジネーターの貸借対照表に証券化対象資産が計上され、また、投資家が借入目的信託に貸付を行うことが、オリジネーターの貸借対照表に借入金として計上されるようなケースでは、オリジネーターの財務諸表において、会計基準によりそのような処理がなされているものの、当該資産については、オリジネーターに対する債権者の引当財産とはならず、また、当該借入金が信託ABLによるものであることがわかるよう記述を調整することも有益であろう。

であるかという点が問題となり、信託に関する理解の相違が反映されることになるのではないかと思われる。証券化に用いられる信託は、あくまで投資家である貸付人の利益のために運用されるべきとの立場からは、信託行為の定めが優先されるべきであるとの議論になるであろうし、たとえ証券化に用いられる信託であろうとも信託は受益者の利益のために運用されるべきとの立場からは、現在の受益者の指図を優先すべきであるとの議論になろう。

この点は、（裁判所を含めた）実務の取扱いや関係者間の議論により解決されていく必要のある問題であるが、信託が多様な目的に利用されているという社会的なニーズをもふまえ、受託者は信託行為に定めた信託の目的に忠実に行動すべきであるとのコンセンサスが得られるかどうかがポイントになるのではないかと思われる[16]。なお、実務上、信託ABLの案件において、案件の具体的な事情に応じて、投資家が貸付人だけとなる借入目的信託を採用する案件も増えてきている。

次に、②オリジネーターの証券化対象資産の価値または信用力についての担保責任の程度という点に関して、「真正譲渡」であるためには、オリジネーターが証券化対象資産の価値または信用力について過度の担保責任を負っていないことが重要となる。

この点について、オリジネーターが証券化対象資産を信託譲渡することによりA号優先受益権、B号優先受益権および劣後受益権を設定し、信託による借入金によりA号優先受益権を償還し、B号優先受益権を第三者に譲渡するというケースを前提に検討すると、単にB号優先受益権の信託元本額と劣後受益権の信託元本額との割合を比較すると、借入金によりA号優先受益権が償還されているため、「受益権譲渡型」の証券化の場合と比べて、劣後受益権の割合が高くなる。

---

16 なお、仮に、受託者が劣後受益者としてのオリジネーターの意思を無視することができないとすれば、オリジネーターが受託者（ひいては信託財産）に対する支配権を有しているに等しいと評価されるおそれがあり、真正譲渡性を否定する事情となりうる。

しかし、借入金に相当する部分については、投資家に対してリスクが移転していると評価しうるのであるから、B号優先受益権の信託元本額および借入金の合計額と劣後受益権の信託元本額との割合を比較し、劣後受益権の信託元本額の割合が適切であれば、オリジネーターは証券化対象資産の価値または信用力について過度に担保責任を負っていないと評価することができると考えられる。

d　優先受益権とローンの同順位性の確保

ハイブリッド型の借入目的信託においては、投資家に譲渡される優先受益権の元本の償還とローンの返済とが同順位で行われるよう仕組まれるのが一般的である。この場合、信託契約中のウォーターフォールの規定において、優先受益権に関する信託配当とローンに関する利息の支払、および優先受益権に関する元本償還とローンに関する元本の返済を同順位で行うことを規定することになる。

この点、信託法においては、受益債権が信託債権に劣後することが明確化されていることに留意する必要があるが（信託法101条）、受益債権と信託債権を同順位とする旨の特約の有効性は認められているため[17]、かかる特約を設けることで対応可能ではないかと思われる[18]。

また、信託財産の破産の制度においては、「信託財産について破産手続開始の決定があったときは、信託債権は、受益債権に優先する」とされ（破産

17　逐条解説信託法276頁。
18　ただし、投資対象のポーションにA号、B号などと階層を設け、階層ごとに信託受益権とローンの双方を組成して投資家の投資性向にあわせて販売する場合などのように、信託債権を受益債権と同順位にするだけでなく、信託債権を受益債権に劣後させる特約については、その有効性が認められるか疑問が残るため、留意が必要である。かかるスキームを採用する場合には、下位の投資ポーションが償還を受ける権利は、上位の投資ポーションに対する償還がすべてなされたことを停止条件として生じるような建付けとすることが考えられる。ただし、劣後ローンや劣後債に用いられている停止条件構成の劣後特約の有効性を肯定する議論が一般的であると思われるものの、信託において、信託債権が受益債権に優先するという原則を逆転させる効果をもつ劣後特約の有効性が、一般の停止条件構成の劣後特約の有効性と同様に議論しうるものであるかは、慎重な検討が必要である。

法244条の7第2項)、「受益債権と約定劣後破産債権は、同順位とする」とされている（同条3項)。そのため、信託財産の破産手続における優先受益権とローンとの同順位性を確保するために、ローンに係る貸付債権を約定劣後破産債権とする旨の合意[19]をすることが考えられる[20]。

e 責任財産限定特約等

ところで、借入目的信託は、あくまで信託財産を引当てとした借入れを行うのであり、受託者の固有財産や他の信託の信託財産が引当てとならないように手当することが通常である[21]。そこで、ローン契約において、図表4－22のような借入れの引当てとなる資産を信託財産に限定する旨の特約（いわゆる責任財産限定特約）に関する規定を設けることが考えられる。

また、信託財産を引当てとして借り入れるローンの元利金の支払は、スキーム上、信託受益権の元本償還および収益配当と同様の方法により行われるよう手当されることが多い。すなわち、通常のローンにおいては、ある支払期日において支払うべき元利金の支払ができなかった場合、期限の利益喪失事由に該当することになるが、信託受益権の元本償還および収益配当については、証券化対象資産からの回収金が不足することにより、ある期日における予定の元本償還や信託配当が行われなかったとしても、次の期日以降に繰り延べられることとなる。信託財産を引当てとして借り入れるローンについても、このような信託受益権に関する処理と同様の処理をするという観点

---

19 具体的には、貸付人と信託の受託者との間において、信託について破産手続が開始されたとすれば、当該破産手続におけるその配当の順位が劣後的破産債権に後れる旨の合意をすることが必要である。破産債権者と破産者との間の合意である必要があるため、借入目的信託の場合には信託契約ではなく、貸付契約においてかかる合意を規定する必要があることに留意が必要である。
20 なお、約定劣後破産債権の債権者間で合意により優先劣後関係を設けることはできないとする見解もあることから、破産法上の取扱いについて、ローンを受益権と同順位とするために、ローンを約定劣後破産債権とする場合、注18で議論した階層化に支障が生じる可能性があることに留意が必要である。
21 仮にかかる手当をしない場合には、貸付人は受託者の固有財産をも引当てとすることができる（信託法21条2項4号参照)。

図表4−22　責任財産限定特約（サンプル）

> 　本契約（ローン契約）に基づき借入人が負担する債務の支払は、信託契約に係る信託財産のみを引当てとし、かつ当該信託財産から当該信託財産の範囲内でのみ行われ、借入人は当該信託財産の範囲内でのみ責任を負い、借入人の固有財産および他の信託財産には責任が及ばないものとする。当該信託財産をもって本契約に基づくローンの元本の弁済金および利息の支払その他本契約に基づき借入人が負担する債務のすべてを支払うことができない場合には、当該債務超過部分についての貸付人の請求権は、消滅するものとする。

図表4−23　元利金の繰延規定（サンプル）

> 　第●条に基づく元利金の支払について、その信託契約第●条（いわゆるウォーターフォールに関する規定）に従った支払額が予定の元利金支払額に不足する場合には、当該不足額に相当する金額の支払期限は、次回の期日に変更され、当該期日まで繰り延べられるものとする。繰り延べられた元利金の不足額には、利息を付さないものとする。

から、ある期日において支払われなかった元利金については、次の期日に繰り延べられる旨の図表4−23のような特約を設けることが考えられる。

(4)　自己信託を用いたスキーム

a　自己信託とは

　自己信託とは、特定の者が一定の目的に従い自己の有する一定の財産の管理または処分およびその他の当該目的の達成のために必要な行為を自らすべき旨の意思表示を公正証書その他の書面または電磁的記録で当該目的、当該財産の特定に必要な事項その他の法務省令で定める事項を記載しまたは記録したものによってする方法によってされる信託をいう（信託法3条3号、信託法施行規則2条1号）。信託契約や遺言による信託の場合は、委託者と受託者が別々の主体となるのに対して、自己信託による信託の場合は、委託者と受託者が同一主体となる点に大きな特徴がある。金銭債権の証券化において

図表4-24 自己信託を用いた金銭債権の証券化のスキーム

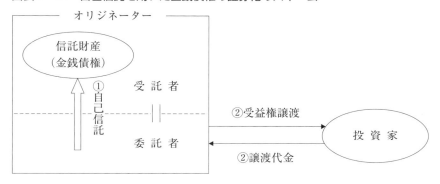

自己信託を実際に活用するためには、自己信託特有のリスクや課題を考慮したうえで、その活用方法を検討することが必要となる。

　b　自己信託を用いた金銭債権の証券化のスキーム

自らが保有する金銭債権につき、自己信託を用いて証券化を行う場合の典型的なスキームは、図表4-24のとおりである。

①　債権の証券化により資金調達を行おうとする者（オリジネーター）は、自らが保有する金銭債権について、公証人の認証を受けた書面等（以下「自己信託設定証書」という）によって自己信託を行う。

②　オリジネーターは、自己信託の受益権を取得したうえで、当該受益権を投資家に譲渡し、投資家より譲渡代金の支払を受ける。なお、受益権については、優先受益権および劣後受益権などに階層化し、そのうちの優先受益権のみを投資家に譲渡するスキームとすることもある。

③　オリジネーターは、受託者として、信託財産を管理および処分する。

　c　金銭債権の証券化において自己信託を活用することのメリット

信託を利用して金銭債権の証券化をしようとするのであれば、自己信託を用いるよりは、信託会社や信託銀行を受託者として、信託契約を締結することにより実施することのほうが一般的な手法である。もっとも、信託契約に

よる信託ではなく自己信託を利用することにより、次のようなメリットが考えられる。

① 信託報酬・費用などの証券化に要するコストの低減

信託契約により信託を行う場合には、信託会社や信託銀行などの第三者が受託者として信託を引き受け、信託財産の管理等の事務を行うことになる。そのため、受託者に対する信託報酬や受託者への債権の移転や信託事務に伴う費用の負担が必要となる。

これに対して、自己信託を利用して債権の証券化を行うことにより、信託会社や信託銀行などの第三者に受託者としての業務を委ねる必要がなくなることから、信託報酬や信託事務に要する費用を低減できる可能性がある。また、証券化対象となる金銭債権を移転する必要も生じないことから、対抗要件等の手続に要するコスト・負担も削減できることになる。

ただし、他方で、自己信託を利用して債権の証券化を行う場合、オリジネーターには、期中における信託財産の管理・受益者への報告などの信託事務を適切に遂行し、かつ、いわゆる倒産隔離を達成させる観点から、投資家や格付会社に受け入れられる水準の信託財産の管理体制を整えることが求められる。このような体制整備には相応のコストが必要となると推測される。特に、オリジネーターが信託に関する事務を継続できなくなることに備えて、オリジネーターに信用不安が生じた場合などに受託者の地位を承継させるために、あらかじめ信託銀行などを「バックアップ受託者」として選任しておくことまで必要とされる場合には、実際に受託者の地位の承継がなされる前から「バックアップ受託者」として待機することについての手数料が必要となることも想定される。

また、受益権を多数の者が取得できるような一定の場合には、オリジネーターに対して信託業法に基づく規制が適用されるため[22]、規制に対応するためのコストを要することになる。

自己信託を利用することにより、第三者を受託者としないですむことに伴

ってコストが削減できるか否かは、以上のような自己信託を利用することに伴うコストとの比較によって決まることになる。そのため、自己信託を利用することにより、一概にコストが低減できるメリットが得られるとは限らないことに留意が必要である。
② 譲渡制限特約付債権の証券化への活用

実務上、債権者と債務者の間で、債権の譲渡を禁止または制限する旨の特約（譲渡制限特約）が合意されていることも多い。このような債権については、信託契約による信託を用いるよりも、自己信託を用いて証券化を行うことにメリットがありうる。下記dを参照されたい。
③ 第三者が受託困難な金銭債権の証券化への活用可能性

紛争含みで債権管理が容易ではない債権など信託会社や信託銀行などの第三者が受託しがたい債権について、自己信託を用いることにより、証券化の対象とすることも考えられる。

d　譲渡制限特約付債権の証券化

民法の一部を改正する法律（平成29年法律第44号）による改正前の民法においては、譲渡禁止特約の存在につき譲受人が悪意または重過失ある場合には、当該特約に反する譲渡が無効になると解されていた。これに対して、現行の民法下においては、（預貯金債権を除き）譲渡制限特約の存在について譲受人が悪意または重過失によりこれを知らなかった場合であっても、当該特約に違反する債権譲渡自体は有効となり（民法466条2項）、ただ、譲渡制限特約の存在につき悪意または重過失ある譲受人に対しては、譲渡制限特約が履行拒絶の抗弁となり、また、債務者が譲渡人に行った弁済その他の債務消滅事由が対抗できることになるとされている（同条3項）。そのため、譲渡

22　自己信託によって受託者となることは「信託の引受け」（信託業法2条1項）に該当しないため、信託会社や信託銀行でなくても自己信託を行うことは認められる。ただし、信託業法上、信託の受益権を多数の者が取得することができる場合として政令で定める場合に該当するときは、内閣総理大臣の登録が必要とされ、一定の行為規制に服することが必要となる（信託業法50条の2）。

制限特約が付されている債権について、信託契約による信託を用いて証券化を行うことも考えられる。

もっとも、証券化の実施が譲渡制限特約違反（契約違反）となる可能性がある点やコミングリング・リスクの軽重の点において、自己信託を用いて証券化を行うことのメリットがありうる[23]。

① 特約違反の可能性

信託契約による信託を用いて証券化を行う場合、対象となる債権に自己信託も禁止する趣旨の譲渡制限特約が付されているときは、契約の条項に反した行為を行う以上、特約違反の責任を問われる可能性がある。

これに対し、譲渡制限特約が付されていても、必ずしも債権の自己信託を禁止する趣旨とは限らず、特約の内容が自己信託までは禁止しない趣旨である場合には、かかる特約に反することなしに（換言すれば契約違反の責任を問われる可能性もなく）、特約の対象となる債権について証券化を行うことができる。すなわち、債権が自己信託された場合であっても、当該債権の債務者の相殺の期待を保護する態様で信託を設定する限り、当該債務者に経済的・法的な不利益を及ぼすものではないと考えられる。そして、特に、債権が企業間取引によって発生したものである場合、債務者は基本的には経済合理性に従って取引を行うと考えられるところ、自らに経済的・法的な不利益が生じない限り、債権者の権利を過度に制約する意思は有しないことが一般的であると考えられる。したがって、譲渡制限特約の文言上、明示的に譲渡と並んで自己信託の設定も禁止されている場合は別論として、そうでない場合には、個々の譲渡禁止特約の文言や規定が設けられた事情などをふまえて個別に当事者の合理的意思を解釈する必要があるものの、一般論としては、企業間取引によって発生した債権に付された（明示的に自己信託を禁止・制限する

---

[23] なお、本文ｃ①記載のとおり、自己信託を用いて証券化を行うことには、信託報酬などの証券化に要するコストの低減といったメリットもありうるが、一概にかかるメリットが得られるとは限らないことも、本文に記載のとおりである。

内容とはなっていない）譲渡制限特約については、自己信託を禁止・制限する趣旨までは含意されていないと解釈される場合も多いものと考えられる[24]。

② コミングリング・リスク

証券化の実務においては、対象となる債権について、譲渡制限特約が付されているか否か調査することが一般的であり、原因関係となる契約に譲渡制限特約が定められている場合には、かかる特約について譲受人が悪意または重過失とされることが通常であると思われる。そして、特約について悪意または重過失とされる場合には、債務者は、譲受人への弁済を拒むことができることから、信託契約による信託により証券化を行う場合、譲受人は、オリジネーター（譲渡人）の信用力が悪化したような場合であっても、（オリジネーターに破産手続が開始しない限りは）オリジネーターを通じて証券化対象とされた債権の回収を継続せざるをえないと思われる。そのため、譲受人は、オリジネーターのもとで生じうるコミングリング・リスクを排除することができない。他方、自己信託を用いて債権の証券化を行う場合にも、オリジネーターが証券化対象とされた債権の回収を行うことは同様であるが、証券化対象とされた債権の回収金のみが入金されるような専用口座を設けることや帳簿管理などによって、信託財産に属する金銭（証券化対象とされた債権の回収金）が特定されていると評価されることによって、信託財産に独立性が認められることにより、オリジネーターのコミングリング・リスクを軽減できる可能性もある。そのように解される場合には、オリジネーターのコ

---

[24] なお、当事者間の譲渡制限特約が自己信託まで禁止する趣旨ではないと解される場合、債務者の承諾を得ることなく特約の対象となる債権の自己信託を行ったとしても、特約に違反することにはならないが、債務者の関知しないところで債権に関する利害関係を変動させないという債務者の事実上の期待に反することにより、（なんらかの事情により自己信託が行われた事実が債務者に露見した場合には）債務者の心情や債務者との取引関係を害する可能性もないとはいえない。オリジネーターとしては、債務者の属性などもふまえて、将来的な取引関係に与える影響も考慮したうえで、証券化取引を実行することのメリットと比較衡量して、譲渡制限特約付債権の自己信託の当否について判断することが必要となろう。

ミングリング・リスクが軽減されているという点において、自己信託を用いて証券化を行うことのメリットがあることになる。

e 自己信託の場合における真正譲渡性

信託契約による信託を用いた金銭債権の証券化について、基本的にいわゆる真正譲渡[25]を達成することが求められるのと同様、自己信託による信託を用いた金銭債権の証券化についても、金銭債権の自己信託および生じた受益権の譲渡を通じた資金調達の取引について、真正譲渡性が達成されているか（自己信託による金銭債権の帰属の変更に、自己信託により設定された信託に係る受益権の譲渡を含め、また両者を総合して、担保付きの融資取引とみられることがないか）が論点となる。

この点、自己信託を用いた金銭債権の証券化の場合、対象となる金銭債権の帰属がオリジネーター（委託者）から移転せず、外観上は、自己信託後においても、オリジネーターに金銭債権に対する支配が残っているようにもみえる。しかしながら、自己信託がなされた後は、対象となる金銭債権の帰属が固有財産から信託財産に変更され、信託財産として独立性が認められることになるうえ（信託法23条）、オリジネーターは、受託者として、善管注意義務、忠実義務等の種々の義務のもと、受益者のためにかかる金銭債権を保有することになることからすれば、形式的に対象となる金銭債権の帰属がオリジネーターから変動しないことだけをもって、直ちに真正譲渡性が阻害されるとなるということはないと考えられる。

なお、自己信託がなされた場合、オリジネーターが、受託者として、対象となる金銭債権について各種の権限を有し、また、対象資産の信託事務の処理について各種の義務・責任を負担するため、真正譲渡性の検証のためには、信託契約に基づく信託により証券化を行う場合と異なり、オリジネーターが受託者として有している権限、義務・責任も考慮に入れる必要がある

---

[25] 証券化に関する真正譲渡の一般論については、第2章第2節参照。

が、信託法上、受託者に求められる権限、義務・責任を負担していることのみを理由として、真正譲渡性が否定されることはないものと考えられる。

f　追加信託と要式性の関係

金銭債権の証券化において、いわゆるリボルビング方式やマスタートラスト方式[26]により証券化を行う場合には、信託期間中に証券化商品の引当てとなる金銭債権の追加信託を行うことが予定されていることがあり、また、そのような方式をとらない一般的な金銭債権の証券化スキームにおいても、個別具体的な案件の事情によっては、金銭債権が事後的に追加信託されることもありうる。

ここで、自己信託については、信託契約による信託と異なり、その設定について公正証書等の作成を要し（信託法3条3号）、かつ、当該公正証書等において「信託をする財産を特定するために必要な事項」その他の一定の事項を記載することが必要とされている（信託法施行規則3条2号）。そこで、いったん自己信託により信託を設定した後に、当該信託に財産を追加信託する場合、そのつど、公正証書の作成等の要式行為を経る必要があるかが論点になる。

この点、自己信託についてかかる要式行為が要求された趣旨は、「自己信託がされた事実、その内容および日時等が客観的に明確になるとともに、自己信託がされた日時を事後的に虚偽に遡らせることによって委託者の債権者を違法に害することを防止する」ためと説明されている[27]。

そのため、自己信託により信託を設定した後、追加信託でありさえすればおよそ要式行為を経る必要がないとすると、かかる趣旨に反することになる。また、追加信託の法的性質については議論があるものの、実質的にみて信託の設定という側面があることは否定できず、かかる側面に着目すれば、追加信託に際しても要式性を満たすべきということになると考えられる。

26　マスタートラスト方式の証券化については、本節2(2)参照。
27　逐条解説信託法39頁。

他方で、当初の自己信託設定証書において、追加信託に関する条項が設けられ、かつ、追加信託の対象となる財産がその量的範囲等も含めて特定されており（量的範囲については、具体的な値のほか、計算式等により特定することも考えられよう）、かつ、追加信託が生じるタイミングについても、具体的な時期または客観的な条件などにより特定されているのであれば、当該財産が自己信託の対象になることは当初の自己信託設定証書において明らかにされており、自己信託の対象となる財産やタイミングなどを委託者が恣意的に決定できないのであって、当該条項に従った自己信託について改めて要式行為を経なくとも、要式性が要求された趣旨に抵触するものではないと解することができよう。

したがって、確立した見解・実務は存しないものの、当初の自己信託設定証書において、追加信託に関する条項が設けられ、かつ、追加信託の対象となる財産がその量的範囲等も含めて特定されており、かつ、追加信託が生じるタイミングについても、具体的な時期または客観的な条件などにより特定されているのであれば、当該条項に従った自己信託については改めて要式行為を経る必要はないと解することに合理性があると考える。

(5) デジタル証券

a 概　　説

近年、金融分野でブロックチェーン技術をはじめとする分散型台帳技術（Distributed Ledger Technology：DLT）を活用するいわゆるデジタル化（トークン化）に向けた議論が加速しており、証券化商品もその例外ではない。

分散型台帳技術は、ビットコインなどに代表される暗号資産の基礎となる技術として広く認知されており、複数の主体による分散型での台帳管理を可能とすることにより、サイバー攻撃や障害に対して高い耐性を有し、また改竄を困難にする特色を有する。分散型台帳技術を証券化商品に応用することで、証券化商品をデジタルな記録によって取引することが可能となり、取引

の管理コストの削減や、証券化商品の流通の促進につながることが期待されている。

他方で、証券化商品をデジタル化する際には法的な観点から追加的に検討すべき事項がある。

① 金融規制法上の観点

証券化商品は金商法上の有価証券の形態をとり、同法の規制対象となることが少なくないところ、デジタル化された有価証券（以下「デジタル証券」という）の発行や取扱いについては、想定される流通性の高さやその背景となる技術の複雑さから金商法上の規制が加重されている。

② 私法・民事実体法上の観点

証券化商品の取引に際し、いつ誰のもとにどのような権利が帰属することとなるかは、デジタル化（トークン化）の有無にかかわらず、そもそも証券化商品の根拠となる私法・民事実体法に依存する。そのため、証券化商品の取引過程を電子的なプラットフォーム内でデジタル証券として完結させることができるかについては、証券化商品ごとにその民事実体法上の性質に照らした検証が必要となる。

以下では、デジタル証券に対する金商法上の規制を概観した後（後記b）、証券化商品をデジタル化する際の私法・民事実体法上の論点（後記c）について検討する。また、証券化商品のデジタル化の例として、受益証券発行信託を利用した信託受益権のデジタル化のスキームについても紹介する（後記d）。

b　デジタル証券の証券規制上の意義

(イ)　基本的な概念の整理

令和2年5月1日に施行された「情報通信技術の進展に伴う金融取引の多様化に対応するための資金決済に関する法律等の一部を改正する法律」（令和元年法律第28号）によって、分散型台帳技術をはじめとする電子的なプラットフォームを活用した有価証券に対する証券規制を加重する金商法その

他関係法令の改正がなされた。

改正後の金商法は、デジタル証券に対応する定義語として「電子記録移転権利」や「電子記録移転有価証券表示権利等」など複数の概念を使い分けることによって、規制に応じて特別な取扱いをするデジタル証券の範囲を区別しているため、デジタル化された証券化商品に課される規制を把握するには、まず当該証券化商品がどの類型のデジタル証券に該当することとなるかを確認する必要がある（各概念の簡単な整理として、図表４−25参照）。

① 「電子記録移転権利」（金商法２条３項）

電子記録移転権利とは、
(ⅰ) 金商法２条２項各号に掲げる権利であること
(ⅱ) 電子情報処理組織を用いて移転することができる財産的価値（電子機器その他の物に電子的方法により記録されるものに限る）に表示されるものであること
(ⅲ) 流通性その他の事情を勘案して内閣府令で定める場合（後述③の適用除外電子記録移転権利）に該当しないこと

として定義される（金商法２条３項）。

後述する他の概念との関係を整理すると、電子記録移転権利とは、電子記

図表４−25　デジタル証券に関連する概念の整理

電子記録移転有価証券表示権利等
　金商法２条２項により有価証券とみなされる権利をデジタル化したもの

　├ 株式・社債等の有価証券表示権利をデジタル化したもの

　└ 信託受益権・集団投資スキーム持分等をデジタル化したもの
　　├ 電子記録移転権利
　　　　適用除外電子記録移転権利を除いたもの
　　└ 適用除外電子記録移転権利
　　　　一定の投資家以外への取得・移転および譲渡制限に係る技術的措置をとったもの

録移転有価証券表示権利等のうち、信託受益権や集団投資スキーム持分等をデジタル証券としたものであり（(i)）、適用除外電子記録移転権利を除いたもの（(iii)）と位置づけられる。(i)のとおり、金商法2条2項各号の権利を裏付けとしているにもかかわらず、その流通性から、第1項有価証券として取り扱われることが最も特徴的といえる。

(ii)が、有価証券に係る権利がデジタル化された状態にあることを表す部分であるが、本要件の解釈に際しては、金融庁による「金融商品取引法等に関する留意事項について（金融商品取引法等ガイドライン）」（令和2年5月）2-2-2において、財産的価値（トークン）の移転と権利の移転が一連として行われているか否かがメルクマールとされている（図表4-26参照）。よく混同しやすい点であるが、権利はあくまで私法・民事実体法上の問題であり、他方で財産的価値はデジタル上の記録であることを念頭に置くとこの点を理解しやすいように思われる。また、(ii)はブロックチェーン等の分散型台

図表4-26　「金融商品取引法等に関する留意事項について（金融商品取引法等ガイドライン）」（令和2年5月）2-2-2

> 金商法第2条第3項に規定する電子記録移転権利は、電子的な方法によって事実上多くの投資者間で流通する可能性が生じることから、同項に規定する第一項有価証券とされている。電子記録移転権利に該当するか否かは、このような趣旨も踏まえ、個別具体的に判断する必要があるが、契約上又は実態上、発行者等が管理する権利者や権利数を電子的に記録した帳簿（当該帳簿と連動した帳簿を含む。以下2-2-2において「電子帳簿」という。）の書換え（財産的価値の移転）と権利の移転が一連として行われる場合には、基本的に、電子記録移転権利に該当することに留意する。例えば、あるアドレスから他のアドレスに移転されたトークン数量が記録されているブロックチェーンを利用する場合には、この記録されたトークン数量が財産的価値に該当する。ただし、電子帳簿の書換え（財産的価値の移転）と権利の移転が一連として行われる場合であっても、その電子帳簿が発行者等の内部で事務的に作成されているものにすぎず、取引の当事者又は媒介者が当該電子帳簿を参照することができないなど売主の権利保有状況を知り得る状態にない場合には、基本的に、電子記録移転権利に該当しないことに留意する。

帳技術を利用している場合にその範囲が限定されるわけではなく、電子情報処理組織・電子帳簿が対象となっていることにも留意が必要である。その意味において、分散型台帳技術もその一類型にすぎない。さらにこのガイドラインは、令和2年4月3日付金融庁「令和元年資金決済法等改正に係る政令・内閣府令案等に対するパブリックコメントの結果等について／コメントの概要及びコメントに対する金融庁の考え方」(以下「令和2年4月3日付金融庁パブコメ」という)41頁151番回答において、後述②の電子記録移転有価証券表示権利等にも基本的に当てはまるとされている。

② 「電子記録移転有価証券表示権利等」(金商法29条の2第1項8号、金商業等府令1条4項17号、6条の3)[28]

電子記録移転有価証券表示権利等とは、

(i) 金商法2条2項の規定により有価証券とみなされる権利であること

(ii) 電子情報処理組織を用いて移転することができる財産的価値(電子機器その他の物に電子的方法により記録される物に限る)に表示されるものであること

として定義される(金商法29条の2第1項8号、金商業等府令1条4項17号、6条の3)。

(i)は、電子記録移転権利が対象とする信託受益権や集団投資スキーム持分等に限らず、株式や社債等の金商法2条1項各号に掲げられる有価証券に表示されるべき権利(有価証券表示権利。金商法2条2項柱書)も含むものである。(ii)は前述①電子記録移転権利の(ii)と同じである。

③ 「適用除外電子記録移転権利」(定義府令9条の2、金商業者等向け監督指針V-2-5(2))

前述のとおり、電子記録移転権利は、信託受益権や集団投資スキーム持分等をデジタル化したものから、流通性その他の事情を勘案して一定類型のも

---

28 市場関係者の間では「電有等」と呼ばれることが多い。

のを除外したものである。

　かかる除外類型に該当する要件として、定義府令9条の2ではⓐ適格機関投資家をはじめとする一定の投資家（その範囲は、基本的に適格機関投資家等特例業務の対象投資家と同範囲）以外の者には財産的価値を取得させ、または移転することができないようにする技術的措置がとられていること、および、ⓑ当該財産的価値の移転は、そのつど、当該権利を有する者からの申出および当該権利の発行者の承諾がなければ、することができないようにする技術的措置の双方がとられていることを要件としている。かかる技術的措置がとられた権利について法令上の定義はないが、金商業者等向け監督指針ではこれを「適用除外電子記録移転権利」と定義している。技術的措置の例としては、令和2年4月3日付金融庁パブコメ41頁150番回答によれば、「例えば、技術的にアカウント保有者を適格機関投資家に限定する措置がとられており、財産的価値を当該アカウント保有者以外の者に移転することが技術的に不可能な場合」には基本的に該当するものとされている。

㊅　開示規制上の取扱い
①　適用除外

　従前、金商法2条2項各号に掲げられるみなし有価証券は、有価証券投資事業権利等に該当しない限り、金商法上の開示規制の適用が除外されてきたが（金商法3条3号イ）、電子記録移転権利に該当する場合には、それが有価証券投資事業権利等に該当するか否かにかかわらず、開示規制の適用対象とされている（金商法3条3号ロ）（図表4−27参照）。

②　有価証券の募集、私募および売出し

　金商法の開示規制は、いわゆる第1項有価証券と第2項有価証券とで、規制対象となる「有価証券の募集」や「有価証券の売出し」の要件が異なる（詳細は第3章第2節2参照）。電子記録移転権利は、信託受益権・集団投資スキーム持分等をデジタル化したものであるが、「有価証券の募集」や「有価証券の売出し」の要件との関係では、第2項有価証券ではなく、第1項有価

図表 4 −27　開示規制における電子記録移転権利の位置づけの整理（条文はいずれも金商法）

	株式・社債等	信託受益権・集団投資スキーム持分等	
		電子記録移転権利	
開示規制の適用の有無（3条）	適用除外とならない（注）	適用除外とならない（3条3号ロ）	原則適用除外となる（有価証券投資事業権利等は適用除外とならない）（3条3号イ）
募集・私募・売出しの定義上の取扱い（2条3項）	第1項有価証券	第1項有価証券	第2項有価証券

（注）　国債、地方債等を除く。

証券として取り扱うこととされている（金商法2条3項）（図表4 −27参照）。

③　開示事項

　募集や売出しを行うデジタル証券が、特定有価証券である電子記録移転権利に該当する場合（金商法5条1項、金商法施行令2条の13第8号〜12号。たとえば、金商法2条2項1号に規定される信託受益権のうち、電子記録移転権利に該当し、有価証券信託受益証券に該当しないものがこれに該当する）、他の有価証券と異なる開示規制に服する（詳細は第3章第2節4参照）。この場合の詳細な開示事項は特定有価証券開示府令に定められており、特定有価証券である電子記録移転権利についてはデジタル化に係る記録・移転の技術的事項や使用するプラットフォームに関する事項等、一定の事項について追加的な記載が求められている（特定有価証券開示府令第6号の5様式(5) c、(17) c、(30)および(31)）。

　また、募集や売出しを行うデジタル証券が、特定有価証券である電子記録移転権利以外の電子記録移転有価証券表示権利等に該当する場合にも、企業

内容等の開示に関する内閣府令（以下「企業開示府令」という）において、特定有価証券である電子記録移転権利の開示事項に準ずる事項を記載することが求められている（企業開示府令第2号様式(24)ｂ）。

(ハ) 業規制上の取扱い

① 金融商品取引業の定義および種別

受益権・集団投資スキーム持分等はデジタル化されることにより、図表4－28のとおり、それに関与する行為がいかなる金融商品取引業と取り扱わ

図表4－28　受益権・集団投資スキーム持分等をデジタル化した場合の金融商品取引業の定義および種別上の取扱い

●デジタル化されることで該当する金融商品取引業の種別が変わるケース
・電子記録移転権利の売買、その媒介・取次・代理、募集・私募の取扱等の業務は第一種金融商品取引業に該当する（金商法28条1項1号）。

●デジタル化されることで新たに金融商品取引業の対象となるケース
・その行う金商法2条8項1号から10号までに掲げる行為に関して、顧客から電子記録移転権利の預託を受ける業務も有価証券等管理業務として第一種金融商品取引業に該当する（金商法2条8項16号、28条1項5号、5項）（注）。
・合同会社等の社員権（金商法2条2項3号、4号）である電子記録移転権利・適用除外電子記録移転権利の自己募集・私募が金融商品取引業とされ、第二種金融商品取引業として規制される（金商法2条8項7号ト、金商法施行令1条の9の2第2号、定義府令16条の2、金商法28条2項1号）。

●デジタル化された場合でも変化がないケース
・集団投資スキーム持分である電子記録移転権利の自己募集・私募は、引き続き第二種金融商品取引業として規制され（金商法2条8項7号ヘ、28条2項1号）、その自己運用も、引き続き投資運用業として規制される（金商法2条8項15号ハ、28条4項3号）。これらについては、引き続き、登録を受けずに適格機関投資家等特例業務として行うことができる（金商法63条1項）。

（注）ただし、電子記録移転権利および適用除外電子記録移転権利に係る取引に関して顧客から預託を受ける金銭および有価証券ならびに預託を受ける電子記録移転権利および適用除外電子記録移転権利は、投資保護基金制度の対象から除外される（金商法79条の20第3項、金商法施行令18条の6～18条の7）。

第1節　金銭債権の証券化

れるか、違いが生じることとなる。

② 参入規制

　金融商品取引業者として登録を受ける場合に、電子記録移転有価証券表示権利等または電子記録移転有価証券表示権利等に関するデリバティブ取引を取り扱うときには、その旨を登録申請書に記載し、当該業務を適確に遂行する体制を整備しているか審査を受けなければならない（金商法29条の2第1項）。また、当該業務を既存の金融商品取引業者が行う場合には変更登録事由に該当し（金商法31条3項）、変更登録の審査を受けることを要する。

　なお、令和2年4月30日に一般社団法人日本STO協会[29]が金商法78条1項に規定する「認定金融商品取引業協会」として金融庁より認定を受け、電子記録移転権利等（電子記録移転権利および適用除外電子記録移転権利をいう）の売買その他の取引等に係る自主規制業務等を実施している。したがって、かかる取引等を行う場合には同協会の自主規制にも留意が必要となる。他方で、電子記録移転有価証券表示権利等から電子記録移転権利等を除いた、有価証券表示権利をデジタル化したもの等（つまり、従来より第1項有価証券に該当するもの）については、引き続き日本証券業協会が自主規制機関としての業務を行っている。

③ 行為規制

　電子記録移転有価証券表示権利等を取り扱う金融商品取引業者には、広告規制や説明義務などについて加重規制が課せられる。そのなかでも重要なものについては図表4－29のとおりである。

c　証券化商品のデジタル化の私法・民事実体法上の論点

(イ)　概　　説

　証券化商品のデジタル化は、ブロックチェーン等のプラットフォーム上での証券化商品の発行・流通を実現しようとする試みである。ところが、プ

29　https://jstoa.or.jp

図表 4 －29　電子記録移転有価証券表示権利等を取り扱う金融商品取引業者に課せられる主要な行為規制

分別管理	顧客から預託を受ける電子記録移転有価証券表示権利等につき、(i)帳簿上管理者固有の有価証券等と明確に区分し、かつどの顧客の電子記録移転有価証券表示権利等であるかが直ちに判別できる状態にするとともに、(ii)顧客の電子記録移転有価証券表示権利等に係るトークンを移転するために必要な情報（秘密鍵等）を常時インターネットに接続していない記録媒体（いわゆるコールド・ウォレット）で管理し、またはこれと同等の技術的安全管理措置を講じて管理する必要がある（ただし、管理者が第三者である場合、(ii)については自己が管理する場合と同等の顧客保護が確保されていると合理的に認められる方法）（金商法43条の2、金商業等府令136条1項5号、6号）。
発行者等の審査	金融商品取引業者が取り扱う電子記録移転有価証券表示権利等に関し、用いられるブロックチェーン等のネットワークに係るリスクについて適切な審査が継続的に実施されているか検証する必要がある（金商業者等向け監督指針Ⅳ－3－6－2(1)①、Ⅳ－3－6－3）。
取引開始基準	顧客と電子記録移転有価証券表示権利等の売買その他の取引を行うにあたって、顧客の投資経験や財産の状況のみならず、電子記録移転有価証券表示権利等に係る保有や移転の仕組み、これに起因するリスクに関する理解度、同様の仕組みを用いた商品の取引経験等についても考慮した取引開始基準を定める必要がある（金商業者等向け監督指針Ⅳ－3－6－2(1)②）。
広告規制	電子記録移転有価証券表示権利等に関する広告に際し、①電子記録移転有価証券表示権利等の取引数量もしくは価格の推移に関して、損失が発生するおそれがあるにもかかわらず誤認させるような表示、②電子記録移転有価証券表示権利等の仕組み上、一定の期間、移転が制限されるにもかかわらず誤認させるような表示、③電子記録移転有価証券表示権利等の発行者の財務状況や発行者の行う事業の進捗状況等に関して、投資者を誤認させるような表示を行うことが禁止される（金商業等府令78条12号、金商業者等向け監督指針Ⅳ－3－6－2(2)）。
説明義務	電子記録移転有価証券表示権利等に関する契約締結前交付書面に、電子記録移転有価証券表示権利等の概要その他当該電子記録移転有価証券表示権利等の性質に関し顧客の注意を喚起すべき事項を記載する必要がある（金商業等府令83条1項7号）。たとえば、技術的な説明を伴う場合には図を用いる等して投資者にわかりやすく記載することが望まれ、また、電子記録移転有価証券表示権利等の仕組みに関し、通常の有価証券とは異なるリスク等が存在する場合には適切に説明することが求められる（金商業者等向け監督指針Ⅳ－3－6－2(3)）。

ラットフォームに取引が記録されたとしても、当該記録された取引のとおりの権利変動が生じるかは証券化商品に適用される実体法の問題となる。したがって、デジタル化に際しては、証券化商品がプラットフォーム上の取引になじむ種類のものであるか、当該証券化商品の民事実体法上の性質に照らして、検証する必要がある。かかる検証の視点は、大きく以下の3つに分けられる（図表4-30参照）[30]。

(i) 効力要件の視点

第一に、プラットフォームを通して証券化商品の譲渡の効力要件を充足できるかという視点である。たとえば証券化商品のなかには証券の交付を譲渡の効力要件とするものがあるところ、証券の物理的な移動をプラットフォーム上で行うことはできないため、かかる効力要件をどのように克服するかが

図表4-30 証券化商品のデジタル化の民事実体法上の視点

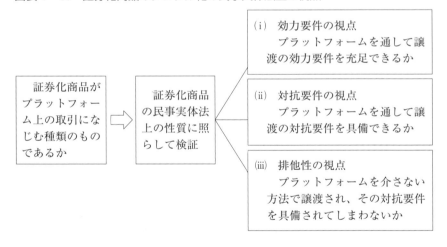

---

[30] なお、以下の3つの視点のすべてが満たされていなくても、デジタル証券として規制対象になる場合があることに注意が必要である。たとえば、第三者対抗要件を具備することなく移転することができる権利にあっては、第三者対抗要件を具備していない場合であっても金商法上の電子記録移転権利に該当しうる（令和2年4月3日付金融庁パブコメ49頁177番回答）。

課題となる。

(ⅱ) 対抗要件の視点

　第二に、プラットフォームを通して譲渡の対抗要件を具備できるかという視点である。証券化商品について二重譲渡が生じた場合や譲渡人に倒産手続が開始した場合に譲渡を対抗できる仕組みとなっている必要があるところ、対抗要件の具備をプラットフォーム外で行う必要があるとすると、利用者の利便性を害する可能性がある。

(ⅲ) 排他性の視点

　第三に、プラットフォームを介さない方法で証券化商品を譲渡され、その対抗要件を具備されてしまわないかという視点である。プラットフォーム外で取引の行われる可能性が法的に排除されていれば、当該証券化商品の取引をプラットフォーム上で一元的に管理することができるようになり、迅速かつ安全な取引に資すると考えられる。なお、プラットフォーム外での取引の排除は、法的には証券化商品に譲渡制限を付すことで実現することとなるため、証券化商品にいかなる限度で譲渡制限を付すことができるかが問題となる。

(ロ)　各法形式の検討

　以上の3つの視点をふまえて、証券化商品として考えられるいくつかの法形式について、デジタル化に際する私法・民事実体法上の論点を具体的にみていく。各法形式における譲渡に関する民事実体法上の規律のまとめについては、図表4－31を参照されたい。なお、デジタル証券は必ずしも分散型台帳技術を用いることを必要とするものではないが（金商法上のデジタル証券の意義については前記b(イ)参照）、以下では基本的にブロックチェーンの利用を念頭に置いて説明する。

① 社債、特定目的会社の発行する特定社債

　社債（振替社債を除く[31]）は、社債券を発行する旨の定めをした場合には社債券の交付が譲渡の効力要件となるが（会社法687条）、当該定めをしない

図表4-31　証券化商品に用いられる各法形式における譲渡に関する民事実体法上の規律のまとめ

有価証券の種類		(i)譲渡の効力要件	(ii)譲渡の対抗要件	(iii)譲渡制限の可否
社債 ※特定社債も同じ	社債券発行の社債	社債券の交付	[対発行会社]社債原簿上の名義書換	可(ただし、譲渡の効力は妨げられない)
	社債券不発行の社債	当事者間の合意	[対発行会社・対第三者]社債原簿上の名義書換	
優先出資		優先出資証券の交付	[対発行会社]優先出資者名簿上の名義書換	不可
信託受益権(受益証券発行信託の受益権を除く)		当事者間の合意	[対受託者]通知または承諾 [対第三者]確定日付ある証書による通知または承諾	可
受益証券発行信託の受益権	受益証券発行の受益権	受益証券の交付	[対受託者]受益権原簿上の名義書換	可
	受益証券不発行の受益権	当事者間の合意	[対受託者・対第三者]受益権原簿上の名義書換	
匿名組合出資持分		営業者の承諾	[対第三者]確定日付ある証書による通知または承諾	可

　社債券不発行の社債は、当事者の合意で譲渡でき、また、社債原簿への記載または記録が発行会社その他の第三者に対する対抗要件となる(会社法688条1項)。かかる社債原簿をブロックチェーンと連動させ、ブロックチェーン上のトークンの送付により譲渡ならびに名義書換請求および名義書換を行う仕組みをとることが考えられる。
　ブロックチェーン外の譲渡の排除は譲渡禁止特約を付すことによる対応が

31　令和2年4月3日付金融庁パブコメ45頁164番回答。

考えられる。しかし、社債の譲渡制限については民法の債権に関する規定が適用されると考えられているところ[32]、債権法改正により譲渡制限特約違反の債権譲渡の効力は妨げられず（民法466条2項）、ブロックチェーン外での譲渡について名義書換請求が行われた場合も応じざるをえない可能性がある[33]。

資産流動化法に基づいて特定目的会社の発行する特定社債についても、資産流動化法125条が会社法における社債の譲渡に関する規定を準用しているため、上記と同様の検討になるものと考えられる。

② 特定目的会社の発行する優先出資

資産流動化法に基づいて特定目的会社の発行する優先出資は、優先出資証券の交付を効力要件とし（資産流動化法44条3項）、優先出資社員名簿への記載または記録が発行会社に対する対抗要件となる（資産流動化法45条1項）。

譲渡の効力要件については、発行した優先出資証券の現物を第三者（信託銀行等の金融機関が想定される）に保管させたうえ、譲渡の際に当該第三者に対する指図による占有移転（民法184条）を電子的に行うことで、優先出資証券の交付要件を満たすことが、少なくとも理論的には考えられる[34]。

また、発行会社に対する対抗要件については、優先出資社員名簿をブロックチェーンと連動させ、ブロックチェーン上のトークンの送付により名義書換請求および名義書換を行う仕組みをとることが考えられる。

他方で、優先出資はその譲渡を制限することができず（資産流動化法44条2項）、ブロックチェーン外で譲渡について保管者に指図による占有移転が行われ、またブロックチェーン外で名義書換請求が行われることは妨げられない。

---

32 江頭憲治郎『株式会社法 第8版』（有斐閣、令和3年）761頁。
33 芝章浩「権利を表章するトークンの民事法上の取扱い」ビジネス法務2020年3月号102頁。
34 この点を詳細に検討したものとして、関川直輝「譲渡に証券の交付を要する権利のトークン化の方法等に関する考察(下)」金融法務事情2166号24頁（令和3年）がある。

③ 信託受益権（受益証券発行信託の受益権を除く）

　信託受益権（後記④の受益証券発行信託の受益権を除く）は、当事者の合意で譲渡することが可能であるものの、受託者に対する通知または受託者の承諾を対抗要件とし（信託法94条1項）、かつ、これを確定日付のある証書によってしなければ、受託者以外の第三者に対抗することができない（同条2項）。したがって、ブロックチェーン内で対抗要件の具備を完結させることは基本的にはむずかしい。

　この点、産業競争力強化法に基づく債権譲渡の通知等に関する特例[35]を活用したSMSを送信する等の方法で行われる通知または承諾が実用化されれば、当該通知または承諾は確定日付ある証書による通知または承諾とみなされるため（産業競争力強化法11条の2第1項、4項）、対抗要件の具備を電子的なかたちで行うことは理論的に可能となるが、ブロックチェーンとは別の仕組みとなる。これに対し、後記④で述べるとおり、受益証券発行信託で受益証券の発行をしない旨の定めをした受益権は、ブロックチェーンと連動させた受益権原簿上の名義書換で対抗要件具備を完結させることができる点で、より容易にデジタル証券の仕組みを構築することができる。

　信託受益権には信託行為の定めによって譲渡制限を付すことができ、これを悪意または重過失の譲受人その他の第三者に対して対抗することができる（信託法93条2項）。したがって、組成段階で信託受益権に譲渡制限を付すことによって、ブロックチェーン外で行われる取引を一定程度排除することができる。

④ 受益証券発行信託の受益権

　信託では、信託行為において受益証券を発行する定めをすることができ（信託法185条1項）、これを受益証券発行信託という。

　受益証券発行信託の受益権は受益証券の交付を効力要件とし（信託法194

35　詳細については、第2章第3節2(4)参照。

条)、受益権原簿への記載または記録が受託者に対する対抗要件となる(信託法195条1項)。

　しかし、受益証券発行信託では特定の内容の信託受益権について受益証券を発行しない旨を定めることができる(信託法185条2項)。このような受益証券を発行しない旨の定めをした信託受益権は、当事者間の合意で譲渡することができ[36]、また、受益権原簿への記載が受託者その他の第三者に対する対抗要件となる(信託法195条2項)。この場合、前記①で社債券不発行の社債について述べたところと同様、受益権原簿をブロックチェーンと連動させ、ブロックチェーン上のトークンの送付により譲渡ならびに名義書換請求および名義書換を行う仕組みをとることが考えられる。

　受益証券発行信託の受益権は前記③で通常の信託受益権について述べたところと同様、信託行為の定めによって譲渡制限を付すことができ、これを悪意または重過失の譲受人その他の第三者に対して対抗することができる(信託法93条2項)。したがって、組成段階で信託受益権に譲渡制限を付すことによって、ブロックチェーン外で行われる取引を一定程度排除することができる。

　なお、受益証券を発行する場合における譲渡の効力要件については、前記②の優先出資同様、発行した受益証券現物を第三者(信託銀行等の金融機関が想定される)に保管させたうえ、譲渡の際に当該第三者に対する指図による占有移転(民法184条)を電子的に行うことで、受益証券の交付要件を満たすことが考えられる。

　また、受託者に対する対抗要件については、受益権原簿をブロックチェーンと連動させ、ブロックチェーン上のトークンの送付により名義書換請求および名義書換を行う仕組みをとることが考えられる。

⑤　匿名組合出資持分

---

[36]　寺本昌広『逐条解説　新しい信託法[補訂版]』(商事法務、平成20年)396頁。

匿名組合出資持分の譲渡は、匿名組合契約上の地位の移転であると考えられるため、譲渡人および譲受人間の合意に加えて、契約の相手方である営業者の承諾を効力要件とする（民法539条の2）。また、第三者対抗要件については法令上の明文規定がなく、解釈に委ねられているものの、実務上は、指名債権の譲渡に準じて、営業者に対する確定日付ある証書による通知または営業者による確定日付ある証書による承諾を取得することが一般的である。

　現状の実務に照らした場合、匿名組合出資持分については、ブロックチェーン内で対抗要件の具備を完結させることは基本的にはむずかしい。公表された事案でも、譲渡の効力要件との関係では、トークンの移転に関する情報を更新した帳簿が営業者に共有されることをもって営業者が当該移転を承諾したものとみなすこととする一方、第三者対抗要件との関係では、別途承諾書を作成し、日次で確定日付を取得することを前提としている模様であり[37]、その意味で匿名組合出資持分を利用したデジタル証券の仕組みを構築するうえでの障害といえよう。もっともこの点については、産業競争力強化法に基づく債権譲渡の通知等に関する特例[38]を活用したSMSを送信する等の方法で行われる通知または承諾が実用化されれば、当該通知または承諾は確定日付ある証書による通知または承諾とみなされるため（産業競争力強化法11条の2第1項、4項）、対抗要件の具備を電子的なかたちで行うことは理論的に可能となるが、ブロックチェーンとは別の仕組みとなることは上述のとおりである。

　上述のとおり、匿名組合出資持分の譲渡は営業者の承諾を効力要件とするため、ブロックチェーン内で行われる譲渡に限って承諾することによってブロックチェーン外での取引を排除することは可能と考えられる。

d　受益証券発行信託を利用した証券化商品のデジタル化のスキーム例

　最後に証券化商品のデジタル化の例として、不動産を裏付けとする受益証

37　トークン合同会社が発行者である令和3年10月29日付有価証券届出書。
38　詳細については、第2章第3節2(4)参照。

図表 4 －32　受益証券発行信託を利用したデジタル化のスキーム例[39]

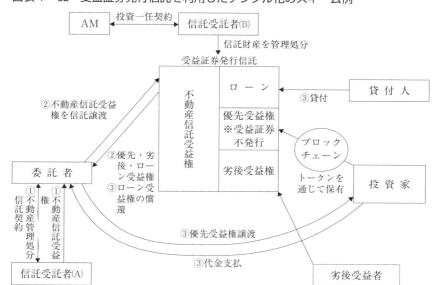

券発行信託の受益権をデジタル化する場合のスキームが現れており、その内容を簡単に紹介する（図表 4 －32参照）。

① 　現物不動産を保有する委託者が信託受託者(A)との間で不動産管理処分信託契約を結び、不動産信託受益権を取得する。

② 　委託者が信託受託者(B)との間で信託契約を締結し、不動産信託受益権を信託受託者(B)に信託譲渡し、優先受益権、劣後受益権およびローン受益権（後述）を取得する。

　　この際の信託契約は受益証券を発行する受益証券発行信託とするが、優先受益権については受益証券を発行しない旨を定める。これにより優先受

---

[39]　株式会社DS1が発行者（委託者）である令和 3 年 7 月 9 日付有価証券届出書およびエスティファンドツー合同会社が発行者（委託者）である令和 4 年 2 月25日付有価証券届出書を参考に、筆者が作成したものである。

益権は、当事者間の合意で譲渡し、受益権原簿上の名義書換により受託者その他の第三者に対する対抗要件を具備できるようになる（信託法195条2項）。

　そして、優先受益権の保有者を記録するブロックチェーンを作成し、当該ブロックチェーンに優先受益権の取引が新たに記録された場合には、当事者間で譲渡の合意が行われたものと取り扱う。また、当該ブロックチェーンと連動させるかたちで受益権原簿を作成し、ブロックチェーンに優先受益権の取引が新たに記録された場合には、受益権原簿にも新たな保有者が記録され、譲渡の対抗要件が具えられるようにする。

　これにより優先受益権はブロックチェーン上のトークンにより移転できるようになる。なお、当該優先受益権は金商法上、電子記録移転有価証券表示権利等として取り扱われ、各種の規制を受けることになる。

③　委託者が投資家に対して優先受益権を譲渡し、その代金によって資金調達を行う。

　また、委託者による資金調達の一部を、投資家に対する優先受益権の譲渡のみならず、受益証券発行信託レベルで不動産信託受益権を裏付けとして行われる信託内借入によって実現する場合がある。この場合、貸付人が信託受託者(B)に対して貸し付けた資金を委託者に還元するための仕組みとして、ローン受益権が用いられる。ローン受益権は、借入金見合いの元本を有する信託受益権であり、受益証券発行信託の組成時（上記②）に優先受益権および劣後受益権とともに委託者によって取得される。信託受託者(B)は、貸付人からの貸付が実行され次第、当該貸付金をもって、即日委託者に対してローン受益権の元本償還を行い、これによりローン受益権はその元本全額が償還されることとなる。その結果、委託者は当該貸付金相当の金額について資金調達できる。

第 2 節 不動産の証券化

1 TK－GKスキームの仕組み

(1) 不動産証券化の基本的仕組み

　不動産証券化においては、企業の信用力に基づくコーポレートファイナンスたる伝統的な不動産担保融資と異なり、現物不動産または不動産信託受益権（以下「対象不動産資産」と個別にまたは総称していう）を引当てとし、その価値と収益力に依存するため、対象不動産資産の価値と収益力以外の影響を受けないように、基本的に以下の仕組みが必要とされる。

　a　倒産隔離の図られたVehicleの存在

　対象不動産資産を保有するVehicle（合同会社（以下「GK」という））や資産流動化法に基づく特定目的会社（以下「TMK」という）が用いられることが多いが、倒産手続に陥ると、スキームにおいて想定されていた対象不動産資産からのキャッシュフローが滞り、予定どおりの回収を行うことができなくなる。そのため、①Vehicleに倒産手続開始事由が生じないようにする仕組み、②仮に倒産手続開始事由が生じても倒産手続開始申立てがなされないようにする仕組みが必要となる。

　一般的スキームでは、前記①のためにVehicleが当該対象不動産資産の取得、保有、管理および処分以外の事業を行わないことやスキーム上想定されている債務以外の債務を負担しないこと等がコベナンツとして定められ、前記②のためにVehicleの役員等およびVehicleに対する債権者によりVehicleに対する倒産手続申立権の放棄の手当がなされる。さらにVehicleが対象不動

産資産の譲渡人（以下「原資産保有者」という）およびエクイティ投資家から人的・資本的影響を受けていると、原資産保有者またはエクイティ投資家が破綻した場合に、Vehicleに当該破綻の影響が生ずるおそれがあることから、Vehicleの独立性の確保のために、原資産保有者およびエクイティ投資家から独立した会計士等をVehicleの役員等にし、Vehicleの社員持分、株式または特定出資等をケイマンSPCや一般社団法人が保有するのが一般的である。かかる倒産隔離については、第2章第1節を参照されたい。また、不動産信託受益権を用いる場合には、信託財産に対する債権者および受益者から、信託財産に対する倒産手続申立権の放棄の手当がなされる。

b 真正売買

原資産保有者からVehicleへの対象不動産資産の譲渡が法的に売買とされず担保取引とみなされた場合には、現物不動産または不動産信託受益権は原資産保有者の倒産手続に服する財産とされ、Vehicleの対象不動産資産に対する権利が制限される。

担保取引か売買取引かは、法律的観点から、当事者の意図、対象不動産資産の対抗要件の具備、適正対価の授受、買取権・買取義務の不存在、アームズレングスでない継続的な関与の不存在、会計上のオフバランス処理等から総合的に判断され、弁護士による真正な売買取引である旨の法律意見書を取得するのが一般的である。

なお、会計上のオフバランスについては、「特別目的会社を活用した不動産の流動化に係る譲渡人の会計処理に関する実務指針」（会計制度委員会報告第15号）において不動産流動化に関する原資産譲渡人の会計処理ルールが定められ、対象不動産資産に係るリスク、経済価値、ガバナンスのほとんどすべてが他の者に移転しているかという視点（リスク・経済価値アプローチ）で判断されることになっており、この会計処理ルールに従ったリスクの移転の観点から原資産譲渡人の負担する劣後的負担割合を5％未満とするのが通例である（ただし、会計上のオフバランスと法律上の売買取引性は必ずしも一致し

ない場合もありうる)。

また、税務上の観点からは、Vehicleに対する法人税の課税とVehicleから投資家への利益配当に対する課税が二重に課されることを回避することが望ましい。かかる二重課税を回避するために、①GKをVehicleとして用いたうえで、GKを営業者とし投資家を出資者とする商法上の匿名組合契約(以下「TK契約」という)を締結し、GKの損益を出資者に分配する仕組み(以下「TK-GKスキーム」という)、②TMKをVehicleとして用いる仕組み(以下「TMKスキーム」という)が一般的に用いられている。

(2) TK-GKスキームの概略

TK-GKスキームの仕組みの概略は以下のとおりである(図表4-33参照)。

図表4-33 TK-GKスキーム

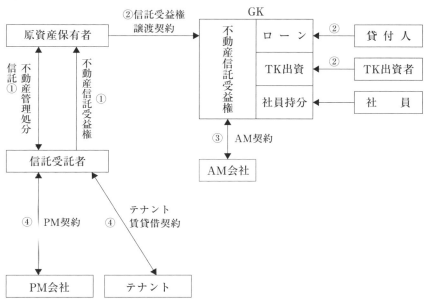

① 原資産保有者は、信託受託者との間で不動産信託契約を締結し、現物不動産を信託受託者に信託譲渡し、不動産信託受益権を取得する。

② GKは、ローン、匿名組合（以下「TK」という）出資により資金調達を行い、原資産保有者との間で信託受益権譲渡契約を締結し、不動産信託受益権を取得する。

③ GKは、アセット・マネジメント会社（以下「AM会社」という）との間で、信託受託者に対して受益者としての指図権の行使（現物不動産の管理・運用・処分に関する指図を含む）、不動産信託受益権の売却に関する業務、現物不動産の運営状況やGKの財務情報などのレンダー、TK出資者への報告等を委託するアセット・マネジメント契約（以下「AM契約」という）を締結する。

④ 信託受託者は、(i)プロパティ・マネジメント会社（以下「PM会社」という）との間でプロパティ・マネジメント契約（以下「PM契約」という）を締結して現物不動産の管理・修繕業務およびテナント管理業務をPM会社に委託し、また(ii)テナントとの間でテナント賃貸借契約を締結してテナントに不動産を賃貸する。

⑤ GKは、不動産信託契約に基づき信託受託者から信託配当を受領し、かかる信託配当により期中のローンの利払い等を行い、ローン契約等に定められる売却手続に従って対象不動産資産の売却またはリファイナンスを行ってローンの元本を返済する。

なお、ローン契約上の債務の担保としては、①不動産信託受益権に対する質権設定、②不動産信託契約終了によりGKに対象不動産の交付がなされることを停止条件とする対象不動産に対する停止条件付抵当権設定、③不動産信託契約終了によりGKに対象不動産に係る保険契約の契約者の地位移転がなされることを停止条件とする当該保険契約に基づく保険金請求権に対する質権設定、④GKの社員持分に対する質権設定、および、⑤AM契約に基づくGKのAMに対する請求権に対する質権または譲渡担保権の設定、AM契約

上のAMの地位譲渡予約などがなされる。

(3) 不動産信託受益権が用いられる理由

　GKが不動産を現物不動産ではなく、不動産信託受益権のかたちで取得するのは、不動産流通税の軽減のほか、不動産特定共同事業法（以下「不特法」という）および宅地建物取引業法（以下「宅建業法」という）上の理由による。すなわち、TK契約に基づき営まれる不動産取引から生ずる収益の分配を行う行為は不動産特定共同事業とされ、外国において締結される一定の契約に該当する場合等以外には、不特法の規制対象となり（不特法2条3項、4項）、かかる規制の適用を回避するため[1]、また、GKが複数の現物不動産を取得し売却するようなスキームでは、場合によっては、GKが宅建業法上の宅地建物取引業を営むものとして、宅地建物取引業者としての免許を要すると解されるおそれもあるため（宅建業法2条3号、3条1項）、不動産信託受益権を取得するスキームがとられる。なお、不特法においても、①TK契約に基づき営まれる不動産取引から生ずる収益の分配をもっぱら行うことを目的とするGKは、不動産特定共同事業契約に基づき営まれる不動産取引に係る業務および不動産特定共同事業契約の締結の勧誘の業務を不動産特定共同事業者に外部委託することにより（なお、一定規模を超える工事等を行う場合には、TK出資者は銀行、特定投資家、資本金5億円以上の株式会社等の一定の者（特例投資家）に限られる（不特法2条8項4号、同法施行規則2条））、また、②不動産に対する投資に係る専門的知識および経験を特に有すると認められる者である適格特例投資家（不特法2条14項、同法施行規則5条）のみをTK出資者とするGKについては、（当該GKが宅地建物取引業者でない場合には）不

---

[1] TK-GKスキームによる開発型案件では、土地の信託受益権の保有者であるGKが発注者として建物を取得すると同時に信託受託者に建物を追加信託し、建物に係る賃料等がTK契約に基づきTK出資者に分配されないようにし、不特法の規制対象となることを回避する。

動産取引に係る業務のすべてを宅地建物取引業者に委託することにより、それぞれ不動産特定共同事業の許可を取得せずに届出のみで、現物不動産を取得・保有することが可能である（不特法2条8項、10項、58条、59条）。

(4) 集団投資スキーム持分に関する留意点

　TK契約は、当事者一方が相手方の営業のために出資をして、その営業によって生じた利益を分配することを約する契約である（商法535条）。金商法において、集団投資スキーム持分とは、出資者が金銭または政令に定める金銭に類するものを出資または拠出し、当該金銭または金銭に類するものを充てて事業を行い、当該事業から生ずる収益の配当または当該事業に係る財産の分配を受けることができる権利（金商法2条2項5号）とされ、みなし有価証券とされる。TK－GKスキームにおけるTK出資は、通常、かかる集団投資スキーム持分に該当し、①金商法2条8項7号への有価証券の自己募集が金商法の規制対象となり、GKがこれを業として行う場合には、第二種金融商品取引業の登録が必要となり（金商法28条2項1号、29条）（自己募集に係る問題）、さらに、②主として有価証券（なお、不動産信託受益権は同法2条1項1号よりみなし有価証券となる）に対する投資として、TK出資を有する者から出資を受けた金銭その他の財産の運用を行うことは金融商品取引業（同法2条8項15号ハ）に該当し、GKがこれを業として行うためには、投資運用業の登録が必要となる（同法28条4項3号、29条）（自己運用に係る問題）。

　しかしながら、第二種金融商品取引業および投資運用業を投資のためのVehicleにすぎないGKが取得することは現実的ではないため、以下の例外規定の適用を受けることにより、第二種金融商品取引業および投資運用業の登録を不要とするようにスキームを組成するのが通例である。

① 　GK自らはまったく勧誘に関与せず全面的にTK出資の募集を第二種金融商品取引業者に委託している場合には、GKは第二種金融商品取引業に係る登録は不要とされる。

②　GKによる不動産信託受益権に対する投資が、以下の適格機関投資家等特例業務に該当する場合には、GKは、第二種金融商品取引業および投資運用業の登録を行わず、届出のみで、私募による自己募集および自己運用を行うことができる（金商法63条）。

　適格機関投資家等特例業務[2]とは、(i)適格機関投資家等（1名以上の適格機関投資家（金商法2条3項1号、定義府令10条）と49名以下の適格機関投資家以外の者（ただし、金融商品取引業者等、上場会社、資本金または純資産額が5,000万円以上の法人、特定目的会社、証券等口座開設後1年以上経過し、投資性資産を1億円以上保有する個人、特例業務届出者の親会社、子会社等の関連する者等の一定の者に限られる（金商法施行令17条の12第1項、金商業等府令233条の2））を相手方（ただし、金商法63条1項1号イ〜ハに該当するものを除く）とする集団投資スキーム持分に係る私募による自己募集（ただし、同法施行令17条の12第4項の転売制限等を充足することが必要）、(ii)適格機関投資家等をTK出資者として出資された金銭の運用として集団投資スキーム持分の運用を行う自己運用をいう（同法63条1項）[3]。

　適格機関投資家等特例業務を行う旨を事前に届出（金商法63条2項）をしたGK（以下「特例業務届出者」という）は、届出内容に従って、第二種金融商品取引業の登録を行わずに私募による自己募集、投資運用業の登録を行わずに自己運用を行うことができる。なお、金商法上の特定投資家・一般投資

---

[2] 適格機関投資家等特例業務については、登録により一般投資家に販売可能であるため、不適切な勧誘により知識・経験が乏しく投資判断能力を有すると見込まれない一般投資家に被害が生じていたことから、平成27年の金商法の改正で、①欠格事由の導入、届出書の記載事項の拡充・公表、②適格機関投資家および一般投資家の範囲の見直し、③特例業務届出者に対する金商法上の適合性の原則、リスク等の説明義務等の行為規制の適用範囲の拡充、④業務改善命令等の監督上の処分の導入などの改正がなされた。
[3] 自己募集および自己運用の双方とも、①適格機関投資家が投資事業有限責任組合のみであって、5億円以上の運用資産残高（借入れを除く）を有していない場合、および②特例業務届出者と密接に関連する者等からの出資割合が過半の場合には、適格機関投資家等特例業務として業務を行うことはできない（金商法63条1項、金商業等府令234条の2）。

家区分との関係において、特例業務届出者は一般投資家への移行可能な特定投資家とされる（金商法2条31項4号、定義府令23条9号）。

③ GKが、外部の投資運用業者と投資一任契約（AM契約）を締結し、運用権限の全部を委託し、TK契約および投資一任契約（AM契約）に一定事項の定めがある等の条件を充足し、当該投資運用業者が事前にGKに関する事項を届け出ている場合（金商法2条8項、同法施行令1条の8の6第1項4号、定義府令16条1項10号）には、GKに投資運用業の登録は不要である。

④ 以下の親子ファンドスキーム（図表4-34参照）による適用除外（金商法2条8項、同法施行令1条の8の6第1項4号、定義府令16条1項11号）。

(i) 投資家が親SPCに対してTK出資を行い、ファンドを組成する。

(ii) 親SPCは(i)により出資を受けた金銭をもって、別のSPC（子SPC）に対してTK出資を行い、子SPCがTK-GKスキームに従って不動産信託受益権を取得して運用を行う。

子SPCの投資対象が不動産信託受益権であり、子SPCの締結したTK契約が親SPCのみである場合で、親SPCが(i)投資運用業者である場合、(ii)金商法63条2項もしくは63条の3第1項の適格機関投資家等特例業務の届出を行っている場合（ただし、金商法63条1項2号に掲げる行為を業として行うものに限

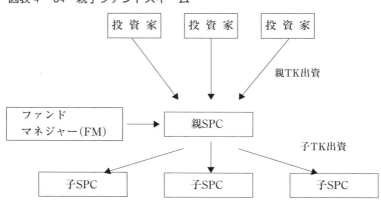

図表4-34　親子ファンドスキーム

る)、または(ⅲ)証券取引法等の一部を改正する法律附則48条1項に規定する特例投資運用業務を行う者である場合で、TK契約締結前にあらかじめ内閣総理大臣に届出を行っている場合には（金商法2条8項、同法施行令1条の8の6第1項4号、定義府令16条1項11号）、子SPCは投資運用業の登録を行わずに、自己運用を行うことができる。

(5) TK出資のローン契約等における取扱い

TK出資はエクイティとしてローンの信用補完を行う役割を果たすため、以下のような取扱いがなされるのが一般的である。

① TK出資に係る収益配当の交付および出資金の返還は、GKの資金管理上、GKの必要運転資金、ローンの元利払いおよび一定の積立金のための資金を控除した後の残額のみを引当てとする。

② 期限の利益喪失事由が発生した場合、DSCR（年間純営業収益を借入人の年間元利返済額で除した数値で、借入人の元利金返済能力を測る数値）やLTV（借入人の借入金・社債の負債額を不動産の価値で除した数値で、いわゆる担保掛け目）等で一定の基準数値に抵触した場合において、TK出資に係る収益配当の交付および出資金の返還が停止される。

③ 劣後特約として、TK出資に係る収益配当の交付および出資金の返還に関して、ローンの元利払いの完了を停止条件とする合意、GKの法的倒産時において破産法99条2項の約定劣後破産債権とする合意がなされる。

(6) AM契約に関する留意点

金商法上、AM会社については、①有価証券の価値等または金融商品の価値等の分析に基づく投資に関し、助言を行うことを約し、相手方がこれに対し報酬を支払うことを約する契約を締結し、当該契約に基づいて助言を行うことを業として行う投資助言・代理業（金商法28条3項、2条8項11号）の登録で足りるか、または、②当事者の一方が相手方から、金融商品の価値等の

分析に基づく投資判断の全部または一部を一任されるとともに、当該投資判断に基づき当該相手方のため投資を行うのに必要な権限を委任されることを内容とする契約（投資一任契約）を締結し、当該金融商品の価値等の分析に基づく投資判断に基づいて有価証券に対する投資として、金銭その他の財産の運用（その指図を含む）を行うことを業として行う投資運用業（金商法28条4項1号、2条8項12号）の登録を要するかが問題となる。

なお、投資運用業については、自己資本比率規制を除き第一種金融商品取引業者と同等の相対的に厳格な参入規制その他の業者規制が課されているため、投資運用業の登録は、投資助言・代理業の登録と比して著しく困難である。この点、個別のスキームによるが、実質的な投資判断の一任および投資権限の委任の有無により個別事案ごとに実質的に判断する必要があるとされる。実務上、①TK契約においてGKによる投資判断にTK出資者の拒否権を付与したり、TK出資者の承諾を要するとする方法（ただし、商法上の匿名組合性について議論が生じる）、②投資検討委員会を設置し、投資検討委員会がGKの代表者に助言を行い、GKの代表者が投資判断を行うとする方法により、AM会社に対して投資判断の一任がなされていないとして、投資助言・代理業の登録のみで行われているスキームもある。

また、対象不動産資産の価値および収益力はAM会社の業務遂行能力に依存することから、GKが期限の利益を喪失した場合には、貸付人の指示によりAM会社の変更を行うことができるとされるのが一般的である。また、TK出資者等実質的なスポンサーまたはそのグループ会社がAM会社の地位にある場合には、AM会社に対する報酬その他の金銭の支払はローンとの関係では劣後するなど、ローンとの関係では、通常は、前記(5)と実質的に同様の取扱いがされる。

(7) ローン契約に関する留意事項

対象不動産資産の流動化全体に関する貸付人としてのコントロールを及ぼ

すことができるようにさまざまな規定が設けられる。個別案件により異なるが、伝統的なローン契約と異なり、一般的には以下のような条項が設けられる。

  a　前提条件

貸付人の融資実行のための前提条件として、主として以下の条件が定められる。

① 貸付人が各種書類（定款、印鑑証明書、履歴事項全部証明書、GKの内部的意思決定手続がなされたことを証する書面、各種契約書、倒産不申立誓約書、不動産鑑定評価書・エンジニアリングレポート（土壌汚染の調査結果を含む）・PMLレポート・境界確定に関する書類、対象不動産の全部事項証明書、信託契約に基づく対象不動産の信託譲渡に係る所有権移転登記および信託の登記の登記申請の受理書の写し、原資産保有者からGKに対する不動産信託受益権の譲渡に係る確定日付の付された信託受託者の承諾書、法律意見書、会計・税務意見書等）を受領していること

② 担保契約が有効に締結され、担保契約に従って貸付実行以前に行われるべき手続が完了していること

③ 対象不動産資産の流動化取引に係る契約が貸付人の満足する内容で有効かつ適法に締結され、存続しており、さらに、債務不履行事由、解除事由または期限の利益喪失事由が発生していないこと

④ 対象不動産資産の流動化取引に係る契約におけるGKによる表明保証事項が真実かつ正確であること

⑤ 貸付人が対象不動産のデューディリジェンスの結果を合理的に満足していること

⑥ TK契約に従ってTK出資がなされ、かかる出資の返還がなされていないこと

  b　表明および保証事項

GKにより、ローン契約締結日および貸付実行日において、貸付人に対し

て、主として以下の事項が真実かつ正確であることの表明および保証がなされる。

① GKに関する一般的事項（適法な設立、権利能力および行為能力、社内手続の完了、法令遵守、政府許認可、訴訟等の不存在、従業員の不存在、資本構成、単一目的会社性等）

② GKの財務状態に関する事項（倒産開始原因の不存在、貸付人の承認している債務および公租公課以外の債務の不存在、延滞債務の不存在、期限の利益喪失事由の不存在、対象不動産資産の流動化取引に係る契約に定められた口座以外の不存在、ローンに優先する債務の不存在等）

③ 対象不動産資産の流動化取引に係る契約および担保権に関する事項（適法性、有効性および強制執行可能性、債務不履行事由、解除事由または期限の利益喪失事由の不存在等）

④ 対象不動産資産に関する事項（信託受託者が唯一の所有者であること、法的手続等の不存在、訴訟・紛争等の不存在、境界確定、越境の不存在、土地収用等の不存在、支払期限を徒過した公租公課の不存在、法令違反および瑕疵の不存在、環境問題の不存在、賃貸借契約その他の対象不動産に係る占有権を設定する契約の内容、損害保険の付保内容等）

⑤ 不動産信託受益権に関する事項（不動産信託受益権の有効かつ適法な成立および存続、信託受益権譲渡契約に基づきGKが不動産信託受益権を取得した後においてGKが唯一の所有者となること等）

⑥ 対象不動産資産の流動化取引に係る契約当事者および現物不動産の占有者・管理者等に反社会的勢力に属するものの不存在

c 誓約事項

融資実行後において、GKにより主として以下の事項を遵守する旨の誓約がなされる。

① GKに関する一般的事項（法令遵守、貸付人の承諾を得ない定款・取締役の変更ならびに資本の増減資、倒産手続開始の申立て、解散の決議、組織変更等

の禁止、不動産信託受益権の取得・保有および管理以外の事業の禁止等）
② キャッシュフローの管理（不動産信託受益権に係る信託交付金その他のGKのすべての金銭をあらかじめ定められた口座にて管理され、かつ、一定の支払順序に従った支払または積立に用いられる旨の規定（スキームおよび物件等により異なるが、信託レベルで、(i)敷金・保証金返還費用積立金、(ii)公租公課および損害保険料積立金、(iii)信託報酬・不動産維持管理費用・賃貸仲介手数料等のための必要運転資金積立金、ならびに(iv)資本的支出に対する積立金の積立がなされ、GKレベルでローンの元利金準備金として一定の金銭の積立がなされる））
③ 貸付人の承諾のない対象不動産資産の流動化取引に係る契約に係るGKの一定の権利行使または新たな契約の締結、債務負担の禁止および資産処分の禁止
④ 重要事項の報告（財務状況等の報告、対象不動産資産に関する報告等）
⑤ 現物不動産に対する損害保険の付保の維持
⑥ 事業計画書の提出

2 TMKスキームの仕組み[4]

(1) 概　　略

資産流動化法に基づく特定目的会社（以下「TMK」という）を用いたスキームの仕組みの概略は以下のとおりである（図表4－35参照）。

① TMKは、資産対応証券（優先出資、特定社債）の発行または／および特定借入れにより資金を調達し、原資産保有者から対象不動産を現物不動産として取得する（なお、不動産信託受益権で取得することも可能である）。
② TMKは、特定資産管理処分受託者との間で特定資産管理処分委託契約を締結し、特定資産管理処分受託者に特定資産たる現物不動産の管理、運

---

[4] 資産流動化法については、第2章第3節1(2)の記載も検討されたい。

図表4-35 TMKを用いたスキーム

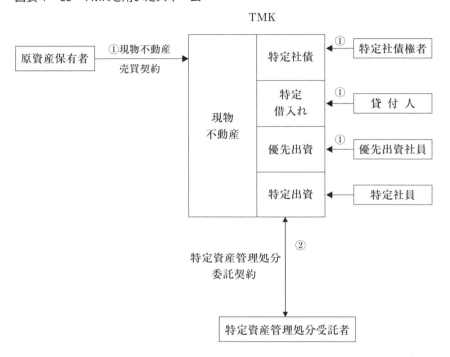

用および処分を委託する（なお、不動産信託受益権を特定資産とする場合には、資産流動化法上、特定資産管理処分受託者は不要である）。

③ TMKは、特定資産たる現物不動産または不動産信託受益権からの収益および特定資産の売却により、(i)特定社債および特定借入れの債務の履行、および(ii)優先出資に係る利益の配当および消却のための取得または残余財産の分配を行う。

ローン契約上の債務の担保としては、TMKが不動産信託受益権を取得する場合には、TK-GKスキームにおける場合と同様であり、TMKが現物不動産を取得する場合には、①現物不動産に対する抵当権設定、②TMKを賃貸人とする賃貸借契約に係る賃料債権の譲渡担保権設定、③現物不動産に関

する保険金請求権に対する質権設定、④特定出資に対する質権設定、および、⑤特定資産管理処分委託契約に基づくTMKの特定資産管理処分受託者に対する請求権に対する質権または譲渡担保権の設定、特定資産管理処分委託契約上の特定資産管理処分受託者の地位譲渡予約等がなされる。

(2) TMKに関する一般的留意事項

　TMKは、資産流動化法に従って作成された資産流動化計画に従って営む資産の流動化に係る業務および附帯業務以外の業務を行うことはできない、法律上、他業を行うことができないVehicleである（資産流動化法195条）。資産の流動化に係る業務においては、TMKが資産対応証券（優先出資、特定社債および特定約束手形をいう）の発行または特定借入れにより得られた金銭により特定資産（同法2条1項）を取得することが予定されているため（同条2項）、TMKはTK出資を受けることはできず、エクイティ出資は優先出資のかたちでなされる。なお、TMKは、金商法上、一般投資家への移行可能な特定投資家である（金商法2条31項4号、定義府令23条6号）。

　TMKにおいては、TK出資を受けないことから不動産特定共同事業法の規制対象とならず、かつ、宅地建物取引業法の規定は業務開始届出を行ったTMKには適用されないため（資産流動化法204条）、TK-GKスキームのように不動産信託受益権のかたちで現物不動産を取得しないスキームを組成することが可能となり、信託に係るコストを削減するために現物不動産として取得することがある（なお、物件の状況等により信託受託者が受託を回避する傾向のある物件についても現物不動産として取得することが可能な点はTMKスキームの優位点としてあげうる）。また、TMKによる現物不動産の取得に関して、不動産の所有権移転の登録免許税および不動産取得税の軽減措置（登録免許税につき租税特別措置法83条の2第1項、不動産取得税につき地方税法附則11条3項）が設けられており、スキーム組成に際してはかかる軽減措置の要件に注意を要する。

(3) 業務開始届出に関する一般的留意事項

　TMKは、業務開始届出を行わなければ資産の流動化に係る業務を行うことはできず（資産流動化法4条）、また、不動産取得税・登録免許税の軽減措置の申請も行うことができないため、TMKにおいてはスケジュール管理が重要となる。以下は、一般的なスケジュールその他の点において主として留意すべき点である。

① 添付書類として必要な契約書の作成・締結
　(i) 特定資産の譲受けの契約書または予約契約書（開発型の場合には、請負契約書または請負予約契約書）の締結。
　(ii) 特定資産が不動産信託受益権である場合には、信託契約書または信託契約書案の確定。なお、信託契約書案を添付書類として提出した場合には、その締結後、すみやかに締結ずみの信託契約書の写しを提出する必要がある（資産流動化法施行規則9条2項）。
　(iii) (a)特定資産管理処分信託契約書または信託契約書案の確定（特定資産の管理および処分に係る業務を行わせるために、信託会社等に特定資産を信託する場合）（資産流動化法200条1項）（信託契約書案を添付書類として提出した場合には、その締結後、すみやかに締結ずみの信託契約書の写しを提出する（資産流動化法施行規則8条2項））、または(b)特定資産管理処分委託契約書もしくは予約契約書（下記の自己運用で記載のとおり、不動産の場合には(a)の信託は設定されず、特定資産管理処分受託者に管理および処分の業務を委託する場合が一般的である）（なお、かかる契約書には、「特定資産管理処分受託者が、(ア)特定資産の分別管理義務、(イ)TMKへの特定資産の管理・処分状況の説明義務、(ウ)特定資産の管理・処分状況を記載した書類の備置義務、(エ)業務の再委託をする場合にはTMKの承諾を得る義務」の記載が必要である）（資産流動化法200条3項各号）。
　(iv) 資産流動化計画の作成
　　資産流動化計画の記載事項は、資産流動化法5条1項、資産流動化法

施行規則12条ないし21条に定められており、金融庁の事務ガイドライン「９Ａ　特定目的会社、特定目的信託（SPC、SPT）関係」の別紙様式11の資産流動化計画の記載内容についてのチェックリストを参照し記載もれがないことを確認することが必要である。なお、TMKの発行する優先出資について総口数の引受けがなされ、また、特定社債について総額の引受けが行われる場合を除き（資産流動化法41条2項、40条1項8号、124条、122条1項18号）、資産流動化計画において、特定資産の取得価格（不動産鑑定評価の結果）（資産流動化法施行規則18条4号イ）の記載が必要であるため、不動産鑑定評価書の手配が必要となる。また、不動産取得税および登録免許税の軽減措置の要件、後記(7)記載の「支払配当損金算入要件」の要件を充足するために資産流動化計画に記載を要する事項の確認が必要である。

↓

② 　業務開始届出の提出

↓

③ 　(i)　不動産取得税および登録免許税の軽減申請（特定資産が不動産信託受益権である場合には不要）。登録免許税の軽減に係る証明書は、クロージング時（同日に所有権移転登記がなされる）に必要なため、事前に財務局にスケジュールを確認しておく必要がある。

　　(ii)　資産対応証券の取得の申込みの勧誘の開始

↓

④ 　クロージング（特定社債の払込み、優先出資の払込金のリリース、特定借入れの実行、売買の実行）

(4)　資産対応証券の募集

　TMKの資金調達は後記(6)①記載のとおりであり、そのうち、資産対応証券の募集等に関して、TMKの取締役または使用人は、資産流動化法208条に

従って特定資産の譲渡人が資産対応証券の募集等に係る事務を行わない場合のみ、行うことが可能である（資産流動化法207条）。ただし、実務上は、第一種金融商品取引業者に募集等に係る業務の委託がなされているのが一般的である。

(5) 資産運用

TMKの資産の運用については、TK-GKスキームのような集団投資スキームにおける自己運用に係る金商法上の制約は及ばない[5]。ただし、TMKは特定資産（ただし、信託受益権を除く）を原則として信託会社等に信託を行う必要があるが、現物不動産の場合には、当該資産の管理および処分を適正に遂行するに足りる財産的基礎および人的構成を有する者として、信託会社等以外の特定資産管理処分受託者に対してその管理および処分に係る業務の委託を行うことが一般的である（資産流動化法200条）。なお、不動産の売買、交換または賃貸に係る業務の委託先は、宅地建物取引業法上の宅地建物取引業者であることが必要である（資産流動化法203条）。

平成23年の資産流動化法の改正により、特定資産の追加取得が原則として可能になった。ただし、TMKには宅地建物取引業法の規定が適用されないため（資産流動化法204条）、原則として既存の特定資産と密接な関連性がない限り、宅地建物取引業法上の宅地・建物については追加取得ができないとされている（なお、TMKが取得した当該宅地・建物を信託設定し、不動産信託受益権の形態で売却することが資産流動化計画において予定されている場合等は密接関連性がない場合でも追加取得が可能と解されている）。かかる追加取得の原則解禁により、TMKを親SPCとし、子SPCをTK-GKスキームにおける

---

[5] TMKが不動産信託受益権を特定資産とする場合におけるAM会社の金商法上の登録に関する問題（投資運用業・投資助言・代理業の登録の問題）は同一であるが、TMKの場合には、投資判断に関する事項を定款で社員総会の決議事項とすることにより、AM会社に投資判断の一任がなされていないという整理を行うことも検討されうる。

GKとして、GKが不動産信託受益権を取得し、TMKが子SPCたるGKに対する匿名組合出資持分を追加取得するスキームが可能となった。

(6) **資金調達・ローン契約に関する一般的留意事項**
① TMKの資金調達は、資産流動化法に定められており、優先出資、特定社債および特定借入れによりなされるのが一般的である[6]。

優先出資に関しては、その保有者たる優先出資社員が社員総会において議決を行使できる事項は、資産流動化法および定款に記載される事項に限られ、実務上、定款で優先出資社員に新たな議決権の付与を行わないため、取締役の選任・解任その他スキームに影響を与えうる社員総会での議決権は付与されず、エクイティ性の資金としてスポンサーその他の投資家により出資され、TK－GKスキームにおけるTK出資と同様に特定社債および特定借入れの信用補完の役割を果たす。

② 後記(7)の税法上の措置を受けるために、優先出資の引受けを行う者の全員が機関投資家（租税特別措置法67条の14第1項1号ロ(2)、同法施行規則22条の18の4第1項）であるケースは希有であるため、一般的に適格機関投資家（金商法2条3項1号、定義府令10条）でかつ機関投資家または特定債権流動化特定目的会社に対して特定社債の発行が行われる。また、各特定社債の金額が1億円以上であることが、特定社債管理者の不設置の要件とされることから（資産流動化法126条ただし書）、特定社債は1億円以上発行されるのが通例である。

特定社債者は、資産流動化計画で除外しない限り、TMKの財産について他の債権者に先立って自己の特定社債に係る債権の弁済を受ける権利（一般担保）を有し、当該権利の順位は民法の一般の先取特権に次ぐものとされる（資産流動化法128条）。また、担保付社債信託法の規制を受ける

---
[6] 平成23年の資産流動化法改正により、特定資産の管理・処分により得られる金銭をもって資産を取得することが可能とされたため、かかる金銭を利用する方法もある。

ことから、実務上、特定社債を被担保債権とする特定資産に対する担保権の設定はなされない。特定社債権者が保証人または補償人としてTMKから委託を受け、特定社債に係る保証または補償を行い、かかる保証または補償に係る求償権を被担保債権として特定資産に担保権の設定を受けるスキームがとられることもある（かかるスキームの適法性等に関して、担保付社債信託法との関係で議論が生じうる）。

③　TMKは、特定借入れを適格機関投資家からのみ行うことができる（資産流動化法210条、同法施行規則93条）。ただし、その貸付人は、一般的には、後記(7)の税法上の措置を受けるために、適格機関投資家のうち機関投資家または特定債権流動化特定目的会社に限定される（租税特別措置法67条の14第1項2号ト、同法施行令39条の32の2第8項2号）。

④　特定社債および特定借入れに関する一般的留意事項は、資産流動化法に関連する表明保証・遵守事項（資産流動化計画の提出等の表明保証、資産流動化計画および資産流動化法の遵守等）、現物不動産を特定資産とする場合には不動産信託受益権ではなく現物不動産を取得することに伴う変更および後記(7)末尾記載の点等以外は、前記のTK－GKスキームにおけるものとほぼ同様である。

⑤　前記のほか、TMKは、資産流動化計画に特定借入れ以外の資金の借入れを行う旨の記載があり、業務開始届出を行っている限り、流動性補完・つなぎ融資等の一定の使途の資金の借入れを行うことができる（資産流動化法211条、同法施行規則94条）。なお、資金使途が、特定資産の取得の準備行為として必要な行為をするための支払手付金、入札保証金または契約保証金の支払の場合には、業務開始届出は不要である（資産流動化法施行規則94条2号ただし書）。

(7)　二重課税排除のための留意点

TMKでは、租税特別措置法67条の14、租税特別措置法施行令39条の32の

2および租税特別措置法施行規則22条の18の4に定める要件（以下「支払配当損金算入要件」という）を満たす場合には、エクイティ投資家たる優先出資社員に対する支払配当が損金に算入され、法人レベルでの課税とエクイティ投資家レベルの課税の二重課税の排除が可能となる。支払配当損金算入要件の概略は以下のとおりである。

　a　**法人要件**（以下のすべての要件を満たすこと）
① 特定目的会社名簿への登載がなされていること
② 以下のいずれかの要件に該当すること
　(i) 特定社債が公募により発行され、かつ、発行価額の総額が1億円以上
　(ii) 特定社債が機関投資家または特定債権流動化特定目的会社[7]のみにより保有されることが見込まれていること
　(iii) 優先出資の50人以上の者による引受け
　(iv) 優先出資の機関投資家のみによる引受け
③ 優先出資および基準特定出資（特定社員があらかじめ利益配当請求権および残余財産分配請求権の双方を放棄している旨の記載が資産流動化計画になされている場合の特定出資以外の特定出資）の50％超が国内募集である旨の記載が資産流動化計画になされていること（平成22年度税制改正施行前に業務開始届を行っている場合には、基準特定出資の規定は原則として適用されない）
④ 会計期間が1年を超えないこと

　b　**事業年度要件**（以下のすべての要件を満たすこと）
① 資産の流動化に係る業務およびその附帯業務を資産流動化計画に従って行っていること
② 資産流動化法195条1項に規定する他の業務を営んでいないこと

---

[7] 適格機関投資家たるTMKのうち、特定資産が不動産等のみであるTMKが発行する特定社債、同TMKに対する貸付金、または匿名組合契約（出資されたが不動産等に対して投資として運用することを定めたものに限る）の営業者に対する当該匿名組合契約に係る事業に関する貸付金のみを特定資産とするTMKである（租税特別措置法施行令39条の32の2第2項）。

③ 資産流動化法200条に従って特定資産の信託または特定資産の管理および処分に係る業務の委託がなされていること
④ 事業年度終了時において同族会社のうち政令で定めたものに該当しないこと（ただし、前記a②(i)または(ii)に該当する場合を除く）
⑤ 配当可能利益の額の90％超の額の利益の配当がなされていること
⑥ 合名会社または合資会社の無限責任社員となっていないこと
⑦ 特定資産以外の資産（ただし、資産の流動化に係る業務およびその附帯業務を行うために必要と認められる資産ならびに資産流動化法214条各号に掲げる方法による余裕金の運用に係る資産を除く）を保有していないこと
⑧ 特定借入れを行っている場合には、その特定借入れが機関投資家または特定債権流動化特定目的会社であり、かつ、特定出資をした者からではないこと

支払配当損金算入要件を充足するために、特定社債要項、ローン契約等の特定社債、特定借入れに係る契約において、以下の定めがなされるのが一般的である。

① 特定社債を引き受ける者および特定借入れのレンダーが機関投資家に限定され、特定社債および特定借入れに係る債権の譲渡先も機関投資家に限定される。
② TK－GKスキームにおいては、期限の利益喪失事由が発生した場合、DSCRやLTV等で一定の基準数値に抵触した場合において、TK出資に係る収益配当の交付および出資金の返還を停止する仕組みがとられることがあるが、TMKスキームでは、かかる場合においても配当可能利益の額の90％超の額の利益の配当を可能とするために、優先出資を追加発行し、当該追加発行に係る払込金から利益の配当を行うことができるような仕組みがとられることがある。

3 CMBS

(1) CMBSとは

　CMBSとは、Commercial Mortgage-Backed Securitiesを略したものであり、商業用不動産ローン担保証券とも呼ばれる。わが国におけるその用語法は必ずしも一義的ではないが、一般的には、MBS（Mortgage-Backed Securities）の一種として、商業用不動産により担保される[8]1個または複数個のローン債権その他の金銭債権を裏付けとする証券化商品を指すことが多い。したがって、その意味においては、RMBSと同様に「金銭債権の証券化」であるともいえるが、いずれも、最終的には不動産により担保されている点に着目して、広義の「不動産の証券化」にも分類される。

　以下、本項においては、このような意味でのCMBSについて論じることとする。

(2) CMBSの構造

a 概　要

　CMBSのスキーム全体としては、①商業用不動産、②金銭債権、③CMBS自体、の3つのレベルから構成される点が特徴である（図表4-36参照）。

　①の商業用不動産の部分は、具体的には、オフィスビル、賃貸マンション、ホテル、倉庫、ショッピングセンターなどの商業用物件である。これらから定期的に得られる賃料収入が、投資家への期中の利払い・収益配当の原資となり、いわゆる売却型（後述）のCMBSの場合には、これらの物件（またはこれらの物件を信託財産とする信託受益権）の売却代金が、投資家への元本の償還・返済の原資となるのが通常である。

---

[8] 「担保される」という表現を用いたが、実際には、商業用不動産それ自体に抵当権その他の担保権が設定されているとは限らず、無担保または一般担保（特定目的会社の発行する特定社債の場合）のみで、スキーム上は担保として機能しているという場合も多い。

図表4-36 CMBSのスキーム

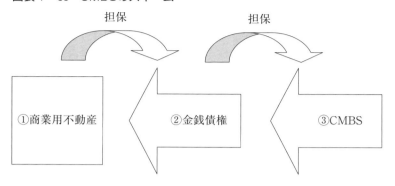

　②の金銭債権の部分は、①の商業用不動産により担保されるノンリコース・ローンや社債・特定社債[9]、あるいは不良債権化し担保割れを起こした不動産担保ローン[10]などである。商品によっては、②の金銭債権がさらに複層化するものもある。たとえば、不動産担保不良債権のプールを裏付資産とするノンリコース・ローンをさらに裏付資産とするCMBSなどである。もっとも、説明の単純化のため、以下では、②の金銭債権は1階層のみで、その債務者はSPVであるものとし、当該SPVをSPV1と呼ぶこととする。

　③のCMBS自体は、②の金銭債権を保有するSPV（以下「SPV2」という）の発行する、信託受益権、信託ABL、社債、特定社債等である。すなわち、SPV2としては、信託、株式会社、合同会社、特定目的会社等が、関連当事者のさまざまなニーズに応じて採用されることとなる。

b　リファイナンス型と売却型

　CMBSを、元本償還の原資の調達方法に着目して、リファイナンス型と売却型に分類することがある。

　リファイナンス型とは、通常みられるタイプであり、CMBSの予定償還日

---

[9] TK-GKスキームやTMKスキームなどによる。
[10] このようなローンは、たとえフルリコースであっても、結局、担保不動産自体の価値によって評価されることになる。

（当初の償還の予定日）における元本の償還をリファイナンスによって行うことを予定するものである。リファイナンスができなかった場合には、通常は、テール期間中に原資産である不動産を売却その他の方法によって換価することで償還原資を調達することとなる[11]。テール期間とは予定償還日と最終償還日（最終的な償還期限）との間の期間を指し、利率等の条件がそれまでと異なるのが通常である。

これに対して、売却型とは、原資産である不動産を売却その他の方法によって換価することで元本償還の原資を調達することを当初から予定するタイプのものをいう。不良債権の証券化等において用いられる。

c　シングルボロワー型とマルチボロワー型（コンデュイット型）

SPV1の数が1個であるCMBSをシングルボロワー型という。すなわち、TK－GKスキームやTMKスキームによる狭義の「不動産の証券化」商品を、さらに別のSPVに譲渡して狭義のCMBSにリパッケージしたものということになる（図表4－37参照）。また、広義には、リパッケージをしていない、狭義の「不動産の証券化」商品も含めて呼ぶ。

図表4－37　シングルボロワー型の例

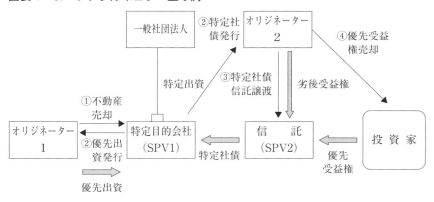

11　もっとも、先般の金融危機に際しては、不動産市況の悪化等を受け、リファイナンスや売却が必ずしもうまくいかず、CMBSがデフォルトする例が多くみられた。

シングルボロワー型CMBSは、最終的に裏付けとなる物件の数に応じて、さらに、シングルアセット型とマルチアセット型に分類される。

　シングルボロワー型に対して、CMBSのうち、SPV1が複数であるものをマルチボロワー型あるいはコンデュイット型という。すなわち、商業用不動産を裏付けとするノンリコース・ローンや特定社債のプールをSPVに譲渡して証券化したものである（図表4－38参照）。一種のCDOであるということもできよう。シングルボロワー型に比べると、裏付資産に関するリスクが分散しているのが特徴である。

　不動産のアクイジション・ファイナンス等においては、将来、マルチボロ

図表4－38　マルチボロワー型の例

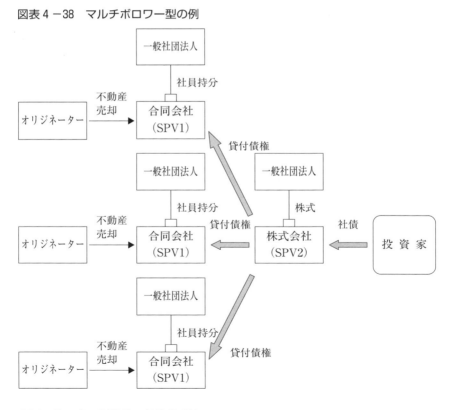

ワー型（コンデュイット型）のCMBSとして証券化する可能性をあらかじめ想定し、TK-GKスキームによって資金調達を行うこともありうる。

(3) CMBSのトレーサビリティ

CMBSは、前述のように、通常は、①商業用不動産、②金銭債権、③CMBSそれ自体の3つのレベルで構成されているのが特徴である。したがって、投資家がCMBSを適切に評価するためには、3つのレベルのそれぞれについて十分な情報を得る必要がある。この点、金商業者等向け監督指針および日本証券業協会の「証券化商品の販売等に関する規則」において、証券化商品の追跡可能性（トレーサビリティ）の確保に関する規律が設けられているため、組成・販売に関しては留意を要する。詳細は第3章第3節(7)を参照されたい。

4 REIT

(1) 概　略

REITとは、Real Estate Investment Trust（不動産投資信託）の略である[12]。その形態として、投信法上、①契約型（委託者指図型投資信託（投信法2条1項）・委託者非指図型投資信託（同条2項））と、②会社型（資産を主として特定資産[13]に対する投資として運用することを目的とする社団たる投資法人（同条12項））があり、また、投資主の請求により投資口の払戻しを認めるオープンエンド型と、かかる払戻しを認めないクローズドエンド型がある。

---

[12] 東京証券取引所の有価証券上場規程では、投信法2条1項10号に掲げる投資信託の受益証券または同項11号に掲げる投資証券であって、投資者の資金を主として不動産等に対する投資として運用することを目的とするものを、「不動産投資信託証券」としている。また、一般社団法人投資信託協会の「不動産投資信託及び不動産投資法人に関する規則」によれば、投資信託約款または投資法人規約において投資信託財産または投資法人の資産の総額の2分の1を超える額を不動産等および不動産等を主たる投資対象とする資産対応型証券等に対する投資として運用することを目的とする旨を規定している投資信託および投資法人を、「不動産投信等」と定義している。

この点、上場投資法人たるJ-REITでは、投資主総会や役員会等を通じたコーポレート・ガバナンスが機能するという観点から、会社型が採用され（なお、株式会社東京証券取引所の有価証券上場規程（以下「有価証券上場規程」という）上は、契約型での上場も可能である（同規程1201条1項）。今後、とりわけ海外不動産の組入比率が高いJ-REITが現れた場合には、監督当局、金融商品取引所、一般社団法人投資信託協会その他の関係各所の動向によって、税務上の理由などから柔軟性のある契約型REITを選択する事例も出てくる可能性もあるものと思われる）、また、投資主の投資口の払戻請求に応じて不動産等を機動的に売却することが困難であり、かつ、株式会社東京証券取引所における投資証券（投資口を表示する証券をいう）の上場の条件としてクローズドエンド型であることが定められていることから（有価証券上場規程1205条(2)号jおよび1218号2項(11)号。なお、投資家は、金融商品取引所での投資口の売買により投下資本の回収を行う）、クローズドエンド型が採用されている。

　REITは、会社型のものであれば、投信法その他の法令の規制によりコーポレート・ガバナンスの効いたゴーイングコンサーンの企業体と位置づけられ、資産運用会社の投資判断をもとに規約に定められた基準に従って不動産などの資産に継続的に投資することとなることから、運用期間中、資金調達を行って新たに資産を取得することも、また、取得ずみの資産を売却することも想定されている。前述のTK-GKスキームおよびTMKスキームでは、投資家から資金調達を行う以前に証券化対象となる資産が特定されているいわゆる流動化型が基本となるが、REITスキームにおいては、将来的に取得

13　有価証券、デリバティブ取引に係る権利、不動産、不動産の賃借権、地上権、約束手形、金銭債権、匿名組合出資持分、商品、商品投資等取引に係る権利、再生可能エネルギー発電設備および公共施設等運営権をいう（投信法2条1項、投信法施行令3条）。なお、上記の再生可能エネルギー発電設備および公共施設等運営権（以下、総称して「インフラ資産」という）は、平成26年9月3日に投信法施行令が改正され、投信法施行令3条の「特定資産」に加わったものである。平成27年4月30日に有価証券上場規程等の改正が施行されて、東京証券取引所に上場インフラファンド市場が整備され、インフラ資産を保有する投資法人も存在するが、本節では、REITに関する記述に限定することとする。

するものを含めて投資対象資産が具体的に確定しているものではなく、スポンサーの信用力、資産運用会社の運用能力、REIT自身の財務状態やトラック・レコードなどをもとに資金調達を行うことになる（いわゆる運用型）。REITには上場市場（J-REIT市場）が用意されている一方でTK-GKおよびTMKにはそのような市場が存在しないという違いのほか、かかる基本的な位置づけの点でREITスキームとTK-GKスキームおよびTMKスキームとの相違をみることもできる[14]。

最近は非上場オープンエンド型不動産投資法人（以下「私募REIT」という）も増えていることから[15]、以下では、基本的に上場投資法人たるJ-REITを念頭に説明を行い、その後に、私募REITについても簡単に述べる。なお、契約型REITの可能性も指摘されているが、本書の執筆時点において、上場および非上場を問わず、REITはすべて会社型のものとなっており、契約型REITは存在しないことから、契約型REITの説明は割愛する。

(2) 投資法人制度の概略

投資法人は、資産を主として特定資産に対する投資として運用することを目的として投信法に基づき設立された社団であり、株式会社との類似点があるものの、投資のためのVehicleである点から株式会社とは異なる制度設計

---

[14] もっとも、TK-GKスキームを用いて、長期の運用期間を設定したうえで一定の投資方針に沿った資産の追加取得および資金調達を行う私募REIT（後に定義する）代替の運用型の私募ファンドの投資商品も生み出されており、流動化型・運用型の区別によるスキームの差異は相対的な面がある。なお、TMKスキームの場合には、資産流動化計画の計画期間が一定の期間に限定されており（不動産などが特定資産となる場合には50年）、また特定資産取得にあたっては資産流動化計画においてその取得対象となる資産があらかじめ特定されている必要があることなどから、運用型ファンドを組成するにあたってTMKを用いることには制約がありうるが、平成23年資産流動化法改正により、（宅地建物取引業法の趣旨をふまえた現物不動産の取得に一定の制限があるものの）TMKによる資産の追加取得も可能となっている。

[15] 一般社団法人不動産証券化協会の公表する私募リート・クォータリーによれば、令和3年12月末時点で39銘柄の私募REITが運用を行っている。なお、上場投資法人たるJ-REITは、同協会の公表資料によれば、令和3年12月末時点で61銘柄存在する。

がなされている。なお、投資法人が資産の運用として後述の投信法193条に規定する行為を行うためには、内閣総理大臣の登録を受けることを要する（投信法187条）。投資法人の仕組みの概略を図示すると、図表4－39のとおりである。

① 株式会社の定款に相当するものとして、投資法人では規約がある。規約の要記載事項は投信法67条1項各号記載のとおりであるが、同項7号として「資産の運用の対象及び方針」を記載する必要があり、投資法人は、投信法上、資産の運用以外の行為を営業として行うことができず（投信法63条1項）、かかる規約に定める資産運用の対象および方針に従い、(i)特定資産につき、㈦有価証券の取得または譲渡、㈣有価証券の貸借、㈹不動産の取得または譲渡、㈪不動産の賃借、㈵不動産の管理の委託、㈻宅地の造成または建物の建築を自ら行うことに係る取引など以外の特定資産に係る

図表4－39　投資法人の仕組みの概略

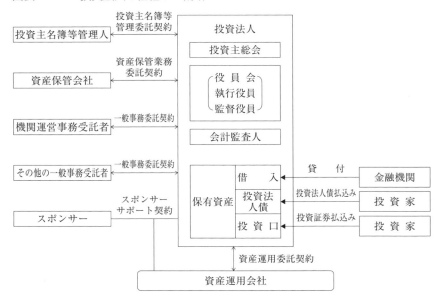

取引、(ii)特定資産以外の資産についてその取得または譲渡その他の取引を行うことができる旨が定められている（同法193条、同法施行令116条）。

　また、投資法人による株式保有を通じた会社支配を防止する趣旨で、投信法上、投資法人は株式に係る議決権の過半数を保有することができないこととされている（同法194条1項）。一方、国外の不動産については、現地法の規制などから投資法人が直接不動産の権利を取得することに制限がある場合があり、投信法で定める要件を満たす場合には、もっぱら不動産の取得、譲渡などの取引を行うことを目的とする法人の発行する株式に係る議決権を過半数保有することも可能とされている（同法194条2項）。

　投資法人の運用資産の割合に関して、投資法人は、主として特定資産に対する投資を行うことになるほか（投信法2条12項）、株式会社東京証券取引所の有価証券上場規程においても運用資産の種別、割合などにつき一定の制限がなされている。前記のとおり、規約において資産の運用および方針が定められることなどから、法令、有価証券上場規程などで認められる範囲において、各投資法人がそれぞれ特色あるポートフォリオを構成しながら運用を行うことになる[16]。また、投資主の請求により投資口の払戻しをする旨またはしない旨は、規約の要記載事項である（同法67条1項3号）。

② 投資法人の機関として、(i)投資主総会（投信法89条）、(ii)投資法人の業務執行を行う執行役員（同法109条）、(iii)執行役員の職務の監督を行う監督役員（同法111条）、(iv)執行役員および監督役員により構成される役員会（同法112条）ならびに(v)会計監査人（同法115条の2）がある。なお、投資法人は従業員を雇用することはできない（同法63条2項）。

　投資主総会は投信法または規約により投資主総会の議決を要する事項

---

[16] 運用資産となる物件の種別を問わないいわゆる総合型REITといわれるものもあれば、物流施設、ホテルなどの特定のアセットクラスに重点的に投資するセクター特化型のREITも存在する。また、特定の地域に特化してポートフォリオを構成するREITもみられる。

（執行役員、監督役員および会計監査人の選任（投信法96条1項）、規約の変更（同法140条）、資産運用会社との資産運用委託契約の承認（同法198条2項）・解約（同法206条1項）など）に限って決議を行うことができ（同法89条1項）、投資主は1投資口につき1議決権を有するが、投資主は経済的利益のみに着目した投資家である点をかんがみ、投資法人の規約により、投資主が投資主総会に出席せず、かつ議決権を行使しないときは、当該投資主はその投資主総会に提出された議案（ただし、複数の議案が提出された場合に、相反する趣旨の議案があるときは、当該議案を除く）について賛成するものとみなす旨を定めることができる（みなし賛成）（同法93条1項）。
③ 投資主は、投資法人の社員であり、金銭の分配を受ける権利、残余財産の分配を受ける権利、投資主総会における議決権その他投信法により認められた権利を有する（投信法77条2項）。
④ 投資法人においては、業務の外部委託が投信法上、義務づけられている。
　（ⅰ）資産運用会社：投資法人の委託を受けて資産の運用に係る業務を行う金融商品取引業者をいう（投信法2条21項）。

　　　投資法人は、資産運用会社に資産運用業務を委託しなければならない（投信法198条1項）。資産運用会社は、投資運用業（金商法28条4項）を営むことのできる金融商品取引業者であり、かつ、投資対象資産に不動産が含まれる場合には、宅地建物取引業法3条1項の免許を受けた者である必要があるとともに、投資法人が主として不動産に対する投資として運用することを目的とする場合には、宅地建物取引業法50条の2第1項の認可（取引一任代理等の認可）を受けていることが必要とされる（投信法199条）。さらに、特定投資運用行為（不動産等を投資対象とする投資法人の資産の運用等）を行おうとするものについては、資産運用会社による兼業につき承認（金商法35条4項）を受ける必要があるところ、投資運用業の登録に際して、内閣総理大臣は当該特定投資運用行為を行う

業務を適確に遂行するに足りる人的構成を有するものであるかどうかにつき、国土交通大臣の意見を聴き、承認するものとされている（金商法223条の3第1項）[17]。

　資産運用会社は、投資法人との間で締結した資産の運用に係る業務の委託契約（以下「資産運用委託契約」という）および規約に定められた「資産運用の対象及び方針」に基づき、投資対象資産の選定、取得、維持管理および処分などの運用業務を行う。資産運用会社は、金商法上の投資運用業者の義務および行為規制に服し、不動産に投資する投資法人の運用にあっては宅地建物取引業法上の取引一任代理等の認可を受けた宅地建物取引業者の義務および行為規制に服するほか、自己取引・利害関係人等取引に係る書面交付義務（投信法203条2項）などの投信法に定める義務を負う。また、資産運用会社は、特定投資運用行為に際して、当該運用が金商法2条8項12号に掲げる行為に該当するものとみなして、金商法上における投資運用業者と同趣旨の行為規制に服する（投信法223条の3第3項、同法施行令130条2項、同法施行規則265条、266条）。

(ⅱ)　一般事務受託者：投資法人の委託を受けてその資産の運用および保管に係る業務以外の業務に係る事務を行う者をいう（投信法2条23号）。投資法人は、(ア)投資口および投資法人債を引き受ける者の募集ならびに新投資口予約権無償割当てに関する事務、(イ)投資主名簿、新投資口予約権原簿および投資法人債原簿の作成および備置きその他の投資主名簿、新投資口予約権原簿および投資法人債原簿に関する事務、(ウ)投資証券、新投資口予約権証券および投資法人債券の発行に関する事務、(エ)機関の運営に関する事務、(オ)計算に関する事務、(カ)その他内閣府令で定める事務を一般事務受託者に委託しなければならない（投信法117条、同法施行規

---

[17]　その他、上場投資法人の資産運用会社は、有価証券上場規程1205条(1)号 a に基づき一般社団法人投資信託協会への入会が必要であり、また実務上、一般社団法人不動産証券化協会への加入がなされている例も多い。

則169条2項)。

 (iii) 資産保管会社：投資法人の委託を受けてその資産の保管に係る業務を行う法人をいう（投信法2条22項）。投資法人は、資産保管会社にその資産の保管に係る業務を委託しなければならない（同法208条1項）。

⑤ スポンサー・パイプライン・サポート会社の存在

 投信法上の機関として要求されているものではないものの、投資主、資産運用会社の株主その他の投資法人の関係者であり、運用資産の取得その他の投資法人に係る資産運用等に主導的な立場で関与するいわゆるスポンサー・パイプライン・サポート会社により、投資法人に対して、優先的な物件の情報提供、ウェアハウジング機能の提供[18]、優先交渉権の付与、物件のリーシングサポート、人材派遣やマーケットリサーチサービス等がなされることがある。また、スポンサーが投資法人の投資口を一定割合保有する、いわゆるセイムボート出資やスポンサーのもつ有形・無形の社会的信用力も、投資家への印象や資金調達に際して、重要な要素となる。なお、投資法人の資産運用を担う資産運用会社がスポンサーの子会社となり、投資法人の執行役員もスポンサー出身者となることが多いため、スポンサーなどと投資法人との間の利益相反管理の問題は1つの大きな課題である。スポンサーの企業グループと投資法人との間の利益相反取引が生じないかどうかについては、東京証券取引所の上場規程の関係での検討事由とされている（上場審査等に関するガイドラインⅧ3.(2)）。

⑥ 利益相反管理

 投資法人の役員会は執行役員および監督役員で構成され、役員会の決議は原則として過半数の出席構成員によるその過半数で行われるが、監督役員は執行役員の員数に1を加えた数以上を選任する必要があることにより（投信

---

[18] 投資法人の資産運用会社からの依頼により、将来における投資法人での不動産取得を目的として、取得および一時的な所有を行い、一定の期間、投資法人以外への売却を行わず、投資法人から取得の申出があれば、これに応じうるもの。

法95条2号)、役員会決議事項を執行役員のみの意思で実行することができないこととされている。この点、監督役員は、投信法上、資産運用会社、その親会社などの影響力を受けない中立的な者でなければならないこととされており(同法100条および200条、同法施行規則164条および244条)、役員会における中立的な意思決定が担保される仕組みとなっている。

　資産運用会社などとの間で利益相反による弊害が生じないよう、投資法人は、その執行役員、監督役員のほか、資産運用会社およびその役員または使用人との間で原則として運用に係る取引行為を行ってはならないものとされている(投信法195条)。また、資産運用会社の親会社などスポンサーとの間の利益相反を防止する趣旨から、資産運用にあたって資産運用会社がその親会社などの利害関係人等との間で不動産などの売買または貸借の取引を行うときには、資産運用会社は、あらかじめ投資法人の同意を得る必要があり、かかる同意は投資法人の役員会の承認事項(役員会決議事項)とされる(同法201条の2)[19]。かかる利害関係人等との間の投信法所定の取引が行われた場合には、資産運用会社は、当該取引に係る事項を記載した書面を投資法人に交付しなければならない(同法203条2項)。

　その他、資産運用会社は、不動産などの取得または譲渡が行われたときは、資産運用会社と利害関係のない不動産鑑定士にその鑑定評価を行わせ、当該鑑定評価の結果を投資法人に通知しなければならず(投信法201条1項、同法施行規則245条3項)、資産の取得および売却にあたり中立的な価格査定による監視が行われる規律となっている。

(3) 税務上の優遇措置

　投資法人は、投資のためのVehicleであることから、投資法人レベルでの

19　その他、資産運用会社は、一般的な忠実義務(金商法42条1項)のほか、金商法の運用財産相互間取引の規制(同法42条の2)、親法人等の関与する行為のアームズ・レングスの規制(同法44条の3第1項1号など)などの利益相反防止の規定を遵守する必要がある。

課税と投資家レベルでの課税が二重になされるのを回避するために、特定目的会社と同様に、支払配当の損金算入の制度が設けられている。支払配当損金算入要件は、租税特別措置法67条の15、租税特別措置法施行令39条の32の3および租税特別措置法施行規則22条の19に定められているが、その概要は以下のとおりである。

　a　投資法人要件（すべてを満たすこと）
① 投信法187条の登録を受けていること
② (i)設立に際して投資口を公募で1億円以上発行したこと、または(ii)事業年度終了時において、発行済投資口が50人以上の者により所有されているもの、もしくは機関投資家のみによって所有されていること
③ 規約においてその発行する投資口の発行価額の総額のうち、国内において募集される投資口の発行価額の占める割合が100分の50を超える旨の記載または規定があること
④ 会計年度が1年を超えないこと

　b　事業年度要件（すべてを満たすこと）
① 投信法63条の規定に違反している事実がないこと
② 資産の運用に係る業務を投信法198条1項に規定する資産運用会社に委託していること
③ 資産の保管に係る業務を投信法208条1項に規定する資産保管会社に委託していること
④ 当該事業年度終了時において法人税法2条10号に規定する同族会社のうち政令で定めるものに該当していないこと
⑤ 当該事業年度に係る配当等の額の支払額が当該事業年度の配当可能利益の額として政令で定める金額の90％を超えていること
⑥ 他の法人（投信法194条2項に基づき投資法人がその株式の50％を超えて保有することができる法人を除く）の発行済株式もしくは出資総額または匿名組合契約等に基づく出資総額の50％以上を保有していないこと

⑦　特定資産のうち、有価証券、不動産等が投資法人の資産総額の50％を超えていること
⑧　機関投資家以外から借入れを行っていないこと

　また、税法上の特典として、支払配当損金算入のほか、不動産取得税（地方税法附則11条13項）・登録免許税（租税特別措置法83条の3第3項）の軽減措置がある。

(4)　資金調達手段

　a　デットとエクイティ

　投資法人は、エクイティとして投資口、デットとして借入れおよび投資法人債により調達した資金を主として特定資産に対する投資として運用を行う（つまり、投資法人は、投資口のかたちでエクイティを調達し、デットとしての借入れおよび投資法人債によりレバレッジを効かして投資効率を向上させる）。

　投資口は、株式類似のものであるが、投資法人からその譲渡制限を設けることはできず（投信法78条2項）、会社法上の諸制度（現物出資、株主割当増資、種類株式、中間配当[20]など）が存在せず、また、投資口の払込金額は投資法人の保有する資産の内容に照らし公正な金額としなければならず、投資口の有利発行は禁止されている（投信法82条6項）。したがって、エクイティとして多様な資金調達手段が存在せず、資金調達状況が芳しくないマーケット下においては、株式会社と比べて、新たな投資口の発行による資金調達は困難とも評価しうる（なお、スポンサーの企業グループへの第三者割当ての方法による新たな投資口の発行はなされている）。

　借入れおよび投資法人債については、規約に記載された借入金および投資法人債の発行の限度額の範囲[21]で（投信法67条1項15号）、規約に投資主の請

---

[20] 一般に、決算期を半年ごとにする投資法人が多い。また、平成25年金商法改正に伴う投信法改正によって、会社法上の新株予約権に相当する新投資口予約権の制度や会社法上の自己株式取得に相当する自己投資口取得の制度が導入された。

求により投資口の払戻しをしない旨の定めのある投資法人に限り、投資法人債を発行することができる。したがって、オープンエンド型である私募REITにおいては、投資法人債で資金調達を行うことができない。また、一定の資金使途に制限されるものの、一定の要件を充足する場合には、短期投資法人債により短期資金調達を行うことも可能である（同法139条の13）。

また、投資法人においては、租税特別措置法に基づく支払配当損金算入要件を充足するために、当該事業年度の配当可能利益の額として政令で定める金額の90％を超える配当等の額の支払がなされ、一般の事業会社と異なり、内部留保が乏しいため、新たな投資口の発行による資金調達およびリファイナンスが困難なマーケット状況においては、デットの返済が困難となりやすいという傾向がある[22]。

なお、不動産等資産に過半数投資する上場投資法人の投資証券は、上場株式会社の株券と同様に、インサイダー取引規制の対象となり（金商法166条、167条）、その他の不公正取引規制の対象となる（同法163条、164条、167条の2など）。

b 投資法人債

J－REITの投資法人債については、担保付社債信託法上の制約のため物上担保は設定されておらず、かつ保証も付されていないのが一般的であり、他の無担保投資法人債のために担保付社債信託法に基づき担保権を設定する場合には、同様に同順位の担保権を設定しなければならない旨の担保提供制限の条項が投資法人債要項に設けられる例がある。また、投資法人債については、租税特別措置法上の支払配当損金算入要件の制限を受けないため、その保有者は機関投資家に限定されない。

---

[21] 実務上、借入金および投資法人債発行の限度額は、それぞれ金1兆円とし、かつ、その合計額が金1兆円を超えないものとする例が多いようである。

[22] かかるリファイナンスリスクを軽減するために、返済期限の分散および資金調達先の分散を図ることが好ましいとされる。

c 借入れ

　借入れについては、租税特別措置法上の支払配当損金算入要件を充足するために機関投資家からのみなされ、単独の金融機関による融資ではなく複数の金融機関によるシンジケートローンによるのが一般的であり、その形式により、タームローンとコミットメント・ラインの２種類に分類される。

　タームローンは中長期の借入金となることがあるのに対し、コミットメント・ライン（金融機関に対して一定の手数料を支払うことにより、一定の極度額の範囲内であれば、あらかじめ定めた条件を充足する限り、投資法人の金融機関に対する借入申込みにより、金融機関のつどの審査を要することなく、投資法人が借入れを行うことができるもの）は一般的に１年以内に返済する短期借入金となることが多く、不動産等の機動的な取得のための資金調達として設定される。

　投資法人の経歴、投資法人の格付、スポンサーの信用力等により、対象不動産の価値および収益力に依拠した有担保の責任財産限定特約付不動産ノンリコース・ローンの場合もあれば、コーポレートローンの側面がみられる無担保の場合もある[23]。従来は、有担保ローンが多かったものの、近年の不動産市況の回復、投資法人の借入れの増加に伴い、投資法人の保有する個々の対象不動産の価値に着目するよりもスポンサーの物件供給能力を含めた信用力に重点を置いた一般の事業会社向けのローンのような無担保ローンが主流となってきているようにうかがわれる。これはＪ－ＲＥＩＴでも私募ＲＥＩＴでも

23　投資法人は、物件資産を供給するスポンサーなどの売主のリスクから切り離され、当該資産を裏付けに投資証券を発行する証券化の仕組みということができ、投資法人向けのローンは資産金融型資金調達（アセットファイナンス）と評価できようが、運用型のゴーイングコンサーンの性質を重視して、不動産の価値のみならず、投資法人の運用方針、資産運用会社の運用能力、スポンサーのクレジットなどの投資法人全体の信用力もふまえた与信判断がなされることがある。この場合には、借入主体の信用力が前提となった企業金融型資金調達（コーポレートファイナンス）に近い発想となり、信用悪化事由が生じない限り担保をとらず、厳密な資産金融型資金調達（アセットファイナンス）として取り組む場合に比べて、不動産に関する表明保証などのローン条件が緩やかになることがある。

異ならない。

　もっとも、投資法人は、①投信法および規約ならびに有価証券上場規程上、事業目的および資産運用方法が制限されている点（単一目的会社性）、および、②投信法上、従業員を雇用することができないなど、一定の倒産隔離が図られたVehicleであるため、通常の事業会社向けローンとは異なり、投資法人向けローンの特徴として、コベナンツおよび失期事由につき、以下のような規定が設けられるのが一般的である。

　コベナンツとしては、①財務制限条項（投資法人全体に係るDSCR（以下「投資法人DSCR」という）、投資法人全体に係るLTV（以下「投資法人LTV」という）。なお、有担保の責任財産限定特約付ノンリコース・ローンの場合においても、当該責任財産たる物件に係る個別のDSCRおよびLTVのほかに、投資法人の信用力によるデフォルトの可能性もあるため、投資法人DSCRおよび投資法人LTVも定められるのが一般的である）、②最低純資産額の維持（投信法67条4項）、③業務改善命令（同法214条1項）への対応、④登録取消事由（同法216条）への対応、⑤上場廃止基準に該当する事由への対応、⑥資産運用委託契約、一般事務委託契約および資産保管業務委託契約の維持、⑦他の債務に関する規定（同順位性、同様の責任財産限定特約・強制執行申立て等の制限特約、倒産不申立てに係る特約）がある。失期事由としては、①クロスデフォルト、②投信法上の業務改善命令、解散事由、登録取消し、③上場廃止または上場廃止基準への該当、④資産運用委託契約の終了（ただし、一定期間内にレンダーが合理的に満足する新たな資産運用会社との間で資産運用委託契約が締結された場合を除く）、⑤スポンサーが直接的または間接的に資産運用会社の株式の一定割合以上を保有しなくなった場合（スポンサーの信用力への依存度合いが強く、レンダーとして与信保全の観点からスポンサーの存在が不可欠であるようなケースに限られる）がある。

(5) 私募REIT

 投資口を上場して資金調達を行うJ-REITのほかに、私募形態により投資口を発行する私募REITが台頭している。J-REITの場合であれば、その時々の資本市場の影響を受けて投資口価格が左右されることになり、資本市場環境によっては、投資法人において新たな物件取得のための増資による資金調達を実行することがむずかしいこともありうる。これに対して、私募REITにあっては、資本市場の影響を受けることなく、中長期に安定的な運用を行いやすい面があり、投資家にとってもより安定的な商品に映りうる[24]。

 私募REITは、投資法人の組織、ガバナンス、許認可などの点において、J-REITと基本的に同様である。一方で、私募REITには金融商品取引市場がないことから、投資口の流動性を高めるために、投資口の払戻しを認めるオープンエンド型とされる。投資口の払戻しを認める場合には、一定の場合において払戻しを停止する旨をあわせて規約に定めることができ（投信法67条2項）、支払配当の損金算入の要件を充足するために配当可能利益の90％超を配当する必要があることなどをふまえて、払戻請求に応じて払戻しを行った場合に当該要件を充足できなくなる場合などを払戻停止事由として定めることがある。また、配当可能利益の90％超を配当する必要があるため、投資法人には十分な内部留保が基本的に存在せず、すぐに投資口の払戻請求に応じられないこともあるため、運用対象不動産の換価等によって原資を確保する時間をとれるように、払戻請求にあたり、一定期間前に事前に投資主から投資法人に対する払戻予告通知を義務づけることがある。

 前記(3) a ②のとおり、支払配当の損金算入要件の関係上、私募の場合に

---

[24] 上場されているJ-REITの投資口は、公開買付け、大量保有報告制度の対象となるものの、市場で自由に取得することができ、投資口を買い集めたうえでの敵対的な買収のリスクなども現実的にありうる。一方、私募REITの場合には、上場市場での売買はなく、投資家とのリレーションを築きやすいこともあって、敵対的な買収のリスクは相対的に低いと評価しえよう。

は、(発行済投資口が50人以上の者により所有されていない限り、)投資主を機関投資家に限定する必要がある。投資主による投下資本の回収機会を制限しないように、投資法人は、投信法上、投資口の譲渡について、役員会の承認を必要とすることその他の制限を設けることができないこととされているが(同法78条2項)、(発行済投資口が50人以上の者により所有されていない状態で、)新投資口の取得者または譲受人が機関投資家でない場合には支払配当の損金算入要件を満たせずに、投資法人に法人税課税が発生してしまい、投資効率が減じられてしまうことになりうる。そのため、投資口発行または譲渡取引にあたり、投資口の取得者から機関投資家以外の者に投資口を譲渡しないことなどを約束する書面をスポンサーなどに対して差し入れてもらうことがある。

第 3 節

事業キャッシュフローを裏付けとする証券化

1 総論

　一般に、証券化とは、オリジネーターの信用から切り離された特定の「資産」から生じるキャッシュフローを裏付けとした資金調達手法をいうが、証券化の裏付けは必ずしも「資産」に限られるものではない。たとえば、一定の特定された事業から生じるキャッシュフローや一定の特定されたプロジェクト（発電プロジェクトや資源開発プロジェクトなど）から生じるキャッシュフローについても、証券化の裏付けとすることは可能であり、現実にもこれらの事業キャッシュフローを裏付けとした証券化取引が存在している。

　本節では、事業キャッシュフローを裏付けとした証券化取引のうち、①事業の証券化と、②近時、注目を集めている太陽光などの再生可能エネルギーを用いた発電事業に対するファイナンス[1]について説明する。

2 事業の証券化

(1) 定義およびスキーム

a 定義

　事業の証券化[2]については、必ずしも一義的な定義が存在しているわけで

---

[1] 再生可能エネルギー発電事業に対するファイナンスは、伝統的には、証券化とは区別される「プロジェクトファイナンス」として整理されている。しかしながら、近時の再生可能エネルギー発電事業に対するファイナンス取引には、証券化の手法やスキーム（TK－GKスキームなど）を利用したものも少なくなく、証券化の文脈でこうしたファイナンス取引を整理することも有意義であろう。

はないが、主として経済的観点から、その内容を抽象的にではあるがあえて定義付けるのであれば、「ある事業者が特定の事業を営むことから生じる将来のキャッシュフローを裏付けとする証券化」とでもいうことになろう。すなわち、(ある事業法人が営む——今後営みうるものも含む——すべての事業ではなく、また、一方で単なる「資産」でもなく)一定の特定された事業という点と、かかる事業から生じる(すでに発生している具体的な金額の債権に対比されるべきところの)具体的金額ないしは価値が未確定の将来のキャッシュフローという点に、その特色を見出すことができる。

b　スキーム

その具体的なスキームについては、経済的な商品性を前記のように整理したとしても、かかる取引を実際に具体化するにあたっては、少なくとも理論上はさまざまな形態が考えられる。たとえば、①ある事業会社が従前行っていた一定の既存事業を対象とし、当該事業を会社分割等により別法人に移転させたうえで、当該法人を倒産隔離性の高いVehicleとし、当該法人が社債等の発行等（当該法人による借入れ(ABL)を含む。以下、同様）を行うこと

図表4-40　①のスキーム

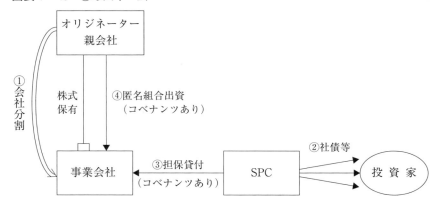

2　Whole Business Securitizationを省略して、WBSと呼ぶこともある。

により、当該事業に着目した資金調達を行うスキーム（図表4-40参照）、②既存の子会社を倒産隔離性のより高いVehicleとして組成し直したうえで、当該会社が社債等の発行等を行うことにより、当該事業に着目した資金調達を行うスキーム（図表4-41参照）、③既存の事業の証券化ではなく、そもそも倒産隔離性の高いSPCを設立し、当該SPCにて新規事業を営み、当該SPCが社債等の発行等を行うことにより、当該事業に着目した資金調達を行うスキーム（図表4-42参照）、④証券化対象事業自体を事業譲渡等により倒産隔

図表4-41　②のスキーム

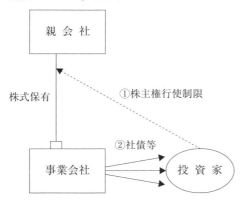

図表4-42　③のスキーム

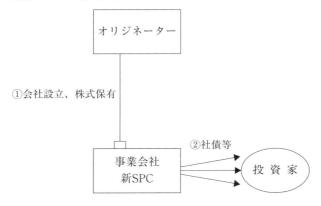

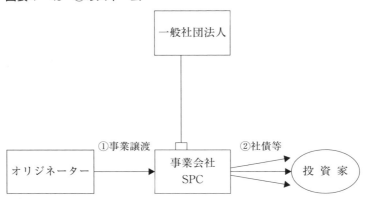

図表4−43　④のスキーム

離性の高いSPCに譲渡したうえで、当該SPCが社債等の発行等を行うことにより、当該事業に着目した資金調達を行うスキーム（図表4−43参照）、証券化対象事業から生じるキャッシュフローを切り出して将来債権の証券化というかたちをとるスキーム[3]等さまざまなスキームが考えられるところである。

　また、近年、注目を集めているのは、いわゆる「事業の信託」を用いたスキームである。

　「事業の信託」とは、ある事業に属する資産（積極財産）を信託する（信託法3条）とともに、当該事業に属する債務を信託行為において信託財産責任負担債務とすることを定めること（同法21条1項3号）によって、あたかも事業それ自体を信託したのと同様の状態を作出するものであり[4]、実務的には、信託譲渡・債務引受による方法と自己信託による方法の2つが考えられる。

　信託譲渡・債務引受による場合には、オリジネーターは信託銀行や信託会

---

[3] 動産債権譲渡特例法により、債務者を特定しない将来債権の譲渡についてあらかじめ第三者対抗要件を具備することが可能である。なお、金銭債権の証券化の方法については、本章第1節参照。
[4] 逐条解説信託法84頁。

社に対して証券化対象事業についての事業の信託を行い、そのうえで当該事業の業務委託を受けることとなる。事業譲渡の承認手続（会社法467条1項2号）や債務引受に関して個別の債権者の承諾[5]が必要となるのは、通常の事業譲渡の場合と同様である。

一方、自己信託を利用する場合には、資産の譲渡や債務引受、従業員の異動などを伴わず、信託銀行等を介在させる必要もなく、また、新たな許認可等の取得も通常は不要であると考えられ、したがって、信託譲渡の場合に比べてコスト面や手続面において有利であると考えられる[6]。

信託譲渡・債務引受によるにせよ、自己信託によるにせよ、さらにさまざまなスキームが考えられる。⑤信託受益権を優先受益権と劣後受益権にトランチングし、オリジネーターが劣後受益権を保有しつつ優先受益権を投資家やファンディングSPCに譲渡する方法（図表4-44参照）や、⑥信託受益権のトランチングが困難である場合には、その全部をオリジネーター自身またはその親法人[7]が保有し、それを担保として投資家またはファンディングSPCから借入れを行う方法（図表4-45参照）等が考えられる。

---

5 免責的債務引受とすることについて債権者の承諾が得られない場合には、重畳的債務引受となり、オリジネーターはなお債務を負担し続けることとなる。
6 もっとも、たとえば不動産については、自己信託による権利の変更の登記（民法177条、不動産登記法98条3項）によって自己信託についての対抗要件を具備し、同時に、信託の登記（信託法14条、不動産登記法98条1項）によって信託財産に属することについての対抗要件（信託の公示）を具備する必要がある点には留意すべきである。一方、動産（登録を受けた自動車や飛行機等の準不動産を除く）や指名債権については、権利の変更についての対抗要件制度はそもそも存在しないし、また、信託財産に属することについての対抗要件（信託の公示）も不要である。
7 受託者は1年を超えて信託受益権の全部を固有勘定で保有し続けることはできない（信託法163条2号）ため、自己信託の場合にはオリジネーター自身が受益権を保有し続けることができない。そのため、たとえば親法人に保有させる（他益信託として設定するか、または自益信託として設定後すみやかに信託受益権を譲渡する方法による）ことが考えられる（川上嘉彦「英国型事業証券化の日本への導入とその利用可能な局面についての再考察」西村利郎先生追悼論文集『グローバリゼーションの中の日本法』（商事法務、平成20年）211頁）。

図表 4-44 ⑤のスキーム

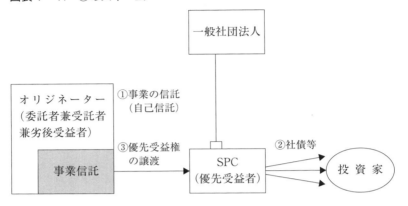

図表 4-45 ⑥のスキーム

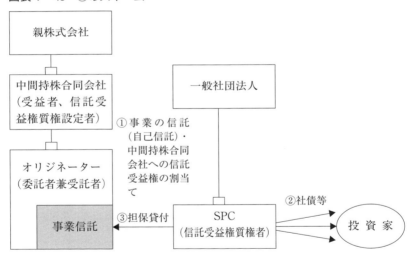

(イ) 前記①のスキーム
(i) オリジネーターが証券化対象事業を会社分割等により事業会社に移転する。会社分割の方法としては、新設分割を利用する場合と子会社を設立したうえで吸収分割させる場合の双方がありうるであろう。

(ⅱ) SPCは、社債等の発行等により投資家から資金を調達する。
(ⅲ) SPCは、投資家から調達した社債等の発行代り金等を事業会社に貸し付ける[8]。当該貸付には、貸付の返済に悪影響を与えるような事業会社の行為を制限するコベナンツが規定される。また、事業会社が保有する不動産、債権、動産等の各資産に担保権設定がなされる。さらに、事業会社の親会社であるオリジネーターが保有する事業会社の株式等にも担保権が設定され、当該担保権設定契約中において、オリジネーターの行為に関するコベナンツが規定されることも考えられる。
(ⅳ) オリジネーターが税制上の理由等のため株式等に係る配当による事業会社からの収益の回収を望まない場合には、事業会社に対して匿名組合出資を行うことも考えられる。この場合、当該匿名組合契約にもオリジネーターの行為に関するコベナンツが規定されることが考えられる。
(ロ) 前記②のスキーム
(ⅰ) 親会社が既存の事業会社の定款変更、独立取締役の選任などを行い、子会社である事業会社の倒産隔離（ないしはそれに準じるもの）を図る。親会社が社債等の償還に悪影響を与えるような行為を行わない旨の誓約書を事業会社等に対して提出することも考えられる。
(ⅱ) 事業会社が投資家に社債等を発行する。当該社債等に関して、当該社債等の償還に悪影響を与えるような事業会社の行為を制限するコベナンツが規定されることが考えられる。また、前記①のスキームの場合と同様に、SPCを設立したうえ、当該SPCが社債等の発行等により調達した資金を事業会社に貸し付けるスキームも考えられる。
(ハ) 前記③のスキーム
(ⅰ) オリジネーターがSPCを設立したうえ、当該SPCの倒産隔離を図る。

---

[8] 事業会社がその資産に担保権を設定して社債を発行するスキームを採用する場合には、担保付社債信託法の適用を受けることとなる（担保付社債信託法2条1項前段）。そのため、投資家のために担保権を設定する必要がある場合は、社債ではなく借入れを行うかたちをとり、必要に応じて、上記のようにリパッケージを行うこととなる。

(ⅱ) 前記②のスキームと同様に、事業会社が社債等の発行等により投資家から資金調達を行う。当該社債等に関して、当該社債等の償還に悪影響を与えるような事業会社の行為を制限するコベナンツが規定されることが考えられる。

㈡ 前記④のスキーム

(ⅰ) オリジネーターが倒産隔離の図られたSPCに事業譲渡により、証券化対象事業を移転する。

(ⅱ) 前記②のスキームと同様に、事業会社が社債等の発行等により投資家から資金を調達する。当該社債等に関して、当該社債等の償還に悪影響を与えるような事業会社の行為を制限するコベナンツが規定されることが考えられる。

㈥ 前記⑤のスキーム

(ⅰ) オリジネーターが証券化対象事業に属する資産を自己信託し、証券化対象事業に属する債務を信託財産責任負担債務とすることで、自己に対する事業の信託を行う。

(ⅱ) 倒産隔離の図られたSPCが社債等の発行等により投資家から資金を調達する。

(ⅲ) SPCが投資家から調達した社債等の発行代り金等で優先受益権を取得する。

㈦ 前記⑥のスキーム

(ⅰ) オリジネーターが証券化対象事業に属する資産を自己信託し、証券化対象事業に属する債務を信託財産責任負担債務とすることで、自己に対する事業の信託を行い、信託受益権を中間持株合同会社に割り当てる[9]。

(ⅱ) 倒産隔離の図られたSPCが社債等の発行等により投資家から資金を調達する。

---

[9] これにより、従前は株主への剰余金配当として行われていたキャッシュの吸上げが、一部、受益者への収益配当にかたちを変えることとなる。

(iii) SPCが投資家から調達した社債等の発行代り金等をオリジネーターに信託財産のみを責任財産として貸し付け、その担保として中間持株合同会社から信託受益権の質入れを受ける[10]。

(2) 事業の証券化の具体例

　事業の証券化の理論的なスキームを本節2(1)bで検討したが、そもそも事業の証券化においては債権や不動産の証券化に比べて対象資産である事業の個別性がきわめて大きい。すなわち、①不動産や動産等の有形資産の有無やその価値、②営業における独自のノウハウの程度や価値、③事業ごとの業法上の規制や許認可等の関係での固有の問題、④オリジネーターやスポンサーの今後の事業戦略等、さまざまな個別的な問題に応じたテイラーメイドのスキーム組成が必要となる。以下、事業の証券化の具体例の紹介を行いたい。

a ソフトバンクモバイルの携帯電話事業の証券化

　ソフトバンクモバイルは、平成18年11月30日に、WBSファンディングから金銭の信託を受けた特定金外信託受託者たるみずほ信託銀行から総額1兆3,660億円の資金を事業証券化により調達した（図表4−46参照）。

　ソフトバンクモバイルの事業証券化は、本節2(1)bで整理したなかの「②既存の子会社を倒産隔離性のより高いVehicleとして組成し直したうえで、当該会社が社債等の発行等を行うことにより、当該事業に着目した資金調達を行うスキーム」に該当するものと考えられる。すなわち、当該事業証券化スキームにおいて、以下の手法を用いることにより、ソフトバンクモバイルの倒産隔離性が高められている（ソフトバンク平成18年11月17日付プレスリリース参照）。

① ソフトバンクモバイルに対するローン契約中のコベナンツ（設備投資額の範囲、事業の範囲、主要資産の売却および処分の禁止等）

10　受益者を株式会社ではなく合同会社とすることで、受益権質権の被担保債権（貸付債権）が会社更生法により更生担保権となることを避けることができる。

図表4−46 ソフトバンクモバイルの事業証券化

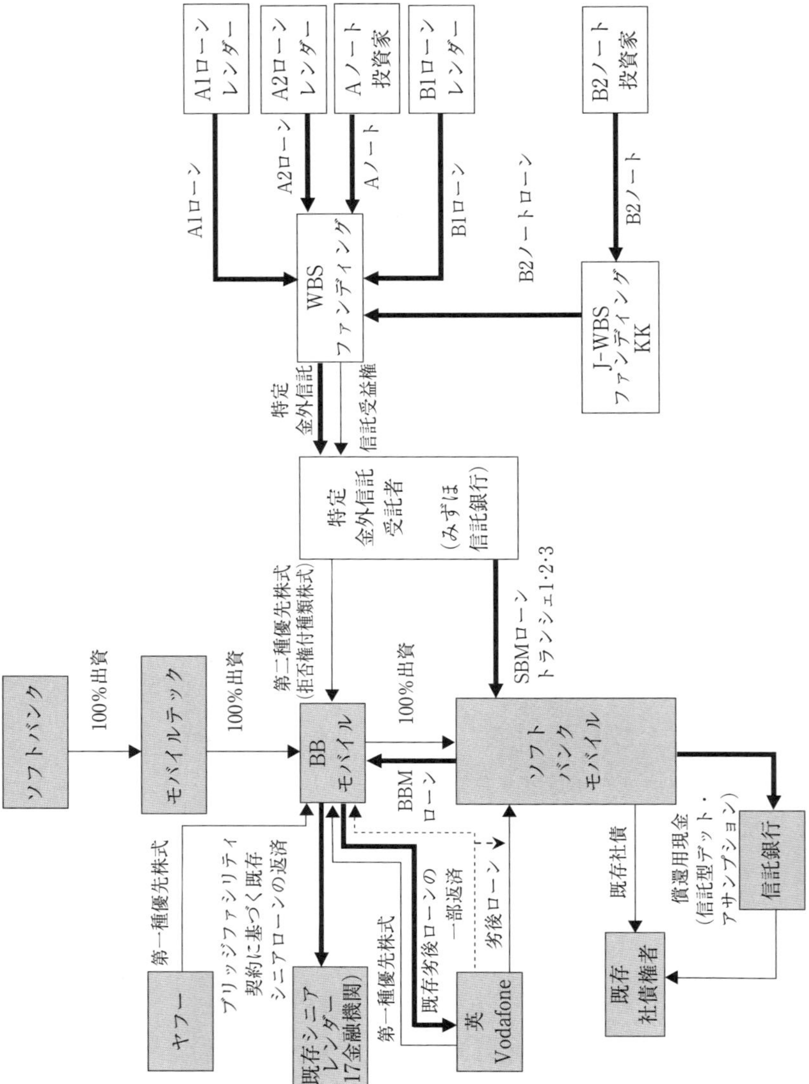

(出所) ソフトバンク平成18年11月17日付プレスリリース

360　第4章　証券化の具体的手法

② ソフトバンクモバイルの親会社であるBBモバイルによるみずほ信託銀行に対する拒否権付種類株式の発行。当該種類株式に係る株主には、事業証券化に基づく債権が残存している限り、BBモバイルの取締役1名を選任する権利および追加借入れ、新規事業の開始等に関する拒否権が与えられている。

b　ユーコーによるパチンコホール事業の証券化

ユーコーは、平成18年12月19日に、パチンコホール7店舗を証券化し、総額120億円を調達した（図表4－47参照）。

ユーコーの事業証券化は、本節2(1)bで整理したなかの「①ある事業会社が従前行っていた一定の既存事業を対象とし、当該事業を会社分割等により別法人に移転させたうえで、当該法人を倒産隔離性の高いVehicleとし、当該法人が社債等の発行等を行うことにより、当該事業に着目した資金調達を行うスキーム」に該当するものと考えられる。すなわち、ユーコーは、パチンコホール事業を会社分割によりユーコーJPに承継させたうえ、以下の措置を施すことにより、ユーコーJPの倒産隔離性を高めている（Standard & Poor's作成の平成18年12月付プリセール・レポート「ユーコー　パチンコホール事業証券化（会社分割型）」参照）。なお、本スキームにおいては、証券化の対象となる事業を営むユーコーJPではなく、オリジネーターであるユーコーに対して貸付がなされているが、資金調達SPCがユーコーJPを営業者とする匿名組合契約を締結することにより、証券化の対象となる事業のキャッシュフローを把握しているものと考えられる。

① クロージング時点でユーコーJPに本案件において想定されている債務以外の有利子負債は存在しておらず、また、期中においても追加的な債務負担が制限されている。

② ユーコーJPの主要な資産には担保権が設定されており、本案件は担保権者としての地位を確保している。

③ ユーコーJPおよび中間持株会社の株式には質権が設定されており、一

図表4−47 ユーコーの事業証券化

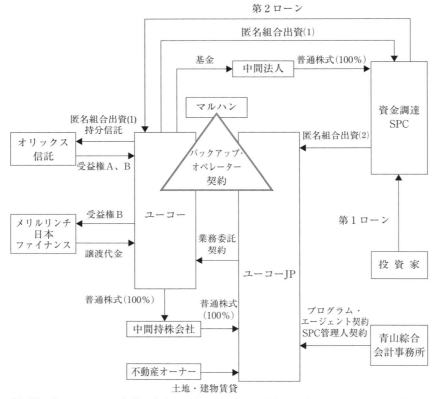

（出所）「ユーコー、7店舗の事業証券化で120億円を資金調達」月刊レジャー産業資料40巻3号98頁（平成19年3月）

定の事由が生じた場合、資金調達SPCが質権を行使するトリガーが設定されている。

④　ユーコーJPの株主である中間持株会社は、一定程度の倒産隔離性を高める措置が施されている。

c　ゴルフ場事業の証券化（ACCORDIA案件）

日東興業等は、平成15年10月に、28コースのゴルフ場ポートフォリオから

のキャッシュフローを裏付けとして、総額170億円を調達した（図表4-48参照）。

ACCORDIA案件における事業証券化は、本節2(1)bで整理したなかの「②既存の子会社を倒産隔離性のより高いVehicleとして組成し直したうえ

図表4-48　ACCORDIA案件における事業証券化

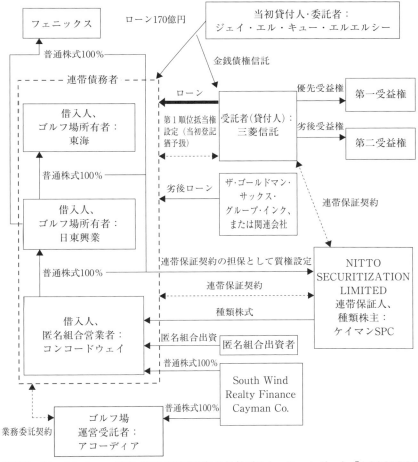

（出所）　Moody's Japan K.K. 作成の平成15年9月付プリセール・レポート「ACCORDIA
　　　トラスト・ワン　2003-1金銭債権等信託第一乃至第二受益権」6頁

で、当該会社が社債等の発行等を行うことにより、当該事業に着目した資金調達を行うスキーム」に該当するものと考えられる。すなわち、民事再生手続を経ることにより日東興業等の偶発債務に係るリスクを軽減させたうえ、以下の措置を施すことにより、日東興業等の倒産隔離性を高めている（前掲プリセール・レポート19頁参照）。

① パフォーマンスが不調であり、トリガー事由に該当する場合には、貸付人は借入人の種類株主たる連帯保証人（ケイマンSPC）への指図により、借入人の取締役を送り込む権利を有する。
② 債務借入れを一定の劣後ローンに限定。
③ 借入人の定款でゴルフ場運営に関連する業務に目的を限定。
④ 取締役以外の従業員を雇用しない旨、借入人は誓約。
⑤ 借入人の倒産の申立てを含めた重要事項の決議には、種類株主（ケイマンSPC）の同意が必要。

(3) 資産の証券化およびコーポレートローンとの比較

　事業の証券化として組成される案件のなかには、裏付けとなるキャッシュフローが主として不動産に依存する通常の不動産証券化に比較的近いと思われる案件や、開発型の不動産証券化やプロジェクトファイナンスに近いと思われる案件、倒産隔離性達成の程度が低く証券化というよりも通常のコーポレートローンに比較的近いと思われる案件も考えられ、かかる分類上もさまざまなスキームが考えられるところである。したがって、事業の証券化には通常の資産証券化と純粋なコーポレートローンの中間的・ハイブリッド的な性格が存するものと思われ、そのどちらの色彩が強いかは案件ごとに多種多様なバリエーションがある、ということになるのではないかと思われる。

　以下、事業の証券化を通常の資産の証券化、純粋なコーポレートローンとの比較を通じて、その特徴やメリット等の紹介を行いたい。

a　資産の証券化との比較

　債権の証券化や不動産の証券化においては、オリジネーターから切り離された一定の「資産」の信用力を裏付けにして社債等の発行等が行われてきた。

　たとえば、不動産の証券化においては、不動産または不動産を信託財産とする信託受益権をSPCに譲渡し、かかるSPCが社債等の発行等を行うことにより、投資家に対して、当該不動産からの賃料収入や不動産売却収入等、不動産自体の交換価値および不動産から生じるキャッシュフローを把握させるスキームがとられてきた（図表4－49参照）。

　これに対して事業の証券化では、（オリジネーター、親会社等の倒産リスクから可能な限り切り離された）有機的一体としての「事業」自体の信用力を裏付けとして社債等の発行を行うことになる。

　では、この「事業自体の信用力」とはいかなる意味を有するのであろうか。個々の資産を裏付けとするのではなく、事業全体を裏付けとして証券化を行う必要性・メリットはいかなる点にあるのか。

　一般に健全な事業における継続企業価値（going concern value）とは、ノウハウ等の無形資産が含まれる以上、事業を構成する個々の資産価値の合計

図表4－49　不動産証券化

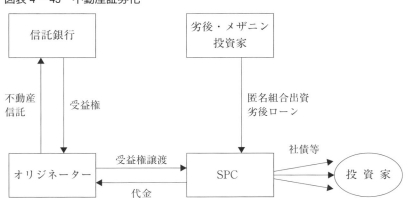

額よりも高くなるものと考えられる。たとえば、前記のACCORDIA案件等で証券化の対象とされたゴルフ場事業を想定した場合、ゴルフ場運営会社が所有する現物資産としては、ゴルフコース（土地）やクラブハウス（建物）等の不動産、カート、芝刈機、送迎用自動車等の動産といったものが考えられる。しかしながら、所有不動産については、ゴルフコースが都市部から離れた地域にあることが多く、またゴルフコースおよびクラブハウスともゴルフ場用途以外への転用可能性が必ずしも高くないため、ゴルフ場事業に利用しない場合には、（かかる事業に供された場合のキャッシュフローに比べて）それほど高額な価値を有するわけではないことが通常である。また、カート等の所有動産についても、（即時取得の余地等の動産証券化の際の一般的な問題点はさておき）それ自体それほど高額な価値を有するものではないことが通常である。このように考えると、ゴルフ場事業の不動産や動産を単純に証券化したとしても、通常はゴルフ場事業会社にとって有利な資金調達が行えるとは考えにくい。

　また、ゴルフ場運営会社はプレイヤーに対する債権として、プレイフィー請求権を有することになると思われるところ、かかる債権をSPCに譲渡することにより債権の証券化を行うことも考えられるが、以下のような問題がある。

① 　将来のプレイフィー請求権は、ゴルフ場事業が継続している限りにおいて発生する債権であり、仮にゴルフ事業会社の破産等により事業運営が中止になればプレイフィー債権も原則として発生しなくなる。

② 　事業を営む会社につき会社更生手続や民事再生手続等の再建型倒産手続が開始された場合には、事業の運営が継続されプレイフィー債権が発生し続ける可能性が存在するものの、発生する将来債権すべてが第三者に譲渡されていた場合、更生会社等が取得できる金員が存しなくなり、経済的にはそのような場合に更生会社に更生のインセンティブが乏しくなる。

③ 　発生する将来債権すべてが第三者に譲渡されていた場合、法的には更生

可能性がそもそも存在しないとして更生計画が認可されない可能性がある（会社更生法199条2項3号参照）。
④　会社の再建を著しく困難にする債権譲渡契約は公序良俗に反するなどとして、その効力の全部または一部を否定される可能性がある。

　このように考えると、ゴルフ場会社の有する将来のプレイフィー請求権を単純に証券化したとしても、やはりゴルフ場事業会社にとって有利な資金調達が行えるとは考えにくいであろう。すなわち、ゴルフ場事業を従前どおりオリジネーターのもとに委ねたままでその営業の成果としての将来債権のみを証券化対象とするのではなく、事業自体をも証券化対象に取り込んで、事業自体もオリジネーターのコントロールから（少なくとも観念上は）切り離していく方向でのアプローチが重要になってくる。

　そもそも、ゴルフ場事業会社の価値は、ゴルフ場やカート等の現物資産やプレイフィー請求権のみに対してあるのではなく、当該ゴルフ場会社が有する資産を一体として評価したうえで、ゴルフ場運営会社の有する高度な運営能力、企画力等の個々の資産価値の算定に際しては考慮されないであろう無形資産に大きな価値があるものと思われ、このような無形資産を把握することなく、有利な資金調達が行えるとは考えにくい。

　以上のように考えると、無形資産が重要な意味を有する事業の場合、単純に不動産の証券化、動産の証券化、債権の証券化を行った場合や、かかる単純な証券化を組み合わせて証券化を行ったのみでは、有利な格付の資金調達・多額の資金調達が困難であろう。そのため、事業全体を証券化することにより、かかるアセットの価値、すなわち個々の資産を売却した場合の価値のみならず、事業における無形資産の価値の把握をも含んだ事業の証券化が模索されるのである。

　言い換えれば、通常の企業体においては、一般に、個々の資産を売却した場合の価値（清算価値に近い価値であると評価されよう）よりも、事業全体を継続企業価値として把握する場合の価値のほうが、より高い価値をもつこと

が通常であると思われるが、事業の証券化は、かかる継続企業価値の把握を目的とする証券化と考えられよう。

b　単なるコーポレートローンとの比較

前記のとおり、事業の証券化においては、事業全体の継続企業価値を把握することを目的とする。一般のコーポレートローンにおいても、債権者は、債務者の事業のキャッシュフロー全体を引当てとすることになり、また、この結果、債権者は、かかる事業全体の信用力の変動の影響を受けることになる。かかる点において、事業の証券化と一般的なコーポレートローンとは共通する特徴を有するが、事業の証券化は、一般的なコーポレートローンといかなる点で異なるのか。

事業の証券化においては、さまざまなコベナンツ、倒産隔離措置、担保権設定、信用補完、流動性補完等、従前、資産の証券化において利用されていたようなさまざまな措置を用いることにより、発行会社の行う事業の信用リスクの変動を抑え、キャッシュフローの予見可能性を高めることにより、単なるコーポレートローンでは達成できない格付が取得可能となる点で、通常のコーポレートローンと異なることになる。

すなわち、現実の会社はさまざまな投資機会・経営上の選択の機会を有するが、事業の証券化においては、コベナンツ、単一目的化、独立取締役の採用その他さまざまなストラクチャー上の工夫を利用し経営上の裁量を狭めること（ハイリスクな経営選択を制約するなど）により債務のデフォルトリスクを減少させ、また、かかる経営上の制約に加えてさらに流動性補完や優先劣後構造、倒産隔離の達成等のスキーム上の工夫を加えることにより債務のデフォルトリスクを減少させ、かかる工夫によって、単なるコーポレートローンとは異なった信用リスクをもつ高い格付の商品をつくりだすこととなる。かかる信用リスクの再構成、という点で、伝統的な証券化の延長線上に事業の証券化を位置づけることが可能であろう。

c まとめ

　以上のように事業の証券化は、単純な不動産の証券化、動産の証券化、債権の証券化を超えて、事業全体を証券化することにより、継続企業としての事業全体の将来キャッシュフロー価値の把握を目的とするものである点で通常のアセットの証券化と異なり、コーポレートローンと共通する要素を有する。また、さまざまな資産証券化類似のストラクチャーを利用することにより、通常のコーポレートローンと異なる信用力の創出・向上を目的とする点で証券化の性質を有する。このように、事業の証券化はこれまでの通常の資産証券化取引と通常のコーポレートローンとの中間的・ハイブリッド的な性質を有すると考えることができる。

3 再生可能エネルギー発電事業に対するファイナンス

　平成24年7月1日に電気事業者による再生可能エネルギー電気の調達に関する特別措置法（再エネ特措法）が施行され、太陽光、風力、地熱、バイオマス、中小水力等の再生可能エネルギーを用いて発電された電力の固定価格買取制度がスタートし、多くの事業者が再生可能エネルギーを用いた発電事業への参入に名乗りをあげている。再生可能エネルギー発電事業の実施には多額の資金を必要とするため、再エネ特措法の施行後、再生可能エネルギー発電事業に対するファイナンス取引も急拡大している。このようなファイナンスは、伝統的には、プロジェクトファイナンスと呼ばれ、証券化とは区別されるのが通常であるが、近時の再生可能エネルギー発電事業に対するファイナンス取引のなかには、TK-GKスキーム[11]などの証券化の手法を用いたものも多く存在している。

　そこで、以下では、太陽光発電事業に対するファイナンスを例にとり、このようなファイナンスが有する特徴について説明する。

11　TK-GKスキームについては、第2節1を参照されたい。

(1) TK-GKスキームを用いたスキーム例

TK-GKスキームを用いた太陽光発電事業向けファイナンスのスキームは、大要以下のとおりである（図表4-50参照）。

① スポンサーは、一般社団法人に基金を拠出することで一般社団法人を設立し、一般社団法人は発電事業者となる合同会社（プロジェクトSPC）を設立する。

② プロジェクトSPCは、自らが営む太陽光発電事業全般の管理のために、プロジェクトマネジメント業者との間で、プロジェクトマネジメント契約を締結する。

③ プロジェクトSPCは、発電事業に用いる土地を土地所有者から賃借するとともに、EPC[12]業者との間で発電事業に必要となる発電設備一式（太陽光パネル、PCS[13]、送電線設備など）の設計、調達および工事に関するEPC契約を締結する。

④ プロジェクトSPCは、発電設備について設備認定を受けたうえで、電力会社との間で電力の売買に関する契約（特定契約）と系統連系に関する接続に係る契約（接続契約）を締結する[14]。

⑤ プロジェクトSPCは、金融機関との間で融資契約および担保契約などを締結して借入れを行い、EPC契約に基づく請負代金の一部を支払う。

⑥ プロジェクトSPCは、発電設備の完成後にEPC業者からその引渡しを受け金融機関からの借入金で請負代金の残額を支払う。

⑦ プロジェクトSPCは、発電設備の引渡しを受けた後から商業運転を開始し、特定契約に基づき電力会社に対して電力の供給を行い、発電量に応じ

---

[12] EPCとは、設計（Engineering）、調達（Procurement）および建設（Construction）の略称である。
[13] PCSとは、パワーコンディショナー（Power Conditioning System）の略称であり、太陽光パネルで発電した直流電流を、家電で一般的に使われる交流電流に変換する機能をもった設備である。
[14] 実務上は、両者を一本化した電力受給契約などが締結されることが多い。

図表4-50　太陽光発電事業向けファイナンスのスキーム

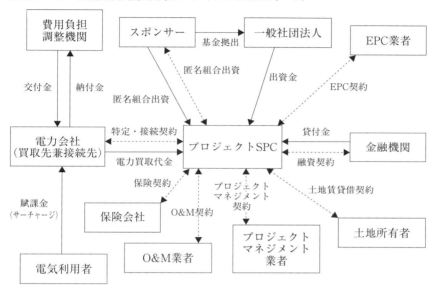

て売電収入を得る。

⑧　プロジェクトSPCは、売電開始以降、発電設備の運転保守に関してO&M契約[15]をO&M業者との間で締結する。

⑨　プロジェクトSPCは、売電収入から公租公課、土地の賃料やO&M業務委託費等の営業費用を支払い、融資の元利金の返済を行い、匿名組合契約に基づく利益配当・出資金の返還を行う。

(2)　**伝統的なプロジェクトファイナンスとの比較**

伝統的なプロジェクトファイナンスにおいては、スポンサーは自らプロジェクトSPCの株式等を保有し、議決権の行使などを通じてプロジェクトSPCをコントロールしていたため、文字どおり自らの事業としてプロジェク

---

[15] O&Mとは、運転（Operation）および保守（Maintenance）の略称である。

トSPCの事業を営んでいるという側面が強かったといえる。そのため、プロジェクトのスポンサーも、商社や事業会社など自ら発電事業を営むことのできる経験や知見を有する者に限られていたのが実情である。

　これに対して、上記のTK−GKスキームにおいては、スポンサーは匿名組合員の立場にとどまり、匿名組合としての性質上[16]、営業者であるプロジェクトSPCの業務の執行を行わないことが想定されている。換言すれば、スポンサーは、プロジェクトSPCが営む太陽光発電事業という事業に対する金融投資家としての側面が強いスキームともいえる。実務上も、近時のTK−GKスキームを採用する太陽光発電事業においては、ファンドやノンバンクなどの金融投資家がプロジェクトのスポンサーを務めていることも珍しくなく、伝統的なプロジェクトファイナンスの取引に証券化の手法を導入することで、スポンサーの裾野が広がったとみることもできよう。

(3) 資産の証券化との比較

　上記(1)のTK−GKスキームを用いた太陽光発電事業に対するファイナンスのスキームは、不動産証券化の代表的なスキームの1つであるTK−GKスキームに類似している。しかしながら、裏付けとなるキャッシュフローが太陽光発電事業という「プロジェクト」から生じる事業キャッシュフローであることに起因して、「資産」の証券化とは異なる特徴を有しているといえる。

　その大きな特徴の1つは、裏付けとなるキャッシュフローが太陽光パネルやPSCといった個々の資産の集合体ではなく、有機的一体としての「プロジェクト」から生じる点である。事業の証券化とも共通する点であるが、太陽光発電事業に用いられる発電設備は、それ自体それほど高額な価値を有するものではないことが通常である。しかしながら、これらの発電設備に、土地賃貸借契約、電力受給契約、O&M契約、プロジェクトマネジメント契

---

[16] 匿名組合においては、匿名組合員は、「営業者の業務を執行し、又は営業者を代表することができない」とされている（商法536条3項）。

約、保険契約などの各種契約が有機的に結びつくことにより、売電収入という安定的かつ（個々の発電設備の単なる集合体のもつ価値からすると、相対的に）大きなキャッシュフローを生み出すことができる。したがって、理論的には、太陽光発電事業を構成する個々の発電設備や売電債権などを個別に証券化することで資金調達を行うことも可能と思われるが、個々の発電設備に各種の契約関係が有機的に結びついた「プロジェクト」として価値を把握するほうが、有利な資金調達が可能になるものと考えられる。実務上も、太陽光発電事業に対するファイナンスにおいては、金融機関は発電設備や各種契約に基づく債権に担保権を設定することで債権保全を図っているが、プロジェクトが立ち行かなくなった場合には、まずは、個々の資産や債権を個別に処分することで債権回収を図るのではなく、金融機関が主導するかたちで、太陽光発電事業というプロジェクト自体は存続させた状態で新しいスポンサーにプロジェクトを承継させることによって債権回収を図ることが志向される[17]。

このような意味で、TK-GKスキームを採用する太陽光発電事業に対するファイナンスは、不動産証券化と類似するスキームを採用しているものの、通常の「資産の証券化」とは異なる特徴を有しており、「事業の証券化」とも共通する性質を有しているといえよう。

---

17 実務上は、このような手法をステップインと呼び、個々の資産や債権などの担保実行とは区別される。

第 4 節

リスクの証券化

1 総　論

　証券化取引の類型の1つとして、オリジネーターが実際に資産の譲渡を行うのではなく、クレジット・デフォルト・スワップ[1]や保証等を利用することによって、現物の資産を裏付けとした証券化商品と同様の商品性やオリジネーターからの信用リスクの移転を実現することを目的としたスキームが組成されることがある。このようなスキームで裏付資産を貸付債権や債券とするものをシンセティックCDO（Synthetic Collateralized Debt Obligation。Corporate Synthetic Collateralized Debt Obligationの略でCSOと呼ばれることもある）という。また、シンセティックCDOのうち裏付けとなる資産が貸付債権であるものをシンセティックCLO（Synthetic Collateralized Loan Obligation）といい、裏付けとなる資産が債券であるものをシンセティックCBO（Synthetic Collateralized Bond Obligation）という。

　シンセティックCDOは後述するとおりクレジット・デフォルト・スワップ等の取引と担保資産を合成することによって、擬似的に資産の譲渡を伴う証券化取引と同様の効果を実現しようとするものである。そのため、「擬似証券化」「合成証券化」等と呼ばれることもある。同時に、資産の移転やその対価の支払によるのではなく信用リスクの移転に着目して組成されるスキームであることから、「リスクの証券化」としての側面も有する。過去に

1　クレジット・デフォルト・スワップについては、第2章第2節3(3)参照。

銀行等の金融機関がオリジネーターとなって組成されたシンセティックCDOは、リスク管理を主たる目的として組成されたものが多かった。

本節では、まず、リスクの証券化の代表例としてシンセティックCDOの仕組みと資産の譲渡を伴う証券化取引（以下「現物型証券化取引」という）との相違点について説明したうえで、シンセティックCDOの類型について説明し、最後に、典型的なシンセティックCDO以外のリスクの証券化の側面を有する商品について紹介する。

2　シンセティックCDOの仕組み

シンセティックCDOは、SPCがオリジネーターとの間でクレジット・デフォルト・スワップ、保証契約等の契約を締結することにより、対価を得たうえで裏付資産となる資産にデフォルト等が発生した場合にオリジネーターに対して補償金を支払うことを約するとともに、社債等を発行することによってSPCが調達した資金を国債や高格付の金融機関への預入れによって運用するというスキームである。クレジット・デフォルト・スワップを用いたいわゆるバランスシート型シンセティックCDO[2]の典型的なスキームは図表4－51のとおりである。

① オリジネーターが、保有する貸付債権等を参照債務とするクレジット・デフォルト・スワップをSPCとの間で締結する。
② SPCは社債を発行することによって投資家から資金を調達する。
③ SPCは投資家から調達した資金を国債、高格付の金融機関の預金等、安全性の高い投資対象（以下「担保資産」という）によって運用する。なお、シンセティックCDOの格付を維持するために、期中において担保資産の格付が低下した場合には、運用先の変更等の対応が必要となる。
④ 期中においては、クレジット・デフォルト・スワップに基づきオリジ

2　バランスシート型シンセティックCDOについては、本節4参照。

図表4-51 シンセティックCDOのスキーム

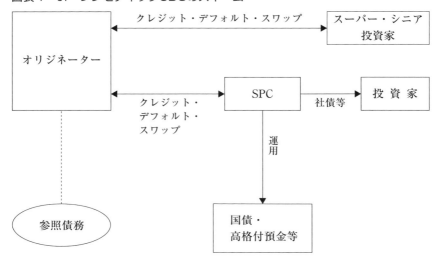

ネーターからSPCに対してプレミアムが支払われる。SPCはかかるプレミアムおよび担保資産からの利息を原資として、投資家に対して社債の利息を支払う。

⑤ 期中において参照債務にクレジット・イベントが発生した場合、SPCは担保資産の一部または全部を処分して取得した資金によって、クレジット・デフォルト・スワップに基づくオリジネーターに対する補償金の支払を行う。なお、クレジット・イベントとしては、(i)倒産事由（Bankruptcy：法的倒産手続の申立てがなされた場合、解散が行われた場合等）、(ii)支払不履行（Failure to Pay：参照債務の元本または利息の支払が行われなかった場合等）、(iii)リストラクチャリング（Restructuring：利息および元本の減免、支払期限の延期等の参照債務の内容の変更があった場合等）等が定められるのが一般的である。

⑥ SPCが発行した社債の満期が到来した場合、SPCは担保資産の元本償還金または担保資産を処分して取得した資金を原資として、投資家に対して

社債の元本を支払う。

⑦　オリジネーターは、参照債務をSPCとの間のクレジット・デフォルト・スワップにおける参照債務と同じとし、補償範囲をSPCとの間のクレジット・デフォルト・スワップによって補償される範囲を超過して参照債務にクレジット・イベントが発生した場合とするクレジット・デフォルト・スワップを別途投資家との間で締結することがある。SPCが発行する社債のシニア部分のリスクよりもかかる投資家が負担する部分のリスクは低くなることから、かかる投資家の負担部分は一般にスーパー・シニアと呼ばれる。

なお、シンセティックCDOにおける金銭の流れは図表４－52のとおりである。

前述のとおり、銀行等の金融機関がオリジネーターとなるシンセティックCDOは、リスク管理のために組成されることが多く、特に自己資本比率規制上の信用リスク削減効果を得ることを目的としていることが多い。もっとも、シンセティックCDOが組成された場合であっても、オリジネーターに裏付資産のリスクが実質的に残存しているような場合には、自己資本比率の算定上、オリジネーターが裏付資産の信用リスクを削減することは認められない。そこで、信用リスク削減効果を得るためには、証券化取引（合成型証券化取引）のスキームやオリジネーターとSPCとの間のクレジット・デフォルト・スワップの条件等に関して銀行告示上の一定の要件を満たす必要がある（銀行告示247条２項、第６章第５節）。

これらの要件を充足する観点や換価処分のための流動性の観点から、担保資産については日本国債やオリジネーターに対する定期預金が選択されることが多い（図表４－53参照）。

リスク管理、自己資本比率規制上の信用リスク削減効果を目的として証券化取引が行われる場合には、オリジネーターは保有している資産が含まれるように参照債務を設定して証券化取引を組成することになろう。もっとも、

図表4−52 シンセティックCDOにおける金銭の流れ

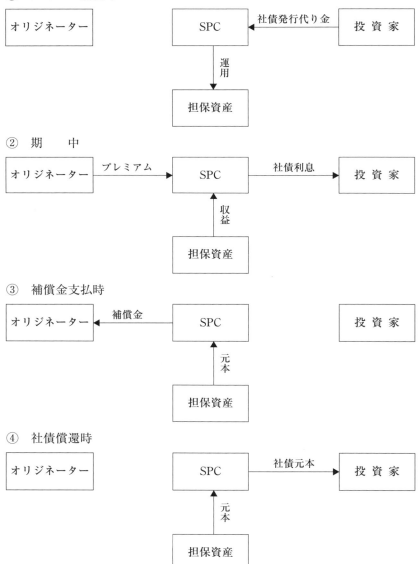

図表4－53　担保資産を自行預金とした場合の担保設定

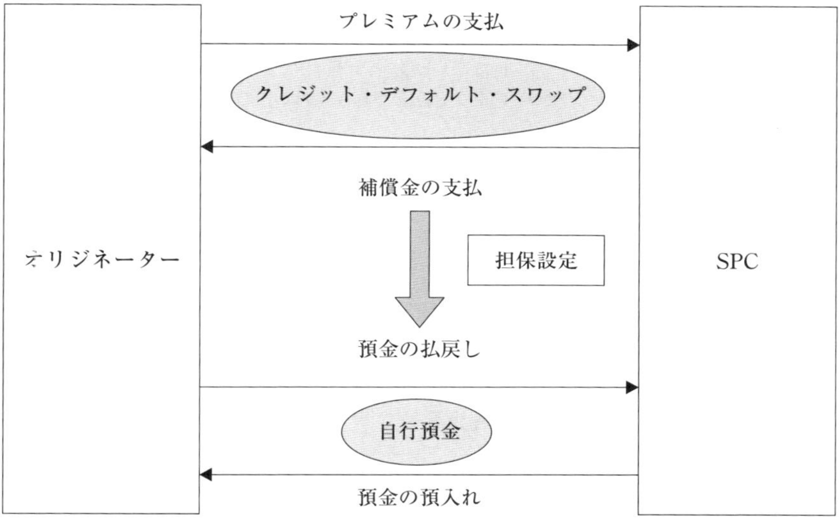

（オリジネーター）→ プレミアムの支払 →（SPC）
クレジット・デフォルト・スワップ
補償金の支払
担保設定
預金の払戻し
自行預金
預金の預入れ

　クレジット・デフォルト・スワップの性質上、オリジネーターは必ずしも参照債務を現実に保有していることは必要とされない。また、スキームの組成時に保有している資産を参照債務とした場合であっても、オリジネーターは、証券化取引に影響を与えることなく、期中に参照債務たる資産を処分することも可能である。

　SPCとの間のクレジット・デフォルト・スワップに加えて、オリジネーターがスーパー・シニア投資家との間でクレジット・デフォルト・スワップ（スーパー・シニア・クレジット・デフォルト・スワップ）を締結することにより、スーパー・シニア・クレジット・デフォルト・スワップの対象となる範囲についても一定程度の信用リスク削減効果を達成することが可能となる。この場合、スーパー・シニア・クレジット・デフォルト・スワップの内容や相手方となるスーパー・シニア投資家の属性が自己資本比率規制上の所定の要件を満たすことが信用リスク削減効果を達成するために必要となる。

図表 4 −54　信託を用いたシンセティックCDOのスキーム

以上の説明ではSPCを用いたシンセティックCDOのスキームを想定しているが、信託を用いてシンセティックCDOのスキームを組成することも可能である。信託を用いたシンセティックCDOとしては以下のようなスキームが一例として考えられる。

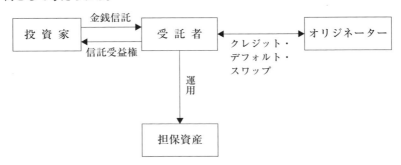

① 投資家が受託者に対して金銭を信託することにより信託を設定する。
② 受託者は、信託勘定においてクレジット・デフォルト・スワップをオリジネーターとの間で締結する。
③ 受託者は、信託財産に属する金銭を担保資産によって運用する。
④ 期中においては、クレジット・デフォルト・スワップに基づきオリジネーターから受託者に対してプレミアムが支払われる。受託者はかかるプレミアムおよび担保資産からの利息を原資として、投資家に対する信託受益権の収益配当を行う。
⑤ 期中において参照債務にクレジット・イベントが発生した場合、受託者は担保資産の一部または全部を処分して取得した資金によって、クレジット・デフォルト・スワップに基づくオリジネーターに対する補償金の支払を行う。
⑥ 投資家の保有する信託受益権の償還期日が到来した場合、受託者は担保資産の元本償還金または担保資産を処分して取得した資金を原資として、投資家に対する信託受益権の元本償還を行う。

以上の例では、クレジット・デフォルト・スワップを用いたスキームについて説明を行っているが、オリジネーターからSPCあるいはスーパー・シニア投資家に対して資産の信用リスクを移転することができるのであれば、ク

レジット・デフォルト・スワップ以外の取引を用いてシンセティックCDOを組成することも可能である。したがって、オリジネーターとSPCあるいはスーパー・シニア投資家との間で、保証、プット・オプションの付与、リスク・パーティシペーション等の取引を行うことによってシンセティックCDOが組成されることもある。

なお、信託を用いたシンセティックCDOのスキームは図表4−54のとおりである。

3 シンセティックCDOと現物型証券化取引との相違点

次に、資産の譲渡を行う現物型証券化取引と比較したシンセティックCDOのメリットおよびデメリットについて説明する。

(1) シンセティックCDOのメリット

まず、現物型証券化取引と比較して、シンセティックCDOの主なメリットとしては以下の事項があげられる。

① 真正譲渡性、サービシングの内容、サービシングに伴うコミングリング・リスク等を考慮する必要がなく、柔軟なスキーム組成が可能である。
② オリジネーターが保有していない資産について証券化の対象とすることが可能である。また、オリジネーターが保有している資産を対象とする場合であっても、期間、金額等について、対象となる資産の実際の内容に拘束されることなく柔軟に（オーダーメイド的な）証券化取引を組成することが可能である。
③ 資産の移転を伴わないため、対抗要件の具備手続が不要であり、二重譲渡によって投資家の権利が害されることはない。
④ 資産の移転を伴わないため、譲渡制限特約が付された金銭債権についても債務者と交渉を行うことなく証券化の対象とすることが可能である。
⑤ オリジネーターが保有している資産を対象とする場合、証券化取引の後

もオリジネーターが資産を保有し続けることになり、オリジネーターと資産に係る債務者との関係に影響を及ぼすことがない。
⑥　スーパー・シニア部分を設定することにより、巨額の信用リスクの移転を行うことが可能となる。

(2)　シンセティックCDOのデメリット
次に、現物型証券化取引と比較して、シンセティックCDOの主なデメリットとしては以下の事項があげられる。
①　投資家は、対象資産の信用リスクに加えて、担保資産のリスクを負担することになる。
②　SPCが発行する社債の利息の原資としてオリジネーターによるプレミアムが用いられることから、投資家は利息についてオリジネーターのリスクを負担することになる。
③　資産の譲渡代金が支払われるわけではないため、証券化取引によってオリジネーターが資金調達を行うことはできない。もっとも、オリジネーターが預金取扱金融機関である場合には、担保資産をオリジネーターに対する預金とすることによって、オリジネーターは預金の受入れという形式で資金調達を行うことが可能である。
④　オリジネーターにとって、会計上、対象となる資産のオフバランス処理が認められない。
⑤　期中にオリジネーターがSPCから補償金の支払を受けるため、対象資産にデフォルト等が発生したことを認定する手続が必要となるが、対象となる資産の内容次第ではかかる手続が煩雑となる。
⑥　クレジット・デフォルト・スワップ等の取引に慣れていない者がオリジネーターとなる場合には、現物型証券化取引においては売買契約という一般になじみやすい契約が用いられるのに比べて、証券化取引において締結される契約になじみにくいことがあり、契約書の作成等に要する事務負担

がかさむことがある（逆にISDA（International Swaps and Derivatives Association, Inc.：国際スワップ・デリバティブ協会）準拠の契約を利用してオリジネーターとSPCとの間のクレジット・デフォルト・スワップを締結することにより、デリバティブ取引に精通している当事者にとっては、契約書作成等の事務がかえって簡便になる場合もある）。また、現物型証券化取引における証券化商品よりもシンセティックCDOの商品のほうが内容が複雑になりやすい。

(3) その他

現物型証券化取引とシンセティックCDOでは、経済条件やリスクの所在が完全に一致するわけではない。組成に要するコストや投資家が求める条件等も異なることになる。

4 シンセティックCDOの類型

ここで、シンセティックCDOの主な取引類型について説明する。

(1) 取引の目的による分類

シンセティックCDOについては、取引の目的や対象となる資産（のリスク）の取得方法によって、①アービトラージ型、②バランスシート型、③プライマリー型に分類されることがある。

アービトラージ型とは、リスクを市場からの取引によって取得し、かかる取引によって得た運用成果を投資家に還元することを目的とするスキームである。

バランスシート型とは、オリジネーターがあらかじめ保有している（すなわち、オリジネーターのバランスシート上に存在する）資産を対象とするシンセティックCDOのスキームである。前述のとおり、銀行等の金融機関をオリジネーターとして、オリジネーターのリスク管理、自己資本比率規制上の

信用リスク削減効果を目的として組成されることが多い。

　プライマリー型とは、シンセティックCDOの組成に際して、同時にオリジネーターが貸付や社債の引受けを行うことによって対象となる資産を取得するスキームである。資産に係る債務者のリスクをシンセティックCDOのスキームを通じて再構成することにより、これらの債務者が市場から資金調達を行うことを目的として組成される。具体例としては、日本政策金融公庫（旧中小企業金融公庫）が、中小企業の発行した私募債や中小企業向けの貸付債権を対象資産とし、証券化支援業務の一環として実施した証券化スキームのなかにプライマリー型のシンセティックCDOに該当するものがある。

(2)　対象資産の入替えの有無による分類

　期中に対象となる資産の入替えが行われるか否かによって、①スタティック型と②マネージド型に分類されることがある。

　スタティック型とは、シンセティックCDOのスキームの設定時に対象とされた資産を入れ替えることなく、対象となるポートフォリオが固定されている類型をいう。

　一方、マネージド型とは、あらかじめ定められた一定の運用基準に従って、期中において対象となる資産の入替えが行われる類型をいう。アービトラージ型のシンセティックCDOだけではなく、バランスシート型のシンセティックCDOであっても、期中に一定の基準に従って対象資産の入替えを行うことが予定されている案件も存在する。

5　リスクの証券化の側面を有するその他の商品

　本節の最後に、資産の譲渡によらずにリスクを移転・加工することによって組成される金融商品のうち、ここまでに説明してきたシンセティックCDO以外の代表的なものを紹介する。

図表4-55 クレジット・リンク・ローンのスキーム

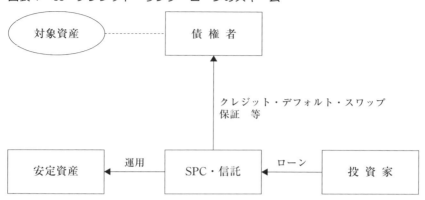

(1) クレジット・リンク・ローン

　クレジット・リンク・ローンとは、クレジット・デフォルト・スワップや保証などの取引を利用して、債権者が（典型的には）単一の債務者に対する信用リスクをSPCや信託に移転し、当該債務者に信用事由が発生した場合には、SPCや信託が投資家からローンによって調達していた資金を債権者に支払うことで債権者の損失を補填する一方で、ローンの元本を減額させたり、対象資産を代物弁済によって投資家に交付する仕組みにより、投資家が当該債務者のリスクに連動した投資を行うスキームである（図表4-55参照）。シンセティックCDOと異なり、トランシェ分けが行われず、一般的には対象資産の債務者に対するリスクをそのまま投資家が負担することになる。

　ローンではなく債券によって資金調達を行う場合もあり、その場合は、クレジット・リンク債あるいはクレジット・リンク・ノートと呼ばれる。

(2) CPPI

　CPPI（Constant Proportion Portfolio Insurance）とは、投資対象となるファンド等に対する積極運用と信用力の高い安定資産に対する安定運用を、一定のルールに従って投資元本を配分して行うことにより、投資元本を可能な限

り確保しつつ、資金運用を行うことを目指す手法である。元本確保型商品の一形態と位置づけられるものである。典型的なCPPIのスキームでは、積極運用にレバレッジをかけたスワップが利用されるため、リスクの証券化の側面を有することになる。

　CPPIのスキームには多様なものがあり、積極運用と安定運用の配分ルールも商品次第であるが、運用配分ルールの一例としては、積極運用と安定運用のパフォーマンスないし時価の変動に応じて、その時々における運用総額から満期における元本償還額（投資元本）の現在価値を控除した金額に一定の乗数を掛けた金額を積極運用に充てる（運用総額が積極運用に充てるべき金額に満たない場合は、借入れによって追加的に調達した資金を充当する）といったものがありうる。この仕組みの場合、レバレッジをかけた積極運用を行うことにより、アップサイドの獲得を期待することができる一方で、積極運用部分の時価が下落し、運用総額が投資元本（の現在価値）にまで落ち込んだ場合には、それ以降、積極運用が停止され、安定運用だけが行われることにより、投資元本の確保が図られることになる（ただし、積極運用部分の時価が急激に下落した場合や安定運用部分が毀損した場合等には、投資元本が毀損することもありうる）。

(3)　**CPDO**

　CPDO（Constant Proportion Debt Obligation）とは、債券を発行することによって投資家から調達した資金を安定資産で運用しつつ、その時々における発行体の純資産価値（Net Asset Value：NAV）等に応じた一定のルールに従って定期的にレバレッジや参照ポートフォリオを変動させ、クレジット・デフォルト・スワップ（CDS）やトータル・リターン・スワップ（TRS）等を利用することによって運用を行う商品である（図表4－56参照）。シンセティックCDOの一類型であると評価できるとともに、CPPIから派生した商品であるともいわれている。もっとも、投資元本の保護は図られていない

図表4-56　CPDOのスキーム

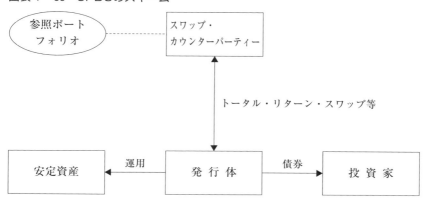

点、一般にCPPIは当初元本を確保しつつ、その限度で積極運用を図るのに対し、CPDOは債券の利息は定まっており投資家が運用によるアップサイドを得ることはできない点等、CPPIの商品特性と異なる点も多い。

　典型的なシンセティックCDOとは異なり、当初のCDSやTRSの想定元本はレバレッジがかけられて投資家が拠出した資金の数倍（たとえば15倍）とされ、その後、あらかじめ定められた算式によって定期的にレバレッジの大きさは見直される。典型的には、債券の元利金や手数料として発行体が支払うべき金額の現在価値から、安定資産や参照ポートフォリオの時価等が含まれる発行体のNAVを控除した値に比例して、その時々におけるレバレッジが決定される。参照ポートフォリオは固定されておらず、定期的に一定の適格要件を満たした企業のみによって構成されるポートフォリオに入れ替えられる。

　発行体のNAVが高まり、債券の元利金や手数料として発行体が支払うべき金額の現在価値に満ちた場合（キャッシュ・イン・イベント）には、投資家が追加的なリスクをとらないようにするためにCDSやTRS等を終了させる。一方、発行体のNAVが一定水準を下回った場合（キャッシュ・アウト・イベントまたはアンワインド・イベント）には、CDSやTRSは解約され、換金後の

残高で債券は期限前償還される。

(4) CCO

CCO（Collateralized Commodity Obligation）とは、貴金属、農産物等のコモディティの価格変動リスクについて、シンセティックCDOの形式により、スワップの手法を用いて移転し、債券の支払に連動させるスキームである（図表4-57参照）。

ポートフォリオ内のコモディティの価格が一定の水準を下回ることをトリガー事由とし、トリガー事由が発生した場合、契約上、定められた条件によってポートフォリオ内の損失が発生する。かかる損失が、スキーム上、設定されている信用補完の水準を超えた場合には、債券の元本が毀損し、投資家が損失を被ることになる。

典型的なシンセティックCDOでは、参照債務の信用リスクを証券化の対象として投資家に移転するが、CCOでは、ポートフォリオ内のコモディティの価格変動リスクを証券化の対象として投資家に移転することになる。

図表4-57　CCOのスキーム

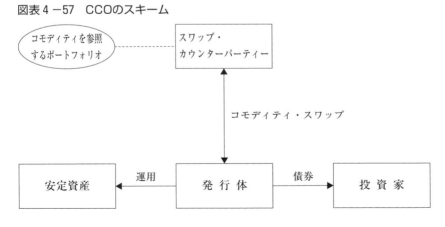

(5) キャット・ボンド、生命保険リンク証券

キャット・ボンド（CAT BondまたはCatastrophic Bond）とは、あらかじめ定められた自然災害等が発生した場合に、償還される元本が減額される債券のことである（図表4-58参照）。天候デリバティブやキャット・オプション等と並びリスク・ファイナンスの手法の1つであり、スポンサーにとっては、金融市場を通じて災害リスクをヘッジすることを可能とするものである（典型的には、保険会社であるスポンサーが保険契約者との間の保険契約によって引き受けているリスクを、再保険契約ないしそれに類似したデリバティブを利用することによって、発行体ひいては投資家に対して移転する）。他方、投資家にとっては、ポートフォリオの多様化を図ることや（リスクに見合った）高い金利を得ることが可能となる点で、メリットのある商品となる。

また、キャット・ボンドと類似の仕組みを有する商品として、自然災害等に関する保険ではなく、生命保険のポートフォリオにリンクし、死亡リスクおよび生存リスクに関して投資を行う証券である生命保険リンク証券（Life-Insurance Linked Bond）がある。生命保険リンク証券については、スポンサーにとってのメリットとして、生存リスク、死亡リスクのリスク管理の観点に加えて、生命保険契約の期待収益／損失の差から代価が得られるとい

図表4-58 キャット・ボンドのスキーム

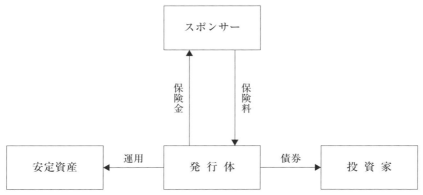

う点があげられる。

(6) 金利リスク移転目的の証券化

典型的なシンセティックCDOでは、クレジット・デフォルト・スワップ等を利用することによって信用リスクの移転が図られているが、クレジット・デフォルト・スワップ等のかわりに金利スワップを利用することによって固定金利ベースの資産に関して金融機関が負担している金利リスクを投資家に移転することが可能となる。

実例として、福岡銀行が平成18年に実施した住宅ローン債権の証券化の事例があり、当該事例では信託を利用したスキームが用いられている（図表4－59参照）。

図表4－59　金利リスク移転目的の証券化スキームの概要

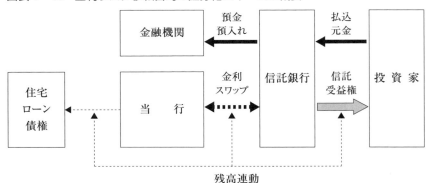

（出所）　福岡銀行平成18年4月19日付ニュースリリース

第 5 節

カバードボンド

1 カバードボンドの概要

カバードボンドとは、一般的には、主として金融機関等の発行会社に対して遡求が可能であり、かつ、発行会社の信用から隔離された一定の資産によって担保された債券のことをいう。

(1) カバードボンドの特徴——他の資金調達方法との比較

伝統的なコーポレートファイナンスや、一般的な証券化との対比でのカバードボンドの特徴は、発行会社と発行会社から隔離された担保となる資産（カバープール）の双方の信用を引当てにできる点（デュアル・リコース性と呼ばれる）にあるとされる（図表4－60参照）。すなわち、伝統的なコーポレートファイナンスが社債の形態をとる場合、担保付社債信託法との関係で、社債に担保を付すことは一般的には行われておらず、また、ローンの形態をとる場合は担保を付すことは容易であるが、社債であれローンであれ、担保を

図表4－60 カバードボンドの特徴

	発行会社の信用力	担保資産の信用力
コーポレートファイナンス	○	△
証券化	×	○
カバードボンド	○	○

○→引当てになる　△→完全には引当てとならない　×→引当てにならない

付したとしても、発行会社（借入人）が会社更生手続に巻き込まれた場合には、担保権の実行が禁止・中止され、また、担保権者の権利が縮減されることがある。そのため、伝統的なコーポレートファイナンスにおいては、発行会社の信用は引当てとなるが、担保となる資産の信用を完全に引当てにできるわけではない。一方、一般的な証券化においては、発行会社の信用から隔離された一定の資産の信用のみが引当てとされており、発行会社の信用は引当てとはならない。

これに対して、カバードボンドにおいては、投資家は発行会社の一般財産から元利金の弁済を受けつつ、発行会社について倒産手続が開始された場合には、発行会社の信用から隔離されたカバープールから優先的に元利金の弁済を受ける（カバープールからの回収金で不足する場合には発行会社の他の資産から元利金の回収を図る）ことが可能となる。

(2) **カバードボンドの種類**

カバードボンドには、大きく分けると、①カバードボンドのための特別法に基づき発行される法制カバードボンド（ドイツ、フランス、スペインなどでの発行例が多い）と、②主に法制カバードボンドが発行できない国で、証券化の技術等を用いるなどのストラクチャリングによってカバードボンド最大の特徴であるデュアル・リコース性を達成するストラクチャード・カバードボンドとが存在する。

法制カバードボンドは、カバードボンドのための特別法に基づいて発行されるものであるため、倒産法の特則（カバードボンドの発行会社が倒産した場合に、カバードボンドの投資家に対してカバープールから優先的な回収を認めるなど、倒産手続におけるカバードボンドの取扱いが手当されている）の存在や発行会社およびカバープールの選定・管理に関する監督、投資家向けの開示規制等が整備されており、法的安定性や関係者（とりわけ、カバードボンドの投資家や発行会社である金融機関の預金者など）の保護に厚い。他方で、発行会

社やカバープールの対象資産が限定されるなど、ストラクチャリング上の制約が大きいという面もある。

これに対して、ストラクチャード・カバードボンドは、前述のとおり、特別法に基づいて発行されるものではないため、法制カバードボンドと比較すると、法的安定性や関係者の保護に劣る面があるが、その半面、ストラクチャリングの自由度が相対的に高いともいえる。

わが国においては、本書執筆時点ではカバードボンドに関する特別の法律は制定されていないことから、ストラクチャード・カバードボンドのかたちでの発行を検討することになる。

2 法制カバードボンドの具体例

法制カバードボンドは、各国の特別法に基づいて発行されるため、種類もさまざまであるが、大別すると、①直接発行方式および、②SPC介在方式が存在し、②SPC介在方式は、さらに、(i)SPC発行方式および、(ii)SPC保証方式・SPC物上保証方式に分類できる。

(1) 直接発行方式

基本的には、以下のようなスキームとなる（図表4-61参照）。
① 発行会社となる金融機関は、特別法に基づくカバードボンドを発行する。
② カバードボンドの投資家は、発行会社が保有するカバープールに対して優先権を有しつつ、発行会社が有する他の資産からも元利金の回収を図ることができる。
③ 発行会社の倒産時においては、投資家は、倒産手続の影響を受けることなくカバープールから優先的に元利金の回収が可能となるが、カバープールからの回収金では不足が生じる場合には、発行会社の無担保債権者と同順位で、発行会社の他の資産からも回収を図ることが可能となる。

図表 4 −61 　直接発行方式

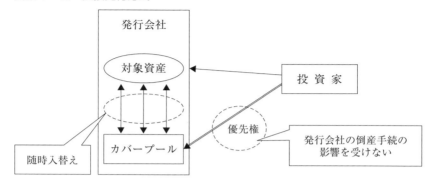

　直接発行方式の具体例としては、ドイツのファンドブリーフ（Pfandbrief）やスペインのセデュラス（Cédulas）などがある。

　直接発行方式の最大の特徴は、カバードボンドの引当てとなるカバープールを発行会社が保有し続ける点である。そのため、発行会社について倒産手続が開始された場合に、カバードボンドの投資家がカバープールに対して優先権を主張できるようにするための倒産法の特則や、投資家保護の観点から、カバープールについての分別管理義務やカバープールや発行会社に対する公的な監督の仕組みなどが、特別法によって手当されることが多い。

(2) SPC介在方式

　発行会社がカバードボンドの引当てとなるカバープールを保有し続ける直接発行方式に対して、SPC介在方式においてはカバープールはSPCに譲渡されることになる。そのうえで、SPC自身がカバードボンドの発行会社となるものが、(ⅰ)SPC発行方式であり、カバープールの原所有者がカバードボンドの発行会社となり、カバープールを保有するSPCがカバードボンドについて保証または物上保証を提供するものが、(ⅱ)SPC保証方式・SPC物上保証方式である。

図表4−62 SPC発行方式

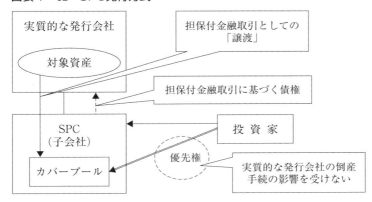

(ⅰ) SPC発行方式

基本的には、以下のようなスキームとなる（図表4−62参照）。

① 実質的な発行会社となる金融機関は、カバープールを子会社であるSPCに譲渡する。
② SPCは、特別法に基づくカバードボンドを発行する。
③ 実質的な発行会社の倒産時においては、投資家は倒産手続の影響を受けることなくSPCが保有するカバープールから優先的に元利金を回収する。

SPC発行方式の代表例は、フランスのオブリガシオン・フォンシエール（Obligations Foncières）である。

SPC発行方式においては、カバードボンドの投資家はSPCおよびその保有するカバープールからの優先的な回収が可能である一方で、実質的な発行会社への遡及（デュアル・リコース性）をどのようにして確保するのかが重要となる。この点については、実質的な発行会社からSPCへのカバープールの譲渡がいわゆる真正譲渡ではなく、担保付金融取引として構成される一方で、実質的な発行会社の倒産時にSPCおよびその保有するカバープールが倒産手続の影響を受けないように設計されることで手当されている場合が多い。すなわち、SPCは、実質的な発行会社との関係では担保付債権者として

取り扱われるため、実質的な発行会社が倒産したときには、SPCが実質的な発行会社に対して有する担保付債権を行使することでデュアル・リコース性を確保することになる。

(ii) SPC保証方式・SPC物上保証方式

基本的には、以下のようなスキームとなる（図表4－63参照）。

① 発行会社となる金融機関は、カバープールをSPCに譲渡する。
② 発行会社は、特別法に基づくカバードボンドを発行する。
③ SPCは、カバードボンドについて保証または物上保証を提供する（SPC保証方式においては、投資家のSPCに対する保証履行請求権を被担保債権として、カバープールに担保権が設定される）。
④ 発行会社の倒産時においては、投資家は倒産手続の影響を受けることなくSPCが保有するカバープールから優先的に元利金の回収が可能となるが、カバープールからの回収金では不足が生じる場合には、発行会社の無担保債権者と同順位で、発行会社からも回収を図ることが可能となる。

SPC保証方式は、イタリアなどにおいて採用されている。

SPC保証方式・SPC物上保証方式においては、カバードボンドによって発行会社への遡及を実現しつつ、SPCが保有するカバープールからの優先的な

図表4－63　SPC保証方式

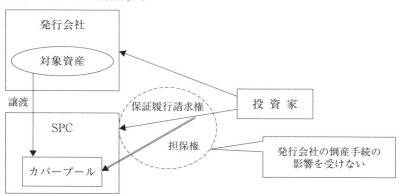

回収も可能となるため、外形的には明確なかたちでデュアル・リコース性が確保されているといえる。また、発行会社について倒産手続が開始された場合に、SPCおよびその保有するカバープールが倒産手続の影響を受けないことが法制上担保されていることで、法的にもデュアル・リコース性が確保されているといえる。この点、後述のストラクチャード・カバードボンドにおいては、法制カバードボンドのような法律上の手当が存在しないことから、SPC保証方式・SPC物上保証方式と同様のスキームを採用した際に、いかにして、カバードボンドについて保証または物上保証を提供するSPCが発行会社の倒産手続の影響を受けないようにできるか（発行会社からSPCに対するカバープールの譲渡について、いわゆる真正譲渡を達成できるか）がストラクチャリング上の重要なポイントになる。

3 ストラクチャード・カバードボンドのスキーム例

前述のとおり、わが国においてはカバードボンドに関する特別の法律は制定されていないことから、証券化の技術等を用いることにより、カバードボンドの発行を検討することになる。以下、いくつかのスキーム例を紹介する。

なお、以下でも若干言及しているが、それぞれのスキームごとに、検討すべき点、ストラクチャー上の手当をすべき点が多々あり、ストラクチャード・カバードボンドを発行する際や、投資家として購入する際には、十分な検討を要することに留意されたい。

(1) SPC保証型

基本的には、以下のようなスキームとなる（図表4－64参照）。
① 発行会社は、保有する一定の資産を信託譲渡し、かかる資産を信託財産とする受益権を取得する。
② SPC（保証人）は、発行会社との保証委託契約に基づき、発行会社の発

図表4-64 SPC保証型

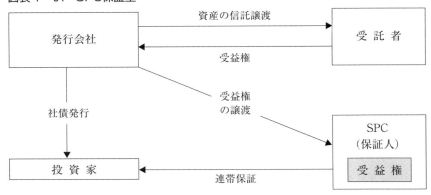

行する社債の元利金の支払について連帯保証し、発行会社は、SPCの保証付社債として社債を発行する。

③ 保証委託契約上、SPCは、主たる債務者である発行会社による元利金の支払を待たずに自らの資金で保証債務を弁済することとされ、発行会社は、保証に係る事前求償債務を、保証の効力が発生すると同時に負担するものとされる。

④ 一方、発行会社は、保証人であるSPCが発行会社に対して有する上記の事前求償権について、期限の利益を放棄して、社債の発行と同時にSPCに対してその支払を行う。かかる支払は、受益権を代物弁済することで行われる。

⑤ 投資家（社債権者）に対する社債の利息の支払は、SPCにより、保有する受益権の配当を原資として行われる。また、社債の元本の償還も、SPCにより、受益権の売却代金を原資として行われ、発行会社は、SPCが保証債務の履行を怠った場合を除き、自ら社債の元利金の支払を行うことはできない。

このスキームは、過去にわが国で公募での発行が試みられた案件のスキームを簡略化したものである。投資家が保有する社債の元利金の支払は、基本

的には、SPCが、保有する受益権（ひいては受益権の裏付けである発行会社の信用から隔離された一定の信託財産）の収益配当および受益権の売却代金を原資として行うが、SPCが保証債務の履行を怠った場合には、発行会社が社債の元利金の支払を行う点で、発行会社と発行会社の信用から隔離された一定の資産の双方の信用を引当てにすることが企図されているといえ、このスキームにおける社債は、ストラクチャード・カバードボンドの一種といいうる。

　もっとも、このスキームにおいては、発行会社に受益権をSPCから買い戻す権利があるともみうる点、スキーム全体としてみると、発行会社がSPCに譲渡した受益権の信用を補完しているともみうる点、発行会社が保証の事前求償に応じ、社債の発行と同時にSPCに対する支払を行う合理性があるのかという点（かかる合理性が乏しいようであると、リキャラクタイズされやすいと考えられる）などから、とりわけ、発行会社からSPCに対する受益権譲渡のいわゆる真正譲渡性[1]について慎重な検討を要し、真正譲渡性を確保するためのスキーム上の手当をいかに施したとしても、なお、真正譲渡性を確保しきれていないと評価される可能性があることに留意されたい。

(2)　他益信託型

　基本的には、以下のようなスキームとなる（図表4-65参照）。

① 　発行会社は、投資家に対して社債を発行する。
② 　発行会社は、社債に係る債務の担保に供するために、その保有する一定の資産を受託者に信託する。かかる信託においては、社債権者の集合が当初の受益者とされる（他益信託）。
③ 　社債の支払不履行などの一定の事由（受益権行使事由）の発生前においては、発行会社が、社債の元利金を支払う。

1　真正譲渡性については、第2章第2節を参照されたい。

図表4-65 他益信託型

【通常時】

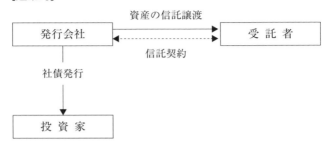

【受益権行使事由発生後】

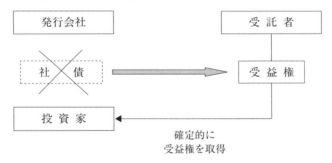

④ 受益権行使事由が発生した場合には、社債が消滅し、投資家は、一定の手続を経て、受益権を確定的に取得する。

⑤ 受益権行使事由の発生により社債が消滅した後においては、信託財産のみを引当てとして、受益権の収益配当および元本償還が受託者により行われる。

このスキームは、住宅金融支援機構が発行する貸付債権担保住宅金融公庫債券において用いられているスキームを簡略化したものである。このスキームにおいては、受益権行使事由が発生する前までは、発行会社が社債の元利金の支払を行い、受益権行使事由発生後においては、一定の資産からなる信託財産のみを裏付けとして受益権の元本償還および収益配当が行われる点

で、発行会社と発行会社の信用から隔離された一定の資産の双方の信用が引当てになっているといえ、このスキームにおける債券は、ストラクチャード・カバードボンドの一種といえる。

なお、このスキームにおいては、発行会社の信用力の低下を受益権行使事由の一事由にすることで、会社更生手続が開始されるより一定程度前の段階で、受益権への切替えが行われることが企図されるが、そのように立て付けたとしても、発行会社について突如として会社更生手続が開始した場合には（特に、住宅金融支援機構については、現状、会社更生手続の適用がないことから、突如として会社更生手続が開始する可能性はきわめて低いと考えられるが、株式会社については、会社更生手続が突如として開始する可能性は否定しきれないところである）、投資家による受益権の確定的な取得が阻害され、信託財産（発行会社の信用から隔離された一定の資産）の信用を引当てにできない可能性がある。このスキームにより、（住宅金融支援機構ではない）一般の株式会社の場合において、会社更生手続に巻き込まれることによるリスクを払拭しきれているかについては、慎重な検討を要するといえよう。

(3) 自己信託型

基本的には、以下のようなスキームとなる（図表4-66参照）。

① 発行会社は、一定の資産を自己信託し、かかる資産を信託財産とする優先受益権および劣後受益権を取得する。
② 受託者としての発行会社は、かかる信託財産のために信託社債を投資家に対して発行する。
③ 受託者としての発行会社は、かかる信託社債の発行代り金をもって、優先受益権を償還する。
④ 発行会社は、劣後受益権の一部を第三者に譲渡する。
⑤ 受託者としての発行会社は、投資家に対して、信託財産および自らの固有財産を原資として、信託社債の元利金の支払を行う。

図表4−66 自己信託型

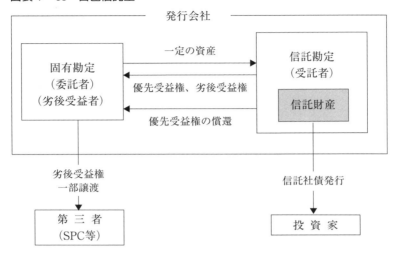

　信託社債は、信託財産のために信託の受託者が発行する社債をいい（会社法施行規則2条3項17号）、信託財産に加えて、受託者（すなわち発行会社）の固有財産を引当てにすることもできる（同施行規則99条2項参照）。そのため、このスキームにおいては、担保となる資産（信託財産）に加えて、受託者（すなわち発行会社）の固有財産の信用力も信託社債の引当てになっており、かかる信託社債は、ストラクチャード・カバードボンドの一種といえる。

　このスキームにおいては、自己信託一般の問題であるが、委託者と受託者が同一であることから、どのようにして信託のガバナンスを確保するかについて、とりわけ検討を要しよう。

4　ストラクチャード・カバードボンド組成上の留意点

　本節3において紹介したストラクチャード・カバードボンドのスキーム例には、いずれも実現のための課題が残っているが、以下では、ストラク

チャード・カバードボンド一般に妥当するストラクチャリング上の留意点について説明する。

(1) 投資家保護と一般債権者保護の調和

ストラクチャード・カバードボンドの組成にあたっては、いかにして投資家のカバープールに対する優先権を確保するかが重要となる。他方で、カバードボンドの投資家にカバープールに対する優先権を付与することは、（実質的な）発行会社の一般債権者の責任財産の減少を意味することになるため、投資家保護の要請と同時に、（実質的な）発行会社の一般債権者保護の要請にも配慮したスキームづくりが必要となる。特に、カバードボンドの（実質的な）発行会社としては金融機関が想定されるが、預金取扱金融機関には多数の「預金者」という一般債権者が存在しており、一般債権者保護の要請がより強く働くことになる。実際に、法制カバードボンドにおいては、カバードボンドの発行上限額の定めや預金者も含めた一般債権者への情報開示の充実などにより、投資家保護と一般債権者保護の調和を図ろうとしている例も多い。ストラクチャード・カバードボンドの組成にあたっても、投資家保護と一般債権者保護の調和が望まれるといえよう。

(2) カバープールの「倒産隔離性」の確保

前述のとおり、カバードボンドの最大の特徴は、（実質的な）発行会社および（実質的な）発行会社の信用から切り離されたカバープールへのデュアル・リコース性にある。そして、デュアル・リコース性を実現するためには、カバープールが（実質的な）発行会社の倒産手続の影響を受けないようなストラクチャリングが必要となる。これは、一般的な証券化商品における「真正譲渡性」と同様の問題であり、（実質的な）発行会社からカバープールをSPCに移転する取引が担保付金融取引とみなされないような手当が必要となる。この点、一般的な証券化取引においては、真正譲渡性を達成するため

に、対象資産の原所有者が証券化Vehicleや証券化商品の投資家に対して直接債務を負担しないようなスキームとすることが多い。しかしながら、カバードボンドにおいては、デュアル・リコース性を達成するために、カバープールの原所有者である（実質的な）発行会社は、SPCやカバードボンドの投資家に対して直接債務を負担することが必要となり、また、カバープールは（実質的な）発行会社が負担する債務の引当てとしての性格を有することとなるため、一般的な証券化取引における真正譲渡性達成のための重要な要素を欠くこととなる。そのため、デュアル・リコース性を確保しつつ、いかにしてカバープールの真正譲渡性を達成するかが、ストラクチャード・カバードボンドの組成にあたって最大のポイントになると考えられる。

(3) 詐害行為取消し・否認の問題

多くの法制カバードボンドにおいては、期中にカバープールの入替えが想定されている。そのため、このようなカバープールの入替えをストラクチャード・カバードボンドにおいても実現することが考えられるが、その場合には、（実質的な）発行会社からSPCへのカバープールの譲渡が詐害行為取消し・否認の対象とならないかが問題となる。特に、カバープールの入替えを（実質的な）発行会社の財務状態が悪化した状態で行う場合には、当該カバープールの譲渡が詐害行為取消し・否認の対象となるおそれが高くなることに留意が必要である。

(4) カバープールの選定・管理に関する監督の問題

前述のとおり、多くの法制カバードボンドにおいては、カバープールの選定および期中管理について、第三者（その多くは公的機関）による監督が行われており、これによってカバードボンドの投資家保護が図られている。これに対して、ストラクチャード・カバードボンドにおいては、公的機関等によるカバープールの選定・期中管理の監督は基本的には想定されていないた

め、前述の自己信託型における信託のガバナンス確保のように、投資家が安心してカバードボンドに投資できるための仕組みづくりが重要となる。この点については、一般の投資家を含めた幅広い投資家向けに発行するのか、機関投資家向けだけに発行するのかなど、想定される投資家の層によっても必要となるガバナンスの内容・程度が異なりうるとも考えられるため、想定される投資家層もふまえて、必要となるガバナンスについて検討することが重要となろう。

(5) **流動性の確保**

多くの法制カバードボンドは高い流動性が確保されており、カバードボンドの特徴の1つになっている。法制カバードボンドにおいて高い流動性が確保できるのは、商品が定型化されていることが大きな要因と考えられるが、ストラクチャード・カバードボンドにおいては、その性質上、相対的に商品の個別性が強くなることが想定される。ストラクチャード・カバードボンドのメリットの1つであるストラクチャリングの自由度の高さを維持しつつ、高い流動性を確保できるような商品設計もストラクチャード・カバードボンドを組成する際のポイントの1つとなろう。

第5章

アジアにおける証券化事情

第 1 節

中国における証券化

1 中国における証券化の概要と近時の市場動向

　中国における証券化市場は、すでに2016年には、日本や韓国の規模を超えていたといわれていた[1]が、その後も中国の証券化市場の規模は順調に拡大し、対象資産の種類も拡大している。

　他方、この4年ほどの間に、証券化の主管部門の1つである中国銀行業監督管理委員会は、中国保険監督管理委員会と統合されて、中国銀行保険監督管理委員会（以下「銀保監会」という）となり、ファイナンス・リース業務を行う融資租賃公司の監督管理権限が、従前の商務部門から銀保監会に移管されるなど、金融機構の監督管理体制の制度改革がなされた。ただ、証券化の監督管理の基本的な構造については、主に①中国人民銀行と銀保監会が監督管理する貸付資産証券化、②中国証券監督管理委員会（以下「証監会」という）が監督管理する企業資産証券化、さらには③中国銀行市場取引商協会が監督管理する資産支持票拠（Asset-Backed Notes：ABN）と称する証券化の仕組みが併存するという、監督管理体制の大枠に変更はない。

　証券化商品の決済機関の1つである中央国債登記結算有限公司が、2015年以降毎年公表している2019年「資産証券化発展報告」[2]によれば、2019年に発行された資産証券化商品は23,439.41億元（前年比17％増）、年度末市場残

---

[1] 本書（第3版）第5章第1節。
[2] 2019年版については、https://www.chinabond.com.cn/cb/cn/yjfx/zzfx/nb/20200117/153611421.shtmlを参照。

高は41,961.19億元（前年比36％増）とされている。このうち、銀保監会が監督管理する貸付資産証券化商品の発行は9,634.59億元（前年比３％増、発行総量の41％）、残高は20,127.63億元（前年比32％増、市場総量の48％）となっているのに対して、証監会が監督管理する企業資産証券化商品の発行は10,917.46億元（前年比15％増、発行総量の47％）、残高は17,801.48億元（前年比28％増、市場総量の42％）、ABNの発行は2,887.36億元（前年比129％増、発行総量の12％）、残高は4,032.08億元（前年比118％増、市場総量の10％）となっている。

また、2020年「資産証券化発展報告」[3]によれば、2020年に発行された資産証券化商品は28,749.27億元（前年比23％増）、年度末市場残高は51,862.60億元（前年比24％増）とされている。このうち、上半期のコロナ禍の影響で銀行貸付資産の組成が低下したことから、貸付資産証券化商品の発行は8,041.90億元（前年比16％減、発行総量の28％）、残高は22,220.93億元（前年比10％増、市場総量の43％）となっているのに対して、非金融企業の旺盛な資金需要や低金利環境のもとで、企業資産証券化商品の発行は15,598.99億元（前年比43％増、発行総量の54％）、残高は22,630.04億元（前年比27％増、市場総量の44％）、ABNの発行は5,108.38億元（前年比77％増、発行総量の18％）、残高は7,011.63億元（前年比74％増、市場総量の13％）となっている。

2015年においては、貸付資産証券化がおおむね70％程度、企業資産証券化が30％程度であったものが、2016年以降は、貸付資産証券化と企業資産証券化の割合が、ほぼ同等のレベルになり、2016年には２％程度であったABNの比率が徐々に増加して、2018年の６％から、2019年には10％を超える水準まで増加している。このようにABNが近時増加しているのは、当初、倒産隔離性があいまいであったものが、信託方式のABN（図表５−１参照）が導入され、これが認知されたことの影響があるものと推測される[4]。

3　2020年度版（報告書作成名義は中債研究中心に変更）については、https://www.chinabond.com.cn/cb/cn/yjfx/zzfx/nb/20210119/156343435.shtmlを参照。

図表 5 − 1　遠東国際リース有限公司〈遠東リース〉2016年度第一期信託ABN

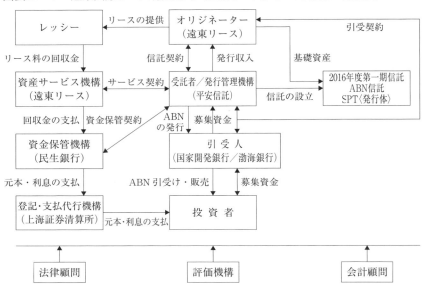

　2019年 1 月には、ファイナンス・リース債権を裏付けとする信託方式のABNが、債券通を通じて、初めて国際的格付会社であるS&P Global Ratingの格付を得て発行された[5]。さらに、中国銀行間市場取引商協会は、2020年 6 月 2 日に、ABNの一形態として、単一または複数の企業が自己の有する安定したキャッシュフローを生み出す売掛債権・手形等の資産を対象資産とする資産支持商業票拠（Asset-Backed Commercial Paper：ABCP）を導入し[6]、今後さらにABNの活用が進む可能性があるように思われる。

　また、2020年 4 月24日に、証監会と国家発展改革委員会は共同して「イン

---

[4]　前田敏博＝呉婷「アジア・太平洋資産証券化2016（ABS APAC 2016）」SFJ Journal 14号26頁以下参照。

[5]　2019年 1 月28日金杜研究院公表論考「金杜助力远东租赁2019年度第一期资产支持票据（债券通）成功，成为首单引入国际评级及境外投资者的融资租赁债权类债券通项目」による。

[6]　2020年 6 月 3 日中倫視界公表論考「ABCP法律解読：资产支持商业票据的定位、创新与法律核心要点」による。

図表 5 − 2 　公募REITsスキーム図

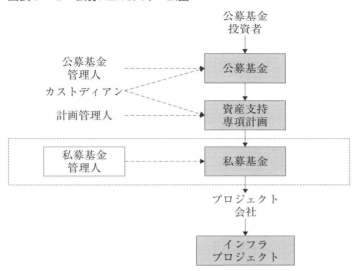

フラ設備領域不動産投資信託基金（REITs）試行の推進関連工作に関する通知」を公布し、インフラ設備REITs試行の基本原則等を規定し、同年 8 月 6 日に、証監会は「インフラ設備証券投資基金公開募集ガイドライン（試行）」を公布して、公募インフラ設備REITs商品の定義、オペレーションモデル、販売方式等を明確にして、実施主体の責任、リスク管理の強化等を要請している。中国では従前からいわゆる「類REITs」と呼ばれる不動産投資商品が存在しており、その形態は証監会の資産支持専項計画を利用した私募ABSという形態で発行されるものであったが、公募REITsとするために、公募証券投資基金＋資産支持専項計画（公募基金＋ABS）の 2 段構えの形態（図表 5 − 2 参照）を採用したようである[7]。

2020年における貸付資産証券化商品および企業資産証券化商品の対象資産

7 　2020年 5 月 3 日中倫視界公表論考「公募REITs第一公里：REITs大計、始于基建」による。

図表5−3　2020年貸付資産証券化商品発行構造

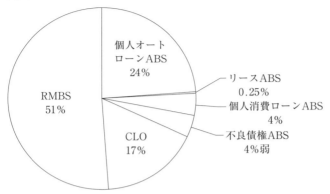

（注）2020年版「資産証券化発展報告」記載資料に基づき筆者作成。

図表5−4　2020年企業資産証券化商品発行構造

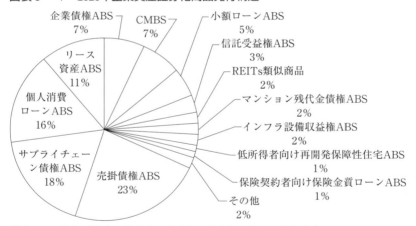

（注）2020年版「資産証券化発展報告」記載資料に基づき筆者作成。

の概要は、図表5−3および図表5−4の円グラフのとおりである。

　上述のとおり、中国の証券化には、大別して貸付資産証券化、企業資産証券化、ABNの3種類の制度が併存している。このうち、貸付資産証券化は、銀行等の金融機関がオリジネーターとして、その貸付資産を受託機関に信託

図表５－５　貸付資産証券化

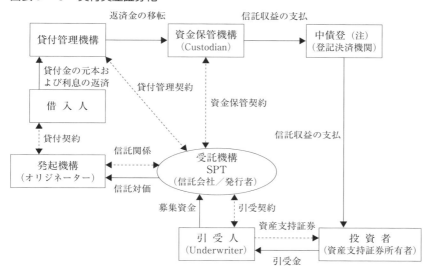

（注）「中債登」は中央国債登記結算有限責任公司の略称であり、指定された全国銀行間債券市場の債券登記・保管・決済を担当する機構である。

し、受託機関が資産支持証券（ABS）のかたちで投資機関に対して受益証券を発行し、当該貸付資産によって生じたキャッシュフローをもって、資産支持証券の支払を行うという、ストラクチャード・ファイナンス方式（図表５－５参照）であり、銀保監会の監督管理下にある金融機関である商業銀行、自動車金融公司（オートローン会社）、金融租賃公司（前述の融資租賃公司とは異なるリース会社）等がオリジネーターとなる点や、受託機構である信託公司に貸付資産を信託する点に特徴がある[8]。

これに対して、企業資産証券化は、証監会の監督管理下にある証券会社や基金管理会社の子会社が、特別目的媒体（Vehicle、SPV）を設立することによって証券化業務を行うこととされており、資産証券化業務を行うために特

---

[8] 制度の詳細については、前掲注１の354頁以下、前田敏博＝呉婷「中国資産証券化フォーラム2015」SFJ Journal 11号26頁以下参照。

別に設立された「資産支持専項計画」と称するSPVが利用される（図表5－6参照）。オリジネーターの種類や対象資産の種類については、一定のネガティブリストに該当するものでない限りは制約はないことから、貸付資産証券化と異なり、さまざまな新しいアセットクラスの証券化の可能性が認められることとなる[9]。

他方、証券化である以上、SPVの倒産隔離性が要求され、証監会によって制定された行政上の規範性規定である「証券会社および基金管理会社子会社の資産証券化業務管理規定」（以下「49号規定」という）5条は、「資産支持専項計画」に属する資産が、オリジネーター、管理人、カストディアンその他の取引参加者の固有財産から独立しており、解散、破産等の原因で、これらの者の清算が行われる場合には、「資産支持専項計画」に属する資産は、その清算財産には含まれない旨を規定している。これにより、いわゆる「信

図表5－6　企業資産証券化取引の標準スキーム

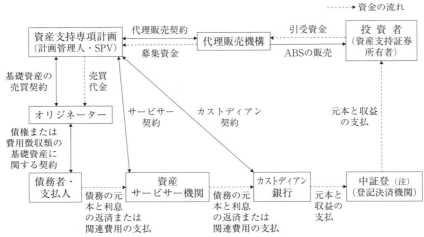

（注）「中証登」は中国証券登記結算有限責任公司（CSDC）の略称であり、深圳および上海の証券取引所におけるすべての証券登記および決済業務を担当している。

9　制度の詳細については、前掲注1の358頁以下、前掲注8の30頁以下参照。

託財産の独立性」に類似する効果が認められているものの、いまだに「資産支持専項計画」が、法的にも信託に該当するのかは明らかにされていない[10]。これについて、中国国内における判決例のなかには、かかる倒産隔離の効果を認めるものも、徐々に現れているようではあるが[11]、海外投資家が、かかる企業資産証券化商品に投資するにあたっては、SPVの法的性格が明確でないことに留意する必要があるように思われる。

2 中国証券化に関連する法的論点

証券化スキームに関する最も重要な法的論点として倒産隔離と真正譲渡性の2つがあげられる。証券化Vehicle（SPV）は、証券化において倒産隔離および真正譲渡性を確保するための仕組みの根幹である。

以下は、SPVの設置が必要な貸付資産証券化と企業資産証券化のスキームを前提に、SPVの法的性格と倒産隔離、真正譲渡性および債権譲渡の対抗要件の3つを中心に、中国証券化に関する主要な法的論点を概観することとしたい。

(1) SPVの法的性格（信託vs資産支持専項計画）と倒産隔離

SPVの組織形態（法的性格）として、国際的には大きく分けて会社方式と信託方式があるといわれているが、中国では、信託方式を利用する特別目的信託（SPT）と「資産支持専項計画」といわれる特殊なSPVの2種類が利用されている。

---

10 その問題意識の詳細については、前掲注1の389頁以下参照。なお、2019年11月14日に最高人民法院が公布した「全国法院民商事審判工作会議紀要」88条により、資産管理業務が信託関係を構成する場合には、当事者間の紛争には信託法を適用して処理することが明確化されたこともあり、今後「資産支持専項計画」が信託関係であるものとして実務が進展していくことが期待されるところである。

11 たとえば、融信租賃2017年一期資産支持専項計画（ファイナンス・リース債権の証券化案件）や首都航空BSPチケット債権資産支持専項計画（航空チケット債権の証券化案件）に関連するサービサーの管理口座についての差押えを、オリジネーターからの財産の独立性や口座の特定性を理由に認めなかった事例など。

SPC方式については、中国においては、プロジェクトファイナンスにおける特別目的会社（SPC）など、一部会社方式を利用したSPVが認められているものの、証券化の分野では、いまだ特別目的会社（SPC）の利用を認める特別法や規制が存在せず、通常の会社法上の会社をSPVとして利用することについては、会社法、証券法、商業銀行法などの関連法令上の制約が多々存在する。

　そこで、以下では、中国における特別目的信託（SPT）と「資産支持専項計画」のそれぞれの法的性格をふまえたうえで、倒産隔離の観点からみたそれぞれに存在している問題点を整理、紹介する。

a　SPTの倒産隔離について

　SPTの根拠法令は信託法[12]である。信託法にある信託財産の独立性を確保するための関連規定は主に次のとおりである。

- 信託財産と、信託を設定していない委託者のその他の財産との分別管理原則（信託法15条）
- 信託財産と、受託者の固有資産との分別管理原則（信託法16条）
- 信託財産に対する強制執行禁止原則（信託法17条）。ただし、信託設定前に、信託財産に対してすでに弁済請求権が発生し、かつ、かかる権利がすでに行使された場合、債権者が信託事務に関して生じた債務の返済を求めた場合および信託財産そのものが負担すべき税金のある場合を除く。
- 受託者による信託財産との相殺禁止原則（信託法18条）。すなわち、受託者は、信託財産の管理によって生じた債権とその固有財産によって生じた債務とを相殺してはならず、かつ、異なる委託者の信託財産の管理・処分により発生した債権と債務は、互いに相殺してはならない。
- 信託の解除：委託者が唯一の受益者である場合に限って委託者またはその相続人が信託を解除できる（信託法50条）。すなわち、委託者が唯一の受益

---

[12]　中華人民共和国信託法（中華人民共和国主席令50号。全人大2001年4月28日制定、同日公布、同年10月1日より施行）。

者でなければ、仮に破産者（委託者）の債権者が委託者から信託受益権を取得したとしても、信託を解除することができない。

これらの規定の存在によって、SPVが信託という組織形態を利用すれば、信託財産の独立性が確保され、倒産隔離が実現できると理解されている。

しかしながら、SPTを採用したとしても、倒産隔離が完全には実現できない可能性は依然として存在している、との指摘もある[13]。その理由は主に下記のとおりである。

① 破産法[14]に基づく財産移転行為の無効および管財人の取戻権に関し、破産法33条1項では、債務者が債務から逃避するために財産を隠匿し、移転する行為は無効とすると定められている。破産法31条(1)号と(2)号では、人民法院が破産申立てを受理する前の1年以内に、債務者の財産に関し、「無償で財産を譲渡した」行為または「明らかに不当な価格で取引を行った」行為があった場合、管財人は人民法院にその取消しを求めることができる、と規定されている。さらに、破産法34条では、前記条項の定めに該当する行為によって得た債務者の財産については、管財人がそれを取り戻す権利を有すると規定されている。

前記の破産法の関連規定では「移転」や「譲渡」の文言が用いられており、「信託」が明記されていない。しかしながら、中国法の信託概念は法理上の解釈として日本法の信託概念とそれほど違いがなく、信託財産につき委託者から受託者へ所有権（財産権）の移転（譲渡）が発生したと解釈されている[15]ため、信託行為も一種の財産権の処分（移転）行為として破産法に定める「移転」「譲渡」に該当し、ほかの破産法に定める条件（1年以内、不当な対価）を満たせば、無効・取消しの対象にされる可能性が

---

13 楼建波＝劉燕「信託型資産証券化における倒産隔離」《金融法苑》2005年第11期；楼建波＝劉燕「信託型資産証券化の基本的な法律ロジック」《北京大学学報（哲学社会科学版）》第43巻第4期（2006年7月）ほか。
14 中華人民共和国企業破産法（中華人民共和国主席令54号。全人大常務委員会2006年8月27日制定、公布、2007年6月1日より施行）。

あると思われる。

　証券化の場面に当てはめると、委託者（債務者）がその財産を受託機構に信託してから1年未満の間に破産宣告がされてしまった場合、仮に管財人が上記破産法の関連規定に基づき人民法院に信託行為の取消し・財産の取戻しを求めるとしたとき、裁判において、受託機構は自己が「有償」で、かつ「適当な対価」を払って委託者（債務者）から信託財産にかかわる権利を譲り受けたことを証する必要があると思われる。そこで、貸付資産証券化において、信託資産の移転に関する対価とは何かという問題に答えなければならない。

② 　貸付資産証券化において、受託機構が資産の信託移転に対し対価を支払うべきか否か、実際に支払っているのかということはいまだに明確ではない。信託法および49号規定等関連法規はこの点を明確に規定していない。

　基礎資産を信託方式で受託機構に移転した行為の目的はそもそも直接に受託機構から対価をもらうことではないという学者の意見がある。この意見に基づけば、貸付資産証券化は2段階から構成されている。オリジネーターが基礎資産を信託で移転する（信託の設定）段階ではそもそも対価がなく、信託受益権を譲渡する段階で初めて対価をもらうということである[16]。しかしながら、このように解釈すると、前記破産法上の取消権、取戻権の対象にされうると思われる。

　他方、通常の商業信託につき、信託受益者およびその保持する信託受益

15　信託には、(i)受託者は自己の名義で信託財産を保有し、信託財産は独立性を有すること、(ii)信託に関する取決めまたは信託法の規定に従い、受託者は信託財産の管理、運用または処分する権利を行使し、それによって生じた責任を負うこと、(iii)受託者が信託財産を管理、運用または処分することによって第三者との間で生じた権利義務は受託者に帰属し、すなわち委託者または受益者には直接帰属しないこと、(iv)受託者が名義上信託財産の財産権を取得しても、その管理権、運用権および処分権の行使は信託目的により制限されているため、経済的な観点からすれば、信託財産が実質上委託者および受益者に帰属すること、という特徴がある、と理解されている。

16　伍治良「わが国の貸付資産証券化に関する理論および実践の二大問題」《現代法学》2007年3月第29巻第2期158～159頁。

証書を、信託財産の移転（譲渡）の対価とみなすことができるという意見もある。この意見に基づき解釈すれば、自益信託、すなわち、委託者自身が唯一の受益者でもある信託スキームは、破産法に定める「無償」、「明らかに不当な価格」と解釈されないため、問題がクリアできるのではないかと思われる。しかしながら、この場合、信託法15条の射程範囲に入ってしまう。信託法15条によれば、「信託を設定した後、委託者が死亡し、または法により解散、取消しもしくは破産を宣告された場合、委託者が唯一の受益者であるとき、信託は終了し、信託財産をその遺産または清算財産とする」と定められている。これによれば、自益信託はそもそも貸付資産証券化に必要とされる倒産隔離ができないという結論になってしまう[17]。

つまり、信託移転の対価に関する前記のいずれの解釈方法も貸付資産証券化に必要とされる倒産隔離が実現できない。この問題を解決するため、実際の証券化事例（華融信託分層商品方案）では、委託者がいったんすべての受益権を取得してから、その一部の受益権をほかの投資家に譲渡するという仕組みを採用している、ということである[18]。

以上に基づき、基礎資産の信託移転に対する対価問題については、現行法の規定のままでの法解釈にはどうしても限界があるように思われる。実務上の工夫を別にして、特別な立法によって明確にするほうが望ましいと思われる。

また、倒産隔離に関連し、信託法上の信託の取消しに関する規定も信託スキームを用いる貸付資産証券化の法的安定性に影響している。

信託法12条によると、委託者が信託を設定し、その債権者の利益を害した場合、債権者は当該信託を取り消すよう人民法院に申請することができると規定されている。同条2項により、受益者が善意である場合には、取得した信託利益は信託の取消しによって影響を受けないと定められている。また、

17　前掲注13。
18　前掲注13。

同項の解釈としては、受益者が委託者本人のみである場合、または受益者が委託者の信託目的が債務の執行回避であることを明らかに知っていた場合には、悪意が認められ、信託取消しの効果は受益者を拘束するものと解されている。

現行の信託法制定前の日本においても、同様の信託法に基づく信託の取消しや民法上の詐害行為取消権や破産法上の否認との関係で類似の法的論点が存在していたところであるが、信託法の改正により、受益権を譲り受けたもののなかに善意の譲受人が存在するなど一定の要件を満たした場合には、信託の取消しや否認ができないように手当され、法的安定性が確保された。

中国においては、後述の資産支持専項計画と比べれば、信託スキーム（SPT）のほうがより確実に倒産隔離ができるといわれている。もっとも、上記のとおり、信託法等関連法令上、原則的な規定が存在しているものの、資産証券化を中心に法令間の整合性を整える余地があると思われる。これらの不整合によって引き起こされる、倒産隔離が認められないという法的リスクは、特別な立法で調整されるまでは、実務レベルで証券化商品のスキームの設計や関連取引文書の定め方およびその他の工夫を加えることによって回避するしかできない。ただ、完全にリスクを回避することができるかどうかについては、裁判で検証された事案も多くないため、依然として不確実性が残っているといわざるをえない。

b 資産支持専項計画の倒産隔離について

資産支持専項計画の倒産隔離を確保するため、49号規定は、資産支持専項計画の資産はオリジネーター、（資産支持専項計画の）管理人、カストディアンおよびその他の関与者の固有資産から独立させなければならず、かつ、オリジネーター、（資産支持専項計画の）管理人、カストディアンおよびその他の関与者が法により解散・取消しまたは破産宣告等がなされ、清算となった場合に、資産支持専項計画の資産は清算資産に属さないと規定している（同規定5条）。さらに、（資産支持専項計画の）管理人が資産支持専項計画の資産

を管理、運用および処分することによって生じた債権については、オリジネーター、(資産支持専項計画の)管理人、カストディアン、投資者およびその他の関与者の固有資産から生じた債務と相殺してはならず、かつ、(資産支持専項計画の)管理人が複数の資産支持専項計画を管理、運用および処分することによって生じた債権および債務は相互に相殺してはならないと定めている(同規定7条)。

しかしながら、「資産支持専項計画」は、49号規定にて証監会によりつくられた新しい概念である。すなわち、従来の会社(SPC)でもなく、信託(SPT)でもない資産支持専項計画の法的性格をいかに解釈すればよいのかについては、現存の法律概念のいずれにも当てはめることができない、という難題が生じた。

また、中国の法律法規の優先順位は高いほうから低いほうへ、中央レベルでは、①憲法、②全国人民代表大会(以下、本節では、「全国人民代表大会」を「全人大」と略称する)およびその常務委員会が制定した法律、③国務院が制定した行政法規、④最高人民法院が制定した司法解釈、⑤中央各政府部門が制定した部門規則という順番になっている。そのうち、裁判の根拠になるのは前記の①～④であり、49号規定は⑤部門規則に属しているため優先順位が低く、実際の案件において、人民法院は49号規定で定める前記規定を参考にすることはできるが、それらの条文に基づき運用するかどうかは確実には予測できない[19]。

上記の理由で、資産支持専項計画では確実には倒産隔離を実現することができないとの意見は少なくない[20]。

上記多数派の意見に対して、資産支持専項計画により倒産隔離を実現できると評価すべきであるという少数派の意見もある。この意見によると、49号

19　前掲注10、注11。
20　黄栄鑫「わが国の不動産投資信託(REIT)の制度の欠如」《広西政法管理幹部学院学報》24巻4号106頁(2015年7月)。

規定1条では、「証券法、証券投資基金法、私募投資基金監督管理暫定弁法および其の他の関連法律法規に基づき、本規定を制定する」と明記されているため、証券投資基金法が49号規定の上位法令の1つとして、資産支持専項計画のために確固たる法律根拠を提供しているとのことである。すなわち、証券投資基金法5条～7条で定める基金財産の独立性に関する規定が資産支持専項計画の基礎資産の運用にも適用されると解釈できる。さらに証券投資基金法2条によると、本法に定めのない事項につき、信託法の規定が適用されると定められており、49号規定においては「信託」の概念を明記していないにもかかわらず、資産支持専項計画についても信託の法律関係をもって解釈することが可能であるとの論拠である。

もともと証監会の証券化規制ルール改正時に、当初の原案（2013年2月26日に証監会が公布した「証券会社の資産証券化業務の管理に関する規定（意見募集草案）」）では、信託法が根拠法令の1つとされ、かつ、資産支持専項計画の資産が信託財産であると明記されていたにもかかわらず、最終案（49号規定）からは「信託法」も「信託財産」も削除されたという経緯が存在した。このような規制状況が生じる理由は、中国金融の分業管理および銀保監会と証監会との競争関係にあるといわれている。すなわち、中国金融業は分業管理が実施されており、信託会社とその信託業務は銀保監会の監督・管理の対象となっており、証監会が制定した部門規則において信託の概念を規定することは、証監会の監督・管理の権限を超えることとなり、結果、49号規定は「信託法」や「信託財産」という概念の明記を避けなければならなくなった、と推測される。

日本においては、投資信託や投資法人についても、投信法に基づく信託や法人とされ、基本的な法律構成として、信託や法人との法的性格が明確であるのに対し、中国においては、上記のような規制状況から、証監会が監督する規制のなかで、銀保監会の監督に服している信託会社が利用する信託の法概念を正面から利用できないことが、国際的には大変わかりにくい「資産支

持専項計画」という概念を生み出しているように思われる。中国の裁判所が、「資産支持専項計画」やその上位法である証券投資基金法における類似の基金の概念について、どのように判断していくのか[21]、今後の法解釈の動向に留意する必要があるものと思われる。

(2) 真正譲渡性（中国の倒産隔離との関係を含む）

中国では、資産証券化に関し、真正譲渡性、いわゆる真正売買（true sale）は法律上および会計上の2つの基準を有している。

会計上の真正譲渡性については、基礎資産をオリジネーターの貸借対照表から剥離すること（オフ・バランス）によって表している。現行の会計関連法規では、資産証券化における資産移転の会計上の確認方法につき、「リスク・リターン分析法」が採用されており、すなわち、基礎資産の所有権に関するほとんどすべてのリスクおよびリターンが移転された場合、当該基礎資産をオフ・バランスにすることができるとされている[22]。この点につき、貸付資産証券化については、より具体的な基準が設けられている[23]。

これに対して、法律上の真正譲渡性については、基礎資産の所有権が移転されており、かつこのような所有権の移転はいかなる理由でも無効や取消しにされることがないと理解されているが、現行法規では、真正譲渡性の法律上の認定基準につき、明確な規定が用意されていない。そもそも貸付資産証券化か企業資産証券化かによって法的仕組みが異なるので、真正譲渡性を認定するには、下記のとおり、それぞれの問題点が存在している。

---

21 前掲注11。倒産隔離の効果を認める裁判例が徐々に現れているが、SPV（資産支持専項計画）の法的性格がいまだに明確にされていないのは事実である。
22 企業会計準則第23号－金融資産の移転（財会［2017］8号。財政部が2017年3月31日に公布、2018年1月1日より施行）7条。
23 金融機構貸付資産証券化試点監督管理弁法（中国銀行業監督管理委員会令2005年第3号。銀保監会が2005年11月7日に公布、同年12月1日より施行）60条。

a　貸付資産証券化における真正譲渡性

貸付資産証券化は信託スキームをベースにしている。

信託スキームにおける真正譲渡性については、「売買」ではないものの、信託の設定でリスク隔離（倒産隔離）が実現できれば、「真正売買」と同様な法的効果が期待でき、資産証券化に適しているものと理解されている。

この理解によれば、①中国法に基づき、銀行等の貸付債権は信託財産になることができる（法的支障がない）こと、②信託法は信託財産の独立性を確保している（信託法第三章）ため、オリジネーターである銀行は受託機構（信託会社）に信託の設定を依頼し、かつ資産支持証券の引受者（投資家）を受益者と指定することによって資産プールのリスク隔離が確保できること、③資産支持証券の発行ずみ時点が、信託関係が成立した時点でもあることを理由にして、信託スキームは、売買ではないものの、リスク隔離が実現でき、また資産プールのリスクと収益を投資家に譲渡することとなっており、資産証券化の目的と要求を満足できると、銀行や銀保監会等が唱えている[24]。

これに対して、信託財産の独立性が確保されているため、当然ながらリスク隔離（倒産隔離）が実現できるのか、信託スキームが完全に資産証券化の要求に適しているのかといった疑問の声もある。これらの声とは、主に信託資産移転の対価（この点につき、前記(1) a ②を参照）、債権譲渡の対抗要件問題（この点につき、後記(3)を参照）、信託の定義および信託の設定登記といった点に集中している。

(イ)　文言上の問題として、信託の定義に用いられる「委託」は不適切である

信託法2条によれば、信託とは、「委託者が受託者に対する信任に基づき、その財産権を受託者に委託し、受託者が委託者の意思に基づいて自己の名義を以って受益者の利益または特定の目的のために管理または処分を行う行為を指す」と定められている（信託法2条）。「委託」という用語が用いられて

---

[24] 邹灡「貸付資産証券化のパイロット事業に関する法律および政策の問題解析」《金融法苑》2005年第11期総第70号。

いるため、所有権（財産権）の移転（譲渡）という信託法理の本質を適切に反映できておらず、民法典上の「委託代理」の概念と混同しやすいのではないかという意見である。

ただ、中国法の信託概念は法理上の解釈として日本法の信託概念とそれほど違いがない。すなわち、信託財産につき委託者から受託者へ所有権（財産権）の移転（譲渡）が発生したと解されている。

㈹ 信託10条1項に定める信託の登記について、趣旨が不明である

信託法10条1項は、「信託を設定する場合、信託財産について、関連の法律および行政法規で登記手続を行わなければならないと規定されているものは、法により信託登記手続を行わなければならない」と定めている。

ここでいう「信託登記手続」は信託財産の譲渡にかかわる登記なのか、それとも信託の設定に関する登記なのかが不明である。これに加え、登記部門も登記手続の内容も明確にされておらず、立法趣旨は不明である。

信託財産の譲渡にかかわる登記の場合、委託者の倒産リスクからの隔離（委託者の他の債権者との優先関係維持）という役割が期待されている。中国では、財産（不動産、特定の動産）の譲渡に関する登記の手続は、信託法およびその関連法規ではなく、それぞれの特別法律や行政法規にて規定されている。たとえば、不動産の場合、その登記手続は民法典、土地管理法、都市不動産管理法、土地登記規則および建物登記規則等関連法律および行政法規に従い行われている。

一方、信託の設定に関する登記の場合、受託者の倒産リスクからの隔離（受託者の他の債権者との優先関係維持）という役割が期待されている。現在の実務ではこの役割を果たしているものは信託公告である。すなわち、発行する予定の資産支持証券に関する信託公告、発行公告、発行方法および発行説明書等の書類が中国債券情報ネット（www.chinabond.com.cn）と中国貨幣ネット（www.chinamoney.com.cn）にて開示されることとなっており、そのうち、信託公告においては信託設定のことが記載されているほか、信託財産

のリストも添付されている。

信託法10条1項で定める信託登記手続は、既存の手続との関係をどのように理解すればよいのか、その役割は何かといった点を立法上明確にする必要がある。

b　企業資産証券化における真正譲渡性

前述のとおり、企業資産証券化は資産支持専項計画をSPVにしており、かつ、資産支持専項計画は49号規定により新設された概念であって、その法的性格が明確ではない。この点は、真正譲渡性の判断にも影響をもたらしている。

まず、資産支持専項計画の法的性格のあいまいさによって、オリジネーターから資産支持専項計画への資産移転の法律関係はどのように理解すればよいかという問題が生じている。現在、さまざまな理解や解釈（実質的な信託関係、契約法に基づく委託関係または売買関係）が存在している。法律関係の理解が統一できなければ、それぞれの法律関係に基づく真正譲渡の認定基準も確定できなくなるものと思われる。

次に、「資産支持専項計画」の法的性格が不明なままであれば、その名義をもって基礎資産の移転に必要とされる所有者の変更登記を行うことができなくなる、という実行性の問題もある。

さらに、企業資産証券化の基礎資産には、高速道路料金徴収権、電気料金徴収権や汚水処理料金徴収権等の収益性資産が含まれている。これらの資産は、関係政府部門の許可を得て、特定のプロジェクトから収益を得る権利であるため、性質上真正売買ができず、質権設定のかたちで資産支持専項計画に移転するしかできない。これに加え、将来のキャッシュフローがオリジネーターの経営状況に密に関係しているため、オリジネーターが破綻すれば、直ちに証券化商品の支払に支障が生ずることになり、倒産隔離が実現できず、会計上オフ・バランスも実現できないといった問題点も存在しうるように思われる。

(3) 対抗要件制度
　a　概　要
　中国法上、権利（物権・債権）の設定や譲渡に関する法的要件は図表5－7のとおりである。

図表5－7　中国法上の権利（物権・債権）の設定や譲渡に関する法的要件

事項	発効要件	第三者対抗要件
不動産物権の設定、変更、譲渡および消滅	登記 （民法典[25]209条、214条、232条） ★登記は発効要件ではない場合（民法典229条～231条）： ・裁判文書または政府部門の決定に基づく場合 ・相続に基づく場合 ・合法的な建築・撤去等事実行為による場合 不動産にかかわるその他の諸権利： ①　土地請負経営権：土地請負経営権契約の発効（民法典333条） ②　5年以上の土地請負経営権の譲渡契約：譲渡契約の発効（民法典341条） ③　居住権：登記（民法典368条） ④　地役権：地役権設定契約の発効（民法典374条）	左記①：登記（民法典335条） 左記②：登記（民法典341条） 左記④：登記（民法典374条）
動産物権の設定および譲渡	引渡し（民法典224条） ★特殊な場合 　・設定、譲渡する前、権利者	

25　中華人民共和国民法典（「民法典」）（中華人民共和国主席令第45号。全人大2020年5月28日公布、2021年1月1日施行）。

	により占有されている場合⇒民事法律行為の発効時点より発効（民法典226条）・設定、譲渡する前、第三者により占有されている場合⇒引渡しのかわりに、第三者に対して有する返還権の譲渡にすることが可能（民法典227条）・物権を譲渡するとき、譲渡者が引き続き占有することを約定した場合⇒当該約定の発効時より発効（民法典228条）	
特別な動産（船舶、航空機および自動車等）の物権の設定、変更、譲渡および消滅	引渡し（民法典224条）	登記（民法典225条）ただし、譲受人が合理的な対価を支払ずみで、かつ取得・占有している場合、登記されていないとしても、譲渡人の債権者は「善意の第三者」に該当しない（民法典物権編解釈[26] 6条）。
抵当権の設定① 建築物等（民法典395条1項㈠号、㈡号、㈢号、㈤号で定める財産）② 動産	左記①につき、登記（民法典402条）左記②につき、抵当権設定契約の発効（民法典403条）	左記②につき、登記（民法典403条）★例外（民法典404条、416条）・（仮に登記されたとしても）正常な経営

---

[26] 最高人民法院の「中華人民共和国民法典物権編の適用に関する解釈㈠」（最高人民法院2020年12月29日公布、2021年1月1日施行）。

		活動において合理的な対価が支払ずみで、かつ財産を取得している買主に対抗できない[27]。 動産の抵当権で担保された主債権が抵当財産の代金であり、かつ、目的物の引渡し後10日以内に抵当権の設定登記が行われた場合、当該抵当権者は抵当財産の買主のその他の担保権者（留置権者を除く）より優先的に弁済を受けるものとする[28]。
抵当権の譲渡	債権とともに譲渡（民法典407条） ★抵当権の譲渡に関する登記の有無または抵当物の移転占有の有無は譲受人の権利に影響を及ぼさない（民法典547条2項）。	明確な規定なし。 (抵当権者の変更登記が行われた場合、第三者に対抗できると考えられる)
質権の設定 ①　動産 ②　手形等権利証憑	左記①⇒財産の引渡し（民法典429条） 左記②⇒権利証憑の引渡し、権利証憑がない場合、登記（民法	

27　最高人民法院民法典徹底指導グループ編集《中華人民共和国民法典物権編の理解と適用(下)》2020年版人民法院出版社、1077〜1081頁。

28　「『民法典』における関係する担保制度の適用に関する解釈」（法釈〔2020〕28号。最高人民法院、2020年12月31日公布、2021年1月1日施行。以下「担保解釈」という）57条は、民法典416条につき、所有権留保の売主やファイナンスリースの賃貸人等特定の権利者の代金優先権を定めている。

③　ファンド持分・出資持分 ④　知的財産権（財産権のみ） ⑤　売掛債権（現在保有する債権および将来の債権）	典441条） 左記③⇒登記（民法典443条） 左記④⇒登記（民法典444条） 左記⑤⇒登記（民法典445条）	
質権の譲渡（転質） ①　動産 ②　手形等権利証憑 ③　ファンド持分・出資持分 ④　知的財産権（財産権のみ） ⑤　売掛債権（現在保有する債権および将来の債権）	明確な規定がないものの、民法典434条の解釈によると、転質の発効要件は、承諾転質および責任転質を問わず、新たに質権を設定することとなるため、質権の設定に関する発効要件と同じであると理解される[29]。 ※同条は動産の転質に関する規定であるが、権利（左記②〜⑤）に関する質権譲渡にも適用すると解されている[30]。	
債権の譲渡	債権譲渡契約の成立（民法典502条、545条） 対債務者の発効要件： 　債務者への通知（民法典546条）	★直接な規定がないものの、同一の売掛債権に対する複数のファクタリング契約が存在している場合の優先順位に

---

[29] 民法典434条：質権者が質権期間中、転質に関する質権設定者の同意を得ずに転質し、質物の毀損、消滅をもたらした場合、賠償責任を負わなければならない。
　　転質の発効要件に関し、崔建遠《中華人民共和国民法典釈評・物権編》中国人民大学出版社2020年7月版を参照されたい。これによると、転質の構成要件に関し、責任転質も承諾転質も質権設定の発効要件を具備する必要があるということである。
　　また、中国法は承諾転質を認めているのかについては、旧物権法時代では意見が分かれていた。現在の通説は、民法典434条（旧物権法217条）に基づけば、法は責任転質も承諾転質も認めていると解されるべきであるということである。この点に関し、最高人民法院民法典徹底指導グループ編集《中華人民共和国民法典物権編の理解と適用（下）》人民法院出版社2020年版、第1146頁〜第1151頁；崔建遠《中華人民共和国民法典釈評・物権編》中国人民大学出版社2020年7月版を参照されたい。
[30] 民法典446条。全人大法律工作委員会民法室編集、黄薇主要編集《中華人民共和国民法典釈義および適用のガイドライン(上)》2020年版中国民主法制出版社。

| | | 関し、先に登記されたものが優先するとされている（民法典768条）。さらに、担保解釈により、同一の売掛債権につきファクタリング、売掛金質および債権譲渡が競合する場合、民法典768条を参照して優先順位を決めることが可能となった（担保解釈66条1項）。|

b 証券化に関連する対抗要件の問題
㈠ 債権譲渡の対抗要件について

上表でまとめたように、民法典546条によれば、債権者が債権を譲渡する場合、債務者に通知しないと、当該譲渡が債務者にとって効力が発生しないと規定されている。本条は旧契約法80条の文言を修正したもので、通知の法的効果をより明確に定めるようになった。すなわち、通知は、あくまでも対債務者の発効要件であり、通知がなくても、債権の譲渡者と譲受者との間で締結する債権譲渡契約の効力は影響されないと理解されている[31]。

通知の方式につき、中国法上特に明確な規定がない。書面による通知の場合、個別通知による通知も新聞公告による通知[32]も可能であるが、日本における内容証明郵便制度や確定日付制度のような確立した法制度や実務上の取扱いがあるわけではなく、通知の有効性につき、ケース・バイ・ケースで裁判所の判断に委ねられることとなる。

債権譲渡の通知に関連しては、資産証券化の場合には、次のような2つの

---

31 全人大法律工作委員会民法室編集、黄薇主要編集《中華人民共和国民法典釈義および適用のガイドライン㈥》契約編・通則分編、2020年版中国民主法制出版社。

実務上の問題が生じる。

① 債務者数が多い場合（たとえばRMBS）、個々の債務者への通知が必要となると、実行が困難かつ取引のコストがかさみ、証券化を行うインセンティブが薄くなってしまう。現在の証券化の実務においては、取引開始の時点では債務者に通知せず、一定の事由が発生した後に債務者に通知するというかたちで対応している案件も多々存在するようである[33]。

② 将来債権[34]の譲渡につき、民法典等関連法規のなかでその要件を明確に規定していない。そこで、現行法のもとで将来債権を譲渡する場合には、債務者への通知が必要なのか、また、仮に必要とした場合、債務者が特定できない場合、債務者への通知がどのように行われるのかは不明である。

債権譲渡に関する第三者対抗要件については、従来、契約法等関連法令上何も規定がなかった。民法典を制定する際に、債権の多重譲渡における第三者への対抗要件問題を解決するため、《国際貿易における売掛債権の譲渡に

---

32 最高人民法院［2003］民一終字第46号。ただし、当該事案は、金融資産管理会社による国有銀行の不良債権処理を背景とし、かつ、債務者は新聞公告の方法による通知を知らないため間違った相手に債務を履行してしまう可能性があるという事案ではなく、単に新聞公告による通知が法的に無効であることを理由に債務の履行を拒否するという事案であり、債権譲渡に関する通知に関し、新聞公告のように、個別通知でなくとも債務者が債権譲渡の事実を認識しうるような事案において、そのような方法も通知として有効であると判断される可能性をうかがわせるものではあるが、具体的な事案においてどの程度の周知性があれば通知としての有効性が認められるかは定かではない。

33 日本の証券化においては、債権プールの債務者数が多数となる場合には、債権譲渡登記により第三者対抗要件を具備していることを前提に、債務者対抗要件のための通知について、その手間とコストを考慮して、一定の事由が生じるまで留保するのが一般的であるが、後述のとおり、債権譲渡一般について登記・登録等の方法による公示制度を利用した第三者対抗要件の具備の方法があるとは言いがたく、通知が債権譲渡の制度の根幹をなしている現在の中国の法制のもとにおいては、債務者に対する通知を留保することは、第三者対抗要件の具備に懸念を生じさせることになりうるように思われる。

34 49号規定3条によれば、基礎資産がインフラ施設、商業物件等不動産またはそれにかかわる財産権や収益権であってもよいとされている。すなわち、将来債権も企業資産証券化の基礎資産になれると考えられる。現在、中国で発行されている多くの証券化案件の資産支持専項計画の基礎資産が現在または将来の債権を含む収益権であるが、どのような資産の収益権か次第で、収益権と呼ばれる財産の法的な性格は一様ではないようである。

関する公約》を参照したうえで、旧物権法199条の趣旨に沿いながら、現在民法典768条（同一の売掛債権にかかわる複数のファクタリング契約の優先順位）の規定を新規に設けた[35]。

民法典768条によると、売掛債権の債権者が同一の売掛債権につき複数のファクタリング契約を締結し、複数のファクタリング会社がそれに権利を主張した場合、①登記ずみの者は未登記の者より優先される。②登記ずみの者同士は登記の時間の先後で優先順位を決める。③未登記の者同士は譲渡通知が債務者に到達した時点の先後で優先順位を決める。④登記も通知もなされていない者は、ファクタリング融資金額またはサービス報酬の比率で売掛債権額を取得する、と定められている。

この条文は、債権譲渡の第三者対抗要件に関する一般条項ではなく、あくまでも同一の売掛債権につき複数のファクタリング契約が締結されている場合のファクタリング業者同士の優先順位を決めるときの根拠である。ただ、立法の経緯からすれば、本条の制定と公布は、従来の債権譲渡に関する制度の考え方を大きく一歩前進させたもので、売掛債権の譲渡に関する登記制度に法律レベルの根拠を提供した（この点につき、後述㈼以下を参照）と評価されている[36]。

これを受け、2021年1月1日に施行された担保解釈66条1項は、同一の売掛債権につきファクタリング、売掛金質および債権譲渡が競合する場合、当事者が民法典768条を参照し、優先順位を確定すると主張する時、人民法院はそれを支持するものとする、と明記するに至り、これによって、民法典768条の適用範囲がさらに拡大された。

ただ、民法典768条の位置づけとしては、民法典第3編契約第2分編典型契約の一種であるファクタリング契約に関する規定である。ファクタリング

---

[35] 最高人民法院民法典徹底指導グループ編《中華人民共和国民法典契約編の理解と適用㈢》2020年版人民法院出版社、1788〜1793頁。
[36] 前掲注35。

契約以外を原因とする債権譲渡が競合する場面においてもファクタリング契約に関する規定（すなわち、登記優先原則）が適用されるかどうか[37]、つまり、登記が債権譲渡一般の第三者対抗要件であるといえるか否かについては、依然として不明である[38]ため、証券化取引において基礎資産の譲渡の有効性・優先性が十分に確保できているかについて、いまだ懸念は払拭されていない印象を受ける。

㈹　売掛債権の質権設定・譲渡に関する登記制度

旧物権法[39]では、売掛債権の質権設定につき、質権設定登記が発効要件とされていた。これを受け、中国人民銀行は「売掛債権質権登記弁法」[40]（以

37　「売買契約紛争案件の審理における法律の適用問題に関する解釈（2020改正）」（最高人民法院が2020年12月29日に公布し、2021年1月1日より施行することとなった）32条によれば、債権譲渡等権利の譲渡につき、法律や行政法規に特別な規定がある場合、それに従うものとし、特に規定がない場合、人民法院は、民法典467条および646条に基づき、売買契約に関する規定を参照し、適用することができると明記されている。したがって、一般の債権譲渡契約については、民法典第3編契約第1分編通則の規定に従い最も類似する契約の規定を参照することができるほか、有償契約として売買契約に関する規定も適用する可能性があると思われる。かかるロジックを利用してファクタリング契約に関する特別規定が事実関係次第で債権譲渡の場面に適用される可能性を検討する文献として、西村あさひ法律事務所中国プラクティスグループ編『中国民法典と企業法務―日本企業への影響と変わる取引手法』（ぎょうせい、令和3年）197頁参照。

38　民法典768条および担保解釈66条に関する法解釈（前掲注37）からしても、売掛債権の譲渡に関する登記制度（後述㈹以下、後掲注44）からしても、一般の債権譲渡まで登記優先原則を適用する可能性はゼロではないものの、現状はむずかしいように思われる。ただ、資金調達を目的とする証券化における債権譲渡にいずれのルールが適用されるかは、まだ不明である。

　登記優先原則は売掛金質やファクタリングにかかわらない売掛債権の多重譲渡までに適用されるかどうかはまだ不明であると指摘する文献として、張楽＝黄紳＝涂雪萍「統一登記！現代動産担保登記制度改革」2021年12月30日付金杜研究院（https://www.kwm.com/cn/zh/insights/latest-thinking/unified-registration-reform-of-modern-chattel-security-registration-system.html）を参照されたい。

39　物権法は全人大により2007年3月16日制定、同日公布、2007年10月1日より実施開始。民法典の公布および実施に伴い、2020年1月1日より廃止されることとなった。

40　後述のとおり、「動産及び権利の担保に関する統一登記弁法」の施行により、2022年2月1日より廃止されることとなった。最初の質権登記弁法は、2007年9月30日に中国人民銀行により公布、同年10月1日より施行開始となったが、2017年に第1回目改正を経た。その後、中国人民銀行令（2019）第4号に基づき、質権登記弁法（2019）は公布されており、2020年1月1日から2022年1月31日まで施行された。

下「質権登記弁法」という）を制定した。

　これと同時に、中国人民銀行徴信センターの主導のもとで、オンライン登記システムも構築された。2007年10月１日より、「売掛債権質権登記公示システム」が正式に運用されるようになり、法的根拠がないものの、同システムにおいて売掛債権の譲渡に関する登記サービスも提供し始めた。

　2013年１月14日より、登記システムが更新され、従来の「売掛債権質権登記公示システム」とファイナンス・リース登記公示システムが合体した、新しい「中徴動産融資統一登記プラットホーム」が立ち上げられた。さらに、2015年９月18日に、名称変更を経て、現在の「動産融資統一登記公示システム」（https://www.zhongdengwang.org.cn）になった。

　売掛債権の譲渡に関する登記制度の構築に関しては、2012年より、中国人民銀行徴信センターが天津市政府の関係部門とともに登記の法的効果を推進してきた。2014年末までに、登記システムにおいて登記された売掛債権の譲渡登記の件数が59万9,000件に達した。2014年10月27日、天津市高級人民法院が審判紀要のかたち[41]で、所定の主体が売掛債権を譲り受けた際に登記システムにて検索する義務および売掛債権の質権設定・譲渡を行う際に、登記システムにて登記を行う義務を明確に規定し、譲渡登記をもって善意の第三者に対抗できることを明記した。つまり、地方レベルであるものの、譲渡登記の法的効果を限定的に認めた。

　2019年、中国人民銀行は再度質権登記弁法を改正し、改正された質権登記弁法は2020年１月１日より実施することとなった。同弁法34条は「権利者が登記公示システムにおいて融資を目的とする売掛債権の譲渡登記を行う場合、本弁法の規定を参照する」と規定し、初めて融資を目的とする売掛債権の譲渡登記に対して制度上の法的根拠を提供した。

41　天津市高級人民法院「ファクタリング契約紛争案件の審理の若干問題に関する審判委員会紀要㈠」（津高法［2014］151号）９条：天津市金融工作局、中国人民銀行天津支店および天津市商務委員会が公布した「売掛債権の質権設定および譲渡に関する登記と検索に関する通知」（津金融局［2014］８号）。

ただ、中国人民銀行は国家の１つの行政機関にすぎず、その制定した質権登記弁法は法令としてのレベルが低く、そのなかで、債権譲渡の対抗要件を規定することが立法プロセスとして適切ではないとの指摘がある[42]。

旧物権法時代には、売掛債権の譲渡と売掛債権に対する質権設定では関係者の利益状況が似ており、かついずれも登記による公示の必要があると思われるにもかかわらず、民法典が制定・公布される前、中国法は、売掛債権に対する質権設定を物権法に、売掛債権の譲渡を契約法においてそれぞれ規定し、かつ異なる発効要件が設けられていた。また、他の動産および権利の担保権益にかかわる登記機関、根拠法令および登記の法的効果も目的物の種類によってバラバラであった。

民法典および担保解釈の公布・施行に伴い、担保物権および担保に類似する特殊な取引（所有権留保、ファイナンスリース、ファクタリング）に関する登記制度が整備されており、これらに関する登記の法的効果（発効要件、対抗要件および優先順位規則）もより明確になっている。

これを受け、2020年12月22日に、国務院が2021年１月１日より全国範囲において動産および権利の担保につき統一的な登記を行うよう決定した[43]。これに応じて、中国人民銀行は、2021年12月28日に「動産及び権利の担保に関する統一登記弁法」（以下「統一登記弁法」という）を公布し、2022年２月１日より施行すると同時に、質権登記弁法を廃止することにした。

質権登記弁法と比べて、統一登記弁法は、中国人民銀行が運営している動産融資統一登記公示システム（https://www.zhongdengwang.org.cn）において、①動産（生産設備、原材料、半製品と製品）にかかわる抵当権、②預金証書、倉庫保管証書（Warehouse receipt）、B/Lにかかわる質権、③ファクタリング、④ファイナンスリース、⑤所有権留保の５つの種類の登記を新規に追

---

[42] 高聖平「売掛債権質権登記の法理」《当代法学》2015年６期。
[43] 「動産及び権利担保の統一登記を実施することに関する決定」（国発〔2020〕18号、国務院が2020年12月22日に公布、2021年１月１日より施行）。

加しており、登記手続の補足・改善を図った。ただ、売掛債権に対する質権設定登記および売掛債権の譲渡登記については特段の制度変更はなされていないようである[44]。

かかる一連の登記制度の整備の結果、ファクタリングや売掛金質など担保業務に属している売掛債権の譲渡登記は、民法典768条および担保解釈66条によって、初めて法律レベルでの法的根拠が提供されるようになり、債権譲渡一般に関する登記の普及に役に立つのではないかと期待されている。ただ、前記(イ)記載のとおり、現時点で、ファクタリング契約や質権設定契約以外の売掛債権の多重譲渡の場面においてかかる登記の有無・先後によって優先順位を決めることができるか否かが不明であり、また、登記は債権譲渡一般の第三者対抗要件としての位置づけに至っていないため、第三者への公示機能が十分に果たせず、売掛債権の多重譲渡が生じた際に、優先関係が不明確となり、権利の衝突が生じる可能性がなお残っているといわざるをえない[45]。

(ハ) 抵当権の譲渡に関する発効要件

前記(3) a の表にまとめたとおり、民法典407条後半によると、「債権を譲渡

---

[44] 統一登記弁法2条（統一登記の適用範囲）は、質権登記弁法（2019）34条に相当する規定（融資を目的とする売掛債権の譲渡登記が売掛債権の質権登記に関する規定を参照して適用する旨）を削除することとなった。削除の原因および趣旨については、「ファクタリング」の登記が「融資を目的とする売掛債権の譲渡登記」と入れ替わったとの理解も、ファクタリング以外の融資を目的とする債権譲渡登記については統一登記弁法2条(七)号に定める「その他登記できる動産及び権利担保」の登記に該当するとの理解も存在しているが、担保業務に属していない普通の債権譲渡登記は統一登記弁法の適用範囲に入っていないという点は現在の共通認識となっている。これにつき、職慧＝姚卓蕊＝文俏驕『「動産及び権利の担保に関する統一登記弁法」の解読』2022年1月21日付中倫視界（https://mp.weixin.qq.com/s/ZX6uyEAw6B8b1e7Rmxt2bQ）を参照されたい。

ただ、担保業務に属しているかどうか、すなわち、統一登記弁法に基づき実際に登記できる債権譲渡の種類は登記機関の理解と運用によるところが大きいと思われる。証券化に関しては、2022年2月9日現在の「動産融資統一登記公示システム」（https://www.zhongdengwang.org.cn）における「登録手引」によると、貸付資産支持証券業務または資産支持専項計画業務として売掛債権の譲渡登記ができることは確認できており、少なくとも保守的な対応として、証券化案件についても登記する方向で実務運用がなされることが見込まれる。

[45] 前掲注38。

するとき、当該債権を担保する抵当権も譲渡するものとする。法律に別途規定がある場合または当事者間で別途の約定がある場合を除く」と規定されている。この規定は、旧物権法192条からきたものである。

　この条文に基づけば、主債権が譲渡される時点においてそれを担保する抵当権も自動的に譲渡される、すなわち、抵当権譲渡の発効は、登記を要件としないものと解釈できる。

　しかしながら、民法典が公布・実施される前、前記の解釈は必ずしも統一されていなかった。すなわち、旧物権法のもとでは、抵当権の譲渡に関する発効は登記を要件とする必要がないのかについては、意見が分かれていた。

　必要であると主張する意見は、次のような根拠があげられた。

① 旧物権法にある次の規定が上記の法律にある「別途規定」に該当する。
  - 旧物権法9条1項：不動産物権の設定、変更、譲渡および消滅は法に従い登記をすることにより、効力を生じるものとし、登記を経ていない場合には、効力を生じない。
  - 旧物権法14条：不動産物権の設定、変更、譲渡および消滅について法律の規定により登記をしなければならないものは、不動産登記簿に記録された日より効力を生じる。
  - 不動産物権（不動産に設定された抵当権も含まれる）の譲渡に関する発効は登記を要件とするかどうかは、法律行為によって生じる抵当権の譲渡かどうかによる。旧物権法28条〜30条（民法典229条〜231条に相当）は登記を発効要件としない法律事実を定めていることに照らすと、契約等法律行為で不動産物権（抵当権）が譲渡されることになった場合には、登記を発効要件とする、と解釈すべきである[46]。

② 旧物権法15条（民法典215条）によると、当事者間において締結された不動産物権の設定、変更、譲渡および消滅に関する契約は、法律に別段の規

46　康霊＝譚芳麗「不動産抵当権譲渡の銀行法律実務の問題の研究」2013年12月13日付《信託週刊》127期「資産研究」。

定がある場合または契約に別段の約定がある場合を除き、契約の成立のときから効力が生じる。物権登記を行っていない場合も、契約の効力に影響を及ぼさないと規定されている。債権譲渡契約は前記にいう「不動産物権の設定、変更、譲渡および消滅に関する契約」に該当しないため、当該規定を登記不要の根拠にすることは妥当ではない。

③　裁判実例において、債権譲渡による不動産抵当権の取得は登記を効力要件とする旨の判決があった[47]。

他方、旧物権法のもとで、証券化を積極的に推進する専門家・実務家は登記が不要であると主張した。その理由は次のとおりである[48]。

①　旧契約法81条（従たる権利の移転）、旧担保法50条（抵当権の分離譲渡禁止）と旧物権法192条（抵当権の分離譲渡禁止）の規定に基づき、法律または当事者間の契約において別段の規定がなければ、抵当権は主債権の譲渡に付随して譲渡されると定められているため、抵当権の譲渡は主債権が譲渡された時点において自動的に譲渡されるものと解釈されるべきである。

②　抵当権の譲渡に関する変更登記は抵当権の譲渡の発効要件ではないが、かかる変更登記を完了させないと、第三者に対抗できず、法的リスクがあるため、変更登記手続を行う必要がある。

③　上記の２点に基づき、証券化取引においては、主債権の譲渡時点において抵当権も同時に譲渡されるという理解で、抵当権譲渡に関する変更登記手続の完了は必須ではなく、抵当権を実行する必要が生じた時点において初めて抵当権譲渡の変更登記手続を行えばよい、というように処理できる。実際のケースにおいて、このような解釈と処理方法は主管部門の賛同を得たとのことである[49]。

---

[47]　「不動産抵当権の譲り受けに登記が必要－潔豪会社による呉小健氏の担保物件の実行申立案に関する浙江金華婺城区法院の裁定」（2014）金婺商特字第２号（〈人民法院報〉６面、2014年９月25日）、中国法院ネット（http://www.chinacourt.org/article/detail/2014/09/id/1450960.shtml）。

[48]　中国資産証券化フォーラム2015においてスピーカーの発言に基づいてまとめたもの。

当時、この意見は、あくまでも証券化の関係者の間で推奨・認められている解釈であって、一般的な法解釈として確立されているものなのか、特に裁判においても認められるものなのかは依然として不明であった。

　しかしながら民法典の公布と施行によって、上記の問題はよりクリアになった。旧契約法81条（従たる権利の移転）の定めに追加するかたちで、民法典547条は2項を新規追加したからである。民法典547条2項は、譲受人が従たる権利（抵当権）を取得することは、当該従たる権利（抵当権）の譲渡登記手続が履行されていないこと、または移転占有をしていないことによって影響されないと明記した。

　現在、民法典547条2項の解釈に関し、抵当権の譲渡に関する登記がされなくても、譲受人による抵当権の取得が影響されないと解釈されるのが通説になった[50]。これによって、証券化において、抵当権の譲渡は未登記のため無効とされることがなくなり、基礎資産の譲渡にかかるリスクが低くなると考えられる。

(二)　その他──民法典545条について

　民法典545条2項は、「非金銭債権を譲渡してはならないと当事者間で約定した場合、善意の第三者に対抗できない。金銭債権を譲渡してはならないと当事者間で約定した場合、第三者に対抗できない」と定めている。これは、旧契約法79条にない内容であり、新規追加されたものである。

　資産証券化において、金銭債権が大半を占めている。民法典が公布される前、債務者と原債権者との間で債権譲渡を制限する旨の約定が存在した場合、原債権者と譲受人との間の債権譲渡の効力は不利な影響を受ける可能性

49　報道によると、招商銀行が発行した「招元2015第一期個人住宅ローン貸付支持証券」では、資産プールに入れられた抵当権付きの物件はとりあえず抵当権変更手続をせず、権利を確保するために手続の完了を義務づける旨の契約条項を入れるという方法で処理されている、ということである（https://www.financialnews.com.cn/sc/hbsc/201503/t20150320_72885.html）。

50　前掲注31。

があった。実際に、この場合、債権譲渡が無効であると認定された裁判例が多かった。当時、旧物権法106条2項に善意取得の規定があったとしても、証券化取引において譲受人は債権を譲り受ける前、デュー・ディリジェンスを行うのが一般的であるため、善意が認められるのが困難であった。

民法典545条2項は、金銭債権の譲渡に関する制限を緩和し、金銭債権の流動性、取引の安定性を促進しており、証券化に有利であると思われる。

3 海外からの中国証券化商品投資の可能性

中国の証券化商品のうち、貸付資産証券化商品は、主として銀行間債券市場で取引されているのに対して、企業資産証券化商品は、上海および深圳の証券取引所で取引されている。海外投資家が、このような中国の証券化商品に投資する場合には、現在、①QFII（適格外国機関投資者）制度またはRQFII（人民元適格外国機関投資者）制度を利用するルート、②銀行間債券市場に、現地決済代理人を通じて直接参入する制度を利用するルート、③債券通（Bond Connect）を利用して、香港市場の決済制度を通じて中国資本市場で取引される債券に投資するルートが考えられる。

QFII制度やRQFII制度には、従前、投資家ごとに投資額の制限や投資回収資金の海外への持出規制があり、RQFII制度では、投資家の所属国ごとに投資枠が設定されるなどの制約があった[51]。2018年には投資回収資金の海外への持出規制が緩和され、日中間の金融協力の一環として、日本にもRQFII制度の投資枠が設定されるとともに、日本での人民元決済のためのクリアリング銀行が設置され、2020年には投資家ごとの投資額の制限が撤廃されて、投資通貨の選択の自由度が増し、投資回収資金の海外への持出手続がさらに緩和されるなど、規制緩和が進展している[52]。

---

51 2016年当時の制度の状況については、前掲注1の408頁以下参照。
52 2020年6月8日金杜研究院公表論考「境外機構投資者（QFII/RQFII）政策的最新開放」など。

2016年に認められた、銀行間債券市場に直接参入する制度により、金融機関やファンドマネジャーなどの大口投資家が、中国における決済代理人[53]を通じて、銀行間債券市場で取引される証券化商品に投資することができるようになった。当初は、この直接参加方式では、投資予定金額を届出（備案）することになっており、届出後9カ月以内の投資額が投資予定金額の50％に満たないと、投資規模を調整させられる旨の制限があったが、2018年にはその規制が撤廃され、投資の柔軟性が高まった。

　債券通は、すでに株式について導入されていた上海・深圳取引所と香港取引所との間のStock Connect（沪港通、深港通）の債券版として、2017年に香港市場を通じて中国資本市場に投資するルート（北向通）が先行して導入された。2018年12月5日までに、債券通を通じて発行された資産証券化商品は127件あり、そのうち、貸付資産支持証券が119件、非金融機構がオリジネーターとなって発行した資産支持票拠が8件とのことである[54]。

　このように、中国の証券化市場への海外投資家によるアクセスルートは拡大され、各ルートが徐々に規制緩和されてきており、それぞれの投資家のステータスやニーズに応じた投資戦略を検討する段階にきていると考えられる。

53　2020年6月20日日本経済新聞朝刊記事「中国債券の決済代理資格　三菱UFJ銀　邦銀で初取得」によれば、「三菱UFJ銀に口座があれば日本語でのやりとりをもとに、中国の投資家と相対で国債や地方政府債、金融債などを取引できるようになる」とのことであり、銀行間債券市場で取引される貸付資産証券化商品についても対象に含まれうるものと推測される。
54　2019年1月2日金杜研究院公表論考「跨境资产证券化的市场探析与未来展望」による。

第 2 節

香港における証券化

1　香港における証券化市場および法制度の概要

　香港は、証券化取引を実行するための適切な法制度を有しているにもかかわらず、伝統的に、その証券化取引活動の規模は小さいといわれている。これは一般に、従来型の資金調達方法（銀行ローンや証券発行など）が、低金利で実行しやすいことに起因しているといわれている。このように、香港において証券化取引はさほど大きな規模では行われてはいないものの、住宅ローン抵当権や、橋梁等通行料の将来債権、その他商取引から発生するあらゆる種類の債権が証券化取引の対象となっている。

　香港においては、証券化取引のみに特化した法律や規制当局というものは存在しない。

　香港は、1997年のイギリスからの返還に伴い中国の特別行政区となったが、香港の控訴裁判所は、当該時点で香港にて適用のあったイギリスのコモン・ローおよび衡平法（Equitable Rule）は、香港の憲法に相当する「香港基本法」に服しつつも、引き続き香港において適用される旨を判示した。したがって、一般的な原則として、イギリスを始めとするコモン・ロー諸国における証券化取引に関する理論および実務は、香港においても実現あるいは応用することが可能である。

2　特別目的会社（SPV）の設立

　証券化取引の受け皿となるべき特別目的会社（SPV）は、香港の会社条例

に基づく有限責任会社（Limited Liability Company、LLC）の形態をとることも可能ではあるが、より一般的にSPVとして用いられるのは、ケイマン諸島などタックスヘイブンといわれる法域の法人である。この場合、すなわちSPVが外国法人である場合、香港での活動拠点を設置してから1カ月以内に、外国会社の登録を、登記局に対してしなければならない。なお、香港における事業活動から生じた利益にかかる税率は、香港の法人であっても外国の法人であっても同率である。

対して、香港の会社条例に基づく有限責任会社（LLC）の場合は、1人以上の自然人が基本定款に署名し、関連する会社登録要件を満たすことにより、適法に設立される（会社条例第4節）。会社条例に基づいて設立されたLLCは、独立した法人として扱われ、自然人と同様の権利能力、権限およびその他の特権を取得する（会社条例第5A節）。

なお、香港の有限責任会社（LLC）は、株式会社の場合の株主に相当する構成員に法律上の所有権がある。証券化に利用される特別目的会社の場合には、倒産隔離等の目的から、究極の親法人は慈善信託（charitable trust）となっている場合が多い。なお、香港においては、SPVに特化して適用される特殊な法令はなく、会社条例その他一般法の適用を受ける。

3 債権の証券化

債権の証券化のための債権譲渡の方式については、香港法において以下の2種類がある。事案の性質に即して、適宜選択される。

(1) コモン・ロー上の譲渡

以下の4つの要件を満たす場合、債権譲渡は、コモン・ロー上、完全に適法となる（改革（統合）条例第9節）。コモン・ロー上の債権譲渡が完了してはじめて、債権の譲受人は、債務者その他の第三者に対して、当該債権の所有権を主張することが可能となる。

① 譲渡制限等が付着していない債権であること（**非制限性**）。
② 譲渡人が署名した書面による適法な譲渡であること（**書面性**）。
③ 譲渡担保取引とみなされないこと（**真正譲渡性**）。
④ 債務者に対し書面での譲渡通知が行われたこと（**対抗要件の具備**）。

(2) 衡平法上の譲渡

　上記(1)のコモン・ロー上の（完全な）債権譲渡の方式に対して、証券化取引の場合は、商業上あるいは実務上の理由から債務者への譲渡通知（上記(1)④の要件）を避けたいという要請が、特にオリジネーターサイドにある場合が多い。この場合には、債権の譲渡は、債務者への譲渡通知を要しない譲渡方式、すなわち衡平法上の譲渡によらざるをえないこととなる。しかし、債権の譲渡通知を行わない衡平法上の債権譲渡は、以下のような特徴（脆弱性）を有する点に留意が必要である。
① 債務者のオリジネーター（原債権者）に対する弁済は有効となる。
② 債務者およびオリジネーター（原債権者）は、債権の発生原因である原契約を随時、合意によって修正することが可能である。
③ 債務者は、オリジネーター（原債権者）に対して主張が可能なすべての抗弁（相殺や同時履行の抗弁など）を、債権の譲受人（SPV）に対しても主張することが可能である。
④ 衡平法上の債権譲渡が行われた後に、オリジネーター（原債権者）から同一の債権を譲受けまたは当該債権について担保権の設定を受けた善意の第三者は、第一譲受人（SPV）よりも先に譲渡または担保権設定の通知を債務者に対して行った場合には、当該譲渡または担保権の設定を第一譲受人（SPV）に対して対抗することが可能である（すなわち、対抗要件具備の先後によって、優先順位が決まる）。
　なお、土地に付着する権利（不動産ローンなど）については、衡平法上の譲渡であっても、書面でなされ、かつ管轄の土地登記所に登録すれば、コモ

ン・ロー上の譲渡と同様の対抗要件を具備することが可能である。

　また、特定性が十分な将来債権は、有償による債権譲渡の対象となりうるが、それはあくまでも衡平法上の譲渡として扱われ、債権が発生するまでの間は、上記(1)のコモン・ロー上の譲渡（対抗要件の具備）をすることはできない。かかる将来債権の譲渡の合意がなされている場合には、債権が発生すると同時に自動的に、債権譲渡の法律効果が発生する（ただし、上述のとおり、対抗要件の具備には、債務者への譲渡通知が必要となる）。

　なお、上記の譲渡方式のほかに、指名債権の譲渡は、原契約の更改、信託宣言またはパーティシペーション等の方法で実行される場合もある。

4　債権譲渡に関する制限

　債権を発生させる原契約において、債権の譲渡について特に規定をしていない場合、特定の例外状況（公序良俗に違反する場合など）を除いて、債権者は、債務者の承諾なくして債権を売却することができるのが原則である（債権譲渡自由の原則）。

　ただし、以下のような場合には、債権譲渡が制約され、あるいは債権の成立そのものが否定される可能性がある。

(1)　契約上の制約

　債権の譲渡を制限または禁止する原契約上の規定（譲渡禁止特約）は、一般的に有効である。かかる特約規定がある場合、債権譲渡を適法に実行するためには、債務者の承諾を要し、債務者の承諾がない場合には当該債権譲渡を債務者に対抗できない。

　また、債権の譲受人が原契約の譲渡禁止特約について悪意である場合、当該譲受人は、原契約の違反行為を誘発したとして不法行為責任を負うこともありうるが、上述のとおり、譲渡禁止特約に違反した債権譲渡は、債務者に対抗することができないため、債務者に実損害が生じる事態というのは通常

は想定されないと考えられる。

(2) 立法上の制約

債権譲渡の場面に限定されるものではないが、証券化取引も、個人情報の保護に関する強行法規の適用を受ける。香港の個人情報保護条例によると、個人を特定することができる個人情報（氏名や住所など）を管理する者は、当該個人情報をみだりに開示することが禁止される。証券化取引によって指名債権の譲渡を受けた特別目的会社は、個人情報取扱者とみなされるため、かかる個人情報の保護義務を負うこととなる。なお、個人情報保護条例は、法人に関する情報には適用されない。

さらに、主として消費者保護等の公益の観点から、香港においては以下を含む強行法規がある。証券化の対象債権が、これらの強行法規に違反する場合は、当該債権の存在が否定されるおそれがある。

① 貸金業条例（Money Lenders Ordinance）第25－3節によって、年率48％を超える実効金利のローン契約は無効である。
② 貸金業条例（Money Lenders Ordinance）第24節によって、年率60％を超えるローン契約や担保権の設定行為は無効である。なお、当該規定の違反は、500万香港ドルの罰金および／または10年の懲役の最高刑を伴う犯罪行為となる。

5 真正譲渡の問題

香港の判例では、真正譲渡が認められるための一般的な要件は、以下の3つの要件とされている。

a 取戻権の欠如

真正譲渡の場合には、売買が行われた後、事後的に売主が当該目的物を取り戻すことができない。これに対して、譲渡担保の場合には、譲渡担保権者（買主）が譲渡担保権設定者（売主）に対して支払った対価を、譲渡担保権設

定者（売主）が、譲渡担保権者（買主）に対して返還することによって、いつでも目的物を取り戻すことができる。

　b　譲渡益の返戻

真正譲渡の場合には、買主が事後に目的物を売却し利益（譲渡益）が発生した場合、買主はかかる譲渡益を当然に収受する権利を有する。これに対して、譲渡担保の場合には、譲渡担保権者（買主）は、目的物の処分によって剰余金が出た場合には、それを譲渡担保権設定者（売主）に還元しなければならない。

　c　譲渡損の求償

真正譲渡の場合には、買主が事後に目的物を売却したが購入価格を下回った（譲渡損が出た）としても、買主は売主に対して当該譲渡損を求償することはできない。これに対して、譲渡担保の場合には、譲渡担保権者（買主）が目的物の処分によって債権回収額に不足が生じた場合には、譲渡担保権者（買主）は、当該不足分を、譲渡担保権設定者（売主）に対して求償することが可能である。

ただし、判例によって、証券化取引の場合、以下のような事情は、真正譲渡性を阻害しないとされている。

① 目的物の譲渡契約においてしばしば、目的物に瑕疵があった場合に、表明保証条項の違反として売主（オリジネーター）に目的物の買戻義務を負わせる場合があるが、かかる買戻しの合意は、上記 a の要件（取戻権の欠如）とは矛盾しない。なぜなら、かかる買戻しの合意は売主（オリジネーター）の「権利」ではなく「義務」であるから、オリジネーターの取戻権を生じさせる性質のものではない。また、オリジネーターの買戻義務は、目的物そのものに付着した瑕疵に起因するものであって、証券化取引による目的物の運用実績（証券化による収益の多寡）とは無関係の合意であると考えられるからである。

② 証券化取引においてはしばしば、証券化取引から生じる利益の一部をオ

リジネーターに対して還元する旨の合意がなされる場合があるが、これは、オリジネーターに対して買主（SPV）が譲渡益を返戻する義務を負わないという上記bの要件（譲渡益の返戻）とは、原則的には矛盾しない。なぜなら、かかるオリジネーターの利益償還権は、目的物の譲渡益の収受ではなく、譲渡代金の一部として構成することが一般的だからである。
③　上記②と対照的に、証券化取引においては、買主（SPV）に目的物の処分によって譲渡損が発生した場合に、当該不足分をオリジネーターが補う合意をする場合があるが、証券化に伴う信用補完義務として商慣習上一般的に認められる程度の合意である限りは、上記cの要件（譲渡損の求償）には違反しないとされている。
④　買主（SPV）に発生しうる金利リスク等を回避するために、オリジネーターが買主との間でデリバティブ（スワップ）取引を行うことも、真正譲渡性を阻害しないとされている。デリバティブ取引は、目的物の運用による損益とは別個独立の取引と解されるからである。
⑤　また、証券化した後の債権について、オリジネーターが債権回収業務を買主（SPV）にかわって代行するのが一般的な実務であるが、これも真正譲渡性を阻害する要因とはされない。この場合のオリジネーターは、あくまで債権の回収業務を代行するものであって、目的物の運用からの損益をオリジネーターが享受または負担するものではないからである。

6　倒産隔離の問題

　まず、香港においては、実質統合の原則（substantive consolidation）、すなわち、特別目的会社の資産がオリジネーターの資産と混同され、あるいはオリジネーターの債務を履行するために使用されるという法制は存在しない。ただし、非常に限定的な状況（会社設立行為における発起人の明らかな不正などの場合）においては、特別目的会社の法人格が否認されるケースがありうる。

次に、オリジネーターが倒産した場合においても、目的物（不動産や債権）の譲渡が、前述の真正譲渡性を満たす限り、原則として、オリジネーターの倒産は、買主（SPV）の権利に影響を及ぼすことはない。これは、香港においても、諸外国と同様に、以下のような、種々の倒産隔離の方法が認められていることによる。

① SPVが証券化取引外で責任を負うことがないよう、定款等の目的を制限すること。
② 証券化で生じるキャッシュフローおよび劣後債権の内容を明確に定義すること。
③ 関係する当事者間の契約において、責任財産の限定（limited recourse）特約や、倒産申立禁止（non-petition）の誓約を規定すること。
④ SPVを税制中立国（タックスヘイブン）で設立すること。

　もっとも、オリジネーターが倒産した場合に関して、以下のような強行法制（倒産法制）がある点に留意が必要である。

a　偏頗弁済行為の禁止

　法人であるオリジネーターに関しては、その解散手続開始の直近6カ月以内（ただし、所定の関連当事者に対する偏頗弁済の場合には2年以内）に、オリジネーターが、以下の偏頗弁済行為を行った場合は、当該行為が事後的に否認される可能性がある。ただし、当該行為が、真正かつ正当な商取引目的による善意の独立当事者間取引である場合にはこの限りではない（会社条例第266B節）。

① 不動産の譲渡。
② 譲渡担保権の設定。
③ 動産の引渡し。
④ 金銭債権の支払。
⑤ 契約の履行。
⑥ その他の資産処分行為。

b 詐害行為取消権

　一般に、債権者を欺く意図で行われた資産の処分行為は、当該処分によって損害が生じた者の要求によって事後的に取り消すことが可能である（不動産譲渡および財産条例第60－1節）。また、同じく、債権者を欺く意図で会社の資産を処分した当該会社の業務執行者（取締役等）は、当該会社の責任に対して別途個人責任を負う（会社条例第275節）。

　詐害行為の取消しが認められた場合、その是正措置としては、裁判所が常に広い裁量権を有している。通常は詐害行為を行った当事者に対する損害賠償命令が一般的であるが、裁判所の判断によっては、当該処分取引自体を取り消し、詐害行為が行われる以前の状態に復元するということも可能である。

　なお、前述の将来債権の譲渡については、当該債権の発生時に初めて移転の効力が生じるが、前述のとおり、これは対抗要件を具備しない衡平法上の譲渡にすぎないため、債権発生時点においてオリジネーターがすでに倒産しているようなケースにおいては、債務者への譲渡通知等が実行されず、結果として、対抗要件が具備できない場合がある点にも留意が必要である。

7 準拠法の選択

　契約における当事者の準拠法の選択が以下の要件を満たす場合には、当該準拠法の選択は香港において適法かつ執行可能である。

① 当事者の真正な意思に基づくものあること（真正性）。
② 香港の適用法令に違反しないこと（適法性）。
③ 香港において一般に妥当と認められる公序良俗に反しないこと。

　ただし、契約の準拠法として外国の法令が選択された場合においても、香港の強行法規は適用を排除されることはない。たとえば、当該契約が香港に所在する不動産の権利に関するものである場合には、不動産取引に関する香港の法律が適用される。

8 担保権の設定・移転および対抗要件の具備

　証券化の対象となる原債権に担保権が付帯している場合には、原契約上に担保権の譲渡について特段の制約がない限り、債権の移転に伴って担保権も買主すなわちSPVまたは担保権を保有するための代理人（security agent）に対して当然に移転する（随伴性）。

(1) 担保権の競合

　複数の担保権が同一の資産に対して競合した場合における優先順位に関しては、一般に、固定担保が流動性担保に優先する。固定担保とは、すでに権利の存在および所在が確定している資産に対する担保であって、担保設定と同時に担保権者に確定的な権利が生じるものをいう。これに対して、流動性担保とは、まだ権利の存在または所在が確定しない資産に対する担保であって、たとえば、債権発生以前の将来債権に対する担保権が代表的である。流動性担保は、対象となる資産が発生、または確定された時点で、固定担保に変わる。

(2) 登録担保

　担保権が、①香港の会社の資産に設定された登録可能な担保、または、②香港に活動拠点（place of business）を置く外国会社が取得した香港内の資産に対する登録可能な担保である場合には、担保権設定者は、担保設定時から5週間以内に当該担保権を当局に登録する必要がある（会社条例第80節）。かかる担保権登録をしなかった場合には、当該担保権は優先弁済権を喪失し、オリジネーターの清算人その他の第三者に対して対抗することができなくなる。

(3) 不動産担保

　不動産に対する譲渡担保権および不動産ローンに紐付いた抵当権は、土地登記所において登録を要する（土地登記条例第2節）。かかる登録が行われない場合、当該不動産を善意かつ有償で譲り受けた買主または譲渡担保権者に対して対抗することができない（ただし、債務者本人に対しては常に対抗が可能である）。

(4) 有価証券担保

　株式等の有価証券に関しては、流質権（債務者の債務不履行時に有価証券を売却できる権利をいう）を伴う質権の設定が一般的である。質権は、対象となる有価証券の占有を担保権者に引き渡すことによって発生する。ただし、質権は、債務者以外の第三者に対しては対抗できない衡平法上の担保としてのみ取り扱われる。したがって、実務上は、質権にかえて、第三者に対抗が可能なコモン・ロー上の譲渡担保権が設定される場合が多い。株式以外の流通証券（無記名式の有価証券、約束手形など）についても同様である。

　これに対して、保管振替機関（clearing system）に寄託されているペーパーレスの有価証券に対する担保については、保管振替機関の約款等の取決めに従って、直接または間接の寄託者（custodian）を通じて、所定の対抗要件を具備することが可能である。

9 担保権信託

　証券化のために特別目的会社の資産に設定された担保権については、コモン・ロー上、担保権の信託行為が認められている。証券化取引においては、投資家その他の債権者（担保権者）にかわって、信託受託者の名義で担保権が保有される場合が多い。

　コモン・ロー上の信託譲渡が成立するための要件は、以下のとおりである。

a　信託意思の存在

　当該担保権に信託を設定することにつき、当事者（担保権者および受託者）による明確な意思表示が存在すること（Tito対Waddell事件（No.2）（1977年））。

　b　設定目的の明確性

　当該信託を設定する目的が、受益者（担保権者）の利益のためになされるものであることが、客観的に明確となっていること（Re Vandervell's Trusts事件（No.2）（1974年））。

　c　目的物の特定性

　信託の目的である資産（担保権）が、合理的な解釈によって、十分に特定が可能であること（Knight対Knight事件（1840年））。

　なお、外国の法令に基づく信託（外国信託）について、香港の裁判所は、外国信託の有効性や外国信託に基づく関係者の権利範囲については、適切な立法によって解決されるべき問題としている。ただし、現時点の判例では、信託の受託者が香港法に基づく法人である場合に限って、外国信託の香港における執行可能性が容認されている（Chellaram対Chellaram事件（1985年））。

10　税務上の問題

　香港においては一般的に、債権の売却については課税がされない。売却された債権に関して、債務者からオリジネーターまたは買主への利息その他の金銭の支払について、源泉徴収税は賦課されない。

　以下、証券化取引に関連する可能性がある税制について概説する。

(1)　印　紙　税

　一般的に債権の売却に対して香港の印紙税は課税されないが、例外的に、土地に関する権利（不動産所有権、不動産ローン抵当権など）の移転には、印紙税が課税される。また、株式の譲渡ならびに無記名式の有価証券の発行お

よび移転に対しても、印紙税が課される。

(2) 付加価値税（VAT）

以下の取引に対しては、付加価値税や売上税等は課されない。
① 物品の販売および役務の提供。
② 債権譲渡。
③ 債権回収代行業務の提供。

(3) 所 得 税

香港で貿易・商業または専門職の業務に従事する者は、原則として、当該業務による収益に関して所定の税率による所得税を支払う義務があるが、証券化取引においては、香港以外で設立された特別目的会社に関して、当該特別目的会社が香港において以下の業務のみを営む場合には、かかる所得税を支払う必要がない。
① 債権の購入業務。
② 債権回収会社および回収代理人の任命業務。
③ 債務者に対する債権の執行（担保権の実行等）業務。

11 証券化取引に関する開示規制

香港において、証券化取引に特化した開示規制は存在しない。しかし、証券化取引において、負債性の証券発行が予定されている場合には、解散および一般事項に関する会社条例（Companies (Winding Up and Miscellaneous Provisions) Ordinance (Cap. 32)）（以下「解散等条例」という）に基づく開示規制に服する。

すなわち、発行される負債性の証券の公募を行う場合には、解散等条例に所定の要件を満たした目論見書を作成しなければならない。具体的には、目論見書には、証券の発行体（SPV）の事業内容や、投資家の権利（利息や償

還等に関するもの）について、合理的な理解力を有する一般的な投資家が、効率的かつ公正な投資判断ができるような情報を記載しなければならない。

　ただし、上記の開示規制は、以下の場合には適用されない：

① 　機関投資家への募集：銀行や保険会社などの機関投資家に対する証券発行。

② 　少人数私募：50人以下の少人数に対する証券発行。ただし、この場合、少人数の投資家に対して、目論見書の内容が当局の審査に服していない旨、および各投資家が、自己責任で専門家の助言を受けなければならない旨を含む注意喚起の文書が交付されることを条件とする。

　目論見書の内容に虚偽の記載があった場合、解散等条例に基づき、それによって投資家が被った損害について、発行体の取締役、目論見書において発行体の取締役として記載されている者（名目上の取締役）、発行体の発起人およびその他目論見書の発行について権限を有する者が、賠償責任を負う。さらに、この場合に、これらの者は、虚偽記載について刑事責任を負う可能性もあるが、刑事責任に関しては、いわゆるデューディリジェンスの抗弁（当該者が、問題となっている虚偽記載が真実であるということを合理的な根拠をもって確信していた場合には、責任を負わないという抗弁）が適用される。

第 3 節
インドネシアにおける証券化

(1) 証券化の現状

インドネシアの大手法律事務所の弁護士によれば、証券化に関する案件はほとんどないとのことであり、インドネシアにおいて資金調達の手段として証券化が一般化しているとは言いがたい。しかしながら、金融資産の証券化に関する規則はいくつか制定されており、ジャカルタ証券取引所に上場している案件も存在する。また、住宅ローンについては、証券化を推進するための国営銀行も設立されている。

他方、不動産については、不動産の取得および譲渡に高率の税金が課されるなどの税務面の問題がある。また、2015年からは、不動産の売買や賃貸借を含むインドネシア国内の取引すべてをインドネシアルピア建てで行わなければならなくなり、為替リスクへの対応もむずかしくなっている。そのため、不動産の証券化に関する案件はほとんどみられなかった。しかし、REITによる不動産取得時の税金軽減などREIT利用を促進する措置がとられたことから、ジャカルタ証券取引所に上場されているREIT案件が出始めており、今後は証券化ではなくREITが利用されることが見込まれる。

以下では、インドネシアにおける住宅ローンなどの金融資産の証券化について説明することにする。

(2) 資産担保証券に関する集団投資契約（KIK－EBA）

a スキーム

資本市場監督庁（Badan Pengawas Pasar Modal dan Lembaga Keuangan、以

下「BAPEPAM」という）は、1997年から資産担保証券に関する集団投資契約（Kontrak Investasi Kolektif Efek Beragun Aset、以下「KIK－EBA」という）の内容や開示に関する諸規則を制定し、証券化をインドネシアに導入しようとしていた。BAPEPAMは、2014年に金融監督の一元化のために金融サービス庁（Otoritas Jasa Keuangan）に統合されたが、金融サービス庁も2017年にKIK－EBAの開示および報告に関する規則（65/POJK.04/2017、以下「OJK規則」という）を制定し、証券化に関する規制の明確化を図っている。

　OJK規則によれば、KIK－EBA契約は、投資マネジャーとカストディアン銀行との間で締結される、一定の投資資産のポートフォリオに関する契約であり、同契約に基づき発行された資産担保証券の保有者を拘束する。当該契約に基づき、投資マネジャーは、一定の投資ポートフォリオを管理する権限が与えられ、カストディアン銀行にも資産の管理に関する権限が与えられる。KIK－EBAを利用した投資スキームの概要は図表5－8のとおりである。

　投資マネジャーは、オリジネーターからカストディアン銀行名義で裏付資産を取得する。裏付資産とすることができるのは、コマーシャル・ペーパー、クレジット・カード債権、将来の受取債権、住宅ローン、政府が保証

図表5－8　KIK－EBAを利用した投資スキーム

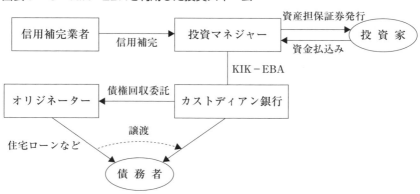

したデット証券などの金融資産である。裏付資産の譲渡に際しては、譲渡が真正譲渡に該当する旨の金融サービス庁に登録された弁護士の意見書を取得しなければならない。

投資マネージャーは、投資家に対して資産担保証券を発行し、資産担保証券の保有者の利益を守るために行動する。投資マネジャーは、資産担保証券の保有者に対して、資産の状況などについて報告するとともに、裁判上および裁判外で資産担保証券の保有者を代表する権限を有する。

カストディアン銀行は、投資マネジャーの指示に従い、資産担保証券の保有者のために裏付資産を保有する。裏付資産の回収は、オリジネーターをサービサーに任命して、サービサーに行わせることが多い。

資産担保証券の保有者は、KIK－EBAに従った資産の分配を受ける。投資マネジャーは、資産担保証券の取得者に対して、取得前に開示書類を交付しなければならない。

b 債権譲渡

インドネシアにおいては、債権譲渡に関する特別法はなく、民法などに従い債権を譲渡する必要がある。すなわち、債権を譲渡するためには、原則として、譲渡人と譲受人との間で譲渡証書（公正証書による必要はない）を作成する必要がある。そして、第三債務者への通知または第三債務者の承諾がなければ、債権譲渡は、第三債務者に対して効力を有しない。第三債務者へ通知した場合には、通知がなされたことの証拠とするため、実務上は第三債務者から通知を受領したことを認める旨の書面を取得している。多数の債権をまとめて譲渡する場合には、通知を行うだけで受領証まで取得しないこともある。

さらに、債権が担保を有している場合などにおいては、さらに一定の手続を経る必要がある。たとえば、抵当権を有する住宅ローンの場合、抵当権者の変更の登記を行い、抵当権証書も変更しなければならない。

c　オリジネーター倒産時の取扱い

　インドネシアの破産法（2004年法律第37号）においては、①清算型手続である破産と、②再建型手続である支払停止の２つの手続が定められている。裏付資産の譲渡が真正譲渡であれば、裏付資産はオリジネーターの倒産手続の対象とならないはずである。しかし、管財人から裏付資産の譲渡が担保権の設定などと主張される可能性はある。

　破産法上、担保権は、抵当権などの法定担保物権に限られると解されているが、仮に裏付資産の譲渡が担保権として再構成された場合、①破産に際しては、日本の破産手続の場合と同様に、担保権者は、破産手続外で担保権を実行して回収を図ることができる（破産法55条１項）。ただし、破産宣告から90日間は、金銭による担保を除き、担保権を実行することができない（同法56条１項）。

　これに対して、②支払停止の効力は担保権にも及び、担保権者は支払停止期間中、担保権を実行することができない（破産法246条）。支払停止期間は45日間で、最長270日まで延長することができる。

　支払停止手続において、再生計画が承認された場合、再生計画に賛成した担保権者の債権は、再生計画にしたがって債権額、支払条件などが変更される。担保権者が再生計画に賛成しなかった場合、債務者が担保物の価値と債権額のいずれか低いほうの金額の補償を支払うことで担保権は消滅する（破産法281条２項）。担保物の価値は、監督裁判所が任命した独立の第三者により算定されるとされているが、具体的にどのように算定されるかは判然とせず、担保権者は、不利な再生計画であっても賛成せざるをえない状況に追い込まれることが考えられる。

　そのため、裏付資産の譲渡が担保権やリース取引として再構成されないかに留意する必要がある。

　d　実　　例

　インドネシアの国営航空会社であるガルーダインドネシア航空は、航空券

収入を裏付資産とするKIK－EBAを発行していたが、2021年7月27日を返済日とする支払を行うことができなかった。オリジネーターの経営状況が悪化した際の資産担保証券の取扱いが注目されたが、資産担保証券保有者の承認を得て、リスケジュールが合意されたことから、オリジネーター倒産時の処理などが試される事態とはならなかった。その後、2021年12月9日にガルーダインドネシア航空に関する支払停止手続が開始されたが、KIK－EBAがどのように取り扱われるかは明らかではない。

(3) 証券化を推進する国営銀行

　2005年大統領令19号に基づき、証券化などを通じた住宅ローンの流通市場の育成のために、インドネシア政府100％出資のPT Sarana Multigriya Finansial（Persero）（以下「SMF」という）が設立された。SMFは、日本の住宅金融支援機構に類する金融機関と考えられる。

　2005年大統領令19号上は、SMFがパーティシペーション・レターの形態による資産担保証券（Efek Beragun Aset Berbentuk Surat Partisipasi、以下「EBA－SP」という）の発行者となることができるとされていた。パーティシペーション・レターとは、EBA－SPの発行者により発行される、多数の投資家が裏付資産を共同で所有することを示す証書である。しかしながら、大統領令に基づく施行規則は長期間制定されず、SMFによるEBA－SPの発行は実際上行われていなかった。

　このような状況において、金融サービス庁が2014年にEBA－SPに関する新規則（23/POJK.04/2014）を制定したことから、SMFはようやく資産担保証券の発行者となることができるようになった。SMFは、2015年12月に早速EBA－SPを発行している。

　現在では、住宅ローンの購入および住宅ローン証券化など住宅ローンの流通市場を創出することがSMFの主要な目的となっている。

図表 5 - 9　EBA-SPのスキーム概要

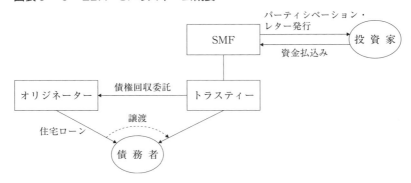

(4) パーティシペーション・レターの形態による資産担保証券（EBA-SP）

前述のとおり、金融サービス庁は、2014年にEBA-SPに関する新規則を制定し、2015年からEBA-SPの発行が可能となっている。EBA-SPのスキームの概要は図表5-9のとおりである。

EBA-SPにおいては、KIK-EBAと異なり、投資マネジャーは設置されず、SMFのような銀行がEBA-SPの発行者となることができる。ただし、EBA-SPの裏付資産は、住宅ローンに限定されている。

(5) 実務上の留意点

a　法的安定性の欠如

インドネシアは、オランダ法の影響を受けていることから、下級審裁判例に拘束力はなく、各裁判官は、他の裁判所の判断を考慮することなく、判決を下すことができる。実務上も、裁判官および弁護士のいずれによる裁判例の調査も困難であるため、裁判官は、事実上も他の下級審における判断を参照せずに判決を下していると考えられる。

BAPEPAMや金融サービス庁が証券化に関する規則を定めているが、特別な法律はないことから、重要な問題は民法や破産法などの一般法の解釈に

委ねられることになる。しかしながら、法律解釈については、裁判官が毎回初見で法律を解釈することから、これらの問題について、インドネシアの裁判所などがどのように取り扱うかを予見することはむずかしい。さらに、実際にオリジネーターが倒産に至ると、債務者や管財人は、法律上の根拠が乏しいさまざまな理由をあげて債権者への支払を拒むことから、倒産手続で返済を受けることには困難が伴う。

b 不正行為の存在

世界中の汚職防止を目的として活動しているNGOであるTransparency Internationalが2020年に行った調査によれば、インドネシアは、調査対象となった世界180カ国中クリーン度（汚職が少ない度合い）が102番目であるとされている。1番目のニュージーランドおよびデンマークが最も汚職が少ない国で、179番目のソマリアおよび南スーダンが最も腐敗した国である。91カ国中88番目であった2001年の調査からは改善しているが、いまだ汚職のリスクは高い。

インドネシアにおいて汚職リスクが高い分野として、司法分野があげられる。特に破産手続は、管財人報酬など多額の金銭がかかわることから汚職のリスクが高い。実際に倒産に際しては、裁判官や管財人、弁護士などによる贈収賄、書類の偽造や変造などの報道やこれらの違法行為をうかがわせるような不自然な案件が尽きない。

インドネシアにおいて証券化にかかわる際には、法規制などの建前だけをみていたのではリスクを見誤ることになりかねず、関係当事者が倒産した場合に実際に何が起きるのかを把握する必要がある。

第 4 節

タイにおける証券化

1 タイの証券化債券

(1) 証券化債券の概要

タイでは証券化に関する法令（以下「証券化関連法令」という）が定められており、証券化関連法令にのっとって証券化を行う場合、一定の要件を満たせば、タイ民商法典306条に基づく通知義務（債権譲渡は書面で行わなければならず、書面による債務者への通知または債務者の同意がなければ債務者または第三者に対抗できない）の免除、証券化取引における特別目的事業体（以下「SPV」という）とオリジネーターの間の売掛金の譲渡（transfer of receivables）において生じる特定事業税および付加価値税の免除、財産譲渡文書に関する印紙税の免税等、証券化取引の促進のために与えられる特定の恩恵を受けることができる。

証券化関連法令に基づく証券化は、タイの証券取引委員会（以下「タイ証券取引委員会」という）が所管している。

a 証券化債券の種類

証券化関連法令に基づく証券化は、以下のとおり３種類の法的枠組みがあげられる。

① 1997年特別目的事業体の証券化に関する緊急措置法（以下「緊急措置法」という）および1992年証券取引法（その改正を含む）（以下「証券取引法」という）に基づく証券化

この枠組みに基づく証券化を行う場合、前記の義務の免除や税制上の特

権が与えられる。ただし、SPVが解散した時点で証券化事業におけるすべての残存資産や利益がオリジネーターに対して還元されるという条件が定められている（資本市場監督委員会告示TorChor. 42/2563「証券化を目的とした新規発行債券の募集に関する申請・認可・承認」（以下「資本市場監督委員会告示」という）37条）。

② 証券取引法に基づく証券化

証券取引法に基づく証券化は証券化事業において最も代表的な枠組みといえ、緊急措置法発布の前から行われている。

③ 不動産または金融機関の不動産または資産に投資する投資信託を設立することによる証券化

従前の法的枠組みであり、2015年3月26日に制定された緊急措置法の改定法に基づき、この枠組みに基づく証券化の仕組みはすでに廃止されている。

b 証券化債券の発行における利害関係者

一般に、証券化のプロセスにはさまざまな当事者が関与するが、証券化における主要な利害関係者は以下のとおりである。

① オリジネーター

オリジネーターとは一般に資金の調達、債務の再構成、財政の調整により、それに続く証券化を目的とする事業体である。オリジネーターとなる者は通常、そのポートフォリオにおいて多くの債務者を有する者（商業銀行、金融業者、不動産信用銀行、リース業者等）、または鉄道事業者、水道事業者などの公益事業者である。

オリジネーターは通常、証券化の過程でその資産をSPVに対して売却した後に、SPVの「サービサー」として業務を行う。また、オリジネーターは債務者の債務不履行の潜在リスクを第一次的に負う投資家のグループとなるべく、SPVの劣後債を保有することによりSPVの資産の残余持分を所有するという役割も務める。証券化債券の所有者に対する支払の後においてもキャッ

シュフローが残っている場合、オリジネーターは通常、最終受益者となり、SPVより資産の譲渡を受ける。

② 債券発行者またはSPV

証券化関連法令により、証券化債券の発行者は倒産隔離のためにSPVまたは信託であることが求められる。オリジネーターの資産を取得するために設けられたSPVまたは信託は、証券化手続を行い証券化債券の発行および売却の募集を行う。

③ サービサー

サービサーは継続的に債務の回収を行う役割を担うが、資産がSPVに譲渡された後、オリジネーターがサービサーとしての役割を務めることが一般的である。すなわち、オリジネーターの収入源は、債務の元本・利子の支払から債権買取料（factoring fee）、債権組成手数料（originating fee）、手数料（servicing fee）等に変更されることとなる。

④ 債券所有者の代表者（受託者）

公募の場合、SPVは証券化における投資家の利益を代表する債券所有者の代表者の手配・任命を行うよう求められる。タイ証券取引委員会告示Tor-Chor. 37/2552に基づき、債券所有者の代表者は商業銀行、金融機関、認可を受けた証券会社がなるものとされている。

⑤ 信用補完提供者および超過担保

証券化債券の信用性を増し信用構造における信用リスクを減らすことを目的として、証券化取引には信用状や保証といったかたちで独立した第三者が提供する信用補完が含まれる場合がある。また、信用リスクを減らすための方法として超過担保（調達金額以上の資産の譲渡）が行われることがある。

⑥ 格付機関

SPVは証券化債券の募集の前に、タイ証券取引委員会が承認した格付機関による信用格付を取得するよう求められる場合がある。

⑦ 債券引受者

SPVは、機関投資家や富裕層（High Net Worth Individuals）に対する募集等の場合に、認可を受けた証券取引業者（licensed securities dealer）または証券引受業者（underwriter）を通じて証券化債券の募集を行うよう求められる場合がある。
⑧　投資家
　投資家は証券化に基づき発行された証券の購入者である。投資家は証券化事業のために資金を提供し、投資家が購入する証券化債券の条件に基づき主に信用リスクを負担する。

(2)　オリジネーターとなることが認められている事業体
　タイ証券取引委員会告示KorChor. 7/2552第2条に基づき、証券化債券のオリジネーターは以下の事業体であることが求められている。
①　タイ法に基づく事業体の場合
　(i)　商業銀行、金融業者、不動産信用銀行（Credit Foncier）等の金融機関
　(ii)　証券取引法に基づく証券会社
　(iii)　特定の法に基づく法人
　(iv)　タイ法に基づく非公開会社・公開会社
②　外国法に基づく事業体の場合
　(i)　国際復興開発銀行、アジア開発銀行等の外国の機関・組織
　(ii)　外国法に基づく法人

(3)　債券発行者となることが認められている事業体
　緊急措置法および証券取引法に基づく証券化事業の場合、緊急措置法9条の規定により、証券化債券の発行者となることができるのは証券化業務のみを目的とする非公開会社、公開会社または信託として設立されたSPVに限られている。
　証券取引法に基づく証券化事業に関しては、資本市場監督委員会告示6条

の規定により証券化債券の発行者は証券化業務のみを目的とする非公開会社または公開会社としてタイ法に基づき設立・登録されたSPVであることが求められている。また、オリジネーターが外国法に基づく事業体である場合、バーツ建て証券化債券（baht-denominated securitized bond）の発行者であるSPVは財務省の事前承認を得ることが求められる。

(4) 証券化債券の募集の基準

証券化債券の募集は、①一般投資家に対する公募、②機関投資家、富裕層、特定数の投資家に対する私募、③海外投資家に対する募集の3種類に分類することができる。これらの募集は証券取引法に基づくさまざまな要件（証券取引法33条に基づく承認要件、および証券取引法65条に基づく登録書・設立趣意書原案の提出要件等）の適用を受けることとなる場合がある。

a 公募

証券化関連法令の大幅な改定により、証券化債券の公募が認められるに至った。以前は証券化債券の対象は私募による国内投資家または海外投資家のみであったが、現在では証券化関連法令により以下を含む特定の要件に基づく証券化債券の公募が認められている。

① 承認要件

資本市場監督委員会告示5条に基づき、SPVは証券化債券の募集に先立ちタイ証券取引委員会の承認を得るものとされている。タイ証券取引委員会の承認を得るためには、SPVは資本市場監督委員会告示16条に定める条件（SPVの取締役・経営者がタイ証券取引委員会のデータベースに記載されていること、SPVが過去において証券化に関する法規に違反したことがないこと、SPVが投資家に対して不完全または不適切な情報開示を行ったとするべき理由がないこと等）に適合する必要がある。タイ証券取引委員会による承認が得られた場合、SPVは1つの証券化事業において複数の証券化債券の発行・募集を行うことができるが、同一の証券化事業において後に発行される証券化債券が既

存の債券の制限に反してはならないとされている。証券化債券の発行は、タイ証券取引委員会により当該証券化事業が承認された日より3年以内、または証券化事業の期間内においてその募集が行われるものとする。

② 文書提出要件

証券取引法65条および資本市場監督委員会告示TorChor. 10/2556により、SPVは各証券化債券の募集に先立ちタイ証券取引委員会に対して登録書（registration statement）および設立趣意書原案（draft prospectus）を提出しなければならない。また、資本市場監督委員会告示TorChor. 10/2556第16条に基づき、登録書は債券発行者の種類に応じて69－SECURITIZATIONまたは69－FDの書式で提出することが求められている。

③ その他の基準・条件

上記の承認要件・文書提出要件に加えて、証券化債券の公募は以下に記す要件や条件にも準じるものとされている。

(i) SPVは証券化における投資家の利益を代表する債券所有者の代表者の手配・任命を行う（資本市場監督委員会告示26(5)条）。この任命に係る契約書は規定の書式に従うものとされている（資本市場監督委員会告示32条）。債券所有者の代表者はオリジネーター、SPV、サービサー、代替サービサーによる証券化取引に関する文書の適合性を監督する（資本市場監督委員会告示32条）。

(ii) 証券化債権の公募前および証券化債権の期間中、SPVはタイ証券取引委員会が承認した格付機関による証券化債券の信用格付の手配を行う（資本市場監督委員会告示33条）。

(iii) 短期債権の場合を除き、SPVは債券発行日より30日以内に証券化債券の登録が行われるよう、タイ債券市場協会（以下「タイ債券市場協会」という）に対して申請を行う（資本市場監督委員会告示34条）。

(iv) SPVは証券化債券の条件が関係当事者にとって明確かつ公正であることを保証する（資本市場監督委員会告示30条）。

(ⅴ) SPVはサービサーまたは代替サービサー(オリジネーター、金融機関、認可を受けた証券ブローカー、資産管理業者、またはタイ証券取引委員会が定めた適性を備えたその他の事業体)の設置を行う(資本市場監督委員会告示36(3)条)。

(ⅵ) 回収された債権の回収金は、受領者がこれを受領した日から15日以内にSPVに対して譲渡されるものとする(資本市場監督委員会告示38(3)条)。

(ⅶ) サービサーは債権回収機能とその他の運用機能を分離するものとする(資本市場監督委員会告示38(1)条)。

b 私　募

証券化債券の私募に対して適用される承認要件およびタイ証券取引委員会に対する文書提出要件は、証券化債券の公募と比較すると緩やかなものとなっている。資本市場監督委員会告示40条に基づき、私募は以下に記すように、①富裕層に対する募集、および、②機関投資家に対する募集および／または特定数の投資家に対する限定募集に分類することができる。

㈠ 富裕層に対する募集

タイ証券取引委員会告示KorChor. 4/2560第5条の規定に基づき、「富裕層」には直近の財務報告書において2億バーツ以上の株主資本を有する法人や7,000万バーツ以上の純資産を有する自然人が含まれると定義される。

4ヵ月以内の期間に10名以下の投資家に対して行われる限定募集の場合を除き、富裕層に対する証券化債券の募集は以下の要件に基づくものとされている。

① 承認要件

資本市場監督委員会告示43条および45条の規定に基づき、富裕層に対する各証券化債券の募集においてはタイ証券取引委員会による事前承認を受けるものとする。この承認は、完全で十分な情報の開示など、特定の必須要件が満たされ、譲渡制限に関する登録がタイ証券取引委員会に対して行われた時点で与えられたものとみなされる。

② 文書提出要件

　証券取引法65条および資本市場監督委員会告示TorChor. 10/2556に基づき、SPVは証券化債券の募集に先立ちタイ証券取引委員会に対して登録書および設立趣意書原案を提出するという要件に準じるものとする。富裕層に対する募集の場合、SPVは任意の書式で登録書の提出を行うことができる。

③ その他の基準・条件

　上記の承認要件・文書提出要件のほかに、富裕層に対する証券化債券の募集は以下を含む要件や条件（ただし、これらに限らない）にも準じるものとする。

(i) SPVはタイ証券取引委員会による承認を受けた格付機関により実施される証券化債券の信用格付の手配を行う（資本市場監督委員会告示50(4)条）。

(ii) SPVは募集に先立ち金融商品に関するファクトシートを投資家へ配布する（資本市場監督委員会告示50(2)条）。

(iii) 短期債券の場合を除き、SPVは債券発行日より30日以内にタイ債券市場協会に対して証券化債券の登録の申請を行う（資本市場監督委員会告示50(7)条）。

(iv) 緊急措置法に基づき証券化債権を募集する場合、SPVは特定の必要要件を充足することが求められる（資本市場監督委員会告示50(6)条および37条）。

(v) 証券化債券の募集は証券取引法に基づき認可を受けた証券会社を通して行われる。

(ロ) 限定募集

　証券化債券が機関投資家（タイ証券取引委員会告示KorChor. 4/2560第4条の規定に基づき、タイ中央銀行、商業銀行、金融業者、不動産信用銀行、証券会社、保険業者、投資信託、準備基金、政府年金基金、国際金融機関、タイ証券取引所および上記と同様の特性をもつ海外投資家が含まれると定義される）に対して、

または4カ月以内の期間に10名以下の投資家に対して募集が行われる場合、SPVは以下の要件に基づくものとする。

① 承認要件

　資本市場監督委員会告示52条の規定に基づき、機関投資家または特定数の投資家に対する各証券化債券の限定募集においてはタイ証券取引委員会による事前承認を受けるものとする（ただし、相続の場合を除く）。この承認は、以後の証券化債券の譲渡が機関投資家または4カ月以内の期間に10名以下の投資家に対して行われることとする譲渡制限に関する登録がタイ証券取引委員会に対して行われた時点で与えられたものとみなされる。

② 文書提出要件

　タイ証券取引委員会告示KorChor. 4/2552第7条に基づき、外国法に従って設立または認証された機関投資家に対して行われる証券化債権の全額募集または4カ月以内の期間に10名以下の投資家に対して行われる証券化債券の限定募集においては、タイ証券取引委員会に対する登録書および設立趣意書原案の提出要件が免除される。

③ その他の基準・条件

　公募および富裕層に対する募集とは異なり、証券化債券の限定募集においてはタイ債券市場協会に対する登録申請や格付機関による信用格付の申請が求められていない。ただし、SPVは証券化債権の募集の承認を受けた後、タイ証券取引委員会への報告書の提出を含む特定の義務を履行することが求められる（資本市場監督委員会告示54条）。さらに、資本市場監督委員会告示55(2)条により、新規発行証券化債券を一般に宣伝することは禁じられており、4カ月以内の期間において10名以下の投資家に対して営業資料を配布することのみが認められる。

　c　海外投資家に対する募集

　外貨建てで利子支払を行うという条件に基づく証券化債券の場合、SPVは証券化債券の募集および以後の証券化債券の譲渡が海外投資家のみに対して

行われるという条件が満たされる限りにおいて、タイ証券取引委員会より承認を得ることができる（資本市場監督委員会告示58条および59条）。そのため、SPVはタイ証券取引委員会告示KorChor. 4/2552第6条に基づく登録書および設立趣意書原案の提出要件を免除される。ただし、資本市場監督委員会告示60(3)条の規定に基づきSPVはサービサーを手配し、設置するよう求められる。また、SPVは資本市場監督委員会告示62条に基づき、募集締切日より3営業日以内にタイ中央銀行に対して海外投資家に対する証券化債券の募集に関する通知を行うことが求められている。

外貨建て債券の募集に関しては、その募集が公募またはタイ中央銀行告示（海外の金融商品やデリバティブに対する投資における基準や手続の決定に関する告示）に該当しない投資家に対する限定募集である場合、SPVはこの募集を証券取引業者としての認可を受けている証券会社または債券引受業者が行うよう手配するものとする（資本市場監督委員会告示64条）。

(5) タイにおける現在の市況

国際資本市場における生き残りやタイの資本市場に対する投資の拡大を図るために、タイ証券取引委員会は証券化関連法令に対する大幅な改革を行った。このような状況から、現在では国際復興開発銀行、アジア開発銀行等の海外の機関や外国法に基づき設立された法人も証券化債券のオリジネーターとなることが認められており、同時に海外の格付機関も信用格付を実施することが認められている。さらに、現在では海外の投資家に対する証券化債券の募集や外貨建てによる証券化債券の決済を行うことも認められている。

証券化関連法令の制定以後、私募および公募を含めた数多くの証券化債券の募集が行われている。タイの資本市場における証券化債券の取引高に関しては図表5－10を参照されたい。

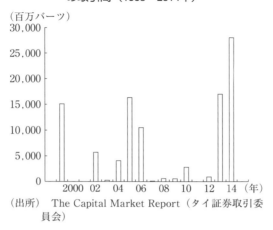

図表5-10 タイの資本市場における証券化債券の取引高（1998～2014年）

（出所） The Capital Market Report（タイ証券取引委員会）

2 タイの不動産投資信託（REIT）

(1) 不動産投資信託の概要

　タイ証券取引委員会は2013年にタイの資本市場の拡大および不動産投資の促進を図るべく、タイ人投資家のための新たな投資オプションとして不動産投資信託（REIT）に関する法律を公布した。REITは受託者が受益者を代表して財産を所有するという信託の一種であり、タイ法における法人格をもたない。現在、タイ証券取引委員会は主に証券取引法および2007年に制定された資本市場取引における信託に関する法律（以下「信託法」という）に基づき、REIT取引の全般を規制している。

　投資家が直接不動産へ投資する方法とは異なり、REITはより少額の出資金を元手に不動産専門家の助力により不動産投資が行えるという魅力的な選択肢を投資家に提供している。信託設定者（オリジネーター）の側では自己の不動産を元手として資本を捻出でき、これにより新たな事業に対する出資や開発のための収益がもたらされるというメリットがある。

図表５－11　タイにおけるREITの構造

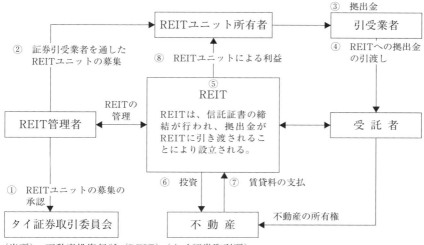

（出所）　不動産投資信託（REIT）（タイ証券取引所）

a　REITの構造

タイにおけるREITの構造は、基本的には図表５－11のとおりである。

REIT管理者はREITユニットの募集のためにタイ証券取引委員会より事前承認を得るものとする。承認が得られ次第、REIT管理者は投資家に対してREITユニットを募集する引受業者を任命するよう求められる。これにより、投資家はREITの受益者となる。募集が完了した後に、引受業者は不動産投資を行うために受託者に拠出金を引き渡す。投資により利益が生じた場合、投資家はその見返りにREITユニットより利益を受けることとなる。

b　REIT構造における利害関係者

REITの設立およびREITユニットの発行における主な利害関係者は以下のとおりである。

(イ)　信託設定者（オリジネーター）

信託設定者はREITを設立するために不動産の所有権を受託者に設定または引き渡し、REIT管理者となる。

(ロ) **REIT管理者**

REIT管理者はREITの管理、資本構成、投資家に対する利益分配に関する方針や不動産からの利益確保における方針・戦略の決定において重要な役割を担う。

(ハ) **引受業者**

REITユニットの発行・募集に関する資本市場監督委員会告示 TorChor. 49/2555第25(2)条(その改正を含む)に基づき、REITユニットは証券取引法に基づき認可を受けた引受業者を通して投資家に対する募集が行われる。

(ニ) **受託者**

REITユニットの募集により資金が得られ次第、REIT管理者はREITを設立するために当該資金を指定の受託者に委託することとなる。受託者は信託証書に基づき、REITの管理、REIT管理者の業務の監督、受益者が最大の利益を得られるようなREITの管理を行う。

(ホ) **投資家(REITユニット所有者)**

投資家はREITユニットの購入者である。投資家は不動産投資のための出資金を提供し、投資家は自身が購入したREITユニットの条件に基づく可変的な信用リスクや市場リスク(不動産価格の変動や家賃動向など)を負担する。

(2) **信託設定者となることが認められている事業体**

信託法12条に基づき、信託設定者は、①証券取引法に基づき証券を発行しようとするまたは発行した会社、②証券化についてのSPVに関連する法律に基づく資産に対する債権発行者、または、③タイ証券取引委員会が定める資格を有する法人とされている。また、タイ証券取引委員会告示KorRor. 14/2555第5条に基づき、信託設定者はタイ証券取引委員会よりREIT管理者となる承認を得た、または承認の申請を行っている非公開会社または公開会社とされている。

タイ証券取引委員会告示KorRor. 14/2555第6条に基づき、信託設定者は以下の上限を超えたREITユニットを保有しないものとされている。
① 発行済REITユニットの50％
② REITユニットが複数回に分割して発行されている場合、REITの各発行ユニットの50％

(3) REIT管理者となることが認められている事業体

　REIT管理者は、REIT管理者となる前にタイ証券取引委員会より承認を得なければならない。タイ証券取引委員会告示SorChor. 29/2555第4条および第12条に基づき、REIT管理者は、①認可を受けた投資信託管理会社（すでに運営されているもの）、または、②タイ法に基づき設立され1,000万バーツ以上の払込資本金を有するREIT管理を主事業とした会社とされている。タイ証券取引委員会告示SorChor. 29/2555第11(4)条の規定に基づき、REIT管理者となることが認められている企業は不動産投資管理に関する知識を有し、REIT管理者として申請を行う日からさかのぼって5年以内において、少なくとも3年間の経験を有する最低2名の人材を有する必要がある。

　信託設定者と同様に、タイ証券取引委員会告示SorChor. 29/2555第19条に基づき、REIT管理者はその管理下において以下の上限を超えたREITユニットを保有しないものとされている。
① 発行済REITユニットの50％
② REITユニットが複数回に分割して発行されている場合、REITの各発行ユニットの50％

(4) 受託者となることが認められている事業体

　タイ証券取引委員会告示KorKhor. 9/2552第2条および第3条（その改正を含む）に基づき、受託者はタイ証券取引委員会より事前の承認を得ており、最低1億バーツの払込資本を有する①商業銀行、②金融機関、③証券会社、

または、④タイ法に基づき設立され、①〜③に該当する法人株主により全発行済株式の99％超が保有されている非公開会社または公開会社のいずれかであるものとされている。

　信託設定者およびREIT管理者と同様に、タイ証券取引委員会告示KorRor. 14/2555第13条に基づき、受託者はその管理下において以下の上限を超えたREITユニットを保有しないものとされている。
① 　発行済REITユニットの50％
② 　REITユニットが複数回に分割して発行されている場合、REITの各発行ユニットの50％

　また、タイ証券取引委員会告示KorRor. 14/2555第12条の規定により、受託者はREIT管理者から独立しているとみなされなければならず、REIT管理者と以下のような関係を保たないものとする。
① 　受託者がREIT管理者の議決権付株式の５％超を保有する。
② 　REIT管理者が受託者の議決権付株式の５％超を保有する。
③ 　受託者の大株主がREIT管理者の大株主である。
④ 　受託者の取締役または経営者がREIT管理者の取締役または経営者である。
⑤ 　受託者が上記①〜④と類似のかたちで、または受託者がREITに対する受託者として義務を履行するにあたり独立性を欠くこととなるその他の重大な態様で、REIT管理者との間において直接的または間接的な関係を保っている。

(5) REITの募集に関する基準（一般的なもの）

a　承認要件

　新たに発行されるREITユニットの募集においては、タイ証券取引委員会より事前の承認を得ることとされている。資本市場監督委員会告示TorChor. 49/2555第５条（その改正を含む）に基づき、承認の申請者は以下の事業体で

あるものとされている。
① REITの設立を目的としてREITユニットが発行された場合においては、REITが設立された時点でREIT管理者となる信託設定者
② 新規のREITユニットが追加で発行された場合においては、REIT管理者

承認のための申請書は35－REITまたは35－REIT（改訂版）の書式により提出する必要がある。また、申請者は申請書とともに信託証書およびREIT管理者の任命に関する契約書原案等、他の補助文書を提出しなければならない。

上記のように、資本市場監督委員会告示TorChor. 49/2555第12条（その改正を含む）に基づき、不動産におけるREITの投資は当該不動産の所有権または占有権の取得を目的として行われる（土地使用証明書であるNor.Sor. 3 Kor.の発行による）。さらに、資本市場監督委員会告示TorChor. 49/2555第12(6)条により、取得する不動産の合計価額は5億バーツを下回らないものとされている。また、資本市場監督委員会告示TorChor. 49/2555第10(3)条の規定により、REITの収益は主に不動産の賃貸に基づく賃貸料の支払から生じることが求められている。REITはホテル・病院事業等、他の事業の運営が規制される。ただし、必要性が生じたことから（借主に変更が生じたため、または、新たな借主を探す場合等）REITが臨時に規制対象事業の運営に携わる場合は例外とされる。REIT管理者がその不動産を規制対象事業の運営者に賃貸することを望む場合、正確な賃貸料等の金額を決定する合意がなされる必要がある（同意内容は設立趣意書またはその他の文書で開示されることとされている）。また、REITも借主の事業の業績に連動する賃貸料を定めることができる。

資本市場監督委員会告示TorChor. 49/2555第24条（その改正を含む）に基づき、タイ証券取引委員会が承認を与えた場合、REITユニットの売却の募集は承認日から6カ月以内に完了しなければならない。前記のとおり、

REITユニットは証券取引法に基づき認可が与えられた引受業者を通して募集が行われることとなる。資本市場監督委員会告示TorChor. 49/2555第25(5)条（その改正を含む）に基づき、REITユニットの投資家が250名以上、または少額ユニット所有者（浮動証券）が合計20％以上に達しない限り（タイ証券取引所告示に準ずる）、REITユニットの募集は全面的に無効となる。

　b　文書提出要件

　資本市場監督委員会告示TorChor. 49/2555第41条（その改正を含む）の規定に基づき、REITユニットの募集においては登録書（書式69－REITに基づく）および設立趣意書原案をタイ証券取引委員会に提出するという文書提出要件を満たし、また、手数料を支払う必要がある。資本市場監督委員会告示TorChor. 49/2555第46条（その改正を含む）に基づき、REITユニットが外国において募集された場合、募集者（つまり引受業者）は少なくとも外国法に基づき当該REITユニットの募集のために開示された登録書および設立趣意書原案の開示を行うものとする。

　c　その他の基準・条件

　資本市場監督委員会告示TorChor. 49/2555第10(1)(d)条（その改正を含む）に基づき、REITユニットはタイ証券取引所に上場されるものとする。また、タイ証券取引所告示BorChor/Ror 29-00第4条に基づき、REITユニットは、タイ証券取引所に上場されるためには、全額払込みずみであり、所有者の名義が記されており、REITユニットの譲渡において制限がないことが必要とされている（関連法に準ずる場合で、その内容が信託証書に規定されている場合を除く）。また、タイ証券取引所告示BorChor/Ror 29-00第5(3)条の規定により、REITにおいてはタイ証券取引所に上場された各REITユニットの少額ユニット所有者（浮動証券）が合計20％以上を占める必要がある。さらに、タイ証券取引所告示BorChor/Ror 29-00第15条に基づき、Thailand Securities Depository Co., Ltd.（TSD）、またはタイ証券取引所が承認したその他の事業体が証券登録機関として指名される。

⑹ 私募によるREITの募集に関する基準
　a　承認要件
　202□年、タイ証券取引委員会は特定数の投資家に対する私募によるREITの募集に対応するため、資本監督委員会告示TorChor. 49/2555が定めるREITの募集に関する既存の規則を改正する資本監督委員会告示TorChor. 43/2564を発出した。この点、資本監督委員会告示TorChor. 49/2555第57条（その改正を含む）に基づき、新たに発行されるREITユニットの募集者は以下の事業体であるものとされている。
① REITの設立を目的としてREITユニットが発行された場合においては、REITが設立された時点でREIT管理者となる信託設定者
② 新規のREITユニットが追加で発行された場合においては、REIT管理者

　資本市場監督委員会告示TorChor. 49/2555第58条（その改正を含む）の規定に基づき、以下を含む条件（ただし、これらに限らない）に従って募集を行う場合、私募によるREITの募集においてはタイ証券取引委員会の承認を受けるものとする。
① 機関投資家またはREIT管理者およびその関連会社に対して募集が行われ、以後の他の投資家への譲渡に対して制限が設けられる（ただし、相続の場合を除く）。
② 2名以上の投資家に対する募集であり、個人または個人の集合体が所有する私有財産の管理から利益を得ること（個人信託）、または、該当法に対するコンプライアンスを回避することを目的としていない。
③ 不動産におけるREITの投資は当該不動産の所有権または占有権の取得を目的として行われる。
④ 不動産におけるREITの投資は売り出しREITユニットの合計価格の75％を下回らない。

b　文書提出要件

　資本市場監督委員会告示TorChor. 49/2555第43条（その改正を含む）に基づき、私募によるREITユニットの各募集においては、登録書（書式69 – Private REITに基づく）および設立趣意書原案をタイ証券取引委員会に提出するという文書提出要件に準じるものとされている。

　c　その他の基準・条件

　資本市場監督委員会告示TorChor. 49/2555第59条（その改正を含む）に基づき、承認受領者は会計期間の終了時に、主要資産における投資割合が総資産価値の75％を下回らないよう維持する必要がある。ただし、REITの満了前に最終会計期間が終了する場合は例外とされる。

(7)　タイにおける現在の市況

　タイにおける最初のREITはImpact Exhibition Management Co., Ltdにより設立されたImpact Growth REIT（IMPACT）であり、RMI Co., Ltd. を信託設定者およびREIT管理者、Kasikorn Asset Managementを受託者、Maybank Kim Eng Securitiesをファイナンシャルアドバイザー、Kasikorn Bank・Kasikorn Securities・Maybank Kim Eng Securitiesを共同引受業者として発足した。Impact Growth REITは2014年9月8〜12日の間に募集が行われ、Impact Exhibition Centreにおける投資において約157億1,500万バーツの取引高を生み出した。その後、倉庫・物流センターに対する投資信託であるWHART、ショッピングセンターに対する投資信託であるLHSC、アマタナコーン工業団地およびアマタシティー工業団地における投資信託であるAMATAR等、数件の投資信託が設立された。2020年（第3四半期および第4四半期）と2021年（第1四半期および第2四半期）に投資信託管理業者が分類したREITの件数および純資産額は図表5 – 12のとおりである。

図表 5 －12　REIT管理業者の分類によるREITの件数および純資産額
【REITの件数】

企　　業	信託件数			
	2020年		2021年	
	第3四半期	第4四半期	第1四半期	第2四半期
RMI Co., Ltd	1	1	1	1
CPN Retail REIT Management Co., Ltd	1	1	1	1
Dusit Thani Properties REIT Co., Ltd	1	1	1	1
Charn Issara REIT Management Co., Ltd	1	1	1	1
合　　計	4	4	4	4

企　　業	純資産額（百万バーツ）			
	2020年		2021年	
	第3四半期	第4四半期	第1四半期	第2四半期
RMI Co., Ltd	16,145	16,269	16,006	15,969
CPN Retail REIT Management Co., Ltd	28,556	28,044	34,409	33,995
Dusit Thani Properties REIT Co., Ltd	5,534	5,477	5,524	5,524
Charn Issara REIT Management Co., Ltd	3,406	3,367	3,430	3,493
総　　額	53,641	53,157	59,369	58,981

（出所）　Intermediaries Supervision and Development Department,（タイ証券取引委員会）

事項索引

A～Z

ABCP……………………………144
ABL……………………………145, 352
ABN……………………………408
ABS……………………………143
BAPEPAM………………………458
BIS規制…………………………199
CCO……………………………388
CMBS…………………………331
CPDO…………………………386
CPPI……………………………385
DSCR…………………………317
EBA-SP…………………………461
ESG……………………………4
KIK-EBA………………………457
LTV……………………………240
PT Sarana Multigriya Finansial
　………………………………461
QFII……………………………441
REIT……………………………335
RMBS…………………………93, 254
RQFII…………………………441
SDGs……………………………4
TK-GKスキーム………47, 145, 309
TMKスキーム…………………311
WBS……………………………352

い

異議をとどめない承諾……………123
一般事務受託者…………………341
一般社団法人………………………21, 51
一般社団法人日本STO協会………298
一般担保…………………………69
インベスター受益権………………265

お

オープンエンド型………………337
親子ファンドスキーム…………316
オリジネーター…………………276

か

会社型…………………………335
会社分割…………………………352
回収金の前払い…………………258
改定手続…………………………64
外部信用補完……………………260
格付トリガー……………………264
確定手続…………………………63
貸金業法………………………251
貸付資産証券化…………………408
割賦販売法………………………250
過払金返還請求…………………252
借入目的信託……………………273
監督役員………………………339
管理型信託会社…………………102

き

企業金融型資金調達………………6
企業金融型商品…………………156
企業資産証券化…………………408
擬似外国会社規制…………………20
擬似証券化………………………374
規約……………………………338
キャット・ボンド………………389
旧信託法58条……………………87

旧信託法58条の解除リスク………… 275
競合行為………………………………97
共通早期償還期間………………… 267
業務開始届出………………… 59, 324
金融サービス庁…………………… 458
金融商品取引業…………………… 159
金融商品の販売等…………… 184, 185

く

グレーゾーン利息………………… 252
クレジットカード債権…………… 265
クレジット・デフォルト・スワップ………………………… 40, 374
クレジット・リンク・ローン…… 385
クローズドエンド型……………… 335
クロスコラテラル…………………76

け

継続企業価値……………………… 365
携帯電話事業の証券化…………… 359
契約型……………………………… 335
契約締結時交付書面……………… 174
契約締結前交付書面……………… 171
現金準備金………………………… 258
限定責任信託……………………… 108

こ

合成型証券化取引………………… 235
合成証券化………………………… 374
合同会社……………………………47
公平義務……………………………91
衡平法……………………………… 443
抗弁の接続………………………… 250
抗弁放棄の意思表示……………… 123
国際基準行………………………… 202
国内基準行………………………… 202

固定担保…………………………… 452
コミングリング・リスク… 43, 257, 287
コミングリング・リスク軽減措置
 …………………………………… 261
コモン・ロー……………………… 444
ゴルフ場事業の証券化…………… 362
コロナ禍………………………………2
コンデュイット型………………… 334

さ

サービサー…………………… 246, 257
サービシング業務………………… 246
債権譲渡登記制度………………… 111
債権譲渡登記の存続期間………… 111
再証券化エクスポージャー……… 215
最低資本金制度………………… 48, 60
債務者対抗要件…………………… 110
債務引受……………………………… 354
詐害信託取消し……………………85
サブプライムローン問題……………2

し

シークエンシャル方式…………… 259
事業譲渡…………………………… 353
事業の証券化……………………… 351
事業の信託………………………… 354
自己運用…………………………… 160
自己執行義務………………………93
自己資本比率……………………… 198
自己資本比率規制…………… 41, 198
自己信託……………… 18, 83, 282, 354
自己信託による権利の変更の登記
 …………………………………… 355
自己募集…………………………… 159
資産運用会社……………………… 340
資産金融型資金調達…………………6

事項索引　485

資産金融型商品	156
資産支持専項計画	411
資産証券化商品	194
資産保管会社	342
資産流動化計画	58, 60, 324
資産流動化法	55
慈善信託（チャリタブルトラスト）	52
実行前提条件	135
執行役員	339
支払配当損金算入要件	344
私募REIT	349
社債	301, 352
住宅資金貸付債権に関する特則	257
住宅ローン債権	254
集団投資スキーム持分	145, 314
受益権取得請求権	100
受益者	100
受益証券	304
受益証券発行信託	108, 304, 306
純粋な借入目的信託	277
商業用不動産ローン担保証券	331
証券化エクスポージャー	212
証券化商品の追跡可能性	177
譲渡制限特約	120
譲渡制限特約付債権の証券化	285
少人数私募	153
消費者ローン債権	251
将来債権譲渡	119
ショッピングクレジット債権	248
シリーズ早期償還期間	266
新型コロナウイルス感染症	2
シングルボロワー型	333
真正譲渡	16, 276
真正譲渡性	85, 277
真正売買	310

シンセティックCDO	40, 140, 374
信託ABL	12, 87
信託業	101
信託契約代理業	105
信託兼営金融機関	81
信託財産状況報告書	104
信託財産責任負担債務	84, 354
信託財産に属する財産の対抗要件	88
信託財産の独立性	88
信託財産の破産	29, 84
信託社債	271
信託受益権	304, 355
信託譲渡	354
信託の公示	88, 355
信託の終了	107
信託の清算	107
信託の登記または登録	92
信託の併合	106
信託の変更	106
信託法・信託業法	81
新優先出資引受権付特定社債	70
信用格付業者規制	191
信用補完	35, 257
信用リスク削減効果	377

す

スタンドアローン方式	264
ストラクチャード・カバードボンド	392
スポンサー・パイプライン・サポート会社	342

せ

生命保険リンク証券	389
責任財産限定特約	25, 90, 281
セキュリティトークン	4

セキュリティ・トラスト............31
セラー........................264
セラー受益権................263, 264
善管注意義務....................91
選任監督義務....................96

そ

早期償還..................136, 260
双方未履行双務契約..............86
その他借入れ....................73

た

ターボ償還................136, 260
第1項有価証券.................152
第2項有価証券.................153
対公衆性......................161
第三者対抗要件.................110
他業禁止.......................75
宅地建物取引業法...............313
団体信用生命保険...............256

ち

チャリタブルトラスト.............18
中間法人.......................51
忠実義務.......................91
超過スプレッド.................260

つ

通常償還期間...................266

て

テール期間.....................333
適格機関投資家等特例業務....163, 315
適用除外電子記録移転権利........294
適格要件......................245
デジタル証券................4, 291

デフォルトトラップ.............260
転換特定社債...................69
電気事業者による再生可能エネル
  ギー電気の調達に関する特別措
  置法（再エネ特措法）.........369
でんさいネット.................114
電子記録移転権利...............292
電子記録移転有価証券表示権利等
 294
電子記録債権..............114, 115
電子記録債権と原因債権の二重譲渡
 115
電子債権記録機関...............114

と

倒産隔離............16, 82, 84, 309, 357
動産債権譲渡特例法.............111
倒産時対応措置..................17
倒産手続防止措置................17
倒産法的再構成..................37
倒産申立権の放棄................26
倒産予防措置...................17
投資運用業....................314
投資一任契約..................316
投資助言・代理業..............317
投資主総会....................336
投資法人債....................341
投資法人の機関................339
トゥルーセール.................32
トゥルーセール・オピニオン......34
トークン化....................290
特債法........................110
特定借入れ.................72, 327
特定資産の追加取得..............77
特定社債..............68, 301, 327
特定社債管理者..................68

事項索引　487

特定出資·····················65
特定出資信託················24,65
特定信託契約··················102
特定短期社債···················71
特定投資家···················176
特定目的会社··················51
特定目的信託··················80
特定約束手形··················72
特定有価証券·················156
特別目的会社を活用した不動産の
　流動化に係る譲渡人の会計処理
　に関する実務指針·············310
匿名組合····················357
匿名組合出資持分··············305
トレーサビリティ············177,335

な

内部信用補完·················259
内部評価方式·················231

の

ノンリコース················7,214

は

バーゼルⅠ···················200
売却型·····················332
パチンコホール事業の証券化······361
バックアップサービサー·········247
バックアップサービシング業務····247
発行者·····················155
反社会的勢力·················131
反復継続性···················161

ひ

否認·······················42
表明保証····················130

ふ

ファイナンス・リース契約········253
不動産特定共同事業法···········313
振替債······················61
プロラタ償還期間··············268
プロラタ方式·················259
分散型台帳技術················290
分別管理義務··················91

へ

ベンチャーファンド············163

ほ

法人格否認の法理···············43
法制カバードボンド············392

ま

マスタートラスト方式··········264
マルチボロワー型··············333

み

みなし賛成···················340
民法改正····················118

む

無形資産····················367

も

目的信託··················25,109
目論見書····················148

や

役員会·····················339
約定劣後破産債権··············281

ゆ

有価証券投資事業権利等............ 149
有価証券届出書..................... 148
有価証券の売出し................... 150
有価証券の私募..................... 150
有価証券の募集..................... 150
有価証券報告書の提出............. 149
有限会社............................. 50
優先受益権......................... 259
優先出資................... 66, 303, 327
優先劣後構造....................... 214

り

リース料債権....................... 253
利益相反行為........................ 97

り (cont.)

利害関係者.......................... 98
リスク・ウェイト................. 225
リスクの証券化................ 11, 374
利息制限法......................... 252
リファイナンス型.................. 332
リミテッドリコース.................. 7
流動性担保......................... 452
流動性補完......................... 257

れ

劣後受益権.................... 259, 355
劣後特約....................... 31, 280

ろ

ローン受益権....................... 308
ローン・パーティシペーション......38

資産・債権の流動化・証券化【第4版】

| 2022年4月6日 | 第1刷発行 |
| 2024年6月27日 | 第3刷発行 |

/2006年4月14日　初版発行 \
|2010年6月11日　第2版発行|
\2016年7月21日　第3版発行/

編　者　西村あさひ法律事務所
発行者　加藤　一浩

〒160-8520　東京都新宿区南元町19
発　行　所　一般社団法人 金融財政事情研究会
企画・制作・販売　株式会社きんざい
出版部　TEL 03(3355)2251　FAX 03(3357)7416
販売受付　TEL 03(3358)2891　FAX 03(3358)0037
URL https://www.kinzai.jp/

※2023年4月1日より企画・制作・販売は株式会社きんざいから一般社団法人金融財政事情研究会に移管されました。なお連絡先は上記と変わりません。

校正：株式会社友人社／印刷：株式会社太平印刷社

・本書の内容の一部あるいは全部を無断で複写・複製・転訳載すること、および磁気または光記録媒体、コンピューターネットワーク上等へ入力することは、法律で認められた場合を除き、著作者および出版社の権利の侵害となります。
・落丁・乱丁本はお取替えいたします。定価はカバーに表示してあります。

ISBN978-4-322-14031-6